[제 3 판]

보험수리학

Actuarial Mathematics

이항석 · 권혁성

法文社

제 3 판
머 리 말

보험수리학의 초판과 개정판을 발행한 후 이 책을 선택하여 공부하고 여러 가지 조언과 많은 격려를 해주신 분들에게 먼저 감사를 드린다. IFRS17의 시행과 신지급여력제도의 도입 및 빅데이터 분석의 새로운 추세에 발맞추어 국제적으로도 보험계리사의 양성에 필요한 보험수리학의 내용이 변화하고 있다. 이러한 대내외적 추세변화와 독자들의 개정 요청에 부응하기 위하여 기존의 보험수리학을 보완할 필요성을 느껴서 개정판을 만들게 되었다.

이번 개정판(3판)은 초판과 개정판에서 미흡하다고 느끼는 내용을 추가하였으며 학생들이 자습하는 데 도움이 되도록 연습문제의 해답을 새로이 추가하였다. 학생들이 해답 위주로 읽거나 암기하여 공부하는 것은 시험에 합격하는데에도 크게 도움이 되지 않으며 향후 계리사로서 업무를 하는 데에도 도움이 되지 않을 수 있다. 먼저 이론적인 내용을 스스로 생각하여 유도해보고 해답과 본인의 풀이를 맞추어보는 데 활용할 것을 권한다. 왜냐하면 보험부채의 시가평가와 리스크 중심의 감독이라는 새로운 보험환경에서 원칙 중심의 사고가 요구되고 있기 때문이다. 특히, 최근에 등장하고 있는 빅데이터 분석의 추세에 비추어 볼 때 독자들은 보험수리학을 공부하면서 단순히 공식을 암기하거나 유도하는 데 초점을 맞추기보다는 보험의 원리와 보험수리학의 기본 원리들을 이해하는 데 열정을 다하기를 저자는 조언한다.

보험수리학을 열심히 공부하는 학생들에게 필자가 원하는 바는 보험계리사의 역할을 보험수리학 책의 내용으로 한정하지 말고 더 넓은 의미를 지님을 이해하는 것이다. "보험계리사"라는 영어 단어 "actuary"는 서구에서 보험 사의 경영자(CEO)를 의미하고 보험사의 다양한 업무영역의 전문가를 일컫는 다. actuary라는 단어는

$$act + u + ary$$

로 결합되어 있다. 첫 번째 요소인 act의 의미는 drive/do/manage이다. act는 능동의 의미이며 그 대상(목적)이 여기서는 보험회사를 의미한다. 두 번째 u 는 발음을 편하게 하도록 기능한다. 마지막으로 -ary의 의미는 전문적이라 는 의미가 있다. 따라서 보험계리사는 보험회사의 전문경영자라는 의미가 된 다. 영어단어 agent와 actuary는 동일한 어원을 지니고 있고 agent(대리인)는 주주와 계약자를 대신해서 보험회사를 운영한다는 의미임을 꼭 상기하기 바란 다. 저자는 여러분들이 보험경영자로서 계리사의 역할을 수행하길 기원한다.

개정판을 만드는 과정에 성균관대학교 보험계리학 전공 대학원생들에게 큰 도움을 받았으며 특히, 이가은 선생, 이민하 선생, 김선애 선생, 조주한, 성 우람, 김영석, 백한별, 최지선 등에게 감사의 뜻을 전한다. 또한 숭실대학교 정보통계·보험수리학과의 대학원생들에게 감사한다. 개정판의 발간에 격려해 주신 계리사회 이재민 회장님께 감사드리며 편집과 교정에 힘써 주신 법문사 여러분들께도 깊은 감사의 뜻을 전하고 싶다.

2021년 8월

저자 일동

제 2 판
머 리 말

　　보험수리학의 초판을 발행한 후 이 책을 선택하여 공부하고 여러 가지 조언과 많은 격려를 주신 분들에게 먼저 감사를 드린다. IFRS17의 시행과 신지급여력제도의 등장에 발맞추어 국제적으로도 보험계리사의 양성에 필요한 보험수리학의 내용이 변화하고 있다. 이러한 대내외적 추세변화와 독자들의 개정 요청에 부응하기 위하여 기존의 보험수리학을 보완할 필요성을 느껴서 개정판을 만들게 되었다.

　　개정판은 초판 전반부의 여러 장에서 미흡하다고 느끼는 내용들은 절(sections)을 추가하였으며 기존의 절에서 설명이 부족한 부분은 내용들을 수정하고 보강하였으며 연습문제들이 부족한 장(chapters)에 문제들을 새로이 추가하였다. 후반부에서는 기존에 없었던 내용이 많이 추가가 되었고 아울러 연습문제들도 새로운 내용에 대응이 되도록 새로 만들어졌다. 특히, 국제계리사 시험에도 많이 등장하는 주제들에 대한 내용도 보완이 되어 개정판이 만들어졌다.

　　보험부채의 시가평가라는 새로운 제도(IFRS17)의 도입과 리스크 중심의 감독이라는 두 가지 측면의 보험환경하에서 기존의 사고방식(Rule based)에서 벗어나서 원칙 중심의 사고를 우리에게 요구되고 있다. 보다 창의적인 사고를 통하여 새로운 보험환경에서 보험전문가로서 활동하기를 기대하고 있다. 특히, 최근에 등장하고 있는 4차 산업혁명의 추세에 비추어 볼 때 독자들은 보험수리학을 공부하면서 단순히 공식을 암기하거나 유도하는 데 초점을 맞추기보다는 보험의 원리와 보험수리학의 기본 원리들을 이해하는 데 열정을 다하기를 저자는 조언한다.

이 책을 공부하면서 독자들은 보험수리학 교과서에 등장하는 여러 가지 확률들과 보험수리적 현가 및 보험료, 준비금 등을 직접 유도하거나 계산하는 것이 매우 중요하다. 하지만, 미래 실무를 위해서는 엑셀이나 VBA같은 도구들을 활용하여 계산해보고 그래프도 그려보고 표도 만들어 볼 것을 추천한다. 이러한 과정을 통하여 독자 여러분이 보험회사 경영자라고 가정하고 여러분이 만든 그래프와 표를 통하여 보험회사를 어떻게 운영하는 것이 좋을 것인가 상상하는 시간을 많이 보내기를 권한다. 시간이 된다면 본인의 보고서를 만들어서 검토하는 것은 취업 준비뿐만 아니라 다양한 공모전 및 계리관련 연구 논문 등을 만드는 데 여러모로 도움이 될 수 있다.

개정판을 만드는 과정에 성균관대학교 보험계리학과 대학원생들에게 큰 도움을 받았으며 특히, 백혜연 박사, 이성아 선생, 이가은 선생, 이민하, 배주은, 윤선영, 차의인, 허필훈, 이주희, 박상대 등에게 감사의 뜻을 전한다. 또한 바쁜 수험생활에도 불구하고 본문에 대한 검토 및 연습문제에 대한 점검을 수행해 준 숭실대학교 정보통계·보험수리학과의 대학원생들에게 감사한다. 개정판이 지체되었지만 인내와 격려해 주신 계리사회 박상래 회장님께 감사드리며 편집과 교정에 힘써 주신 법문사 여러분들께도 깊은 감사의 뜻을 전하고 싶다.

2018년 2월

저자 일동

머리말

생명보험은 어떤 사람이 예상보다 더 빨리 사망하는 경우 (사망리스크) 남은 가족에게 필요한 재정적 지원을 제공하고, 연금은 반대로 예상보다 더 오래 살게 될 경우 (장수리스크) 필요한 생활자금을 지원해 주는 기능을 한다. 두 보험의 형태는 가장 기초적인 보험의 영역으로, 현대 사회에서 많은 사람들이 개인에게 닥칠 수 있는 재무적인 리스크를 관리할 수 있는 수단으로서의 역할을 하고 있다.

보험수리학은 보험실무에서 적용할 수 있는 다양한 수리적 모형들 중 가장 기본적이고 핵심적인 주제로 구성되어 있다. 보험수리학에서는 다양한 형태의 생명보험과 연금 계약에 대하여 가치를 평가하고 해당 보험을 운영하는 입장에서 리스크를 측정하고 이를 관리할 수 있는 방법론에 대한 내용을 대수의 법칙과 확률론적 접근방법을 바탕으로 다룬다. 이는 앞으로 보험계리 업무에 필요한 전문지식을 쌓아가는 데 중요한 토대가 될 것이다.

생명보험 상품은 전통적인 생명보험과 연금의 형태를 바탕으로 진화해 왔다. 현재는 기초적인 생명보험에서부터 보증옵션을 포함한 자산의 수익률에 연동되는 변액보험과 질병의 정도에 따라 차등화된 보장을 제공하는 보험에 이르기까지 다양한 상품들이 시장에서 판매되고 있다. 복잡한 구조의 리스크를 평가할 수 있는 수리적인 모형을 설계하고 적용하기 위해서는 이 책에서 다루는 보험수리학의 내용이 중요한 사고의 틀을 제공할 수 있을 것이다. 특히, 최근 보험계리사의 역할이 다양해지고 활동 영역이 넓어지는 추세에서 리스크를 평가하고 관리할 수 있는 적절한 모형을 설계하고 운영하는 능력은 더욱 더 중요해질 것으로 생각한다.

본서는 앞서 언급한 기본적인 개념을 중심으로 총 11장으로 구성되어 있으며, 미적분학과 수리통계학의 배경지식이 있는 학생의 경우 학부 3학년 수준에서 두 학기과정의 학습 분량이 될 것으로 기대한다.

0장에서는 보험수리학을 학습하기 위해 필요한 이자의 개념과 이자의 표현단위, 그리고 화폐의 시간가치와 다양한 확정연금을 학습한다. 1장에서는 생존분포와 생명표등을 소개하고 2장에서는 생명보험의 기본적인 보험수리를 다룬다. 3장에서는 생명연금의 보험수리적 특성을 살펴보고 4장에서는 2장과 3장을 바탕으로 보험료의 산출과정을 학습한다. 5장에서는 준비금을 살펴보고 6장에서는 준비금의 분석을 다룬다. 7~10장에서는 1~6장에서 다룬 개념을 확장하여 보다 일반적인 상황에서의 리스크 모형에 대하여 학습한다. 7장에서는 피보험자가 1명인 경우를 확장하여 여러명을 하나의 대상으로 간주하는 상황에 대한 리스크 모형에 대하여 학습한다. 해당 단원의 학습을 위해 다변수 확률분포에 대한 배경지식이 필요하다. 8장에서는 사망 또는 생존의 보험계약 종료 사유가 1개인 경우를 확장하여, 해약을 포함한 보험계약의 종료 사유가 다수인 경우의 리스크 모형에 대하여 학습한다. 9장에서는 4장에서 학습한 순보험료의 개념을 확장하여, 보험사에서 보험계약을 운영하는 사업비를 반영할 수 있는 영업보험료의 개념을 소개한다. 10장에서는 임의의 형태의 보험에 적용할 수 있는 가장 일반적인 수리적 모형으로 마르코프(다중상태) 모형을 소개하고, 이전 장에서 다룬 보험의 형태를 마르코프 모형의 틀을 이용하여 해석해 보고, 마르코프 모형을 이용한 보험수리적 계산 방법을 학습한다. 이 장에서는 엄밀한 수리적인 전개보다는 개념 이해를 중심으로 구성하였다.

이 책의 집필에 성균관대학교 보험계리학과 대학원생들에게 큰 도움을 받았으며 특히, 백혜연 선생, 주효찬 선생, 이삭, 김도영, 손현섭, 이윤복 학생, 졸업생 최진석, 변영달, 김승환, 정수화, 장윤호, 전동규 등에게 감사의 뜻을 전한다. 원고가 늦어졌음에도 불구하고 인내로써 기다려주시고 지원해주신

보험계리사회 박상래 회장님께 감사드린다.

또한 바쁜 수험생활에도 불구하고 본문에 대한 검토 및 연습문제에 대한 점검을 수행해 준 숭실대학교 정보통계·보험수리학과의 이호빈, 한솔 학생과 편집과 교정에 힘써 주신 법문사 여러분들께도 깊은 감사의 뜻을 전하고 싶다.

2014년 2월

저자 일동

차 례

CHAPTE 00

이자론 기초(Theory of Interest)

CHAPTE
02 생명보험

CHAPTE
03 생명연금

CHAPTER 04 보 험 료

CHAPTER
05　준 비 금

CHAPTER
06　준비금의 분석

CHAPTER 07 연   생

CHAPTER 08 다중탈퇴모형

이자론 기초

본 단원에서는 이자의 개념과 화폐의 시간가치를 이해하고 다양한 이자율 표현단위를 이용하여 다양한 현금흐름의 특정 시점에서의 가치를 계산하는 과정에 대하여 학습한다. 이는 이후 단원에서 다루는 생명보험과 연금의 보험료와 책임준비금을 계산하는 데 중요한 기초를 제공할 것이다.

I 이자의 개념과 누적함수

이자(interest)는 일정 금액의 화폐를 특정 기간 동안 빌리는 데 대한 대가로, 정해진 주기마다 채권자(creditor)와 채무자(debtor) 간에 합의된 이자율을 적용하여 산정된다. 또한, 이자율은 다양한 경제적 환경 요소들과 함께 채무자의 신용도 등을 반영하여 결정된다.

따라서, 현금을 투자하는 경우(빌려주는 경우) 시간이 흐름에 따라 발생하는 이자에 따라서 투자금액의 가치가 증가하게 되는데, 단위금액을 현재 시점(시점 0)에서 투자하는 경우 시점 t(현재로부터 t 경과 후)에서의 가치를 $a(t)$로 나타내고 이를 누적함수(accumulation function)라 정의한다. 정의에 따라 누적함수는 다음의 두 성질을 만족한다.

(1) $a(0) = 1$
(2) $a(t+s) \geq a(t), t \geq 0, s > 0$

(1)은 단위금액을 투자하였다는 가정에 따른 것이며, (2)의 성질은 누적함수는 증가함수(non-decreasing function)라는 것을 나타내고 있다. 또한, $a(t+s)-a(t)$는 시점 t부터 시점 $t+s$까지 발생이자(accrued interest)를 의미한다. [그림 0-1]은 이자가 정해진 특정시점에서 발생하는 경우와 매 순간마다 연속적으로 이자가 발생하는 경우에 따른 누적함수의 그래프의 모양을 나타내고 있다. 누적함수의 증가속도는 시점별 발생이자의 규모 또는 누적함수의 함수형태에 따라서 달라질 수 있다.

:: 그림 0-1 누적함수 예시

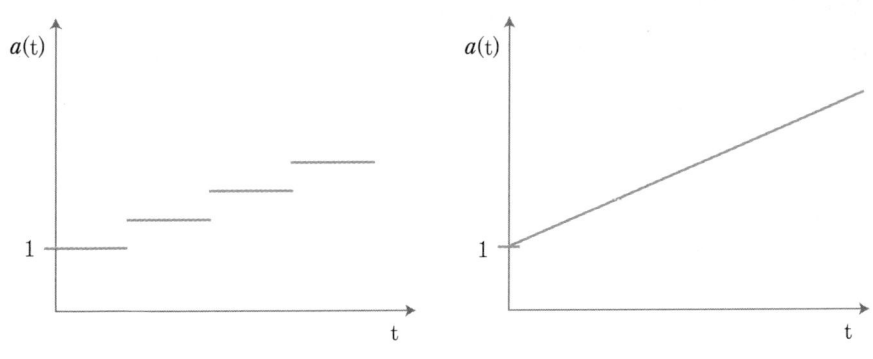

예제 0.1

(1) 누적함수가 $a(t) = at^2 + bt + c$로 표현된다고 한다. 100만원을 투자하는 경우 5년 후 시점에서의 가치가 150만원, 10년 후 시점에서의 가치가 250만원이 된다고 할 때, 15년 후 시점에서 투자금액의 누적가치를 결정하시오.

(2) 누적함수가 $a(t) = e^{at+b}$로 표현된다고 한다. 100만원을 투자하는 경우 5년 후 시점에서의 가치가 150만원이 된다고 할 때, 10년 후 시점에서 투자금액의 누적가치를 결정하시오.

해설 (1) 누적함수는 정의에 따라 시점 0에 1을 투자하는 경우 시점 t의 가치를 나타낸다. 따라서, 100만원을 투자한 시점을 시점 0이라고 하고, 누적함수를 적용하면 5년 후 시점에서는 $100a(5)$만원, 10년 후 시점에서는 $100a(10)$만원의 가치를 가지게 될 것이다. 따라서, 다음의 관계식을 얻을 수 있다.

$$a(0)=1, \ a(5)=1.5, \ a(10)=2.5$$

이를 연립방정식으로 표현하면 아래와 같다.

$$\begin{cases} c=1 \\ 25a+5b+c=1.5 \\ 100a+10b+c=2.5 \end{cases}$$

연립방정식을 풀면 $a=0.01$, $b=0.05$, $c=1$를 얻게 되고, 결정된 누적함수를 이용하면 15년 후 시점에서의 누적가치는 $100a(15)=400$만원이 된다.

(2) (1)에서와 마찬가지로, 주어진 누적함수를 이용하여 다음의 관계식을 얻을 수 있다.

$$a(0)=1, \ a(5)=1.5$$

관계식을 연립방정식으로 표현하면 아래와 같다.

$$\begin{cases} e^b=1 \\ e^{5a+b}=1.5 \end{cases}$$

연립방정식을 풀면 $a=0.081$, $b=0$를 얻게 되고, 결정된 누적함수를 이용하면 10년 후 시점에서의 누적가치는 $100a(10)=224.79$만원이 된다.

📖 예제 0.2

어떤 금액을 투자하는 경우의 누적함수가 $a(t)=(1.07)^t$로 표현된다고 할 때, 50만원을 투자하는 경우, 3년 후 시점과 7년 후 시점 사이에 발생한 이자는 얼마인지 결정하시오.

해설 3년 후 시점과 7년 후 시점 사이에 발생한 이자는 현재 시점을 시점 0으로 할 때 시점 7에서의 누적가치와 시점 3에서의 누적가치의 차이라고 생각할 수 있다. 즉, 발생한 이자는

$$50[a(7)-a(3)]=50[(1.07)^7-(1.07)^3]=19.04 \text{만원이다.}$$

📖 예제 0.3

현재시점에서 1을 투자하는 경우 t년 경과 후의 누적가치가 누적함수 $a(t)=0.01t^2+0.05t+1$로 주어져 있다. 앞으로 5년 후, 10년 후 시점에서 각각 100만원을 적립할 때, 적립금액의 15년 후 시점에서의 총 가치는 얼마인지 계산하시오.

해설 5년 후 시점에서 투자하는 100만원의 15년 후 시점에서의 누적가치는 $100 \cdot \dfrac{a(15)}{a(5)} = 100 \cdot \dfrac{0.01(15)^2+0.05(15)+1}{0.01(5)^2+0.05(5)+1} = 266.67$만원이고, 마찬가지로 10년 후 시점에서 투자하는 100만원의 15년 후 시

점에서의 누적가치는 $100\dfrac{a(15)}{a(10)}=160$만원이므로, 투자한 금액의 15년 후 시점에서의 총 누적가치는 426.67만원이 된다.

Ⅱ 단리법과 복리법

앞 절에서 다룬 누적함수의 형태에 대한 다음의 두 가지의 가정을 주로 이용하여 보험수리학의 이론을 전개하여 나갈 것이다. 우선 누적함수가 시간에 비례하는 함수의 형태(시간에 대한 일차함수의 형태)를 가정하는 경우 즉, $a(t)=1+it$로 표현되는 경우를 단리법(simple interest)이라 하고 i를 단리이율(simple interest rate)이라 표현한다. 단리법은 다음과 같은 성질을 갖는다(여기서 t는 이자율에 적용되는 단위시간으로 표현한 시간임에 유의하자).

(1) 동일한 길이의 기간 중 발생한 이자는 시점에 관계없이 동일하다. 즉, t와 관계없이 항상 $a(t+s)-a(t)=is$이다.

(2) 이자는 초기에 투자한 원금에만 적용되며, 발생이자에는 추가로 이자를 적용하지 않는다.

[그림 0-2]는 단리법을 적용하는 경우의 누적함수의 그래프를 나타낸 것이다.

⁝ 그림 0-2 단리법을 적용하는 경우의 누적함수의 그래프

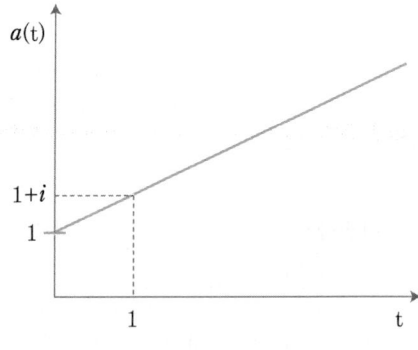

📖 **예제 0.4**

A은행에서는 입금액에 대하여 연 단리이율 4%를 적용한다고 한다. 1,000만원을 투자하는 경우, 다음을 계산하시오.

(1) 7번째 해에 발생하는 이자를 계산하시오.

(2) 10년 후 입금액의 누적가치를 계산하시오.

✏️**해설** (1) 7번째 해에 발생하는 이자는 투자시점을 시점 0(시점은 연 단위의 시간으로 표현)으로 할 때, 시점 6과 시점 7 사이에서의 누적함수의 증가분이다. 따라서, 단리법의 누적함수를 이용하여 발생이자는 $1,000[a(7)-a(6)]=1,000\times0.04=40$만원이다. 또한, 단리법의 경우 매년 발생하는 이자는 투자금액과 이자율의 곱으로 매년 동일한 값으로 나타난다는 것을 이용하여도 같은 결과를 도출할 수 있다.

(2) 10년 후 입금액의 누적가치는 단리법의 누적함수를 이용하여 $1,000a(10)=1,000(1+0.04\times10)=1,400$만원이다.

📖 **예제 0.5**

연 단리이율 5%로 1,000만원을 투자할 때, 누적가치가 1,200만원이 되는 데 필요한 시간이 얼마인지 결정하시오.

✏️**해설** 투자시점을 0이라 하고, 누적가치가 1,200만원이 되는 시점을 t라고 하면, $1,000a(t)=1,200$을 만족하는 t가 문제에서 구하는 필요한 시간이 되므로 관계식의 누적함수를 단리법의 경우로 나타내면 $1,000(1+0.05t)=1,200$에서 $t=4$(년)를 얻는다.

다음으로 누적함수가 시간에 대한 지수함수로 표현되는 형태를 가정하는 경우 즉, $a(t)=(1+i)^t$로 표현된다고 가정하는 경우를 복리법(compound interest)이라 하고 i를 복리이율(compound interest rate)이라 표현한다. 단리법과 마찬가지로 t는 이자율이 적용되는 단위시간으로 나타낸 시간이다. 복리법은 다음과 같은 성질을 갖는다.

(1) 동일한 길이의 기간 중 발생한 이자는 투자 시점에서 멀어질수록 증가한다. $a(t+s)-a(t)=(1+i)^{t+s}-(1+i)^t=(1+i)^t\{(1+i)^s-1\}$이므로 t에 대한 증가함수임을 알 수 있다.

(2) 이자는 원금은 물론 이전 투자기간 중 발생된 이자 모두에 대하여 적

용된다. (1)의 수식에서 중괄호 안의 부분 $(1+i)^s - 1$은 단위금액 당 시점 t 부터 $t+s$까지의 발생이자를 의미한다. 이는 $(1+i)^t$에 적용되는데, $(1+i)^t = 1 + \{(1+i)^t - 1\}$로 표현 가능하므로 시점 t부터 $t+s$까지의 발생이자는 $\{(1+i)^s - 1\} + \{(1+i)^s - 1\}\{(1+i)^t - 1\}$ = 원금에 대한 발생이자 + 시점 0부터 시점 t까지 발생한 이자에 대한 발생이자임을 알 수 있다.

[그림 0-3]은 복리법을 적용하는 경우의 누적함수를 나타낸 것이다.

∷ 그림 0-3 복리법을 적용하는 경우의 누적함수 그림

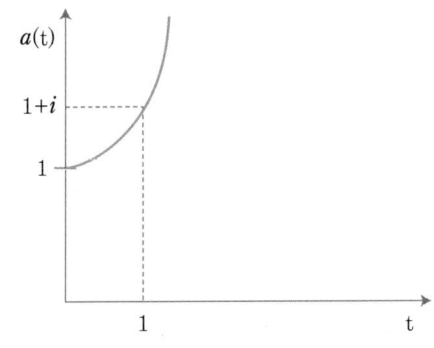

이후 내용에서 특별한 언급이 없는 경우는 복리법을 적용하는 것으로 가정한다.

📖 예제 0.6

(예제 0.4)의 문제에서 연 복리이율 4%를 적용하여 문제를 해결하시오.

🔍해설 (1) 복리법의 누적함수를 이용하여 발생이자는 $1,000[a(7) - a(6)] = 1,000[(1.04)^7 - (1.04)^6] = 50.61$만원이다.

      (2) 복리법의 누적함수를 이용하여 $1,000a(10) = 1,000(1.04)^{10} = 1,480.24$만원이다.

📖 예제 0.7

(예제 0.5)의 문제에서 연 복리이율 5%를 적용하여 문제를 해결하시오.

해설 (예제 5)의 풀이와 동일한 방법으로 복리법의 누적함수를 이용하면 $1,000(1.05)^t = 1,200$에서 $t = 3.74$를 얻는다. 단리법과 비교했을 때 발생이자에도 이자가 적용되므로 시간이 더 짧게 걸리는 것을 확인할 수 있다.

Ⅲ ● 화폐의 시간가치

앞 절에서 살펴보았듯이, 현재 단위금액을 투자하는 경우 적용되는 누적함수에 의해 투자금액의 가치가 시간에 따라 증가하게 되고, 이는 시점 0(현재)의 1의 가치는 시점 t의 $a(t)$의 가치와 서로 대등함을 의미한다고 볼 수 있다. 여기서 $a(t)$를 시점 0의 금액 1의 시점 t에서의 누적(미래)가치(accumulated value, future value)라 하고, 1을 시점 t의 금액 $a(t)$의 시점 0에서의 현재가치(present value)라 표현한다. 따라서, 누적함수가 주어진 경우 해당 누적함수를 이용하여 특정시점에서의 가치를 동등한 다른 시점에서의 가치로 나타낼 수 있다.

∷ 그림 0-4 현재가치와 누적가치

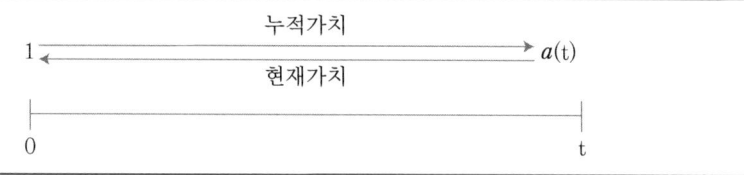

예제 0.8

앞으로 10년 후에 100만원의 자금이 필요하여 현재 일정금액을 투자하고자 한다. 다음의 주어진 각 경우에 대하여 현재 투자해야 하는 금액을 결정하시오.

(1) 앞으로 10년간 단리이율 5%를 적용하는 경우
(2) 앞으로 10년간 복리이율 5%를 적용하는 경우
(3) 앞으로 5년간 복리이율 5%를 적용하고 이후에는 복리이율 4%를 적

용하는 경우

(4) 누적함수가 $a(t) = 0.08t^2 + 0.02t + 1$를 따르는 경우

해설 (1) 현재 투자해야 하는 금액을 x라 하면 단리이율 5%를 적용하는 경우 10년 후 누적가치는 $x(1+0.05\times10)$으로 표현할 수 있고 100만원을 누적하고자 하므로 $1.5x = 1,000,000$에서 현재 필요한 투자금액은 $x = 666,666.67$원이다.

(2) (1)과 마찬가지로 복리이율 5%를 적용하는 경우 10년 후 누적 가치는 $x(1.05)^{10}$으로 표현할 수 있으므로 $x(1.05)^{10} = 1,000,000$에서 $x = 1,000,000(1.05)^{-10} = 613,913.25$원이다.

(3) 현재 시점에서 x의 금액을 투자하면 앞으로 5년 간 복리이율 5%가 적용되므로 5년 후 시점에서의 투자금액의 누적가치는 $x(1.05)^5$이고 5년 이후 시점에서는 복리이율 4%가 적용되므로 10년 후 시점에서의 누적가치는 $x(1.05)^5$의 금액을 5년후 시점부터 5년간 복리이율 4%로 투자한 것과 같으므로 $x(1.05)^5(1.04)^5$로 나타낼 수 있다. 따라서, $x(1.05)^5(1.04)^5 = 1,000,000$를 풀면, 현재 투자해야 하는 금액은 $x = 644,001.40$원이다.

(4) 투자금액이 누적함수를 $a(t)$를 따르는 경우, 현재시점(0시점)에서 x의 금액을 투자한 경우 t년 후 시점에서의 누적가치는 $x \cdot a(t)$로 표현할 수 있다. 따라서, 10년 후 100만원을 누적하기 위해 현재 투자해야 하는 금액은 $x \cdot a(10) = 1,000,000$에서
$$x = 1,000,000 \cdot a^{-1}(10) = \frac{1,000,000}{0.08(10)^2 + 0.02(10) + 1} = 108,695.65$$
원이다.

Ⅳ · 이자율의 개념과 표현단위

1. 이자율의 개념과 실효이율

특정 기간 동안 발생되는 이자의 금액만으로는 해당 기간의 투자금액에 대한 이자 수익의 정도를 가늠하기 어렵기 때문에, 해당 기간의 시점에서의 투자금액을 기준으로 이자의 금액을 따져보는 것이 보다 합리적이다. 예를 들어, 특정 기간 동안 발생된 이자가 1인 경우, 해당 기간 초 투자 금액이 100인

경우와 1,000인 경우를 각각 비교해 보면 투자 금액 대비 이자 수익의 정도가 다르기 때문이다. 따라서, 단위금액을 시점 0에서 투자한 경우의 누적함수를 $a(t)$라 할 때, 시점 t에서 시점 $t+s$까지의 (실효)이자율(effective rate of interest)을 다음과 같이 정의한다.

$$i_{t,s} = \frac{a(t+s) - a(t)}{a(t)} = \frac{\text{기간 중 발생이자}}{\text{기간 초 보유금액(가치)}} \tag{0.1}$$

s가 1년인 경우 해당 기간 동안의 실효이율을 연이율, 3개월인 경우 해당 기간 동안의 실효이율을 분기이율 등으로 이자가 적용되는 기간을 명시하여 표현한다. 수식을 $a(t+s)$에 대하여 풀면,

$$a(t+s) = a(t)(1 + i_{t,s}) \tag{0.2}$$

이므로 특정 기간 동안의 이자율이 주어진 경우는 해당 기간 초 시점에서의 가치와 주어진 이자율을 이용하여 해당 기간 말의 미래가치를 결정할 수 있고, 역산도 가능하다는 것을 알 수 있다.

📖 예제 0.9

다음의 경우 각 차년별 실효이율을 t에 대한 함수로 표현해 보시오.
(1) 단리법을 적용하는 경우
(2) 복리법을 적용하는 경우
(3) 누적함수가 $a(t) = 0.08t^2 + 0.02t + 1$로 표현되는 경우

해설 (1) n차년의 실효이자율을 i_n이라 하면 i_n은 시점의 단위를 년으로 표현할 때, $n-1$시점에서 n시점까지의 실효이자율이다. 즉,

$$i_n = \frac{a(n) - a(n-1)}{a(n-1)}$$

이고, 단리법의 누적함수를 이용하면,

$$i_n = \frac{1 + in - \{1 + i(n-1)\}}{1 + i(n-1)} = \frac{i}{1 + i(n-1)}$$

로 표현할 수 있다. 단리법의 경우, 동일한 길이의 구간에서는 발생이자가 동일하지만, 실효이자율은 시간이 지날수록 감소한다는 것을 알 수 있다.
(2) (1)의 경우와 마찬가지로, 복리법의 누적함수를 이용하여 i_n을 표현하면,

$$i_n = \frac{(1+i)^n - (1+i)^{n-1}}{(1+i)^{n-1}} = i$$

이다. 복리법의 경우는 동일한 길이의 구간에서는 발생이자가 시간이 지날수록 증가하지만, 실효이자율은 일정하다는 것을 알 수 있다.

(3) 주어진 누적함수를 이용하여 n차년의 발생이자를 계산하면,

$a(n) - a(n-1)$
$= 0.08n^2 + 0.02n + 1 - 0.08(n-1)^2 - 0.02(n-1) - 1$
$= 0.16n - 0.06$

이므로, n차년의 실효이율은

$$i_n = \frac{0.16n - 0.06}{0.08(n-1)^2 + 0.02(n-1) + 1}$$

로 표현된다.

예제 0.10

3년 전 1,000만원의 금액을 투자하였다. 투자 첫 해의 실효이자율이 3%, 두 번째 해의 실효이자율이 5%, 그리고 세 번째 해의 실효이자율이 6% 이었다고 할 때, 투자한 금액의 현재 누적가치는 얼마인지 결정하시오.

해설 수식 (0.2)에 따라 1,000만원의 금액은 차년별 실효이율을 이용하여 $1000(1.03)(1.05)(1.06) = 1,146.39$만원이다.

복리법을 사용하여 현재 가치를 계산하는 경우 기호의 간략성을 위하여

$$v = \frac{1}{1+i}$$

로 표현하고 활용하기로 한다(v를 할인요소(discount factor)라 한다).

예제 0.11

앞으로 3년, 5년, 10년 후 시점에서 각각 300만원, 500만원, 1,000만 원의 금액이 필요하여 현재 미리 적립해 두고자 한다. 연 복리이율이 5%일 때, 현재 적립해야 하는 금액을 결정하시오.

해설 3년 후 시점에서 필요한 300만원을 누적하기 위하여 현재 투자해야 하는 금액은 $v = (1.05)^{-1}$로 표현하는 경우 (예제 0.8)의 (2)와 같이 $300v^3$으로 표현할 수 있다. 마찬가지로, 5년 후 시점에서 필

요한 500만원과 10년 후 시점에서 필요한 1,000만원을 누적하기 위해 필요한 적립금액은 각각 $500v^5$, $1,000v^{10}$으로 나타낼 수 있으므로 현재 적립해야 하는 총 금액은 $300v^3 + 500v^5 + 1,000v^{10} = 1,264.83$만원이다.

2. 할인율의 개념과 실효할인율

앞 절에서 누적함수에 따라 정의된 실효이자율을 이용하면 현재 투자하는 금액의 미래 특정시점에서의 누적가치 또는 특정한 미래 시점에서의 화폐가치를 현재시점의 가치로 계산할 수 있다. 그런데, 다른 방법으로 이자율의 단위를 정의할 수 있고, 정의된 단위를 이용하여 현재가치와 미래가치를 계산할 수 있다.

앞 절에서 이자율은 특정 기간 동안 발생한 이자를 해당 기간 초의 보유금액으로 나눈 것으로 정의하였다. 이와 달리, 특정 기간 동안 발생한 이자를 해당 기간 말의 보유금액으로 나눈 것을 (실효) 할인율(effective rate of discount)로 정의한다. 즉, 단위금액을 시점 0에서 투자한 경우의 누적함수를 $a(t)$라 할 때, 시점 t에서 시점 $t+s$까지의 (실효)할인율은

$$d_{t,s} = \frac{a(t+s) - a(t)}{a(t+s)} = \frac{\text{기간 중 발생이자}}{\text{기간 말 보유금액(가치)}} \tag{0.3}$$

로 정의한다. 수식을 $a(t)$에 대하여 풀면,

$$a(t) = a(t+s)(1 - d_{t,s}) \tag{0.4}$$

이므로 특정 기간 동안의 할인율이 주어진 경우는 해당 기간 말 가치와 실효할인율을 이용하여 해당 기간 초의 가치를 결정할 수 있고, 역산도 가능하다.

📖 예제 0.12

다음의 경우 각 차년별 실효할인율을 t에 대한 함수로 표현해 보시오.
(1) 단리법을 적용하는 경우
(2) 복리법을 적용하는 경우

해설 (1) n차년의 실효할인율을 d_n이라 하면 d_n은 시점의 단위를 년으로 표현할 때, 시점 $n-1$에서 시점 n까지의 실효할인율이다. 즉,

$$d_n = \frac{a(n) - a(n-1)}{a(n)}$$

이고, 단리법의 누적함수를 이용하면,

$$i_n = \frac{1 + in - \{1 + i(n-1)\}}{1 + in} = \frac{i}{1 + in}$$

로 표현할 수 있다. 단리법의 경우, (예제 0.9)의 (1)에서 실효이자율과 마찬가지로 시간이 지날수록 실효할인율도 감소한다는 것을 알 수 있다.

(2) (1)의 경우와 마찬가지로, 복리법의 누적함수를 이용하여 d_n을 표현하면,

$$d_n = \frac{(1+i)^n - (1+i)^{n-1}}{(1+i)^n} = \frac{i}{1+i}$$

이다. 복리법의 경우는 동일한 길이의 구간에서는 (예제 0.9)의 (2)에서 실효이자율과 마찬가지로, 실효할인율도 일정하다는 것을 알 수 있다.

📖 **예제 0.13**

앞으로 3년 간 적용되는 차년 별 실효할인율이 다음과 같이 주어져 있다.
$$d_n = 0.03 + 0.01n, \ n = 1, 2, 3$$

(1) 현재 시점에서 500만원을 투자하는 경우 3년 후 시점에서의 누적가치를 계산하시오.

(2) 3년 후 시점에서 1,000만원이 필요한 경우 현재 시점에서 투자해야 하는 금액을 계산하시오.

해설 (1) 수식 (0.4)를 이용하여 500만원의 1시점 후의 누적가치는 $500(1 - d_1)^{-1} = 500(0.96)^{-1}$만원이다. 마찬가지의 방법으로 3년 후 시점에서의 누적가치는

$500(1 - d_1)^{-1}(1 - d_2)^{-1}(1 - d_3)^{-1}$

$= 500(0.96)^{-1}(0.95)^{-1}(0.94)^{-1} = 583.24$만원이다.

(2) 현재시점에서 투자해야 하는 금액을 x라 하면 (1)의 경우와 마찬가지로 3년 후 시점의 누적가치는 $x(1 - d_1)^{-1}(1 - d_2)^{-1}(1 - d_3)^{-1}$로 표현할 수 있다. 이 금액이 1,000만원과 같으면 되므로

$$x(1 - d_1)^{-1}(1 - d_2)^{-1}(1 - d_3)^{-1} = 10,000,000$$

에서 $x = 10,000,000(1 - d_1)(1 - d_2)(1 - d_3)$

$= 10,000,000(1 - 0.04)(1 - 0.05)(1 - 0.06)$

$= 8,572,800$원이다.

수식 (0.1)과 (0.3)을 이용하면 시점 t에서 시점 $t+s$까지의 실효이자율과 실효할인율에 대한 다음의 관계식을 얻을 수 있다.

$$d_{t,s} = \frac{i_{t,s}}{1+i_{t,s}} \tag{0.5}$$

(예제 0.9) (2)와 (예제 0.12) (2)에서 나타난 바와 같이 복리법의 경우에는 단위기간의 복리이율이 i일 때, 임의의 단위기간 동안의 실효이자율이 i로 일정하고, 실효할인율은 $\frac{i}{1+i}$로 일정하므로 일정한 실효할인율을 d라 하면, 다음의 관계식이 성립한다.

$$d = \frac{i}{1+i} = iv = 1-v \tag{0.6}$$

수식 (0.6)에서 $1+i$는 1보다 크므로 동일한 실효이자율을 갖는 이자율과 할인율에 대하여 $i > d$임을 알 수 있다.

예제 0.14

현재 시점에서 100만원을 투자하면 5년 후 누적가치가 130만원이 된다고 한다. 연 할인율이 일정하다고 할 때, 적용된 할인율을 계산하시오.

해설 적용된 할인율을 d라 하면 할인율의 성질을 이용하여 주어진 조건을 만족하는 관계식 $130(1-d)^5 = 100$을 얻을 수 있고 관계식을 풀면, $d = 0.0511$를 얻는다.

또한, 할인율이 일정한 경우는 복리법을 적용한 경우로 볼 수 있고, 따라서 복리이율을 관계식 $100(1+i)^5 = 130$를 이용하여 복리이율 i를 도출하고, 수식 (0.6)를 이용하여 $d = 0.0511$를 얻을 수 있다.

3. 명목이자율

월 복리이율이 1%가 적용되는 상황을 생각해 보자. 단위 시간을 1개월이라고 하면 누적함수는 $a(t) = (1+0.01)^t$로 표현되고 1년 후 누적가치는 $a(12) = (1.01)^{12} = 1.1268$이므로 연간 이자율은 12.68%임을 알 수 있다. 이때, 단위 시간을 1년으로 표현하고자 하는 경우, s년은 $12s$개월이므로 단위시간을 1년으로 하는 누적함수 $b(s)$는 $b(s) = a(12s) = (1+0.01)^{12s} = (1+0.1268)^s$

가 되어 연 복리이율 12.68%가 적용됨을 알 수 있다.

이러한 상황에서 연 복리이율을 12.68%라고 표현할 때, 월 복리이율이 1%라는 정보를 도출하려면 역산에 의해 $b(\frac{1}{12}) = (1.1268)^{1/12} = 1.01$을 이용해야 한다. 다른 방법으로, 월 복리이율에 대한 정보를 쉽게 도출할 수 있도록 연이율을 (명목상으로) 월 복리이율의 12배로 표현하는 방법을 연 명목이자율(nominal annual rate of interest)이라고 한다. 따라서, 제시된 예의 경우 연 명목이자율 $i^{(12)} = 12\%$(월복리)로 표현하고 월 복리이율은 12%/12=1%로 도출한다. 따라서, 이자율을 연 단위로 표현하면서 1년보다 짧은 기간에 적용되는 이율을 강조하여 표현하고자 할 때 명목이자율을 사용할 수 있다.(즉, 명목이자율 숫자 그 자체는 의미가 없음)

일반적으로, $m > 1$인 경우 연 명목이자율을 기호로 $i^{(m)}$으로 표현하고, 연 명목이자율을 이용하여 $1/m$년에 적용되는 복리이율을 $\frac{i^{(m)}}{m}$으로 도출하여 화폐의 시간가치를 계산한다. 연 명목이율 $i^{(m)}$이 주어진 상황에서, 연 실효이율을 i라 하면, 다음의 관계식이 성립함을 알 수 있다.

$$\left(1 + \frac{i^{(m)}}{m}\right)^m = 1+i \tag{0.7}$$

따라서, 연 명목이율이 주어진 경우의 누적함수는

$$a(t) = \left(1 + \frac{i^{(m)}}{m}\right)^{mt} \tag{0.8}$$

로 나타낼 수 있다.

예제 0.15

다음 질문에 답하시오.
(1) 연 명목이율 $i^{(4)} = 8\%$를 적용하는 경우 연 실효이율을 구하시오.
(2) 연 명목이율 $i^{(4)} = 8\%$와 동일한 연 실효이율을 갖는 반기이율을 구하시오.

해설 (1) 연 실효이율은 1을 투자한 경우 연간 발생한 이자라고 볼 수 있다. 또한, 연간 발생한 이자는 1년 경과 후 누적가치에서 초기 투자금액 1을 차감한 금액이므로 연 실효이율 i는 수식

(0.7)을 이용하여 $i = (1 + \dfrac{0.08}{4})^4 - 1 = 0.0824$를 얻는다.

(2) 동일한 연 실효이율을 갖는다는 것은 복리법에서 동일한 반기 이율을 갖는 것과 동일하므로 (1)에서 적용한 방법을 이용하여 반기이율 j는 $j = (1 + \dfrac{0.08}{4})^{4 \cdot \frac{1}{2}} - 1 = 0.0404$이다.

예제 0.16

연 명목이율 $i^{(2)} = 6\%$가 주어진 경우 다음 물음에 답하시오.

(1) 1,000만원을 투자하는 경우 10년 2개월 후 시점에서의 누적가치를 계산하시오.(단, 1개월은 1/12년으로 가정하시오.)

(2) 5년 후 시점에 100만원이 필요한 경우 현재 투자해야 하는 금액을 결정하시오.

해설 (1) 투자 후 경과시간을 연 단위로 표현하면 $10\dfrac{2}{12} = \dfrac{122}{12}$년이다. 따라서, 1,000만원의 10년 2개월 시점의 누적가치는 수식 (0.8)을 이용하여 $1{,}000(1 + \dfrac{0.06}{2})^{2 \cdot \frac{122}{12}} = 1{,}823.99$만원이 된다.

다른 방법으로, 반기 실효이율이 3%이므로 반기를 단위 기간으로 생각하면 투자기간을 반기 단위로 $20\dfrac{1}{3}$로 나타내어 누적가치를 $1{,}000(1 + 0.03)^{\frac{61}{3}} = 1{,}823.99$만원으로 계산할 수 있다.

(2) 5년 후 시점의 100만원의 현재가치를 구하는 문제이고 현재가치는 $100a^{-1}(5)$로 표현되므로 명목이자율이 주어지는 경우 수식 (0.8)을 이용하여 현재 투자해야 하는 금액은 $100(1 + \dfrac{0.06}{2})^{-2 \cdot 5} = 74.41$만원이다. (1)에서와 마찬가지로 단위시간을 반기로 생각하고 반기이율 3%, 투자기간을 반기로 표현한 10을 적용하여 계산할 수 있다.

4. 명목할인율

명목이자율과 유사하게 1년보다 짧은 기간에 적용되는 할인율을 나타내기 위한 방법으로 명목할인율(nominal annual rate of discount)의 개념을 사용한다. 즉, $m > 1$인 경우 연 명목할인율을 기호로 $d^{(m)}$으로 표현하고, 연 명목할인율을 이용하여 $1/m$년에 적용되는 실효할인율을 $\dfrac{d^{(m)}}{m}$으로 도출하여 화폐의 시간가치를 계산할 수 있다. 연 명목할인율 $d^{(m)}$이 주어진 상황에서, 연 실효할인율을 d라 하면, 다음의 관계식이 성립함을 알 수 있다.

$$(1 - \frac{d^{(m)}}{m})^m = 1 - d = v \tag{0.9}$$

따라서, 연 명목할인율이 주어진 경우 누적함수는

$$a(t) = (1 - \frac{d^{(m)}}{m})^{-mt} \tag{0.10}$$

로 나타낼 수 있다.

예제 0.17

다음 질문에 답하시오.
(1) 연 명목할인율 $d^{(4)} = 8\%$를 적용하는 경우 연 실효할인율을 구하시오.
(2) 연 명목할인율 $d^{(4)} = 8\%$와 동일한 연 실효이율을 갖는 분기할인율을 구하시오.

해설 (1) 연 실효할인율을 d라 하면 수식 (0.9)에 의하여 $(1 - \frac{0.08}{4})^4 = 1 - d$ 가 성립한다. 식을 풀면 $d = 0.0776$을 얻는다.

(2) 주어진 명목할인율과 동일한 연 실효이율을 갖는다는 것은 동일한 연 실효할인율을 갖는 것과 같다. 따라서 연 실효할인율을 d, 분기할인율을 d'이라 하면 $(1 - \frac{0.08}{4})^4 = (1 - d')^2 = 1 - d$ 가 성립된다. 식을 풀면, $d' = 0.0396$을 얻는다.

예제 0.18

연 명목할인율 $d^{(2)} = 6\%$가 주어진 경우 다음 물음에 답하시오.
(1) 1,000만원을 투자하는 경우 10년 2개월 후 시점에서의 누적가치를 계산하시오.(단, 1개월은 1/12년으로 가정하시오.)
(2) 5년 후 시점에 100만원이 필요한 경우 현재 투자해야 하는 금액을 결정하시오.

해설 (1) 주어진 명목할인율을 이용하면, 누적함수는 수식 (0.10)에 의하여 $a(t) = (1 - \frac{0.06}{2})^{-2t}$로 나타낼 수 있다. 10년 2개월 후를 누적함수의 시점으로 표현하면, $\frac{122}{12}$로 나타낼 수 있으므로, 누적가치는 $1,000 \cdot a(\frac{122}{12}) = 1,000 \cdot (1 - \frac{0.06}{2})^{-2 \cdot \frac{122}{12}} = 538.30$

만원이 된다.

(2) 현재 투자해야 하는 금액을 x원이라 하면,
$$x \cdot a(5) = x \cdot (1 - \frac{0.06}{2})^{-2 \cdot 5} = 1,000,000 \text{에서 } x = 737,424\text{원이다.}$$

5. 이   력

임의의 누적함수 $a(t)$에 대한 이력(force of interest) δ_t를 다음과 같이 정의한다.

$$\delta_t = \frac{a'(t)}{a(t)} = \frac{d}{dt}\ln a(t) \tag{0.11}$$

누적함수는 시간에 대한 함수이므로 이력 또한 시간에 대한 함수로 표현된다.

예제 0.19

누적함수가 $a(t) = \frac{t^2}{100}$ 일 때, 5년 후 시점에서의 이력값 δ_5를 결정하시오.

해설 주어진 누적함수를 이용하면 t시점에서 이력은 수식 (0.11)에 의하여
$$\delta_t = \frac{a'(t)}{a(t)} = \frac{t/50}{t^2/100} = \frac{2}{t}$$

가 되므로, 5년 후 시점에서의 이력값은 $\delta_5 = \frac{2}{5} = 0.4$이다.

예제 0.20

이력이 시간에 관계없이 일정할 때, 연 실효이율 8%와 동일한 실효이율을 갖는 이력값을 결정하시오.

해설 $\delta_t = \delta$라 하면, 누적함수는
$$a(t) = e^{\delta t}$$

로 표현된다. 따라서, 연 실효이율 i가 되려면, 0시점에서 1을 투자하였을 때 1시점에서 누적가치가 $1+i$가 되어야 하므로 주어진 조건으로부터 관계식 $e^{\delta} = 1.08$을 얻을 수 있고, 식을 풀면, $\delta = 0.0770$를 얻는다.

누적함수를 이용하여 이력을 도출할 수 있는 것과 반대로 이력을 이용하여 누적함수를 계산할 수 있다. 수식 (0.11)의 양변을 0부터 t까지 적분하면,

$$\int_0^t \delta_s ds = \int_0^t \frac{d}{ds} \ln a(s) ds = \ln a(t)$$

이므로

$$a(t) = e^{\int_0^t \delta_s ds} \tag{0.12}$$

를 도출할 수 있다.

📖✏ 예제 0.21

이력이 $\delta_t = \dfrac{1}{1+t}$ 로 주어진 경우, 다음 물음에 답하시오.

(1) 1,000만원을 투자하는 경우 10년 2개월 후 시점에서의 누적가치를 계산하시오.(단, 1개월은 1/12년으로 가정하시오.)

(2) 5년 후 시점에 100만원이 필요한 경우 현재 투자해야 하는 금액을 결정하시오.

🔍해설 (1) 주어진 이력을 이용하여 누적함수를 도출하면

$$a(t) = e^{\int_0^t \delta_s ds} = e^{\int_0^t \frac{1}{1+s} ds} = e^{\ln(1+t)} = 1+t$$

이므로 10년 2개월 후 누적가치는 $1,000 \cdot a\left(\dfrac{122}{12}\right) = 1,000 \cdot$

$\left(1 + \dfrac{122}{12}\right) = 11,166.667$ 만원이 된다.

(2) 현재 투자해야 하는 금액을 x원이라 하면, $x \cdot a(5) = x \cdot (1+5)$
$= 1,000,000$ 이 성립하므로 $x = 166,667$ 원이다.

📖✏ 예제 0.22

현재시점으로부터 t년 경과시점에서의 이력이 $\delta_t = 0.01 + 0.002t$로 표현된다. 앞으로 3년 후 시점에 100만원을 7년 간 투자하고자 하는 경우, 투자기간 말 시점에서의 누적가치를 계산하시오.

🔍해설 주어진 이력을 이용하여 누적함수를 계산하면, $e^{\int_0^t 0.01 + 0.002s \, ds}$ 로 표현할 수 있고, 3년 후 투자한 100만원의 10년 후 시점(투자기간 말)

에서의 누적가치는 $100 \cdot \dfrac{a(10)}{a(3)}$ 로 계산할 수 있으므로 누적가치는

$$100 \cdot \frac{a(10)}{a(3)} = 100 \cdot \frac{e^{\int_0^{10} 0.01 + 0.002s\, ds}}{e^{\int_0^3 0.01 + 0.002s\, ds}} = 100 \cdot e^{\int_3^{10} 0.01 + 0.002s\, ds} = 117.47$$

만원이다.

V 확정연금

지금까지 이자와 이자율에 대한 개념을 이해하고 다양한 이자율의 표현단위를 이용하여 특정 시점에서의 화폐의 가치를 계산하는 방법에 대하여 논의하였다. 이번 절에서는 일정한 기간동안 주기적으로 정해진 금액이 지급되는 경우에 대하여, 총 지급 금액의 특정 시점에서의 가치를 계산하고, 이와 관련한 보험수리 기호를 정의하여 3장에서 다룰 생명연금 단원에서 유용하게 사용될 수 있는 공식들을 도출해 보고자 한다.

1. 확정연금의 개념

정해진 기간 동안 주기적으로 특정금액을 지급하는 형태의 계약을 확정연금(annuity-certain)이라고 한다. 가령, 앞으로 10년 간 매월 말 10만원씩 지급하는 형태의 계약이 확정연금의 예라 할 수 있다. 확정연금은 연금 수급자의 생존 여부에 관계없이 확정적으로 지급이 이루어지는데, 이와 다른 형태로 연금 수급자가 생존한 경우에만 지급이 이루어지며, 사망 이후에는 지급이 더 이상 이루어지지 않는 계약을 (생명)연금 이라고 한다. 생명 연금에 대해서는 이 절에서 다루는 내용을 바탕으로 3장에서 구체적으로 논의할 것이다.

확정연금을 명확하게 정의하기 위해서는 다음의 네 가지 요소가 필요하다.

(1) 얼마나 자주 지급을 할 것인가? - '지급주기'

(2) 총 지급횟수는 몇 번인가? - '지급횟수' (지급주기와 지급횟수를 근거로 지급이 이루어지는 전체기간을 도출가능)

(3) 각 지급 시점에서 얼마의 금액을 지급할 것인가? - 지급금액

(4) 첫 번째 지급은 계약시점에서 이루어질 것인가? 아니면 계약시점에서 한 지급주기 후에 이루어 질 것인가? - 기수불(annuity-due) 또는 기말불 (annuity-immediate)

이상에서 제시된 네 가지 요소에 따라 확정연금을 정의하고, 정의된 확정 연금의 계약시점에서의 가치 또는 지급기간 말에서의 가치를 계산해 보고자 한다. 어떤 확정연금의 특정 시간에서의 가치를 계산하고자 할 때에는 연금의 요소들을 도식화하여 나타내면 유용하다. 일례로 [그림 0-5]는 앞으로 10년 간 매년 말 단위금액(1)씩 지급되는 기말불 확정연금을 도식화하여 나타낸 것 이다. (계약시점은 시점 0으로 설정)

:: 그림 0-5 기말불 확정연금의 도식화

2. 지급액이 일정한 경우의 확정연금

가장 간단한 확정연금의 형태로 지급액이 일정한 경우를 생각해 보자. 우 선 기말불의 경우 즉, 첫 번째 지급은 계약시점으로부터 한 지급주기 후의 시 점에서 이루어지고, 지급금액은 1이며, 총 지급횟수가 n인 경우(따라서, 지급기 간은 n)지급주기를 가정하자. 또한, 지급주기에 적용되는 이자율은 i이고, 복 리법을 적용하는 상황을 가정하면, 해당 확정연금은 [그림 0-6]과 같이 도식 화할 수 있다.

:: 그림 0-6 지급액 1, 지급주기 해당이자율 i 지급횟수 n인 기말불 확정연금

이 때 해당 연금 지급액들의 계약시점(시점 0)에서의 가치(편의상 현재가치라 하자.)를 $a_{\overline{n}|i}$로 표현하면,

$$
\begin{aligned}
a_{\overline{n}|i} &= (1+i)^{-1} + (1+i)^{-2} + \cdots + (1+i)^{-n} \\
&= v + v^2 + \cdots + v^n \\
&= \frac{v(1-v^n)}{1-v} \\
&= \frac{1-v^n}{i}
\end{aligned}
\tag{0.13}
$$

로 표현된다. 이는, 해당 확정연금의 첫 번째 지급시점에서 한 지급주기 전 시점에서의 가치라고도 표현할 수 있다. 마찬가지로, 해당 연금 지급액의 지급기간 말 시점(시점 n)에서의 가치(편의상 미래가치라 하자.)를 $s_{\overline{n}|i}$로 표현하면,

$$
\begin{aligned}
s_{\overline{n}|i} &= 1 + (1+i) + \cdots + (1+i)^{n-1} \\
&= \frac{(1+i)^n - 1}{(1+i) - 1} \\
&= \frac{(1+i)^n - 1}{i}
\end{aligned}
\tag{0.14}
$$

이다. 이는, 해당 연금의 마지막 지급시점에서의 가치라고도 표현할 수 있다. 또한, $s_{\overline{n}|i}$는 $a_{\overline{n}|i}$의 n 지급주기 후 시점에서의 가치이므로 다음의 관계식이 성립함을 알 수 있다.

$$
s_{\overline{n}|i} = a_{\overline{n}|i}(1+i)^n
\tag{0.15}
$$

📖 예제 0.23

앞으로 20년 동안 매년 말 100만원 씩 지급하는 확정연금이 있다. 연이율이 5%일 때, 해당 확정연금의 현재가치를 계산하시오.

해설 해당 확정연금의 현재가치는 기호를 이용하여 $100a_{\overline{20}|0.05}$만원이 된다. 수식 (0.13)을 이용하여 계산하면, 해당 확정연금의 현재가치는

$$
100a_{\overline{20}|0.05} = 100 \cdot \frac{1-(1.05)^{-20}}{0.05} = 1{,}246.22\text{만원이다.}
$$

예제 0.24

앞으로 매월 말 20만원씩 10년간 적립하고자 한다. 월이율이 0.8%일 때, 10년 후 적립금액의 누적가치는 얼마가 되는지 계산하시오.

해설 총 지급횟수가 120회이고, 마지막 적립이 이루어지는 시점에서의 적립액의 누적가치를 계산해야 하므로 이는 $20s_{\overline{120}|0.008}$ 만원이 되며 수식 (0.14)를 이용하여 계산하면,

$$20s_{\overline{120}|0.008} = 20 \cdot \frac{(1.008)^{120}-1}{0.008} = 4,004.35\text{만원이 된다.}$$

예제 0.25

앞으로 매 분기 말 동일한 금액을 적립하여 5년 후 시점에서 1,000만원의 금액을 적립하고자 한다. 분기이율이 1.5%일 때, 매 분기 말 적립해야 하는 금액을 결정하시오.

해설 매 분기 말 적립해야 하는 금액을 x라 히지. 적립횟수가 20회이고 마지막 적립이 이루어지는 시점에서의 적립액들의 누적가치가 1,000만원이 되어야 하므로, 이를 관계식으로 나타내면, $x \cdot s_{\overline{20}|0.015} = 10,000,000$에서 x에 대해 풀면, 매 분기 말 적립액은 432,457원이다.

예제 0.26

앞으로 5년간 매년 말 100만원 씩 지급하는 확정연금의 현재가치가 450만원이라고 한다. 이 때 해당 확정연금에 적용된 연이율을 결정하시오.

해설 주어진 확정연금에 적용된 연이율을 i라 하면 해당 확정연금의 현재가치는 $100a_{\overline{5}|i} = 450$이 된다. 따라서,

$$100 \cdot \frac{1-(1+i)^{-5}}{i} = 450$$

을 풀면 연이율 $i = 0.0362$를 얻는다.(수치해석적 방법 이용)

다음으로 기수불인 경우를 살펴보도록 하자. 첫 번째 지급은 계약시점에서 이루어지며 다른 조건은 앞선 기말불의 경우와 동일한 상황을 생각하면, 해당 확정연금은 [그림 0-7]과 같이 도식화할 수 있다.

:: 그림 0-7 지급액 1, 지급주기 해당이자율 i, 지급횟수 n인 기수불 확정연금

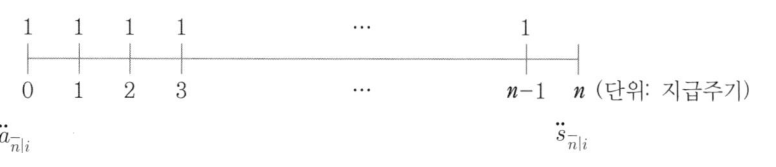

기말불의 경우와 마찬가지로 계약시점과 계약기간 말에서의 가치를 표현해 보도록 하자. 우선 해당 연금 지급액의 현재 가치를 $\ddot{a}_{\overline{n}|i}$로 표현하면,

$$\ddot{a}_{\overline{n}|i} = 1 + (1+i)^{-1} + \cdots + (1+i)^{-(n-1)}$$
$$= 1 + v + \cdots + v^{n-1}$$
$$= (1+i)a_{\overline{n}|i}$$
$$= \frac{(1-v^n)}{iv}$$
$$= \frac{1-v^n}{d} \tag{0.16}$$

로 표현된다. 여기서 d는 주어진 i와 동일한 실효이율을 갖는 실효할인율이며, 이는 해당 연금의 첫 번째 지급시점에서의 가치라고도 표현할 수 있다. 마찬가지로, 해당 연금 지급액의 미래가치를 $\ddot{s}_{\overline{n}|i}$로 표현하면,

$$\ddot{s}_{\overline{n}|i} = (1+i) + (1+i)^2 + \cdots + (1+i)^n$$
$$= (1+i)s_{\overline{n}|i}$$
$$= \frac{(1+i)^n - 1}{iv}$$
$$= \frac{(1+i)^n - 1}{d} \tag{0.17}$$

이다. 이는 해당 연금의 마지막 지급시점에서 한 지급주기 후 시점에서의 가치라고도 표현할 수 있다. 또한, $\ddot{s}_{\overline{n}|i}$는 $\ddot{a}_{\overline{n}|i}$의 n 지급주기 후 시점에서의 가치이므로 수식 (0.15)와 같이 다음의 관계식이 성립함을 알 수 있다. (이는 식 (0.15)의 양변에 $(1+i)$를 곱하여도 도출할 수 있다.)

$$\ddot{s}_{\overline{n}|i} = \ddot{a}_{\overline{n}|i}(1+i)^n \tag{0.18}$$

예제 0.27

매월 10만원씩 10년 간 지급하는 확정연금이 있다. 월이율이 0.5%일 때, 해당 확정연금의 첫 번째 지급이 이루어지는 시점에서의 가치를 계산하시오.

해설 지급횟수가 120회인 기수불 확정연금의 현재가치를 계산해야 하므로 이는 $10\ddot{a}_{\overline{120}|0.005}$ 만원이다. 또한, 월이율 0.5%와 동일한 실효이율을 갖는 월 할인율은 $\frac{0.005}{1.005}$ 이므로 해당 확정연금의 현재가치는 수식 (0.16)을 이용하여 $10 \cdot \frac{1-(1.005)^{-120}}{0.005/1.005} = 905.24$ 만원이다.

예제 0.28

매 분기마다 100만원씩 총 20번을 적립하는 적금이 있다. 첫 번째 적립은 계약시점에서 이루어진다고 한다. 적금에 적용되는 분기이율이 2%일 때, 총 적립금의 5년 후 시점에서의 가치를 계산하시오.

해설 5년 후 시점은 적금의 계약 기간 말이므로 기수불 확정연금의 미래가치를 계산하면 된다. 미래가치는 $100\ddot{s}_{\overline{20}|0.02}$ 만원이므로, 수식 (0.17)을 이용하여 $100\ddot{s}_{\overline{20}|0.02} = 100\frac{(1.02)^{20}-1}{0.02/1.02} = 2,478.33$ 만원을 얻는다.

지금까지 논의하였던 확정연금에서 영속적으로 지급이 이루어지는 경우, 즉 $n = \infty$ 인 확정연금을 영속연금(perpetuity)이라고 한다. 영속연금은 마지막 지급 시점을 정할 수 없으므로 연금의 미래가치는 정의되지 않으며, 지급액이 1이고 지급주기 해당이율이 i, 지급횟수가 n인 영속연금의 현재가치는 앞서 도출한 결과에서 $n = \infty$ 를 적용하여 기말불의 경우에는

$$a_{\overline{\infty}|i} = \lim_{n \to \infty} a_{\overline{n}|i} = \lim_{n \to \infty} \frac{1-v^n}{i} = \frac{1}{i} \tag{0.19}$$

마찬가지의 방법으로 기수불 영속연금의 현재가치는

$$\ddot{a}_{\overline{\infty}|i} = \frac{1}{d} \tag{0.20}$$

를 얻을 수 있다.

3. 지급주기와 이자율 적용 단위기간이 다른 경우의 확정연금

지금까지 확정연금의 현재 또는 미래가치를 계산하는 과정에서, 이자율은 지급주기에 적용되는 실효이자율로 가정하였다. 그런데, 지급주기와 주어진 이자율의 적용 단위기간이 다른 경우에는 앞 절에서 도출된 공식을 그대로 적용할 수 없다. 이러한 경우에는 주어진 이자율을 이용하여 지급주기에 적용되는 실효이자율로 변형한 뒤 앞 절에서 도출된 공식을 적용할 수 있다. (이자율 표현단위가 실효이자율로 주어지지 않은 경우에도 Ⅳ절에서 다룬 이자율 표현단위간 관계식을 이용하여 지급주기에 적용되는 이자율로 전환이 가능하다.)

예제 0.29

앞으로 20년간 매 반기 초에 300만원을 지급하는 확정연금이 있다. 연 명목이율 $i^{(12)}$ =6%가 적용되는 경우 해당 확정연금의 현재가치를 계산하시오.

해설 지급주기가 반기이고, 연 명목이율이 주어져 있으므로 지급주기에 해당하는 반기이율 j를 먼저 구하면, $j = \left(1 + \dfrac{0.06}{12}\right)^{12 \cdot \frac{1}{2}} - 1 = 0.0304$ 이다. 주어진 확정연금은 지급횟수가 총 40회인 기수불 확정연금이므로 현재가치는 $300\ddot{a}_{\overline{40}|0.0304} = 300 \cdot \dfrac{1 - (1.0304)^{-40}}{0.0304/1.0304} = 7{,}099.26$만원이 된다.

예제 0.30

앞으로 10년 간 매월 말 10만원 씩 연이율 5%로 적립하고자 한다. 적립금액의 10년 후 시점에서의 누적가치를 계산하시오.

해설 지급주기가 월이고, 연이율이 주어져 있으므로 월이율 k를 구하면, $k = (1 + 0.05)^{\frac{1}{12}} - 1 = 0.0041$을 얻는다. 주어진 확정연금은 지급횟수가 총 120회인 기말불 확정연금이고 마지막 적립이 이루어지는 시점에서의 가치를 구해야 하므로 미래가치는

$$10\,s_{\overline{120}|0.0041} = 10 \cdot \frac{(1.0041)^{120} - 1}{0.0041} = 1{,}546.1946 \text{ 만원이 된다.}$$

(예제 0.30)에서 다루는 상황(연이율이 주어져 있고, 지급주기가 매 월인 경우)

은 이후에 다루는 생명연금에서 자주 나타나는데, 이러한 경우, 연금의 현재 및 미래의 가치를 기호로 나타내고 주어진 변수들로 표현해 보자. 우선 기말불의 경우 즉, 첫 번째 지급은 계약시점으로부터 한 지급주기 후의 시점에서 이루어지며, 이자율 적용 단위기간을 편의상 1년이라 하고 연이율을 i라 하자. 또한 지급주기는 $\frac{1}{m}$ 년이고, 지급시점에서의 지급금액은 $\frac{1}{m}$(연간 총 지급금액은 1), 지급기간이 n년인(따라서, 총 지급회수는 mn번) 경우를 가정하자. 해당 확정연금은 [그림 0-8]과 같이 도식화할 수 있다.

❖❖ 그림 0-8 이자율 적용단위기간이 지급주기보다 긴 경우의 확정연금(기말불)

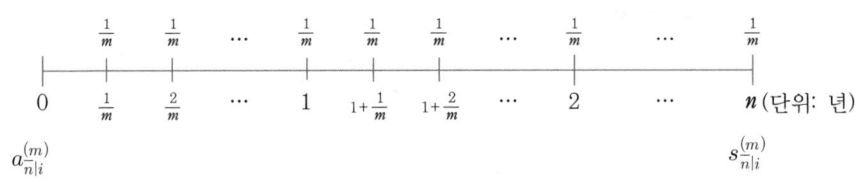

해당 확정연금의 현재가치와 미래 가치를 계산하기 위해 주어진 이자율을 지급주기에 해당하는 이자율로 전환하여 계산하는 방법을 이용하여 계약시점, 즉, 첫 번째 지급이 발생되는 시점에서 한 지급주기 전 시점에서의 가치를 $a_{\overline{n}|i}^{(m)}$으로 표현하고 이를 계산해 보자. 지급주기에 적용되는 이자율을 j로 표현하면, $(1+j)^m = 1+i$가 성립하므로 $j = (1+i)^{\frac{1}{m}} - 1$이다. 따라서,

$$
\begin{aligned}
a_{\overline{n}|i}^{(m)} &= \frac{1}{m} a_{\overline{mn}|j} \\
&= \frac{1}{m} \cdot \frac{1-(1+j)^{-mn}}{j} \\
&= \frac{1-(1+i)^{-n}}{m\left\{(1+i)^{\frac{1}{m}} - 1\right\}} \\
&= \frac{1-(1+i)^{-n}}{i^{(m)}} \\
&= \frac{1-v^n}{i^{(m)}}
\end{aligned}
\tag{0.21}
$$

로 나타낼 수 있다.

여기서 $i^{(m)}$은 주어진 연이율 i와 동일한 실효이율을 갖는 연 명목이자율을 나타낸다. 마찬가지로, 해당연금 지급액의 지급기간 말 시점에서의 가치를 $s_{\overline{n}|i}^{(m)}$으로 나타내면,

$$s_{\overline{n}|i}^{(m)} = \frac{1}{m} s_{\overline{mn}|j}$$

$$= \frac{1}{m} \cdot \frac{(1+j)^{mn} - 1}{j}$$

$$= \frac{(1+i)^n - 1}{m\left\{(1+i)^{\frac{1}{m}} - 1\right\}}$$

$$= \frac{(1+i)^n - 1}{i^{(m)}} \qquad (0.22)$$

이다.

한편, 기수불의 경우는 [그림 0-9]와 같이 도식화할 수 있다.

그림 0-9 이자율 적용단위기간이 지급주기보다 긴 경우의 확정연금(기수불)

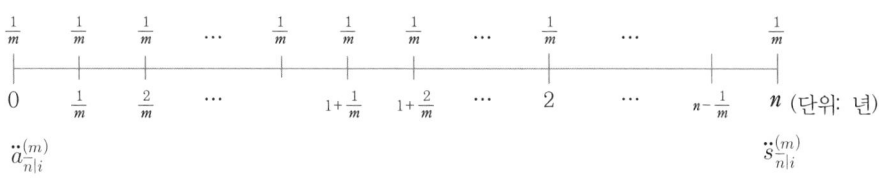

기말불의 경우와 마찬가지로 계약시점에서의 가치를 $\ddot{a}_{\overline{n}|i}^{(m)}$으로 표현하고 이를 계산해보면,

$$\ddot{a}_{\overline{n}|i}^{(m)} = \frac{1}{m} \ddot{a}_{\overline{mn}|j}$$

$$= \frac{1}{m} \cdot \frac{1 - (1+j)^{-mn}}{1 - (1+j)^{-1}}$$

$$= \frac{1}{m} \cdot \frac{1 - (1+i)^{-n}}{1 - (1+i)^{-\frac{1}{m}}}$$

$$= \frac{1-(1+i)^{-n}}{d^{(m)}}$$

$$= \frac{1-v^n}{d^{(m)}} \qquad (0.23)$$

이다. 여기서 $d^{(m)}$은 주어진 연이율 i와 동일한 실효이율을 갖는 연 명목할인율을 의미한다. 또한, 계약기간 말 시점에서의 가치를 $\ddot{s}^{(m)}_{\overline{n}|i}$로 표현하면,

$$\ddot{s}^{(m)}_{\overline{n}|i} = \frac{1}{m} \ddot{s}_{\overline{mn}|j}$$

$$= \frac{1}{m} \cdot \frac{(1+j)^{mn}-1}{1-(1+j)^{-1}}$$

$$= \frac{1}{m} \cdot \frac{(1+i)^n-1}{1-(1+i)^{-\frac{1}{m}}}$$

$$= \frac{(1+i)^n-1}{d^{(m)}} \qquad (0.24)$$

를 얻는다.

예제 0.31

매월 초 200만원씩 15년간 지급하는 확정연금이 있다. 해당 연금에 적용되는 연이율이 4%라 할 때, 수식 (0.23)을 적용하여 연금의 현재가치를 계산하시오.

해설 이자율 적용 단위기간(1년) 지급이 12회 이루어지므로 주어진 기수불 확정연금의 현재가치는 $2,400 \cdot \ddot{a}^{(12)}_{\overline{15}|0.04}$으로 표현할수 있다(이자율이 적용되는 1년 간 총 지급액은 2,400임에 유의하자). 연 실효이율 4%가 되는 연 명목할인율 $d^{(12)}$를 우선 계산하면, $(1-\frac{d^{(12)}}{12})^{-12}$ $=1.04$에서 $d^{(12)}=0.0392$를 얻고, 도출한 공식을 이용하면, 현재가치는 $2,400 \cdot \ddot{a}^{(12)}_{\overline{15}|0.04} = 2,400 \cdot \frac{1-(1.04)^{-15}}{0.0392} = 27,228.70$만원이다.

4. 연속연금

경과 시간에 따른 누적 연금지급액(이자를 고려하지 않은)이 경과 시간에 비례하는 연금을 생각해 보자. 즉. 시점 t까지의 누적 연금지급액이 t로 표현되고, 지급기간은 n이며, 단위시간 동안의 실효이율이 i인 상황을 고려하면, 해당 연금의 시점 t까지의 누적 연금 지급액은 [그림 0-10]에서 빗금 친 부분의 면적으로 표현이 되고, 이는 일정한 비율(rate)로 단위시간당 총 지급액이 1이 되도록 연속적으로 지급되는 연금으로 해석할 수 있다(수도꼭지에서 일정한 비율로 물이 계속 흘러 1분당 1리터가 그릇에 계속 채워지는 상황을 연상해 보라!). 이러한 연금을 연속연금(continuous annuity)이라 하고, 연속연금의 계약시점에서의 가치와 지급기간 말 시점에서의 가치를 나타내 보도록 하자.

∷ 그림 0-10 연속연금의 도식화

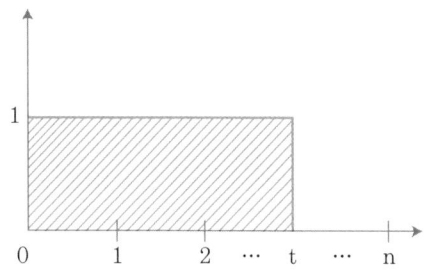

주어진 연속연금의 계약시점에서의 가치를 $\bar{a}_{\overline{n}|i}$로 표현하면,

$$\bar{a}_{\overline{n}|i} = \int_0^n v^t dt$$

$$= \left[\frac{v^t}{\ln v} \right]_0^n$$

$$= \frac{1 - v^n}{\delta} \tag{0.25}$$

를 얻을 수 있고, 마찬가지로, 지급기간 말 시점에서의 가치를 $\bar{s}_{\overline{n}|i}$로 나타내면,

$$
\begin{aligned}
\bar{s}_{\overline{n}|i} &= \int_0^n (1+i)^{n-t} dt \\
&= \left[-\frac{(1+i)^{n-t}}{\ln(1+i)} \right]_0^n \\
&= \frac{(1+i)^n - 1}{\delta}
\end{aligned}
\tag{0.26}
$$

이다.

예제 0.32

앞으로 10년간 연간 200만원의 금액을 지급하는 연속연금이 있다. 연이율이 6%인 경우, 해당 연속연금의 10년 후 시점에서의 누적가치를 계산하시오.

해설 주어진 연속연금의 10년 후 누적가치는 $200\bar{s}_{\overline{10}|0.06}$ 만원으로 나타낼 수 있고 연이율 6%와 동일한 실효이율을 갖는 일정한 이력값 δ는 $e^\delta = 1.06$으로부터 $\delta = 0.0583$을 얻는다. 도출한 공식을 이용하여 누적가치를 계산하면,

$$
200\bar{s}_{\overline{10}|0.06} = 200\frac{(1.06)^{10} - 1}{0.0583} = 2{,}713.03 만원
$$

을 얻는다.

예제 0.33

연간 100만원의 금액을 지급하는 연속연금의 현재가치가 1,500만원이라고 한다. 연이율이 5%일 때, 해당 연금의 지급기간을 결정하시오.

해설 연금의 지급기간을 n년이라 하자. 우선 연이율 5%와 동일한 연 실효이율을 갖는 일정한 이력값을 계산하면 $\delta = \ln(1.05) = 0.0488$이고 주어진 연속연금의 현재가치가 1,500만원임을 이용하여 관계식을 세우면,

$$
100\bar{a}_{\overline{n}|0.05} = 100\frac{1 - (1.05)^{-n}}{0.0488} = 1{,}500
$$

에서 n에 대하여 풀면, 확정연금의 지급기간 $n = 27$(년)을 얻는다.

5. 연금 지급액이 특정한 패턴을 따르는 경우

지금까지 지급금액이 일정한 연금에 대하여 살펴보았는데, 연금 지급액이 특정한 패턴을 따르는 두 가지의 경우(등차수열, 등비수열)에 대하여 연금의 특정 시점에서의 가치를 표현해 보도록 하자.

우선, 지급금액이 일정한 금액씩 증가 또는 감소하는 경우(등차수열인 경우)를 생각해 보자. 첫 번째 연금 지급액을 A, 이후 연금지급액이 계속 D씩 증가하고 지급주기에 적용되는 실효이율은 i, 지급횟수가 n번인 기말불 확정연금을 가정하면, 해당 연금은 [그림 0-11]과 같이 도식화할 수 있다.

∷ 그림 0-11 지급액이 등차수열인 경우의 확정연금(기말불)

해당 연금의 계약시점에서의 가치 S는

$$S = Av + (A+D)v^2 + (A+2D)v^3 + \cdots + (A+(n-1)D)v^n$$

로 표현되는데, 양변에 $(1+i)$를 곱하면,

$$(1+i)S = A + (A+D)v + (A+2D)v^2 + \cdots + (A+(n-1)D)v^{n-1}$$

두 번째 식에서 첫 번째 식을 차감하면,

$$iS = A + Dv + Dv^2 + \cdots + Dv^{n-1} - Av^n - nDv^n + Dv^n$$
$$= A(1-v^n) + D(a_{\overline{n}|i} - nv^n)$$

이고 양변을 i로 나눈 뒤, S에 대하여 간단히 정리하여 확정연금 기호로 표현하면,

$$S = Aa_{\overline{n}|i} + D\frac{a_{\overline{n}|i} - nv^n}{i} \qquad (0.27)$$

를 얻는다. 또한, 지급기간 말 시점에서의 가치는 S에 $(1+i)^n$을 곱하여 얻을 수 있다.

특수한 예로, $A=1$, $D=1$인 경우에는 계약시점에서의 가치와 지급기간 말 시점에서의 가치를 각각 $(Ia)_{\overline{n}|i}$, $(Is)_{\overline{n}|i}$로 표현하며, 도출된 공식을 이용하여 정리하면

$$(Ia)_{\overline{n}|i} = \frac{\ddot{a}_{\overline{n}|i} - nv^n}{i} \tag{0.28}$$

$$(Is)_{\overline{n}|i} = \frac{\ddot{s}_{\overline{n}|i} - n}{i} \tag{0.29}$$

를 각각 얻을 수 있다. 해당 확정연금을 증액연금(increasing annuity)이라고 하고 [그림 0-12]와 같이 도식화할 수 있다.

⁜ 그림 0-12 지급액이 등차수열인 기말불 확정연금($A=1$, $D=1$인 경우)

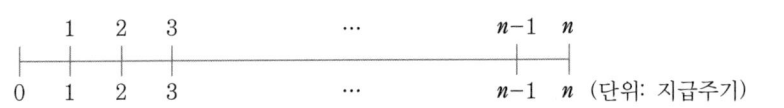

그리고, $A=n$, $D=-1$인 경우에는 계약시점(시점 0)에서의 가치와 지급기간 말 시점(시점 n)에서의 가치를 각각 $(Da)_{\overline{n}|i}$, $(Ds)_{\overline{n}|i}$로 표현하며, 도출된 공식을 이용하여 정리하면

$$(Da)_{\overline{n}|i} = \frac{n - a_{\overline{n}|i}}{i} \tag{0.30}$$

$$(Ds)_{\overline{n}|i} = \frac{n(1+i)^n - s_{\overline{n}|i}}{i} \tag{0.31}$$

를 각각 얻는다. 이러한 연금을 감액연금(decreasing annuity)라고 하고 [그림 0-12]와 마찬가지로 해당 확정연금을 [그림 0-13]과 같이 도식화할 수 있다.

:: 그림 0-13 지급액이 등차수열인 기말불 확정 연금($A=n$, $D=-1$인 경우)

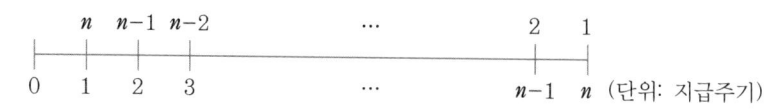

기수불의 경우에는 앞서 도출한 기말불의 결과에 $(1+i)$를 곱하여 얻을 수 있으며, 기호는 기수불의 기호 표기 규칙과 일관성을 유지하여, 기호 내의 a 및 s 위에 쌍점을 찍어 표현한다.

예제 0.34

매년 말 지급하는 확정연금이 있다. 첫 번째 지급액은 10만원이며 이후로 계속 10만원씩 증가하여 마지막 지급액은 200만원이라고 한다. 연이율 5%로 해당 확정연금의 현재가치를 계산하시오.

해설 주어진 확정연금은 총 지급횟수가 20회인 증액연금의 단위금액이 10만원인 것과 같다. 따라서, 해당 확정연금의 현재가치는 수식 (0.28)을 이용하여 $10(Ia)_{\overline{20}|0.05} = \dfrac{10a_{\overline{20}|0.05}^{..} - 200(1.05)^{-20}}{0.05} = 1,109.51$ 만원이다.

예제 0.35

매월 초에 은행에 계획된 금액을 적립하고자 한다. 첫 번째 적립액은 200만원이며 이후 적립액이 20만원이 될 때까지 적립액을 매월 20만원씩 줄여서 적립하고자 한다. 이 때 총 적립금액의 5년 후 시점에서의 가치를 계산하시오. 단 월이율은 0.5%이다.

해설 주어진 확정연금은 총 지급횟수가 10회인 감액연금의 단위금액이 20만원인 것과 같다.

우선 해당 확정연금의 첫 번째 지급이 이루어지는 시점에서의 가치를 계산하면 기말불의 결과에 1.005를 곱하여 $(1.005) \cdot 20(Da)_{\overline{10}|0.005} = 1,067.65$ 만원을 얻는다. 따라서, 총 적립금액의 5년 후 시점에서의 가치는 $1,067.65(1.005)^{60} = 1,440.10$ 만원이 된다.

다음으로 연금 지급액이 일정한 비율로 증가 또는 감소하는 경우(등비수열인 경우)를 생각해 보자. 첫 번째 연금 지급액을 A, 이후 연금지급액이 계속 100 $r\%$씩 증가하고 지급주기에 적용되는 실효이율은 i, 지급횟수가 n번인 기말불 확정연금을 가정하면, 해당 연금은 [그림 0-14]와 같이 도식화 할 수 있다.

▓ 그림 0-14　지급액이 등비수열인 경우의 확정연금(기말불)

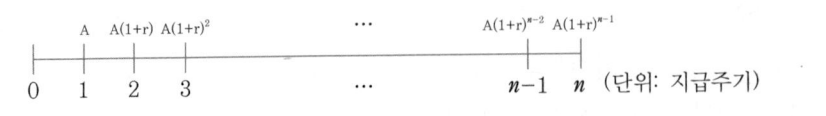

해당 연금의 계약시점에서의 가치 S는 $i \neq r$일 때

$$S = Av + A(1+r)v^2 + A(1+r)^2 v^3 + \cdots + A(1+r)^{n-1}v^n$$
$$= Av(1 + (1+r)v + ((1+r)v)^2 + \cdots + ((1+r)v)^{n-1})$$
$$= Av\frac{((1+r)v)^n - 1}{(1+r)v - 1}$$
$$= A\frac{1 - (\frac{1+r}{1+i})^n}{i - r} \tag{0.32}$$

로 표현된다.

📖 예제 0.36

앞으로 30년간 매년 초 지급하는 어떤 확정 연금은 첫 번째 지급액이 100만원이고, 이후 지급액들은 이전 지급액의 10%씩 증가된 금액을 지급한다고 한다. 해당 확정연금의 현재가치를 연이율 5%로 계산하시오.

해설　주어진 확정연금은 지급액이 등비수열을 이루고 있으므로 수식 (0.32)를 이용하되, 기수불임을 감안하여 현재가치는

$$(1.05) \cdot 100 \cdot \frac{1 - (\frac{1.1}{1.05})^{30}}{0.05 - 0.1} = 6{,}378.54 만원이다.$$

Ⅵ • 이자율의 기간구조

이자율은 다양한 경제 관련변수들의 영향에 의하여 시점에 따라 달라지고, 채권자 및 채무자의 신용도에 따라서도 달라질 수 있다. 또한, 이자율은 채무기간(투자기간)에 따라서도 다르게 적용되는데 이를 이자율의 기간구조(term structure of interest rates)라 한다. 본 절에서는 이자율의 기간구조를 나타내는 방법과 이를 이용하여 현금흐름에 대한 특정 시점에서의 가치를 표현하는 내용을 학습하도록 한다.

1. 현물이자율(Spot rates)

현재 시점을 기준으로 현금을 t년 간 투자하는 경우의 적용 연 이자율을 s_t로 나타내고, 이를 현물이자율(spot rate of interest)로 정의한다. 즉 현재시점에서 단위금액을 투자하는 경우 t년 경과시점에서의 누적가치는

$$(1 + s_t)^t$$

로 계산한다. 따라서, 투자기간에 따라 달라지는 이자율의 기간구조는 현물이자율로 표현할 수 있고, 현물이자율을 이용하여 현금흐름의 특정 시점에서의 가치를 계산할 수 있다. 각 투자기간별 적용 연이율은 [그림 0-15]와 같이 도식화할 수 있다.

⁛ 그림 0-15 현물이자율과 이자율의 기간구조

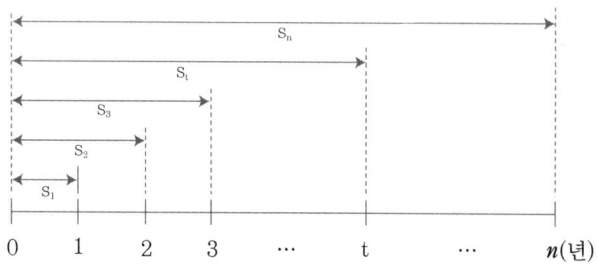

📖 예제 0.37

투자기간에 따른 현물이자율이 다음과 같이 나타나 있는 경우 3년간 매년 말 1을 지급하는 확정연금의 현재시점에서의 가치와 3년 후 시점에서의 누적가치를 각각 계산하시오.

투자기간(년)	현물이자율(s_t)
1	4.8%
2	5.5%
3	6.0%

🔍해설 우선 현재시점에서의 가치는 각 시점별 적용되는 현물이자율을 이용하여

$$(1+s_1)^{-1}+(1+s_2)^{-2}+(1+s_3)^{-3}=(1.048)^{-1}+(1.055)^{-2}+$$
$$(1.06)^{-3}=2.6923$$

을 얻을 수 있고, 3년 후 시점에서의 가치는 앞서 구한 현재시점에서의 가치를 앞으로 3년간 적용되는 현물이자율 6%를 이용하여

$$(2.6923)(1.06)^3=3.2066$$

을 얻는다.

📖 예제 0.38

앞으로 2, 4, 6년 후에 각각 100만원, 200만원, 300만원을 지급하는 확정연금의 현재가치가 500만원이라고 한다. 현물이자율이 $s_2=3\%$, $s_6=4.5\%$인 경우 s_4를 결정하시오.

🔍해설 주어진 조건을 수식으로 표현하면

$$500=\frac{100}{(1.03)^2}+\frac{200}{(1+s_4)^4}+\frac{300}{(1.045)^6}$$

이다. 해당 식을 s_4에 대하여 풀면, $s_4=3.34\%$를 얻는다.

2. 선물이자율(Forward rates)

현물이자율을 통해 기간구조가 주어진 경우 해당 기간구조에 반영된 미래의 특정기간 동안 적용되는 연이율을 도출해 볼 수 있다. 예를 들어, 현재 시점으로부터 t년 후 시점부터 k년간 적용되는 연이율을 $f_{t,k}$로 나타내고($k=1$인 경우는 간략하게 f_t로 나타내자.) 이를 해당 기간에 적용되는 선물이자율

(forward rate of interest)이라고 한다. 현물이자율 s_t와 s_{t+k}와 함께 이자율이 적용되는 구간을 [그림 0-16]과 같이 도식화할 수 있다(현물이자율과 선물이자율 모두 이자율이 적용되는 단위기간은 1년임에 유의하자).

:: 그림 0-16   현물이자율과 선물이자율의 관계

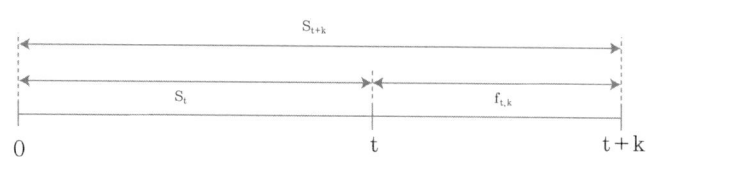

따라서, 다음의 관계식이 성립한다.

$$(1+s_t)^t(1+f_{t,k})^k = (1+s_{t+k})^{t+k} \tag{0.33}$$

수식 (0.33)을 이용하면, 현물이자율 $s_1, s_2, \cdots, s_n$을 이용하여 선물이자율 $f_t(t = 0, 1, 2, \cdots, n-1)$을 도출할 수 있고 거꾸로 선물이자율이 주어진 경우에도 현물이자율을 도출할 수 있다. 즉, 이자율의 기간구조는 현물이자율 또는 선물이자율로 표현이 가능하다.

선물이자율은 미래의 특정 기간 동안 적용되는 연 이자율을 나타내는데, 개념상 유의할 점은 선물이자율이 앞으로 미래의 특정 기간에 실제로 적용될 이자율이 아니고, 현재 이자율의 기간구조로부터 도출되는 해당 기간에서의 이자율이라는 것이다. (해당 기간의 실제 이자율은 그 기간의 시점에 도달하였을 때 알 수 있음.)

예제 0.39

(예제 0.37)과 같이 현물이자율로 이자율의 기간구조가 주어진 경우 앞으로 3년 간의 이자율의 기간 구조를 선물이자율 f_0, f_1, f_2로 표현하시오.

해설 우선 기호가 나타내는 의미에 따라서 $f_0 = s_1 = 4.8\%$이며, 수식 (0.33)을 이용하여 다음과 같이 f_1, f_2를 각각 도출할 수 있다.

$$(1+s_1)(1+f_1) = (1+s_2)^2 \rightarrow f_1 = 6.2\%$$
$$(1+s_2)^2(1+f_2) = (1+s_3)^3 \rightarrow f_2 = 7.0\%$$

📖 **예제 0.40**

현재 이자율의 기간구조를 바탕으로 100만원을 투자한 경우 5년 후 누적가치는 120만원이고, 10년 후 누적가치는 150만원이라고 한다. 이때, 5년 후 시점부터 5년간 적용되는 선물이자율 $f_{5,5}$를 도출하시오.

우선 5년 및 10년 후 시점에서의 누적가치가 주어져 있으므로 다음과 같이 표현할 수 있다.

$$100(1+s_5)^5 = 120 \rightarrow (1+s_5)^5 = 1.2$$
$$100(1+s_{10})^{10} = 150 \rightarrow (1+s_{10})^{10} = 1.5$$

따라서, 수식 (0.33)을 이용하여 구하는 선물이자율을 다음과 같이 계산할 수 있다.

$$(1+s_5)^5(1+f_{5,5})^5 = (1+s_{10})^{10} \rightarrow f_{5,5} = 4.56\%$$

Ⅶ ● 단원 요약표

• 누적함수

현재(시점 0) 1을 투자하는 경우 투자금액의 시점 t에서의 가치(이자를 반영한 증가함수로 나타남)

• 단리법과 복리법(단위시간 당 이자율이 i인 경우)

	단리법	복리법
누적함수 $a(t)$	$1+it$	$(1+i)^t$
특 징	투자원금에만 이자적용	투자원금뿐만 아니라 과거 발생한 이자에도 이자 적용
경과기간에 따른 단위시간 발생이자	일정	증가
경과기간에 따른 단위시간 이자율	감소	일정

- 이자율 표현단위와 시간가치 계산

이자율 표현단위	정 의	누적함수	시점 t에서 단위금액의 시점 0 현재가치
실효이자율 i	(해당기간 중 발생이자)/ (해당 기간 초 가치)	$(1+i)^t$	$(1+i)^{-t}$
실효할인율 d	(해당기간 중 발생이자)/ (해당 기간 말 가치)	$(1-d)^{-t}$	$(1-d)^t$
명목이자율 $i^{(m)}$	$1/m$년 적용 실효이자율 $i^{(m)}/m$	$(1+\dfrac{i^{(m)}}{m})^{mt}$	$(1+\dfrac{i^{(m)}}{m})^{-mt}$
명목할인율 $d^{(m)}$	$1/m$년 적용 실효할인율 $d^{(m)}/m$	$(1-\dfrac{d^{(m)}}{m})^{-mt}$	$(1-\dfrac{d^{(m)}}{m})^{mt}$
이력	$\dfrac{a'(t)}{a(t)}=\dfrac{d\ln a(t)}{dt}$	$\exp(\displaystyle\int_0^t \delta_s ds)$	$\exp(-\displaystyle\int_0^t \delta_s ds)$

※ 동등한 이율을 갖는 이자율 표현단위 사이의 관계

$$1+i=(1-d)^{-1}=(1+\frac{i^{(m)}}{m})^m=(1-\frac{d^{(m)}}{m})^{-m}=e^\delta \ \ \text{(이력은 일정)}$$

- 확정연금

지급액 패턴	기타조건	기말불 /기수불	현재가치 (시점 0)	미래가치 (시점 n)
일정 (단위금액)	지급주기 해당이율 i	기말불	$a_{\overline{n}|i}=\dfrac{1-v^n}{i}$	$s_{\overline{n}|i}=\dfrac{(1+i)^n-1}{i}$
		기수불	$\ddot{a}_{\overline{n}|i}=\dfrac{1-v^n}{d}$	$\ddot{s}_{\overline{n}|i}=\dfrac{(1+i)^n-1}{d}$
일정 (연간 총 지급액 1)	연이율 i, 연간지급횟수 m 지급주기 $1/m$년	기말불	$a_{\overline{n}|i}^{(m)}=\dfrac{1-v^n}{i^{(m)}}$	$s_{\overline{n}|i}^{(m)}=\dfrac{(1+i)^n-1}{i^{(m)}}$
		기수불	$\ddot{a}_{\overline{n}|i}^{(m)}=\dfrac{1-v^n}{d^{(m)}}$	$\ddot{s}_{\overline{n}|i}^{(m)}=\dfrac{(1+i)^n-1}{d^{(m)}}$

등차수열	지급주기 해당이율 i 첫 지급액 A 이후 D씩 증가	기말불	$(Ia)_{\overline{n}|i} = Aa_{\overline{n}|i} + D\dfrac{a_{\overline{n}|i} - nv^n}{i}$	기수불가치 =기말불가치 $\times(1+i)$
등비수열	지급주기 해당이율 i 첫 지급액 A 이후 $100r\%$씩 증가	기말불	$A\dfrac{1-(\dfrac{1+r}{1+i})^n}{i-r}$	미래가치 =현재가치 $\times(1+i)^n$
연속연금	단위기간 당 총 지급액이 1이 되는 수준으로 일정한 시간 당 비율로 연속지급 단위기간 적용이율 i	–	$\overline{a}_{\overline{n}|i} = \dfrac{1-v^n}{\delta}$	$\overline{s}_{\overline{n}|i} = \dfrac{(1+i)^n-1}{\delta}$

표의 공식에서 사용된 이자율 표현단위 $d, i^{(m)}, d^{(m)}, \delta$는 모두 주어진 이율 i와 동일한 실효 이율을 갖는 값임.

• 이자율의 기간구조

현물이자율 s_t: 현재시점으로부터 앞으로 t년간 적용되는 연이율

선물이자율 $f_{t,k}$: 현재시점으로부터 t년 후 시점과 $t+k$년 후 시점 사이 기간에 적용되는 연이율

$$(1+s_{t+k})^{t+k} = (1+s_t)^t(1+f_{t,k})^k$$

1. 다음 물음에 답하시오.
   (1) 동일한 이율을 적용하는 단리법과 복리법의 누적함수의 그래프를 겹쳐서 그려보시오.
   (2) (1)의 그래프에서 단리법의 누적가치가 복리법의 누적가치보다 큰 구간을 결정하시오.
   (3) (2)에서 얻은 구간 내에서 단리법의 누적가치와 복리법의 누적가치의 차이가 최대가 되는 시점과 해당 시점에서 누적가치의 차이는 얼마인지 계산하시오.

2. 현재 100만원을 빌린 경우 다음의 이자율을 이용하여 5년 6개월 후 상환해야 하는 금액을 계산하시오.
   (1) 연 4% 복리
   (2) 연 4% 단리
   (3) 반기 3% 복리
   (4) 분기 1% 복리

3. 다음에 주어진 이자율의 표현단위와 동일한 실효이율을 갖도록, 제시된 이자율의 표현단위로 나타내시오. (복리법을 적용하고, 이력은 일정하다고 가정)
   (1) 분기이율 0.015, 월이율?
   (2) 분기 할인율 0.025, 월이율?
   (3) 연 명목이율 $i^{(4)} = 0.12$, 분기할인율?
   (4) 이력 0.04, 분기할인율?
   (5) 연 명목할인율 $d^{(2)} = 0.03$, 이력?

4. 펀드 A는 연이율 5%의 단리이율을 제공하고, 펀드 B는 연3%의 복리이율을 제공한다. 철수는 펀드 A에 현재 10을 적립하고, 5년 후 20을 적립하고자 한다.

영희는 펀드 B에 n년 후 10, $2n$년 후 30을 적립하고자 한다. 15년 후 두 사람의 적립금의 미래가치(future value)가 동일하다고 할 때, n의 값을 결정하시오.

5. 단리이자율을 이용하는 경우 현재 1의 금액을 투자할 때 t시점 후 누적가치를 $1+it$로 계산하는 것과 유사하게 단리할인율을 이용하여 현재 1의 금액의 t시점 전의 가치를 $1-dt$로 계산할 수 있다. (단, $0<t<1/d$) 현재 1,000만원의 금액을 투자하는 경우 단리할인율 4%를 이용하여 10년 후 시점에서의 누적가치를 계산하시오.

6. 현재 저축계좌에 50만원을 투자하고, 1년 후 5만원, 2년 후 15만원을 각각 인출한 경우, 5년 후 저축 계좌의 잔고를 할인율(discount rate) $d=5$%를 이용하여 계산하시오.

7. 2개월 복리를 적용하는 연 명목이율(annual rate of interest, 6 times per year)이 12%인 저축계좌(savings account)에 10,000원을 투자한 경우 5년 8개월 후 계좌의 잔고(balance)를 계산하시오.

8. 50만원을 연 명목이율 $i^{(2)}=0.08$로 10년 2개월 간 투자하는 경우 누적가치를 계산하시오. (1개월은 1/12년으로 가정할 것.)

9. 올해 초(1월 1일) 연 명목이율 $i^{(3)}=0.09$로 100만원을 1년간 투자하였다. 올해 10월 중에 발생하는 이자 및 실효이율은 얼마인지 결정하시오. (1개월은 1/12년으로 가정할 것.)

10. A 은행은 예금에 대하여 반기 복리 연 명목이율 $i^{(2)}=5\%$를 제공하고, B 은행은 월 복리를 적용한다고 할 때, B 은행이 A 은행보다 고객에게 더 유리한 이자율을 제공하기 위한 월이율의 최소값은 얼마인지 계산하시오.

11. 다음에 주어진 수식에 나타난 이자율 표현단위가 모두 동일한 실효이율을 가질 때, 다음의 관계식을 증명하시오.

  (1) $\dfrac{1}{d}-\dfrac{1}{i}=1$

  (2) $\dfrac{1}{d^{(m)}}-\dfrac{1}{i^{(m)}}=\dfrac{1}{m}$

  (3) $i^{(m)}=d^{(m)}(1+i)^{\frac{1}{m}}$

12. A씨는 현재시점에서 10을 적립하고 15년 후 20을 적립하고자 한다. 이자율은 향후 10년간은 3개월 단위로 적용되는 연 명목할인율로 $d^{(4)}$ 표현되고, 그 이후 $i^{(2)}=6\%$로 표현될 때, 30년 후 적립금의 미래가치가 100이 되도록 하는 처음 10년간의 연 명목할인율 $d^{(4)}$를 구하시오.

13. 향후 5년간 이자율이 다음과 같은 이력함수로 표시된다고 한다.

$$\delta_t=0.02+\frac{0.015t}{t+3},0\le t\le 5$$

  (1) 향후 5년간 연평균 실효이율을 계산하시오.
  (2) 4년 후 1000의 자금이 필요할 때 2년 후 시점에서 필요한 투자금액은 얼마인지 계산하시오.

14. 향후 시점 t에서의 이력이 다음과 같이 주어져 있다.

$$\delta_t=\begin{cases}0.01t, & 0\le t\le 10\\0.1, & t>10\end{cases}$$

현재시점 $(t=0)$에서 20년간 1,000원을 투자한 경우의 수익은 분기복리 연 명목이율 $i^{(4)}$를 적용한 것과 동일하다고 하였을 때, $i^{(4)}$의 값을 계산하시오.

15. 15년 후 100만원의 자금이 필요하여 현재 일정금액을 투자하고자 한다. 향후 적용되는 이자율이 처음 5년간은 $d^{(5)} = 0.1$, 그 이후 5년간은 $\delta_t = \dfrac{1}{1+2t}$, 그리고 마지막 5년간은 $i^{(12)} = 0.12$로 주어져 있을 때, 현재 투자해야 하는 금액은 얼마인지 계산하시오.

16. 펀드 X에 투자된 금액은 이력 $\delta_t = 0.03t + 0.1$이 적용되고, 펀드 Y에 투자된 금액은 명목할인율 $d^{(4)}$가 적용된다고 한다. 두 펀드에 각각 100만원을 동시에 투자하면 20년 후 누적금액이 동일하다고 할 때, $d^{(4)}$를 계산하시오.

17. A은행에 투자를 하는 경우, t번째 해의 실효할인율이 $0.015t + 0.03$로 표현되고, B은행에 투자를 하는 경우 이력 δ가 적용된다고 한다. 각 은행에 5년간 동일한 금액을 투자하는 경우 5년 후 누적가치가 같도록 δ를 결정하시오.

18. 이력 $\delta_t = 0.15\sqrt{t}$가 적용되는 계좌에 10년간 어떤 금액을 투자하면, 3번째 해의 발생이자가 10,000원이라고 한다. 이 때, 10년 후 시점에서의 누적가치는 얼마인지 계산하시오.

19. 다음에 제시된 여러 가지 이자율 표현들을 연 실효이율이 높은 순서대로 재배열하시오.

$$d^{(6)} = 0.07, \quad i^{(4)} = 0.07, \quad \delta = 0.07, \quad d^{(2)} = 0.07, \quad i^{(12)} = 0.07$$

20. 어떤 투자자가 은행구좌를 개설하였다. 해당 구좌는 처음 10년간 이력 0.08이 적용되고, 이후 5년간 이력 δ(일정)가 적용된다고 한다. 15년 간 투자한

누적가치가 원금의 3배가 되기 위한 δ를 결정하시오.

21. 다음의 질문에 답하시오.

   (1) 누적함수가 $a(t) = \sqrt[4]{1+2t^2}$ 로 주어질 때, 4시점에서의 이력 δ_4를 구하시오.

   (2) 시점 t에서의 이력이 $\delta_t = \dfrac{0.1t^2}{1+t^3}$ 일 때, $a(5)$를 구하시오.

22. 시점 t에서의 이력이 $\delta_t = \dfrac{e^{2t}}{1+e^{2t}}$ 로 주어질 때, 시점 3에서 100만원의 금액을 투자하였다면, 해당 금액의 시점 10에서의 누적가치를 계산하시오.

23. 누적함수가 $a(t) = \exp\left\{\dfrac{1}{2}(\ln\ t)^2\right\}$일 때, 이력이 최대가 되는 시점 t를 구하시오.

24. 다음의 수식을 증명하시오.

   (1) $\dfrac{1}{a_{\overline{n}|i}} - \dfrac{1}{s_{\overline{n}|i}} = i$

   (2) $\dfrac{1}{\ddot{a}_{\overline{n}|i}} - \dfrac{1}{\ddot{s}_{\overline{n}|i}} = d$

25. 연이율이 i일 때, n년 간 매년 말 1을 지급하는 확정연금의 n년 후 시점에서의 미래 가치는 $s_{\overline{n}|i} = \dfrac{(1+i)^n - 1}{i}$ 으로 표현된다. 식의 양변에 i를 곱하여 변형하면 $i \cdot s_{\overline{n}|i} = (1+i)^n - 1$이 되는데, 변형된 식이 의미하고 있는 바를 설명하시오.

[Hint: 1의 금액을 n년 간 연 복리이율 i로 투자한 상황을 연상하시오.]

26. 100만원을 투자하는 다음과 같은 두 가지 선택이 있다.

선택 1: 연이율 i를 제공하는 은행계좌에 투자.

선택 2: 연이율 4%를 적용하고 일정금액을 지급하는 24년 만기 기말불확정
연금(annuity-immediate)을 구입하고, 연금 수령액을 연이율 3.5%
를 제공하는 은행계좌에 투자.

선택 1과 선택 2의 24년 후의 미래가치가 동일하게 되도록 하는 i를 결정하
시오.

27. 가격이 3,000만원인 자동차를 36개월 할부로 구입하였다. 구입 시점에서 계
약금을 지불하고, 매월 말 80만원씩 할부금을 지불하기로 했다면, 계약금으로
지불해야 하는 금액은 얼마인지 결정하시오. (연이율 4.5%를 적용하시오.)

28. 은행에서 1,000만원을 대출받고 향후 5년 간 매 분기말 일정한 금액을 상환
하기로 하였다. 처음 3년 간은 연이율 5%를 적용하여 분기 당 50만원씩 상
환하고 3년 후 시점에서 이자율을 조정하여 잔여 채무를 남은 2년 간 상환한
다고 할 때, 3년 후 조정된 적용이율이 연 5.5%라면, 남은 2년 간 매 분기
상환해야 하는 금액을 결정하시오.

29. 철수는 현재로부터 향후 10년간 매 분기 말 50만원씩 적립하여 10년 후 시
점으로부터 5년간 매년 초 Y의 금액을 지급하는 확정연금을 구입하고자 한
다. 연이율이 2.5%일 때, Y를 계산하시오.

30. 영희는 현재 1,000만원을 12년간 매년 말 120만원씩 상환하는 조건으로 대
출받았다. 현재시점으로부터 향후 4년간의 연이율은 3.5%이고, 이후 8년간
의 연이율이 i일 때, i를 계산하시오.

31. 2014년 초부터 매월 초 지급되는 확정연금이 있다. 지급횟수는 180회(15년

만기)이고 첫 번째 지급액은 600이며, 이후 지급액은 매월 2씩 감소한다고 할 때, 지급액의 2030년 초 시점에서의 가치를 계산하시오. (단, $i^{(6)}=12\%$)

32. 기호 $\dfrac{1}{12}\ddot{s}^{(12)}_{\overline{20}|0.05}$의 의미를 설명하고, 해당 값을 계산하시오.

33. 앞으로 10년간 매월 말 정해진 금액을 지급하는 연금이 있다. 첫 해의 지급액은 매월 100만원이고, 이후 지급액은 매년 20만원씩 증가한다고 한다. 연이율 3%를 이용하여 해당 확정연금의 10년 후 시점에서의 미래가치를 계산하시오.

34. 연금 A는 계약시점으로부터 매 분기 초에 1을 지급하는 영속연금(perpetuity)이고 지급액의 계약시점에서의 현재가치가 40이다. 또한, 연금 B는 계약시점으로부터 매 3년의 기간 초에 X를 지급하는 영속연금이다. 연금 A와 연금 B에 적용되는 연이율이 동일할 때, 두 연금의 현재가치를 같게 하는 X값을 결정하시오.

35. 다음의 관계식을 증명하시오.

(1) $\ddot{a}^{(m)}_{\overline{n}|} = a^{(m)}_{\overline{n}|}(1+i)^{\frac{1}{m}}$

(2) $\ddot{s}^{(m)}_{\overline{n}|} = s^{(m)}_{\overline{n}|}(1+i)^{\frac{1}{m}}$

36. 철수와 영희는 현재 X원의 금액으로 다음과 같은 연금을 각각 구입하고자 한다.
철수: 매년 말 30만원을 지급하는 영속연금.
영희: 20년 만기 기말불 확정연금.

단, 첫 번째 지급액은 40만원이고, 이후 지급액이 매년 $k\%$씩 증가함. 각 연금에 적용되는 연이율이 $k\%$일 때, k의 값을 결정하시오.

37. 계약시점부터 매년 초 1의 금액을 지급하는 영속연금(perpetuity-due)을 A와 B 두 사람이 기간별로 분할하여 받기로 하였다. 처음 n번을 A가 받고, 그 이후의 연금을 B가 받기로 하였을 때, A가 받는 금액의 가치가 B가 받는 금액의 가치보다 크기 위한 n의 최소값을 결정하시오. (단, $d^{(4)}=12\%$)

38. 2014년 초부터 연이율 3.7%를 제공하는 적립계좌에 10년간 매년 말 500만원을 적립하고자 한다. 단, 매년 발생하는 이자는 연이율 3%로 재투자된다고 할 때, 적립과 재투자를 모두 포함한 금액의 2023년 말 시점에서의 미래가치를 계산하시오.

39. $\delta_t = \dfrac{1}{1+3t}$ 일 때, $\bar{s}_{\overline{20|}}$의 값을 계산하시오.

40. 연이율이 6%일 때, 기호 $30(Da)_{\overline{10|}0.06}$이 나타내는 연금에 대하여 설명하시오.

41. 앞으로 10년간 매월 말 은행에 돈을 적립하고자 하는데, k번째 해의 월 적립액은 $100k$로 표현된다. (첫 번째 해의 월 적립액은 각각 100원, 두 번째 해의 월 적립액은 각각 200원, ⋯, 마지막 해의 월 적립액은 각각 1,000원) 마지막 적립이 발생되는 시점의 적립액의 누적가치는 얼마인가? (단, $\delta=0.06$를 가정하시오.)

42. 앞으로 매 3년 마다 지급하는 영속연금이 있다. 첫 번째 지급은 3년 후에 이루어지며 지급액은 100이다. 이후 지급액은 10씩 증가한다고 할 때, 해당 확

정연금의 현재가치를 연 실효할인율 3%를 적용하여 계산하시오.

43. 연이율이 5%일 때, 첫 번째 지급이 3년 후 발생하고 매년 2씩 지급하는 영속 연금의 현재가치가 X이다. 첫 번째 지급이 5년 후 발생하고, 첫 번째 지급액은 1, 이후 지급액은 1씩 증가하는 영속 연금의 현재가치를 X로 나타내시오.

44. 20년 간 매년 말 지급하는 확정연금이 있다. 처음 10번의 지급액은 각각 100만원이고, 그 이후 지급액은 매년 5%씩 증가한다고 할 때, 확정 연금의 현재가치를 계산하시오. (단, 연이율 5%를 가정하시오.)

45. 지금(현재) 100만원을 지급하고, 이후 매 5년마다 100만원을 지급하는 영속 연금의 현재 가치가 300만원이라 할 때, 영속연금에 적용된 연이율을 구하시오.

46. 앞으로 20년 간 매년 초 지급하는 확정연금이 있다. 첫 번째 지급액은 100이고, 이후 지급액이 매년 전년대비 5% 증가하며, 11번째 지급액부터는 지급액이 매년 전년대비 7% 감소한다고 한다. 해당 연금의 30년 후 누적가치는 얼마인지 계산하시오. (연이율은 7%로 가정)

47. 선물이자율 $f_t(t=0,1,2,\cdots,n-1)$가 적용되는 기간을 (그림 14)와 같이 도식화하시오.

48. 다음과 같이 선물이자율로 이자율의 기간구조가 주어진 경우, 현물이자율 s_1, s_2, s_3를 도출하시오.

시점(t)	선물이자율(f_t)
0	3.5%
1	3.9%
2	4.2%

49. 현물이자율이 다음과 같은 수식으로 표현된다고 할 때, 아래 질문에 답하시오.

$$s_t = 0.025 + 0.003t$$

(1) 첫 지급액이 100이고 이후 지급액이 50씩 증가하며 지급횟수가 3회인 기수불 확정연금의 현재가치를 계산하시오.

(2) (1)에서 주어진 확정연금을 3년 후 시점부터 판매하는 경우, 선물이자율을 이용히어 해당 확정연금의 3년 후 시점에서의 가치를 계산하시오.

(3) 7년 후부터 3년간 적용되는 선물이자율 $f_{7,3}$을 구하시오.

50. 선물이자율이 다음과 같은 수식으로 표현된다고 할 때, 아래 질문에 답하시오.

$$f_t = (1.035)^{0.1t + 0.7} - 1$$

(1) 첫 지급액이 100이고 이후 지급액이 5%씩 증가하는 20년 만기 기말불 확정연금의 현재가치를 계산하시오.

(2) 앞으로 3년간 적용되는 현물이자율 s_3를 구하시오.

생존분포와 생명표

I ● 사망확률과 생존확률

1. x세의 사람이 사망시점까지 걸리는 시간

보험수리에서는 표현의 간결함을 위해 여러 가지 독특한 기호를 사용한다. 따라서 보험수리에서 사용되는 기호에 익숙해질 필요가 있다. 기초가 되는 보험수리 기호를 소개하도록 한다.

(x): x세의 사람

위의 기호는 연령이 x세인 사람을 뜻한다. 물론 꼭 사람일 필요는 없다. 기계, 동물 등 x라는 연령을 지니는 객체이면 위의 기호를 사용할 수 있다. 다만 보험수리에서는 사람을 대상으로 하고 있을 뿐이다. 별다른 언급이 없을 시에는 사람의 연령을 나타내는 기호로 간주하도록 한다.

$T(x)$: (x)의 장래생존기간

위 기호는 x세인 사람이 사망할 때까지 걸린 시간을 의미한다. 이 사람이 언제 사망할지 알 수 없기 때문에 $T(x)$는 확률변수이다. 그림을 통해 나타내면 다음과 같다.

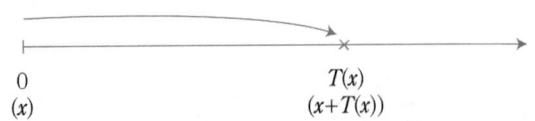

0
(x)

$T(x)$
$(x+T(x))$

0시점에 x세인 사람이 생존해 있다고 가정해 보자. 이 사람은 분명 미래
의 어느 시점에 사망할 것이다. 그러나 그 시점을 정확히 알 수 없기에 확률
변수 $T(x)$로 나타낸다. 이 경우 사망시점의 연령은 $x+T(x)$이다. 물론 사망
시의 연령을 나타내기 위해 다른 확률변수를 정의해서 사용할 수도 있다. 그
러나 이후의 보험수리적 분석을 위해서 장래생존기간 $T(x)$를 정의하여 사용
하는 것이 더 편리하기에 이 기호를 사용한다.

다음은 장래생존기간과 관련된 확률을 나타내는 기호들이다. 이것은 보험
수리에서 가장 기초가 되는 중요한 기호들로 반드시 숙지해야 한다.

$$ {}_tq_x = \Pr(T(x) \le t) \tag{1.1} $$

위의 기호는 장래생존기간 $T(x)$가 t와 같거나 t보다 작을 확률을 나타낸
다. 즉, 이 기호는 확률변수 $T(x)$의 누적분포함수로 x세인 사람이 t 기간 이
내에 사망할 확률을 의미하는 것이다. 그리고 이에 대응되는 생존확률을 나타
내는 기호는

$$ {}_tp_x = \Pr(T(x) > t) = 1 - {}_tq_x \tag{1.2} $$

으로 이는 장래생존기간 $T(x)$가 t보다 클 확률을 나타낸다. 생존확률 ${}_tp_x$는
사망확률 ${}_tq_x$와는 반대로 t 시점에 여전히 생존해 있을 확률을 의미한다. 다
르게 표현하자면 (x)가 t 이후에 사망할 확률이라 할 수 있다. (x)가 미래의
어느 시점에서 사망할 것이라는 점은 확실하다. 단지 t 시점 이전에 사망하는
지 그 이후에 사망하는지의 차이가 있을 뿐이다. t 시점 이전에 사망할 확률
을 ${}_tq_x$로, 이후에 사망할 확률을 ${}_tp_x$로 나타내는 것이다. 이를 그림으로 나타
내면 다음과 같다.

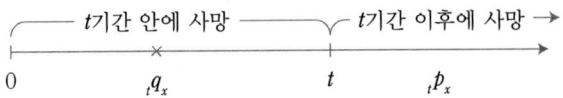

0
${}_tq_x$

t
${}_tp_x$

물론 $_tq_x$는 사망확률이고, $_tp_x$는 생존확률이므로 이 두 가지 기호의 합은 1이 된다.

$$_tp_x + {_tq_x} = 1 \tag{1.3}$$

그리고 t가 1일 경우에는 아래와 같이 1을 생략하여 나타낸다.

$$q_x = {_1q_x} = \Pr((x)\text{가 1년 안에 사망})$$
$$p_x = {_1p_x} = \Pr((x)\text{가 1년 이후 사망})$$

다음 소개할 기호는 거치(deferred) 사망확률이다.

$$_{t|u}q_x = \Pr(t < T(x) \leq t+u) \tag{1.4}$$

이 기호는 (x)가 t와 $t+u$ 시점 사이에 사망할 확률을 의미한다. 다시 말해 x세인 사람이 t 기간 동안 생존하고 이후 u 기간 내에 사망할 확률이다. 이 기호에서 "|"는 거치로 해석된다. 이 기호는 사망확률, 생존확률의 기호를 이용하여 다양하게 표현할 수 있다. 먼저 사망확률 기호를 이용하여 나타내면 다음과 같다.

$$\begin{aligned}
_{t|u}q_x &= \Pr(t < T(x) \leq t+u) \\
&= \Pr(T(x) \leq t+u) - \Pr(T(x) \leq t) \\
&= {_{t+u}q_x} - {_tq_x}
\end{aligned} \tag{1.5}$$

생존확률과 사망확률의 합이 1이라는 것을 이용하여 거치 사망확률을 생존확률로 표현하면 다음의 결과를 얻게 된다.

$$\begin{aligned}
_{t|u}q_x &= {_{t+u}q_x} - {_tq_x} \\
&= (1 - {_{t+u}p_x}) - (1 - {_tp_x}) \\
&= {_tp_x} - {_{t+u}p_x}
\end{aligned} \tag{1.6}$$

뿐만 아니라 거치 사망확률은 생존확률과 사망확률을 동시에 이용하여 나타낼 수도 있다. 이를 위하여 다음의 그림을 참조하도록 한다.

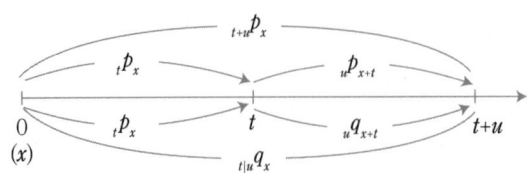

(x)가 t 기간 동안 생존할 경우 연령은 $x+t$가 된다. 그리고 이 확률은 $_tp_x$이 다. 이제 $(x+t)$가 이후 u 기간 내에 사망할 확률은 $_uq_{x+t}$로 나타낼 수 있다. 위의 거치 사망확률은 이 두 확률의 곱으로 표현된다. 즉, (x)가 $x+t$와 $x+t+u$ 사이에 사망할 확률은 $x+t$까지 t 기간 동안 생존할 확률과 $x+t$가 u 기간 내에 사망할 확률을 곱한 것과 같다는 것이다.

$$_{t|u}q_x = \Pr(t < T(x) \le t+u)$$
$$= {}_tp_x \cdot {}_uq_{x+t} \tag{1.7}$$

이와 관련하여 확인할 수 있는 것은 (x)가 $t+u$ 기간 동안 생존할 확률은 (x)가 t 기간 생존할 확률과 $(x+t)$가 u 기간 동안 생존할 확률을 곱한 것과 같다는 점이다.

$$_{t+u}p_x = {}_tp_x \cdot {}_up_{x+t} \tag{1.8}$$

전체 생존기간은 $t+u$가 되고 이것을 간단히 나타내면 왼쪽과 같이 $_{t+u}p_x$로 표현할 수 있다. 이것은 각각의 생존확률을 이용해 전체 생존확률을 알 수 있음을 의미한다.

📖 예제 1.1

다음을 이용하여 물음에 답하시오.
$$p_x = 0.99 \qquad p_{x+1} = 0.985 \qquad _3p_{x+1} = 0.95 \qquad q_{x+3} = 0.02$$

(a) p_{x+3}을 구하시오.

(b) $_2p_x$을 구하시오.

(c) $_2p_{x+1}$을 구하시오.

(d) $_3p_x$을 구하시오.

(e) $_{1|2}q_x$을 구하시오.

(a) $p_{x+3} = 1 - q_{x+3} = 1 - 0.02 = 0.98$

(b) $_2p_x = p_x \cdot p_{x+1} = (0.99)(0.985) = 0.97515$

(c) $_3p_{x+1} = {_2p_{x+1}} \cdot p_{x+3}$

$\quad 0.95 = {_2p_{x+1}}(0.98)$

$\quad {_2p_{x+1}} = 0.969388$

(d) $_3p_x = p_x \cdot {_2p_{x+1}} = (0.99)(0.969388) = 0.95969412$

(e) $_{1|2}q_x = p_x - {_3p_x} = 0.99 - 0.95969412 = 0.03030588$

2. 생존함수(survival function)

통계학이나 보험수리에서는 관심대상이 어떤 연령까지 생존할 확률을 나타내야 하는 경우가 많다. 이를 위해 사용하는 것이 생존함수이다. 어떤 확률변수 X의 생존함수는 다음과 같이 정의된다.

$$s(x) = \Pr(X > x) \tag{1.9}$$

생존함수는 누적분포함수와 서로 여집합인 사건의 확률을 나타내므로 다음의 관계식이 성립한다.

$$\begin{aligned} s(x) &= \Pr(X > x) \\ &= 1 - \Pr(X \le x) \\ &= 1 - F(x) \end{aligned} \tag{1.10}$$

보험수리에서 생존함수가 나타내는 확률변수 X는 신생아의 장래생존기간이다.

$$X:\ \text{신생아가 사망할 때까지 걸리는 시간}$$

X는 앞서 소개한 x세의 장래생존기간을 나타내는 확률변수 $T(x)$에서 x가 0인 경우이다. 즉, X와 $T(0)$는 동일한 확률변수인 것이다. 따라서 생존함수 $s(x)$는 신생아가 x 시점까지 생존할 확률 또는 x 시점 이후에 사망할 확률을 의미한다.

장래생존기간 $T(x)$와 관련한 확률들은 생존함수를 이용하여 나타낼 수 있다. 0세인 신생아가 x 시점까지 생존할 확률은 다음과 같다.

$$s(x) = {}_x p_0 \tag{1.11}$$

또한 생존확률과 사망확률은 식 (1.8)을 이용하여 다음과 같이 나타낼 수 있다.

$${}_t p_x = \frac{{}_{x+t} p_0}{{}_x p_0} = \frac{s(x+t)}{s(x)} \tag{1.12}$$

$$
\begin{aligned}
{}_t q_x &= 1 - {}_t p_x \\
&= 1 - \frac{s(x+t)}{s(x)} \\
&= \frac{s(x) - s(x+t)}{s(x)}
\end{aligned} \tag{1.13}
$$

거치 사망확률 역시 생존함수를 이용하여 표현할 수 있는데 식 (1.6)으로 부터 다음과 같음을 알 수 있다.

$${}_{t|u} q_x = \frac{s(x+t)}{s(x)} - \frac{s(x+t+u)}{s(x)} \tag{1.14}$$

그리고 식 (1.14)를 아래와 같이 바꾸어 표현할 수도 있다.

$$
\begin{aligned}
{}_{t|u} q_x &= \frac{s(x+t)}{s(x)} \cdot \left[1 - \frac{s(x+t+u)}{s(x+t)} \right] \\
&= {}_t p_x (1 - {}_u p_{x+t}) \\
&= {}_t p_x \cdot {}_u q_{x+t}
\end{aligned} \tag{1.15}
$$

지금까지 사망확률, 생존확률과 거치 사망확률 그리고 생존함수에 대해서 살펴보았다. 그리고 이 확률들을 나타내는 기호들과 생존함수와의 관계를 알아보았다. 이 외에도 보험수리에서 생존확률과 사망확률을 표현하는 또 다른 접근법이 있으나 이에 대해서는 차후 생명표에 관한 부분에서 소개하기로 한다.

📖 **예제 1.2**

다음의 생존함수가 주어졌을 때 물음에 답하시오.

$$s(x) = \left(1 - \frac{x}{100} \right)^{0.5}, \quad 0 \le x \le 100$$

(a) ${}_{17} p_{19}$를 구하시오.

(b) ${}_{15} q_{36}$을 구하시오.

(c) ${}_{15|13} q_{36}$을 구하시오.

해설 식 (1.12)를 이용하여

$$_tp_x = \frac{s(x+t)}{s(x)} = \frac{\left(1 - \dfrac{x+t}{100}\right)^{0.5}}{\left(1 - \dfrac{x}{100}\right)^{0.5}} = \left(\frac{100-(x+t)}{100-x}\right)^{0.5}$$

(a) $_{17}p_{19} = \left(\dfrac{64}{81}\right)^{0.5} = \dfrac{8}{9}$

(b) $_{15}q_{36} = 1 - {}_{15}p_{36} = 1 - \left(\dfrac{49}{64}\right)^{0.5} = \dfrac{1}{8}$

(c) $_{15|13}q_{36} = {}_{15}p_{36} - {}_{28}p_{36} = \dfrac{7}{8} - \left(\dfrac{36}{64}\right)^{0.5} = \dfrac{7}{8} - \dfrac{6}{8} = \dfrac{1}{8}$

3. 사 력

사력(force of mortality)은 매우 유용하고 중요한 개념으로 보통 $\mu_x(t)$ 또는 μ_{x+t}로 나타낸다. 현재 x세인 사람이 매우 짧은 기간인 dx 사이에 사망할 확률을 사력을 이용하여 근사적으로 아래와 같이 표현할 수 있다.

$$\mu(x)dx \approx (x)\text{가 매우 짧은 기간 } dx \text{ 안에 사망할 확률}$$

$\mu(x)dx$를 사망확률이라고 직관적으로 생각하는 것이 수학적으로 접근하는 것보다 이해하기 쉬울 수도 있다. 이후 매우 짧은 시간에 x세인 사람이 사망할 확률이 얼마나 될 것인지를 표현하는 매개체로써 $\mu(x)$를 자주 활용하게 될 것이다.

다음의 그림을 참고하여 사력 $\mu(x)$와 앞서 살펴보았던 사망확률과 생존확률 등과의 관계를 살펴보도록 한다.

$$\mu_x(t) = \mu(x+t)$$

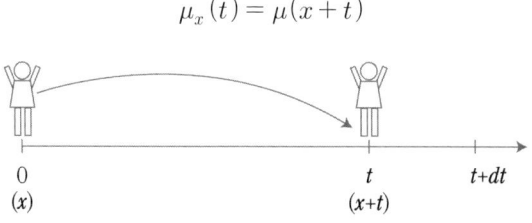

x세인 사람이 0시점으로부터 t 기간이 지난 후 생존해 있고, 이후 dt라는 시간 안에 사망할 확률은 $_tp_x\mu(x+t)dt$라고 표현할 수 있다. 여기서 dt는 수학적으로 0으로 수렴하는 매우 짧은 시간으로 볼 수 있으며, 현실적으로는 일년 중의 하루(1/365) 등과 같이 생각해도 된다.

$$\Pr(t < T(x) \le t+dt) \approx {}_tp_x\mu(x+t)dt \tag{1.16}$$

위의 식 (1.16)은 x세인 사람이 $x+t$라는 순간적인 시점에 사망할 확률을 나타낸다. 반면 사망확률 $_tq_x$은 x세인 사람이 t 기간 이내에 사망할 확률을 나타내는 것이다. 따라서 사력을 이용해서 이 확률을 표현하고자 한다면 순간적인 시점 $x+s$에서의 ds 구간뿐만 아니라 전체 구간 t를 고려해 주어야 한다. 사망확률은 다음의 적분식으로 나타낼 수 있는데 이는 x세의 사람이 t 기간내 어느 시점에서 사망할 것인지 모르기 때문에 개별 시점에서의 사망률을 모두 더하는 것으로 이해할 수 있다.

$$_tq_x = \int_0^t {}_sp_x \cdot \mu(x+s)ds, \ (x+s:\ \text{연령}) \tag{1.17}$$

- $_{s|ds}q_x$
- $x+s$시점에 순간적으로 사망할 확률
- (x)가 $x+s$시점까지 생존할 확률

이제 식 (1.17)을 이용해서 사력과 생존확률과의 관련성을 보다 수리적으로 명확하게 살펴보도록 한다. 이 부분에서는 미적분학의 기본정리(fundamental theorem of calculus)를 이용할 것이다.

$$\frac{d\int_0^x f(t)dt}{dx} = f(x);\ \text{미적분학의 기본정리}$$

위의 미적분학의 기본정리를 식 (1.17)에 적용해 보면

$$\frac{d\,_tq_x}{dt} = {}_tp_x \cdot \mu(x+t) \tag{1.18}$$

이고, 따라서

$$\mu(x+t) = \frac{\dfrac{d_t q_x}{dt}}{{}_t p_x} \tag{1.19}$$

이 된다.

다음으로 사력과 생존확률과의 또 다른 관계식인 ${}_n p_x = \exp\left[-\int_x^{x+n} \mu(y)dy \right]$ 에 대해서 살펴본다. 식 (1.19)로부터

$$\mu(x+t) = \frac{\dfrac{d_t q_x}{dt}}{{}_t p_x} = \frac{\dfrac{d(1-{}_t p_x)}{dt}}{{}_t p_x} = -\frac{\dfrac{d_t p_x}{dt}}{{}_t p_x}$$

이 되고 양변에 −1을 곱하면

$$-\mu(x+t) = \frac{\dfrac{d_t p_x}{dt}}{{}_t p_x}$$

이 된다. 양변을 t에 대해서 정적분하면

$$-\int_0^n \mu(x+t)dt = \int_0^n \frac{\dfrac{d_t p_x}{dt}}{{}_t p_x} dt$$

이 된다. 로그함수의 미분공식인 $\dfrac{d[\log f(x)]}{dx} = \dfrac{f'(x)}{f(x)}$ 를 이용하면

$\displaystyle\int \frac{f'(x)}{f(x)} dx = \ln f(x) + C$ 가 된다는 것을 알고 있으므로 위의 사력에 대한 정적분 식은

$$-\int_0^n \mu(x+t)dt = \left[\ln {}_t p_x\right]_0^n = \ln {}_n p_x - \ln {}_0 p_x$$

이 된다. 여기서 ${}_0 p_x$는 x세의 사람이 0 기간 동안 생존할 확률이다. 이는 현재 생존해 있다는 것을 의미하므로 그 확률은 1이다. 따라서 $\ln {}_0 p_x = 0$이다. 그러므로 위 식은

$$-\int_0^n \mu(x+t)dt = \ln {}_n p_x$$

이 되어 생존확률은

$$_np_x = e^{-\int_0^n \mu(x+t)dt} \tag{1.20}$$

이 된다. 이후 다음과 같이 변수변환을 취하면

$$x+t = y \Rightarrow dt = dy,$$

이 되고 적분구간을 $[0,\ n] \Rightarrow [x,\ x+n]$로 하면 생존확률은

$$_np_x = e^{-\int_0^n \mu(x+t)dt} = e^{-\int_x^{x+n} \mu(y)dy} \tag{1.21}$$

으로 표현할 수 있다.

지금까지의 내용을 정리해보면 다음과 같다. 사망확률 $_tq_x$는 장래생존기간을 나타내는 확률변수 $T(x)$의 누적분포함수이다. 생존확률 $_tp_x$는 $T(x)$의 생존함수이다. 각각을 사력을 이용하여 나타내면

$$_tq_x = \Pr(T(x) \le t) = F_{T(x)}(t) = \int_0^t {}_sp_x\mu(x+s)ds$$

$$_tp_x = \Pr(T(x) > t) = s_{T(x)}(t) = \int_t^\infty {}_sp_x\mu(x+s)ds$$

이다. 또한 확률변수 $T(x)$의 누적분포함수인 $_tq_x$를 t에 대해 미분함으로써 $T(x)$의 확률밀도함수(probability density function)를 얻을 수 있다.

$$f_{T(x)}(t) = \frac{d\,_tq_x}{dt} = {}_tp_x\mu(x+t) \tag{1.22}$$

차후 이와 같은 적분식을 많이 이용하게 된다. 확률을 계산할 때에는 확률밀도함수를 적분하면 되며, 기대값을 계산하는 경우에는 좀 더 복잡한 형태로 나타나지만 기본적으로는 확률밀도함수를 이용할 것이라는 것을 염두에 두도록 하자.

예제 1.3

다음의 조건을 이용하여 $_5p_{70}$를 구하시오.

(ⅰ) $_3p_{70} = 0.95$ (ⅱ) $_2p_{71} = 0.96$ (ⅲ) $\displaystyle\int_{71}^{75} \mu_x dx = 0.107$

해설 식 (1.21)을 이용하여

$$_5p_{70} = e^{-\int_{70}^{75} \mu_x dx} = e^{-\int_{70}^{71} \mu_x dx} \cdot e^{-\int_{71}^{75} \mu_x dx} = p_{70} \cdot {_4p_{71}}$$

이 되는데 여기서 p_{70}을 구하기 위하여

$$_4p_{71} = e^{-\int_{71}^{75} \mu_x dx} = e^{-0.107}$$

$$_3p_{70} = p_{70} \cdot {_2p_{71}}$$

$$p_{70} = \frac{_3p_{70}}{_2p_{71}} = \frac{0.95}{0.96}$$

이 된다. 따라서

$$_5p_{70} = p_{70} \cdot {_4p_{71}} = \frac{0.95}{0.96} \cdot e^{-0.107} = 0.889166$$

이 된다.

예제 1.4

다음의 사력을 이용하여, $_{4|14}q_{50}$를 구하시오.

$$\mu(x) = \begin{cases} 0.05, & 50 \le x < 60 \\ 0.04, & 60 \le x < 70 \end{cases}$$

해설 거치 사망확률은 다음과 같다.

$$_{4|14}q_{50} = {_4p_{50}} \cdot {_{14}q_{54}} = {_{18}q_{50}} - {_4q_{50}} = {_4p_{50}} - {_{18}p_{50}}$$

주어진 사력으로부터 생존확률을 구할 수 있으므로

$$_4p_{50} = e^{-\int_{50}^{54} 0.05 dx} = e^{(-0.05 \times 4)} = e^{-0.2}$$

$$_{18}p_{50} = e^{-\int_{50}^{68} \mu_x dx} = e^{-\int_{50}^{60} 0.05 dx} \, e^{-\int_{60}^{68} 0.04 dx} = e^{(-0.05 \times 10) + (-0.04 \times 8)} = e^{-0.82}$$

여기서 $_{18}p_{50}$을 계산할 때 사력이 바뀌므로 바뀌는 구간에 맞추어 $_{18}p_{50} = {_{10}p_{50}} \cdot {_8p_{60}}$으로 나누어 계산한다.

따라서,

$$_{4|14}q_{50} = {_4p_{50}} - {_{18}p_{50}} = e^{-0.2} - e^{-0.82} = 0.378299$$

이 된다.

II · Stieltjes 적분

다음 주제인 기대여명으로 넘어가기 전, Stieltjes 적분에 대해 알아보도록 하자. Stieltjes 적분의 성질에 대한 증명은 생략하고 구체적인 내용은 예제를 통해 살펴 본다. 다음은 Stieltjes 적분의 성질이다.

(1) $\displaystyle\int_a^b f(z)dg(z)$

　　　　증가함수 (jump 부분 포함)

(2) $\displaystyle\int_a^b f\, d(g(x)+c) = \int_a^b f\, dg(x)$

(3) $\displaystyle\int_a^b c\, dg(z) = c(g(b)-g(a))$

(4) 변수변환 가능

(5) $\displaystyle\int_a^b f\, dg(z) = \int_a^b f \cdot g'(z)dz$

(6) $\displaystyle\int_a^b f^n\, df = \frac{1}{n+1}\left[f^{n+1}(b)-f^{n+1}(a)\right],\ (n \neq -1)$

　예) $\displaystyle\int_a^b x^n dx = \left[\frac{1}{n+1}x^{n+1}\right]_a^b$

Stieltjes 적분을 처음 접할 수도 있겠지만, 이를 너무 어렵게 받아들이지 말고 익숙한 Riemann 적분을 좀 더 일반화했다고 생각하면 된다. Stieltjes 적분은 보험수리에서 매우 유용하게 이용되는데, 누적분포함수가 불연속인 점에서도, 즉 점프가 발생하는 경우에도 적분계산이 가능하기 때문이다.

이제 예제를 통해 Stieltjes 적분을 연습해 보자.

📖 **예제 1.5**

$$F(x) = \begin{cases} \dfrac{x}{8}, & x < 2 \\[2mm] \dfrac{x}{4}, & 2 \le x \le 4 \end{cases} \text{를 이용하여 } \int_0^4 x^2 dF(x) \text{를 계산하시오.}$$

✏️**해**설 $F(x)$는 분포함수로써 그 형태를 그림으로 살펴보면 다음과 같다.

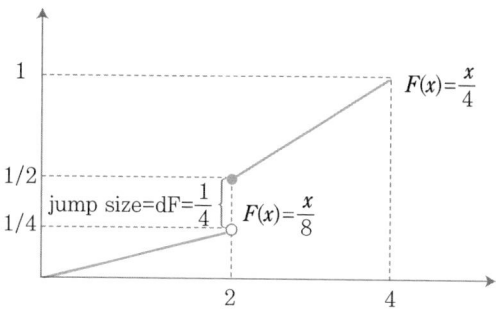

여기서 점프발생은 $x = 2$일 때라는 사실을 염두에 두면서 적분을 하면 다음과 같다.

$$\int_0^4 x^2 dF(x) = \int_0^2 x^2 dF(x) + 2^2 \cdot \frac{1}{4} + \int_2^4 x^2 dF(x)$$

다시 설명하자면 $F(x)$가 미분이 가능한 구간은 기존의 방법으로 적분을 하고, 미분이 불가능한 부분은 점프의 크기만을 따로 계산하면 된다는 것이다. 또한 주어진 조건으로부터 0과 2 사이에서는

$$\frac{dF(x)}{dx} = \frac{1}{8} \Rightarrow dF(x) = \frac{1}{8}dx$$

이고 2와 4 사이에서는

$$\frac{dF(x)}{dx} = \frac{1}{4} \Rightarrow dF(x) = \frac{1}{4}dx$$

이므로

$$\therefore \int_0^4 x^2 dF(x) = \int_0^2 x^2 \cdot \frac{1}{8}dx + 1 + \int_2^4 x^2 \cdot \frac{1}{4}dx$$

$$= \left[\frac{x^3}{24}\right]_0^2 + 1 + \left[\frac{x^3}{12}\right]_2^4 = \frac{8}{24} + 1 + \frac{64}{12} - \frac{8}{12}$$

$$= \frac{8}{24} + 1 + \frac{56}{12} = 6$$

이제 Stieltjes 적분을 이용해서 기대값을 어떻게 계산하는지 알아보도록 하자. 보통의 경우 x가 가질 수 있는 값의 범위는 $(-\infty, \infty)$이지만, 보험수리에서 생존확률을 다루는 경우 x가 음수가 될 수 없으므로 다음과 같이 정리할 수 있다.

$$E(g(X)) = \begin{cases} \text{이산형일 때} : \sum_x g(X) \cdot p(x) \leftarrow p(x) : \text{확률질량함수} \\ \text{연속형일 때} : \int_0^\infty g(X) \cdot f(x)dx \leftarrow f(x) : \text{확률밀도함수} \end{cases}$$

이를 일반화하면

$$E(g(X)) = \int_0^\infty g(X) \cdot dF(x) \tag{1.23}$$

으로 표현이 가능하다. Stieltjes 적분을 이용하게 된다면 이산형과 연속형이 혼합되어 있는 경우의 문제도 계산할 수 있기 때문에 매우 유용하다. 여기서 $F(x)$가 미분 가능하다면 $dF(x) = f(x)dx$, $F(x)$가 미분 불가능하다면 $dF(x) = $ 점프크기가 된다는 사실에 유의하자.

III 완전기대여명

1. 완전기대여명이란

여명은 (x)가 향후 더 생존할 수 있는 기간을 뜻하며, 기대여명이란 생존기간의 기대값이다. 즉, 여명은 장래생존기간 $T(x)$이고 기대여명은 장래생존기간의 기대값이다. (x)의 기대여명은 $\mathring{e}_x$라는 기호를 사용하여 나타낸다.

$$\begin{aligned} \mathring{e}_x &= E[T(x)] \\ &= \int_0^\infty t \cdot f_{T(x)}(t)dt \\ &= \int_0^\infty t \cdot {}_tp_x\mu_x(t)dt \end{aligned} \tag{1.24}$$

위의 적분식을 쉽게 계산할 수 있는 경우도 있지만 그렇지 않은 경우가 많고, 이를 전개하는 것은 쉬운 일이 아니다. 보다 쉽게 풀 수 있는 방법을 알아본다. 결론을 먼저 제시하면 다음과 같다.

$$\mathring{e}_x = \int_0^\infty {}_t p_x dt \tag{1.25}$$

이는 매우 편리하고 중요하므로 숙지해 두어야 한다. 그러나 경우에 따라서는 이보다 기대여명의 정의에 따른 적분식, 즉

$$\mathring{e}_x = \int_0^\infty t \cdot {}_t p_x \mu(x+t) dt \tag{1.26}$$

가 더 유용하게 쓰일 수도 있으므로 두 가지를 모두 알아둘 필요가 있다.

이제 Stieljes 적분을 이용하여 식 (1.25)를 유도해 보자. 먼저 장래생존기간 $T(x)$의 확률밀도함수로부터 시작한다.

$$\frac{d_t q_x}{dt} = {}_t p_x \mu(x+t)$$

를

$${}_t p_x \mu(x+t) dt = d_t q_x$$

로 나타낼 수 있다. 이를 식 (1.24)에 대입하면

$$\int_0^\infty t \cdot {}_t p_x \mu(x+t) dt = \int_0^\infty t d_t q_x \tag{1.27}$$

이 된다. 또한 ${}_t q_x = 1 - {}_t p_x$이므로

$$d_t q_x = d(1 - {}_t p_x) = d(- {}_t p_x)$$

임을 알 수 있다. 이를 식 (1.27)에 대입한 후 부분적분을 이용하면 다음과 같이 전개할 수 있다.

$$\int_0^\infty t \cdot {}_t p_x \mu(x+t) dt = \int_0^\infty t d_t q_x$$

$$= \int_0^\infty t d(- {}_t p_x)$$

$$= \left[t \cdot (-\, {}_tp_x) \right]_0^\infty - \int_0^\infty (-\, {}_tp_x)dt \qquad (1.28)$$

여기서 부분적분의 앞부분인 $\left[t \cdot (-\, {}_tp_x) \right]_0^\infty$ 를 계산해 보면 다음과 같다. $t \cdot (-\, {}_tp_x)$ 에서 $t \to \infty$ 이면 x 세의 사람이 무한하게 생존할 확률은 0이므로 0이 되고, $t=0$ 이면 역시 0이다. 따라서

$$\mathring{e}_x = \int_0^\infty {}_tp_x\, dt \qquad (1.25)$$

이 된다.

앞서 언급하였듯이 기대여명을 계산할 때 항상 식 (1.25)가 간단하고 편리한 것은 아니다. 생존분포가 균등분포(uniform distribution)를 따르는 경우를 예로 들어볼 수 있겠다.

$$X = T(0) \sim Uniform(0,\ 100)$$

는 신생아의 장래생존기간, 즉 신생아가 사망할 때까지 걸리는 시간이 구간 $(0,\ 100)$ 에서 균등분포를 따른다는 의미이다. 이로부터 알 수 있는 것은

$$T(x) \sim Uniform(0,\ 100-x)$$

즉, x 세의 장래생존기간 $T(x)$ 가 구간 $(0,\ 100-x)$ 에서 균등분포를 따른다는 점이다. 이 경우 (x) 의 기대여명을 계산할 때 식 (1.24)를 이용하는 것이 식 (1.25)를 이용하는 것보다 편리함을 알 수 있다. 왜냐하면 $T(x)$ 가 균등분포인 경우 확률밀도함수를 쉽게 알 수 있기 때문이다. $T(x)$ 의 확률밀도함수는

$$f_{T(x)}(t) = \frac{1}{100-x},\ 0 < t < 100-x \qquad (1.29)$$

이므로 이를 식 (1.24)에 대입하여 계산하는 것이 더 편리하다.

참고로 $X \sim Uniform(a,\ b)$ 일 때

$$E(X) = \frac{a+b}{2},\ \ Var(X) = \frac{(b-a)^2}{12}$$

라는 사실을 이용하면 장래생존기간 $T(x)$ 가 구간 $(0,\ 100-x)$ 에서 균등분포를 따를 때 기대여명과 여명의 분산은 다음과 같음을 확인할 수 있다. 자주

이용하게 될 것이므로 숙지해 놓을 필요가 있겠다.

$$T(x) \sim Uniform(0, \ 100-x)$$

$$\mathring{e}_x = E[T(x)] = \frac{100-x}{2} \tag{1.30}$$

$$Var[T(x)] = \frac{(100-x)^2}{12} \tag{1.31}$$

Stieltjes 적분을 이용하지 않고 식 (1.25)를 다음과 같이 유도할 수도 있다. 식 (1.24)에서

$$t = \int_0^t ds$$

이므로 식 (1.24)를 다음과 같이 이중적분으로 나타낼 수 있다.

$$\int_0^\infty \int_0^t f_T(t)\,ds\,dt$$

이 이중적분의 적분순서를 교환하면 $0 < s < t < \infty$ 이므로

$$\int_0^\infty \int_s^\infty f_T(t)\,dt\,ds$$

와 같다. 이 이중적분의 안에 있는 적분은 장래생존기간의 확률밀도함수를 s 부터 적분한 것이므로 $_sp_x$로 나타낼 수 있으므로 결국 위의 이중적분은 식 (1.25)와 같이 간단히 표현된다.

2. 장래생존기간 T(x)의 적률(moments)

앞서 장래생존기간 $T(x)$의 기대값을 구하는 공식을 살펴보았다. 이 과정에서 이용한 부분적분을 이용하여 장래생존기간 $T(x)$의 적률에 대한 공식을 살펴보기로 한다. $T(x)$의 2차적률은

$$E[T^2(x)] = \int_0^\infty t^2 \cdot {}_tp_x\mu(x+t)dt$$

$$= \int_0^\infty t^2 \cdot d({}_tq_x) = \int_0^\infty t^2 \cdot d(-{}_tp_x) \quad \text{(Stieljes 적분)}$$

$$= \left[t^2 \cdot (-\,_tp_x) \right]_0^\infty - \int_0^\infty (-\,_tp_x) dt^2 \quad \text{(부분적분)}$$

$$= (0-0) + \int_0^\infty 2t \cdot \,_tp_x dt$$

$$= 2 \int_0^\infty t \cdot \,_tp_x dt \tag{1.32}$$

이를 보다 일반화하여 장래생존기간의 n차적률(n-th moment)을 다음과 같이 구할 수 있다.

$$E\left[T^n(x) \right] = \int_0^\infty t^n \cdot \,_tp_x \mu(x+t) dt$$

$$= \int_0^\infty t^n \cdot d(\,_tq_x) = \int_0^\infty t^n \cdot d(-\,_tp_x)$$

$$= \left[t^n \cdot (-\,_tp_x) \right]_0^\infty - \int_0^\infty (-\,_tp_x) dt^n$$

$$= (0-0) + \int_0^\infty n \cdot t^{n-1} \cdot \,_tp_x dt$$

$$= n \int_0^\infty t^{n-1} \cdot \,_tp_x dt \tag{1.33}$$

기대여명을 계산할 때 Stieltjes 적분을 이용하지 않고 유도하였던 것처럼 식 (1.33) 역시 Stieltjes 적분을 이용하지 않고 유도할 수 있다. 먼저 식 (1.33) 의 첫 번째 등식에서

$$t^n = \int_0^t n s^{n-1} ds$$

으로 나타내면 다음과 같은 이중적분으로 표현된다.

$$\int_0^\infty \int_0^t n s^{n-1} \,_tp_x \mu(x+t) ds\, dt \tag{1.34}$$

$0 < s < t < \infty$ 임에 주의하며 이중적분의 순서를 교환하면

$$\int_0^\infty \int_s^\infty n s^{n-1} \cdot \,_tp_x \mu(x+t) dt\, ds$$

$$= \int_0^\infty n s^{n-1} \int_s^\infty \,_tp_x \mu(x+t) dt\, ds$$

이고 이중적분의 안에 있는 적분은 $_sp_x$이므로 결국 식 (1.33)이 유도된다.

3. 정기기대여명과 거치기대여명

보험수리에서는 장래생존기간 $T(x)$와 관련하여 다음의 확률변수를 정의하여 사용하는 경우가 많다.

$$T(x) \wedge n = \begin{cases} T(x), & T(x) \leq n \\ n, & T(x) > n \end{cases} \tag{1.35}$$

이 확률변수는 n년정기여명이라고 불리우는데 정의에 따르면 n년 내에 사망할 경우에는 사망시까지의 시간을, n년 이후에 사망할 경우에는 n을 그 값으로 취한다. n년의 시간 동안 (x)의 장래생존기간을 관찰한다고 할 때 (x)가 n년 이후에 사망할 경우 정확한 장래생존기간을 알 수는 없다. 관찰이 끝나기 때문이다. 단지 관찰기간이 끝나는 n년까지는 생존해 있었다는 사실만을 알 뿐이다. 이 경우 위와 같이 확률변수를 정의해서 장래생존기간을 나타내고 이를 분석한다.

n년정기여명의 기대값은 $\overset{\circ}{e}_{x:\overline{n}|}$으로 나타내며 다음과 같이 구할 수 있다.

$$\begin{aligned}
\overset{\circ}{e}_{x:\overline{n}|} &= E[(T \wedge n)] \\
&= \int_0^\infty (t \wedge n) \cdot {}_tp_x \mu_{x+t} dt \\
&= \int_0^\infty (t \wedge n) d(-{}_tp_x) \\
&= \left[(t \wedge n)(-{}_tp_x) \right]_0^\infty - \int_0^\infty (-{}_tp_x) d(t \wedge n) \\
&= 0 + \int_0^\infty {}_tp_x d(t \wedge n) \\
&= \int_0^n {}_tp_x dt
\end{aligned} \tag{1.36}$$

완전기대여명의 경우와 마찬가지로 Stieltjes 적분(식 (1.36) 세 번째 등식)과 부분적분(식 (1.36) 네 번째 등식)을 이용하면 식 (1.36)을 얻게 된다. 식 (1.36)

에서 적분의 상한이 n인 이유는 아래 그림을 참고하면 쉽게 알 수 있다. 아래 그림에서 볼 수 있듯이 t가 n보다 클 때 $d(t \wedge n) = 0$이고, t가 n보다 작을 때 $d(t \wedge n) = dt$이다. 따라서 식 (1.36)과 같이 나타낼 수 있다.

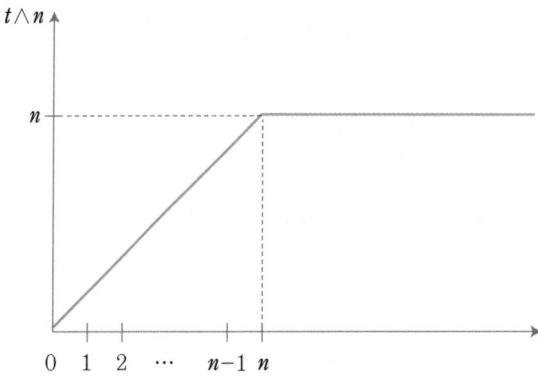

거치여명은 정기여명의 반대 경우로 생각해 볼 수 있겠다. 거치기간 동안 사망이 발생하면 생존기간은 0으로, 거치기간 이후에 사망할 경우에는 전체 생존기간에서 거치기간을 제외한 부분만을 고려하는 것이다. 이 거치여명의 정의와 기대값은 다음과 같다.

$$(T(x) - n)_+ = \begin{cases} 0 , & T(x) \leq n \\ T(x) - n, & T(x) > n \end{cases} \tag{1.37}$$

$$\begin{aligned} {}_{n|}\mathring{e}_x &= E[(T - n)_+] \\ &= \int_0^\infty (t - n)_+ \, d(-{}_tp_x) \\ &= \left[(t - n)_+ (-{}_tp_x) \right]_0^\infty - \int_0^\infty (-{}_tp_x) d(t - n)_+ \\ &= \int_n^\infty {}_tp_x \, dt \end{aligned} \tag{1.38}$$

식 (1.38)의 세 번째 등호에서 왼쪽 항은 0임은 쉽게 확인할 수 있다. 오른쪽 항은 t의 범위를 나누어서 생각해야 한다. t가 n보다 작을 경우 $(t - n)_+$은 0일 뿐만 아니라 $d(t - n)_+$ 역시 0이다. t가 n보다 클 경우 $(t - n)_+$는 $(t - n)$과 동일하므로 $d(t - n)_+ = dt$가 된다. 따라서 최종적으로 식 (1.38)이 유도된다.

두 적분결과로부터 정기기대여명과 거치기대여명의 합은 완전기대여명과 같음을 확인할 수 있다.

$$\mathring{e}_x = \int_0^\infty {}_tp_x\,dt = \int_0^n {}_tp_x\,dt + \int_n^\infty {}_tp_x\,dt = \mathring{e}_{x:\overline{n}|} + {}_{n|}\mathring{e}_x \tag{1.39}$$

예제 1.6

$${}_tp_x = \frac{1}{(1+0.1t)^2},\ t>0$$를 이용하여 $E[T(x)]$를 구하시오.

해설 생존확률 ${}_tp_x$가 주어졌으므로 식 (1.25)를 이용한다.

$$\begin{aligned}
E[T(x)] = \mathring{e}_x &= \int_0^\infty {}_tp_x\,dt \\
&= \int_0^\infty (1+0.1t)^{-2}\,dt = \frac{1}{0.1}\int_0^\infty (0.1)\cdot(1+0.1t)^{-2}\,dt \\
&= \frac{1}{0.1}\left[\frac{1}{-2+1}(1+0.1t)^{-2+1}\right]_0^\infty \\
&= -\frac{1}{0.1}\times\frac{1}{-1}\times 1 = 10
\end{aligned}$$

예제 1.7

생존함수가 다음과 같을 때, (30)의 20년 정기기대여명을 구하시오.
$$s(x) = 1 - (0.01x)^2,\ 0\le x\le 100$$

해설 구해야 하는 것은 $\mathring{e}_{30:\overline{20}|} = E[T(30)\wedge 20]$이므로 식 (1.36)을 이용한다. 이를 위해 먼저 ${}_tp_{30}$을 구하면 다음과 같다.

$${}_tp_{30} = \frac{s(30+t)}{s(30)} = \frac{1-[0.01(30+t)]^2}{1-(0.01(30))^2} = \frac{1-[0.01(30+t)]^2}{0.91}$$

따라서

$$\begin{aligned}
\mathring{e}_{30:\overline{20}|} &= \int_0^{20} {}_tp_{30}\,dt = \int_0^{20}\frac{s(30+t)}{s(30)}\,dt = \int_0^{20}\frac{1-(0.01\times(30+t))^2}{1-(0.01\times 30)^2}\,dt \\
&= \int_0^{20}\frac{1-(0.3+0.01t)^2}{1-0.09}\,dt \\
&= \frac{1}{0.91}\left[t-(0.3+0.01t)^3\cdot\frac{1}{3}\cdot\frac{1}{0.01}\right]_0^{20} \\
&= 17.399267
\end{aligned}$$

📖 **예제 1.8**

사력이 다음과 같을 때, $\mathring{e}_{25:\overline{25}|}$를 구하시오.

$$\mu(x) = \begin{cases} 0.04, & 0 < x < 40 \\ 0.05, & x > 40 \end{cases}$$

🔍 **해설** 구해야 하는 것은 다음과 같다.

$$\mathring{e}_{25:\overline{25}|} = \int_0^{25} {}_tp_{25}\,dt$$

주의해야 할 점은 t의 구간에 따라 ${}_tp_{25}$가 달라진다는 점이다. 앞의 예제1.4에서와 같이 사력이 달라지는 점에 유의하여 ${}_tp_{25}$를 t의 구간에 따라 다음과 같이 나누어서 계산해야 한다.

$${}_tp_{25} = \begin{cases} e^{-0.04t}, & t < 15 \\ e^{-0.04 \times 15 - 0.05(t-15)}, & t \geq 15 \end{cases}$$

따라서

$$\begin{aligned}
\mathring{e}_{25:\overline{25}|} &= \int_0^{25} {}_tp_{25}\,dt \\
&= \int_0^{15} {}_tp_{25}\,dt + \int_{15}^{25} {}_tp_{25}\,dt \\
&= \int_0^{15} e^{-0.04t}\,dt + \int_{15}^{25} e^{-(0.04 \times 15) - 0.05(t-15)}\,dt \\
&= \int_0^{15} e^{-0.04t}\,dt + e^{0.15} \int_{15}^{25} e^{-0.05t}\,dt \\
&= \frac{1}{0.04}(1 - e^{-0.04 \times 15}) + e^{0.15}\frac{1}{0.05}(e^{-0.05 \times 15} - e^{-0.05 \times 25}) \\
&= 15.598520
\end{aligned}$$

Ⅳ 정수기대여명

1. 정수생존기간

정수여명은 소수부분은 고려하지 않은 여명을 말한다. 다시 말해 장래생존기간 $T(x)$의 정수부분만을 고려한 기간인 것이다. 이를 수리적으로 표현하기 위해 'floor'라는 개념을 소개한다. Floor는 $\lfloor \ \rfloor$를 사용하여 $\lfloor a \rfloor$와 같이 나타낸다. 이 기호는 '기호 내의 값과 같거나 작은 수 중 최대의 정수'를 의미한다. 예를 들어 $\lfloor 3.5 \rfloor = 3$, $\lfloor -3.7 \rfloor = -4$이다. 참고로 $\lceil a \rceil$는 'ceiling'이라고 하는 기호인데 이는 floor와 반대로 '기호 내의 값과 같거나 큰 수 중 최소의 정수'를 나타낸다. 예를 들어 $\lceil 3.5 \rceil = 4$, $\lceil -3.7 \rceil = -3$이다.

정수여명은 floor 기호를 이용하여 다음과 같이 나타낼 수 있다.

$$정수여명 = \lfloor T(x) \rfloor \tag{1.40}$$

예를 들어 장래생존기간 $T(x)$가 3.5년인 경우 정수여명은 3년이다. 정수여명을 나타낼 때 위와 같이 floor 기호를 사용할 수 있으나 다른 교재에서는 $K(x)$로 나타내기도 한다. 두 표현 모두 정수여명을 의미한다는 것을 알아두도록 한다.

2. 정수기대여명

장래생존기간 $T(x)$의 기대값을 완전기대여명이라 부르고 이를 $\mathring{e}_x$라는 기호로 나타내었듯 정수여명의 기대값을 정수기대여명이라 정의하고 이를 다음과 같이 나타낸다.

$$e_x = E[\lfloor T(x) \rfloor] \tag{1.41}$$

$\mathring{e}_x$와는 달리 e_x 위에는 'ㅇ'(circle)이 없다. 'ㅇ'은 연속형이라는 의미를 담고 있어 연속형 변수에 사용된다. 반면 e_x는 이산형 변수에서 쓰여진 개념이다.

e_x는 정의에 따르면 $\lfloor T(x) \rfloor$의 기대값이므로 그 계산은 다음과 같다.

$$\begin{aligned} e_x = E[\lfloor T(x) \rfloor] &= \int_0^\infty \lfloor t \rfloor d(_tq_x) \\ &= \int_0^\infty \lfloor t \rfloor d(-_tp_x) \quad \text{(Stieltjes 적분)} \\ &= \left[\lfloor t \rfloor \cdot (-_tp_x) \right]_0^\infty - \int_0^\infty (-_tp_x) d\lfloor t \rfloor \quad \text{(부분적분)} \end{aligned} \tag{1.42}$$

식 (1.42)의 첫 번째 항은 완전기대여명의 계산에서와 마찬가지로 0이 된다. $t \to \infty$일 경우 t가 커지게 되면 $_tp_x$가 0으로 수렴한다. 따라서 $_tp_x$ 앞에

붙어있는 수식에 관계없이 $t \to \infty$ 일 때는 0의 값을 갖는다. $t = 0$일 경우에는 $\lfloor t \rfloor$이 0이 되므로 결국 첫 항의 값은 0이 되는 것이다. 따라서 두 번째 항만 남게 되어 정수기대여명은 다음과 같이 표현된다.

$$e_x = \int_0^\infty {}_tp_x d\lfloor t \rfloor \tag{1.43}$$

식 (1.43)을 계산하기 위해서는 $d\lfloor t \rfloor$ 부분만 정확히 이해하면 된다. 이를 위해 다음의 $\lfloor t \rfloor$ 그래프를 참고하도록 하자.

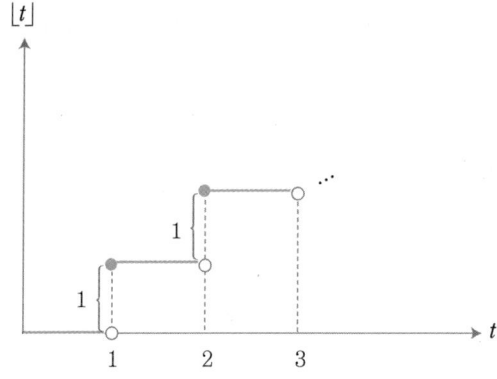

$\lfloor t \rfloor$의 정의에 의해 t가 $[0,1)$의 범위 내에 있을 때에는 1 미만의 값이므로 이 범위 내에서는 모두 $\lfloor t \rfloor = 0$이다. 다른 범위도 마찬가지의 방법으로 그래프를 그릴 수 있다. 결과적으로 t가 정수일 때 점프(jump)를 하는 위와 같은 형태의 그래프를 얻게 된다.

그래프로부터 확인할 수 있는 또다른 사실은 정수가 아닌 부분에서는 $\lfloor t \rfloor$의 값이 변하지 않으므로 $d\lfloor t \rfloor$의 값은 모두 0이라는 점이다. 점프가 일어나지 않는 곳에서는 $d\lfloor t \rfloor$값이 모두 0이므로 위의 식 (1.43)을 풀기 위해서는 점프가 발생하는 부분만 잘 고려해주면 된다. $\lfloor t \rfloor$는 정수부분에서만 점프가 발생하고 그 크기는 모두 1이다. 따라서 t가 정수일 때 $d\lfloor t \rfloor$값을 1로 하여 모두 더해주면 된다.

$$\int_0^\infty {}_tp_x \cdot d\lfloor t \rfloor = p_x \times 1 + {}_2p_x \times 1 + \cdots = p_x + {}_2p_x + \cdots = \sum_{k=1}^\infty {}_kp_x$$

$$\therefore \ e_x = \sum_{k=1}^{\infty} {}_k p_x \tag{1.44}$$

유사한 방법으로 $\lfloor T(x) \rfloor$의 2차적률도 유도할 수 있다.

$$\int_0^{\infty} (\lfloor t \rfloor)^2 d(-\,{}_t p_x) = \left[\lfloor t \rfloor^2 (-\,{}_t p_x) \right]_0^{\infty} - \int_0^{\infty} (-\,{}_t p_x) d(\lfloor t \rfloor)^2$$

$$= 0 + \int_0^{\infty} {}_t p_x d(\lfloor t \rfloor)^2 \tag{1.45}$$

t가 정수가 아닌 부분에서는 $\lfloor t \rfloor^2$이 일정하므로 $d(\lfloor t \rfloor)^2 = 0$이다. $\lfloor t \rfloor^2$은 t가 정수일 경우에만 $\lfloor t \rfloor^2$이 점프를 하게 되는데 그 크기는 t의 값에 따라 달라진다. t=1일 때는 $\lfloor t \rfloor^2 = 1$, $t = 2$일 때는 $\lfloor t \rfloor^2 = 4$로 점프의 크기는 3이 된다. 마찬가지로 $t = 3$일 경우에는 $\lfloor t \rfloor^2 = 9$로, 점프의 크기는 $9 - 4 = 5$가 된다. 그 래프를 그려 직접 확인해 보기 바란다. 따라서 식 (1.45)는 다음과 같다.

$$\int_0^{\infty} {}_t p_x d(\lfloor t \rfloor)^2 = p_x \times 1 + {}_2 p_x \times 3 + {}_3 p_x \times 5 \cdots = \sum_{k=1}^{\infty} (2k-1) \cdot {}_k p_x \tag{1.46}$$

3. 정수기대여명과 완전기대여명의 비교

앞서 수리적 관점에서 e_x를 살펴보았다. e_x의 의미를 보다 직관적으로 알 아보기 위해 그림을 통해 $\mathring{e}_x$과 비교해 보도록 한다. 다음은 ${}_t p_x$의 그래프이 다.

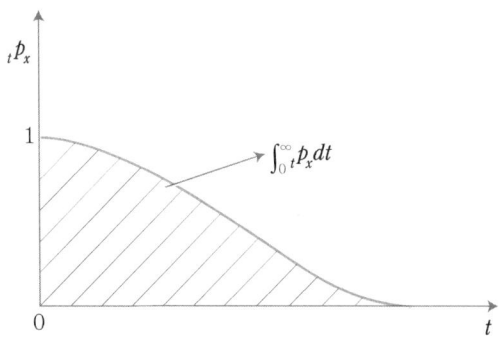

$\overset{\circ}{e}_x$는 정의에 따르면 $\int_0^\infty {}_tp_x dt$, 즉 ${}_tp_x$의 적분값이므로 시각적으로 나타내보면 위 그래프의 면적과 같다는 것을 알 수 있다. 다음은 e_x를 마찬가지로 같은 ${}_tp_x$의 그래프 내에서 표현해 보자.

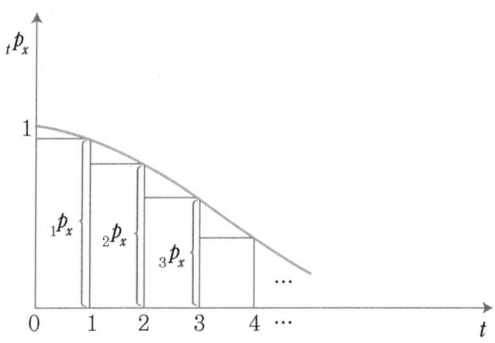

e_x는 $\sum_{k=1}^\infty {}_kp_x$이고 풀어서 쓰면 ${}_1p_x + {}_2p_x + \cdots$ 이다. 위 ${}_tp_x$ 그래프에서 t가 자연수일 때 높이에 해당하는 값은 ${}_1p_x$, ${}_2p_x$, $\cdots$ 이다. 여기에서 위 그래프 내의 그림처럼 밑변의 길이가 1이고 높이가 ${}_kp_x$(k는 정수)인 막대를 생각해 보자. 이 때 각 막대의 넓이는 높이의 값과 같으므로 ${}_1p_x$, ${}_2p_x$, $\cdots$ 가 되고 따라서 막대의 넓이의 총합이라고 할 수 있다. 즉 위 막대의 넓이의 총합은 e_x와 같다.

그림으로 표현된 $\overset{\circ}{e}_x$와 e_x를 비교해 보자. 위에서 넓이로 표현된 크기를 비교했을 때 $\overset{\circ}{e}_x$가 더 크다는 것은 자명하다. 상황에 따라서 그 크기가 거의 같아지는 경우도 있겠지만 대부분의 경우 $\overset{\circ}{e}_x$가 크다. 따라서 다음이 성립한다.

$$e_x < \overset{\circ}{e}_x \tag{1.47}$$

4. 정수여명의 정기기대여명과 거치기대여명

정수여명 역시 완전여명과 마찬가지로 정기여명과 거치여명을 생각해 볼 수 있다. 완전여명의 경우와 비교해 보면 쉽게 이해할 수 있다. 정기정수기대여명의 정의는 다음과 같다.

$$e_{x:\overline{n|}} = E[(\lfloor T \wedge n \rfloor)] \tag{1.48}$$

이의 계산은 e_x의 계산과정과 유사하다. 정의에 따라 다음과 같이 표현된다.

$$e_{x:\overline{n|}} = \int_0^\infty (\lfloor t \wedge n \rfloor) d(-{}_t p_x)$$

$$= \left[(\lfloor t \wedge n \rfloor)(-{}_t p_x) \right]_0^\infty - \int_0^\infty (-{}_t p_x) d(\lfloor t \wedge n \rfloor)$$

$$= \int_0^\infty {}_t p_x \cdot d(\lfloor t \wedge n \rfloor) \tag{1.49}$$

e_x의 계산과 마찬가지로 이제 $d(\lfloor t \wedge n \rfloor)$를 파악하기 위해 $\lfloor t \wedge n \rfloor$의 그래프를 그려보자. $\lfloor t \wedge n \rfloor$는 범위를 나누어 생각하면 다음과 같다.

$$\lfloor t \wedge n \rfloor = \begin{cases} \lfloor t \rfloor, & t \le n \\ n, & t > n \end{cases} \tag{1.50}$$

따라서 $\lfloor t \wedge n \rfloor$의 그래프는 $t \le n$인 경우 앞에서 그려본 $\lfloor t \rfloor$의 그래프와 모양이 같고, $t > n$인 경우에는 값이 n으로 일정한 직선이 될 것이다. 이를 그려보면 다음과 같다.

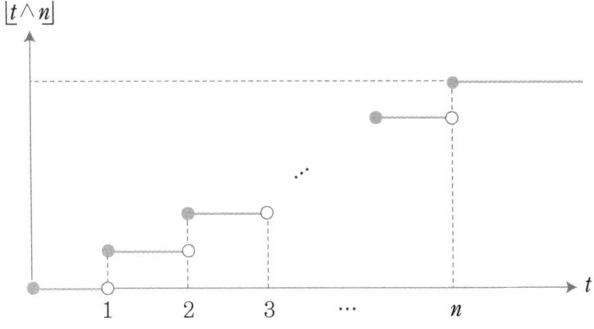

그래프로부터 점프가 발생하는 1에서 n까지의 정수 부분을 제외한 나머지 구간에서는 $\lfloor t \wedge n \rfloor$의 값이 일정하기 때문에 $d(\lfloor t \wedge n \rfloor) = 0$이라는 것을 알 수 있다. t가 1에서 n까지의 정수일 때는 점프의 크기가 모두 1이므로 위의

적분은 다음과 같이 정리할 수 있다.

$$e_{x:\overline{n}|} = p_x \times 1 + {}_2p_x \times 1 + \cdots + {}_np_x \times 1$$

$$= p_x + {}_2p_x + \cdots + {}_np_x = \sum_{k=1}^{n} {}_kp_x$$

$$\therefore\ e_{x:\overline{n}|} = \sum_{k=1}^{n} {}_kp_x \tag{1.51}$$

$T(x)$의 거치기대여명과 마찬가지로 정수여명의 n년거치 기대여명은 다음과 같이 나타낼 수 있다. 이에 대한 유도는 생략하기로 한다.

$$_{n|}e_x = \sum_{k=n+1}^{\infty} {}_kp_x \tag{1.52}$$

📖 예제 1.9

(x)에 대한 조건이 다음과 같이 주어졌다.

(i) $q_{x+k} = 0.1(k+1),\ k = 0,1,2,\cdots,9$

(ii) $X = \min(\ T(x)\ ,3)$

$Var(X)$를 구하시오.

확률변수 X는 다음과 같다.

$$X = \min(\ T(x)\ ,3) = \begin{cases} T(x)\ , & T(x) < 3 \\ 3\ , & T(x) \geq 3 \end{cases}$$

즉, X는 3년 정기정수여명이다. 기대값은 $e_{x:\overline{3}|}$으로 표시하고 그 값은 $\sum_{k=1}^{3} {}_kp_x$ 이다.

$$E(X) = e_{x:\overline{3}|} = p_x + {}_2p_x + {}_3p_x$$

$$E[X^2] = p_x + 3 \cdot {}_2p_x + 5 \cdot {}_3p_x$$

$q_x = 0.1,\ q_{x+1} = 0.2,\ q_{x+2} = 0.3$이므로 $p_x = 0.9,\ p_{x+1} = 0.8,$ $p_{x+2} = 0.7$이다.

$$p_x + {}_2p_x + {}_3p_x = 0.9 + (0.9)(0.8) + (0.9)(0.8)(0.7) = 2.124$$

$$p_x + 3 \cdot {}_2p_x + 5 \cdot {}_3p_x = 0.9 + 3(0.9)(0.8) + 5(0.9)(0.8)(0.7) = 5.58$$

$$Var(X) = 5.58 - 2.124^2 = 1.068624$$

V · 생명표

앞서 생존확률 $_tp_x$와 사망확률 $_tq_x$를 표현하기 위해 신생아의 장래생존기간 $T(0)$의 생존함수를 이용하였다. 또한 $T(0)$의 생존함수로부터 $T(x)$의 확률밀도함수를 유도하고 기대값을 구하는 등 지금까지 살펴본 모든 내용은 장래생존기간의 분포를 기반으로 하였다. 그러나 많은 경우, 특히 실무에서는 장래생존기간의 분포를 직접 이용하기보다 '생명표(life table)'라 불리우는 표를 사용한다. 생명표는 장래생존기간의 분포를 바탕으로 작성된 표이므로 이 생명표로부터 장래생존기간에 대한 정보를 얻어낼 수 있는 것이다. 이하에서는 생명표에 대해 살펴본다. 이해에 도움이 되도록 부록으로 첨부되어 있는 생명표를 참고하기 바란다. 먼저 생명표에 나타나 있는 기호를 소개한다.

$$l_x: \text{연령이 } x \text{세인 생존자 수}$$

l_x는 0세인 신생아가 l_0명 있다고 가정할 때 x세까지의 기대(예상) 생존자 수를 의미한다. l_0는 기초생존자수(radix)라고 불리우는데 이는 임의의 상수로 생각할 수 있다. 예를 들어 l_0이 100,000명이라고 하면 이는 신생아의 수를 의미한다. 시간이 흘러 x세에 도달할 때까지 사망자가 생기고 생존자수는 점차 감소하게 된다. 생존자수 혹은 사망자수는 그 값을 알 수 없는 확률변수이다. 확률변수인 생존자수의 기대값을 l_x로 나타내는 것이다. 또한 사망자수의 기대값을 d_x로 나타낸다. 생존함수와의 관계는 다음과 같다.

$$l_x = l_0 s(x)$$
$$d_x = l_x - l_{x+1} \tag{1.53}$$

이를 이용하여 생존확률 $_tp_x$를 표현하면 아래와 같다.

$$_tp_x = \frac{l_{x+t}}{l_x} = \frac{\dfrac{l_{x+t}}{l_0}}{\dfrac{l_x}{l_0}} = \frac{s(x+t)}{s(x)} \tag{1.54}$$

생존확률 $_t p_x$는 현재 생존자수를 분모로 하고 t 시점까지 생존한 사람을 분자로 나타내게 된다. 앞서 살펴본 $_{t|u} q_x$를 $_t p_x \cdot _u q_{x+t}$로 표현하였는데 이를 생명표를 이용하여 다르게 나타내 보면 다음과 같다.

$$
\begin{aligned}
_{t|u} q_x &= \Pr(t < T(x) \le t+u) \\
&= \Pr(T(x) \le t+u) - \Pr(T(x) \le t) \\
&= \Pr(T(x) > t) - \Pr(T(x) > t+u) \\
&= \frac{s(x+t)}{s(x)} - \frac{s(x+t+u)}{s(x)} \\
&= \frac{l_{x+t} - l_{x+t+u}}{l_x} \\
&= \frac{d_{x+t} + d_{x+t+1} + \cdots + d_{x+t+u-1}}{l_x}
\end{aligned}
\tag{1.55}
$$

생존확률과 마찬가지로 현재 생존자수를 분모로 하고 t 시점과 $t+u$ 시점 사이의 사망자수가 분자가 됨을 확인할 수 있다.

📖 예제 1.10

다음의 생명표에서 빈 칸을 채우시오.

x	q_x	l_x	d_x
0	0.2	100	
1			
2	1	40	

해설 $q_x = \dfrac{d_x}{l_x}$ 이므로 $d_x = q_x \cdot l_x$ 이다. 따라서

$d_0 = q_0 \cdot l_0 = 0.2 \times 100 = 20$

식 (1.53)에 의해 $l_{x+1} = l_x - d_x$ 이므로

$l_1 = l_0 - d_0 = 100 - 20 = 80$

$l_2 = l_1 - d_1$ 이므로 $40 = 80 - d_1$, 따라서 $d_1 = 40$

$q_1 = d_1 / l_1 = 40 \div 80 = 0.5$

$d_2 = l_2 \cdot q_2 = 1 \times 40 = 40$

Ⅵ • 선택종국표(select-and-ultimate table)

일반적인 생명표의 경우 표준집단(standard group)의 구성원을 기준으로 작성된다. 그러나 표준집단과는 다른 사망확률을 지니게 되는 집단이 존재할 수 있다. 예를 들어 질병에 걸린 사람의 경우 표준집단 내 동일한 연령의 구성원보다 높은 사망확률을 지니게 될 것이다. 또한 생명보험에 가입하는 피보험자의 경우 과거 병력과 건강상태를 확인받고 보험에 가입하게 되므로 이들의 생존확률은 표준집단보다 높을 것이라 예상할 수 있다.

이처럼 표준집단과 다른 사망확률을 계산하여 표로 작성한 것이 선택종국표이다. 표준집단과의 구분을 위해 [ ]를 이용하여 $[x]$로 나타낸다. 표준집단과 구분되는 요인을 선택효과라고 하는데 이 효과는 영구적으로 지속되지 않고 일정기간 동안만 유지된다. 이처럼 선택효과가 지속되는 기간을 선택기간(select period)이라고 하는데 이 기간이 끝나면 사망확률은 표준집단의 사망률과 동일해진다. 다음의 선택기간이 2년인 선택종국표를 참고하여 보다 구체적으로 알아보기로 한다.

선택종국표

선택효과가 지속되는 기간 (선택기간=2년)

$[x]$	$q_{[x]}$	$q_{[x]+1}$	q_{x+2}	$(x+2)$
30	0.22	0.33	0.42	32
31	0.23	0.35	0.45	33
32	0.25	0.37	0.50	34

30세를 예를 들어 보자. 30세와 31세일 때는 각각 비정상적 사망률인 0.22, 0.33을 따르고 32세일 때는 표준집단의 사망률인 0.42를 따르게 된다. 이 때 30세의 사망률은 $q_{[30]}$로 표시하여 표준집단의 경우와 구분한다. 31세의 사망률은 $q_{[30]+1}$로 q_{31}과는 다르게 표시하여 선택기간 내에 있다는 것을 나타내

준다. 30세에 선택효과가 시작되어 1년이 경과했음을 나타내기 위해 [30]+1 을 사용하는 것이다. [30]+1과 [31]을 구분할 필요가 있다. 두 기호 모두 31세 를 나타내지만 전자는 선택효과가 30세에 시작되어 1년이 지난 반면 후자는 선택효과가 31세에 시작됨을 알려주는 것이기 때문이다.

위의 선택종국표를 이용하여 $_4p_{[30]}$를 계산해 보자. 이 확률은 다음과 같이 표현된다.

$$_4p_{[31]} = p_{[31]} \cdot p_{[31]+1} \cdot p_{33} \cdot p_{34}$$

먼저 31세와 32세의 경우에는 선택기간 내에 있으므로 선택종국표에 있는 사 망률인 $p_{[31]}$과 $p_{[31]+1}$을 적용해야 한다. 하지만 2년이 지난 후에는 정상적인 상태가 되는 것을 가정하였으므로 표준집단의 q_{33}과 q_{34}를 적용한다. 따라서 $_4p_{[30]}$는 위와 같이 나타나게 되는 것이다. 이의 계산은 다음과 같다.

$$\begin{aligned}
_4p_{[31]} &= p_{[31]} \cdot p_{[31]+1} \cdot p_{33} \cdot p_{34} \\
&= (1-q_{[31]})(1-q_{[31]+1})(1-q_{33})(1-q_{34}) \\
&= (1-0.23)(1-0.35)(1-0.45)(1-0.50)
\end{aligned}$$

선택종국표를 읽을 때 진행방향이 'ㄱ'과 같다는 것을 참고하도록 한다. 보 다 복잡한 예를 통해 선택종국표를 이해하도록 해 보자.

$$\begin{aligned}
e_{30:\overline{4}|} &= {}_1p_{[30]} + {}_2p_{[30]} + {}_3p_{[30]} + {}_4p_{[30]} \\
&= (1-q_{[30]}) + (1-q_{[30]})(1-q_{[30]+1}) + (1-q_{[30]})(1-q_{[30]+1})(1-q_{30+2}) \\
&\quad + (1-q_{[30]})(1-q_{[30]+1})(1-q_{30+2})(1-q_{30+3})
\end{aligned}$$

선택종국표는 요령만 익히면 쉽게 적용할 수 있기 때문에 조금만 연습해 둔다면 문제를 풀이하는 데 어려움이 없을 것이다. 실무에서도 많이 적용하는 개념이다.

예제 1.11

선택기간이 3년인 선택종국표를 이용하여 물음에 답하시오.

(i)

x	$q_{[x]}$	$q_{[x]+1}$	$q_{[x]+2}$	q_{x+3}	$x+3$
60	0.09	0.11	0.13	0.15	63
61	0.1	0.12	0.14	0.16	64
62	0.11	0.13	0.15	0.17	65
63	0.12	0.14	0.16	0.18	66
64	0.13	0.15	0.17	0.19	67

(ii) 김씨는 2013년 1월 1일에 선택집단에 새로 포함되었다.

(iii) 김씨는 2014년 1월 1일 현재 61세이다.

(iv) P는 김씨가 2014년 1월 1일 기준으로 2019년 1월 1일까지 생존할 확률을 의미한다.

주어진 조건을 이용하여 P를 구하시오.

해설

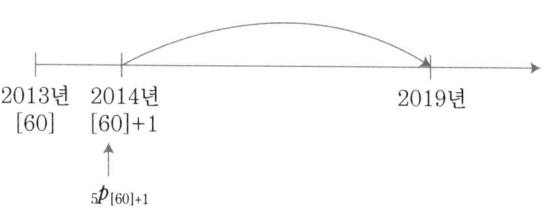

위의 그림에서 볼 수 있듯이 $P = {}_5p_{[60]+1}$이다. 따라서

$$_5p_{[60]+1} = (p_{[60]+1})(p_{[60]+2})(p_{63})(p_{64})(p_{65})$$
$$= (1-0.11)(1-0.13)(1-0.15)(1-0.16)(1-0.17) = 0.4589$$

VII ▶ 소수연령에 대한 가정

생명표는 각 연령별로 1년 안에 사망할 확률 혹은 생존할 확률을 매우 직관적이고 이해하기 쉬운 방법으로 계산할 수 있게 해 준다. 하지만 생명표에서 얻을 수 있는 이 정수연령에 관한 정보만으로는 충분한 정보를 얻을 수 없는 경우가 많이 존재한다. 예를 들어 x세의 사람이 3.5년 이내 사망할 확률은 무엇인지, 또는 적어도 2.7년은 생존할 확률은 무엇인지에 대해서는 답을 제

공해 주지 못한다. 따라서 생명표의 정보만으로는 불충분한 부분, 즉, 소수연령에 대한 부분을 다룰 때는 어떤 가정을 필요로 한다. 소수연령에 대한 가정은 이후 알아보게 될 보험료 계산이나 준비금 계산에도 계속 사용될 것이기에 잘 익혀둘 필요가 있다.

1. UDD(Uniform Distribution of Death) 가정

첫 번째로 알아볼 가정은 UDD(Uniform Distribution of Death) 가정으로 매우 중요하다. 그 내용은 아주 간단하다.

$$_tq_x = t \times q_x \quad (단, \ 0 < t < 1)$$
$$_tp_x = 1 - {}_tq_x = 1 - t \times q_x \tag{1.56}$$

다시 말해 UDD 가정에 따르면 한 해 동안의 사망자는 1년 내의 기간 동안 고르게 분포해 있다는 것이다. 예를 들어 365명이 사망했다면 매일 하루에 한 명씩 균등하게 사망했음을 의미한다. 즉, 소수 기간 동안의 사망자수는 다음과 같다.

$$_td_x = td_x \ (단, \ 0 < t < 1) \tag{1.57}$$

따라서 소수연령에서의 생존자수는

$$
\begin{aligned}
l_{x+t} &= l_x - {}_td_x \\
&= l_x - td_x \\
&= l_x - t(l_x - l_{x+1}) \\
&= tl_{x+1} + (1-t)l_x
\end{aligned} \tag{1.58}
$$

이다.

주의할 점은 UDD를 포함한 모든 소수연령에 대한 가정은 $0 < t < 1$의 경우에만 적용이 가능하다는 점이다. 이와 관련하여 두 가지를 살펴볼 필요가 있다. 첫 번째는 1을 넘는 소수연령기간에 대한 확률의 계산이다. 예를 들어 $_{1.1}q_x$를 UDD 가정 하에서 $1.1q_x$로 생각해서는 안 된다. $_{1.1}q_x$를 $_1q_x + {}_1p_x \cdot {}_{0.1}q_{x+1}$로 분해하여 $_{0.1}q_{x+1}$에만 소수연령 가정을 적용하여 $_{0.1}q_{x+1} = (0.1)$

(q_{x+1})로 계산하고 나머지는 생명표의 정보를 이용하는 것이다. 두 번째는 연령 자체가 소수인 경우이다. 예를 들어 $_{0.2}q_{x+0.6}$인 경우이다. 이 확률은 생존자수를 이용하여 살펴보는 것이 더 쉽게 이해된다.

$$
\begin{aligned}
_{0.2}q_{x+0.6} &= \frac{l_{x+0.6} - l_{x+0.8}}{l_{x+0.6}} = 1 - \frac{l_{x+0.8}/l_x}{l_{x+0.6}/l_x} \\
&= 1 - \frac{_{0.8}p_x}{_{0.6}p_x} \\
&= 1 - \frac{1 - 0.8q_x}{1 - 0.6q_x} \\
&= \frac{0.2q_x}{1 - 0.6q_x}
\end{aligned}
$$

이로부터 UDD 가정 하에서 연령이 소수이고 기간도 소수인 경우에는

$$
_{s}q_{x+t} = \frac{s \cdot q_x}{1 - t \cdot q_x} \quad (단, \ 0 < s+t \le 1) \tag{1.59}
$$

이 성립한다.

UDD 가정은 아래의 그림으로도 확인할 수 있듯 매우 단순한 구조이다. UDD 가정은 실무적으로도 매우 자주 유용하게 사용되고 있으며 계산이 쉽다는 장점을 지니고 있다.

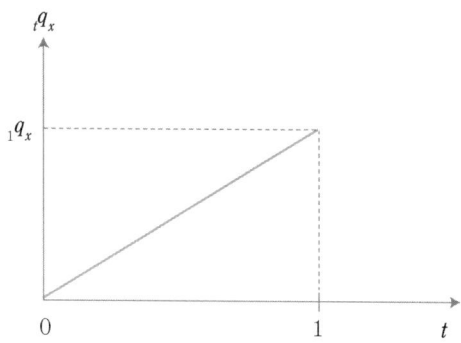

📖 **예제 1.12**

다음의 주어진 조건을 이용하여 물음에 답하시오.

(i) $\mu(80.5) = 0.0202$

(ii) $\mu(81.5) = 0.0408$

(iii) $\mu(82.5) = 0.0619$

(iv) 소수연령에 대하여 UDD 가정을 사용한다.

　　80.5세가 2년 안에 사망할 확률을 구하시오.

🔍 **해설** $_2q_{80.5}$를 구하는 문제이다. 먼저 UDD 가정 하에서 소수연령에서의 사력은 어떻게 계산되는지를 알아야 한다.

$$\mu_x(t) = \frac{\dfrac{d\,_tq_x}{dt}}{_tp_x} = \frac{\dfrac{d(t \cdot q_x)}{dt}}{_tp_x} = \frac{q_x}{1 - t \cdot q_x}$$

문제에서 주어진 $\mu(80.5)$를 위의 식을 이용하여 나타내면 다음과 같다.

$$\mu(80+0.5) = \frac{q_{80}}{1 - 0.5 \times q_{80}} = 0.0202$$

$$\Rightarrow q_{80} = 0.02$$

또한 동일한 방법으로 $q_{81} = 0.04$와 $q_{82} = 0.06$임을 알 수 있다. 따라서 구하고자 하는 사망확률 $_2q_{80.5}$는 다음과 같이 구할 수 있다.

$$_2q_{80.5} = {}_{0.5}q_{80.5} + {}_{0.5|}q_{80.5} + {}_{1.5|0.5}q_{80.5}$$
$$= {}_{0.5}q_{80.5} + {}_{0.5}p_{80.5} \cdot q_{81} + {}_{0.5}p_{80.5} \cdot p_{81} \cdot {}_{0.5}q_{82}$$

위의 식에서

$$_{0.5}q_{80.5} = \frac{0.5 \times q_{80}}{1 - 0.5 \times q_{80}} = 0.010101, \quad _{0.5}q_{82} = 0.5 \times q_{82} = 0.03$$

따라서

$$_2q_{80.5} = 0.0101 + (1-0.0101)(0.04) + (1-0.0101)(1-0.04)(0.5)(0.06)$$
$$= 0.078205$$

2. 상수사력(Constant Force of Mortality) 가정

두 번째 가정은 소수연령 구간에서 사력이 상수임을 가정하는 것이다. UDD 가정의 경우 그 결과를 사망률을 통해서 접근하였는데 상수사력 가정은 생존율로부터 접근하는 것이 가장 쉽고 일반적이다. 이 가정의 결과를 생존율을 이용해 나타내면 다음과 같다.

$$_tp_x = [p_x]^t \ (\text{단, } 0 < t < 1) \tag{1.60}$$

이를 로그함수와 지수함수를 이용해 다음과 같이 표현할 수 있다.

$$_tp_x = [p_x]^t = e^{\ln\left[(p_x)^t\right]} = e^{t \cdot \ln(p_x)} = e^{-t \cdot (-\ln p_x)} \tag{1.61}$$

식 (1.61)의 $e^{-t \cdot (-\ln p_x)}$에서 $-\ln p_x$는 사력 $\mu(x)$이다. 이 때 $-\ln p_x$는 상수이므로 '상수사력'이라는 이름을 붙인 것이다. 유의해야 할 점은 모든 연령에서 사력이 상수로 일정한 것이 아니라 [0세~1세], [1세~2세] 등 각 연령구간별 사력이 $-\ln p_0$, $-\ln p_1$ 등으로 일정한 상수 값을 갖는다는 점이다.

예제 1.13

예제 1.11의 선택종국표를 이용하여 소수연령에 대한 상수 사력을 가정하고, $_{0.8}q_{[61]+0.7}$을 구하시오.

해설 $_{0.8}q_{[61]+0.7} = 1 - {_{0.8}p_{[61]+0.7}}$

$_{0.8}p_{[61]+0.7} = {_{0.3}p_{[61]+0.7}} \cdot {_{0.5}p_{[61]+1}}$

상수사력 가정에서 $_{0.3}p_{[61]+0.7} = (p_{[61]})^{0.3}$, $_{0.5}p_{[61]+1} = (p_{[61]+1})^{0.5}$이다.

$p_{[61]} = 0.9, \ p_{[61]+1} = 0.88$이므로

$_{0.8}q_{[61]+0.7} = 1 - (0.9)^{0.3}(0.88)^{0.5} = 0.0911$

3. Balducci (Hyperbolic) 가정

세 번째로 알아볼 가정은 발두치(Balducci) 가정 (또는 hyperbolic 가정)이다. 발두치는 계리사로서 이 가정을 그가 제안하고 사용했기 때문에 발두치 가정이라고 불리운다. 이 가정은 앞의 두 가정과는 달리 접근이 복잡하고 그 결과도 비교적 단순하지 않기에 많이 사용되고 있지는 않다. 앞서 소개한 UDD 가정과 상수사력 가정이 생존함수로 어떻게 표현되는지를 살펴보면서 발두치 가정을 소개하도록 한다.

UDD 가정, 상수사력 가정 그리고 발두치 가정은 모두 소수연령에서의 생존함수를 어떻게 근사하는지로 구분해 볼 수 있다. UDD 가정의 경우는 다음과 같다.

$$s(x+t) = ts(x+1) + (1-t)s(x) \quad (\text{단, } 0 < t < 1) \tag{1.62}$$

즉, x와 $x+1$세에서의 생존함수의 내분값으로 $x+t$에서의 생존함수를 근사한 것이다. 반면 상수사력 가정에서는 생존함수의 로그함수를 선형보간(linear interpolation)한다.

$$\ln s(x+t) = t \ln s(x+1) + (1-t) \ln s(x) \quad (\text{단, } 0 < t < 1) \tag{1.63}$$

발두치 가정의 경우는 생존함수의 역수의 내분값으로 소수연령에서의 생존함수를 근사하는데 식으로는 다음과 같다.

$$\frac{1}{s(x+t)} = \frac{1-t}{s(x)} + \frac{t}{s(x+1)} \quad (\text{단, } 0 < t < 1) \tag{1.64}$$

이로부터 다음과 같은 결과를 유도할 수 있다. 이에 대해서는 직접 유도하여 확인해 보기 바란다.

$$_tq_x = 1 - {}_tp_x = \frac{t \times q_x}{1 - (1-t) \times q_x}$$

$$_{1-t}q_{x+t} = (1-t) \times q_x \tag{1.65}$$

결국 소수연령에서의 생존함수는 두 정수연령에서의 생존함수의 내분값으로 근사를 한다. 이때 생존함수를 그대로 사용하면 UDD 가정이, 생존함수의 로그값을 사용하면 상수사력 가정이, 그리고 생존함수의 역수를 사용하면 발두치 가정이 유도되는 것이다. 이를 각각 등차수열, 등비수열, 조화수열에 빗대어 생각해 보면 이해하기 쉽다.

4. 소수연령에 대한 가정들의 비교

세 가지 소수연령에 대한 가정을 그림으로 나타내면 다음과 같다. UDD의 경우 $_tp_x$는 선형으로 감소하는 함수라는 것을 알 수 있고, 상수사력의 경우 $_tp_x$가 지수함수라는 것을 알 수 있다. 그림으로부터 UDD의 경우에는 1년 동안 일정하게 생존율이 감소하는 반면 상수사력의 경우 초기에 빠르게 감소하였다가 감소 속도가 점차 느려지는 것을 확인할 수 있다. 두 가정에 이러한 차이점이 존재한다는 것을 알아두도록 하자.

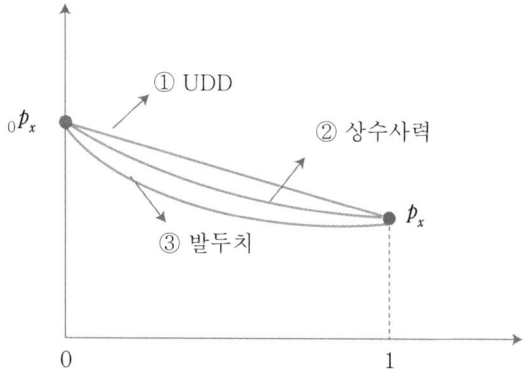

앞서 언급했듯이 각 가정을 등차, 등비, 조화수열에 빗대어 생각해서 산술평균, 기하평균, 조화평균의 대소관계를 생각해 보아도 위 그래프를 이해하는데 도움이 될 것이다.

Ⅷ ▸ UDD 가정과 De Moivre 사망법칙의 비교

신생아의 장래생존기간이 균등분포를 따를 경우 보험수리에서는 균등분포라는 용어 대신 De Moivre 사망법칙이라 부른다. 즉, De Moivre 사망법칙은 다음을 의미한다.

$$T(0) \sim U(0,\omega) \tag{1.66}$$

또한 이 경우 x세의 장래생존기간 $T(x)$ 역시 여전히 균등분포를 따른다.

$$T(x) \sim U(0,\omega-x)$$

반면에 UDD 가정은 모든 연령에서 균등분포를 따르는 것과 달리 다음과 같이 연령별로 계산이 된다.

$$_tq_x = t \cdot q_x$$

이를 그림으로 그려 확인하면 그 차이가 확연해진다.

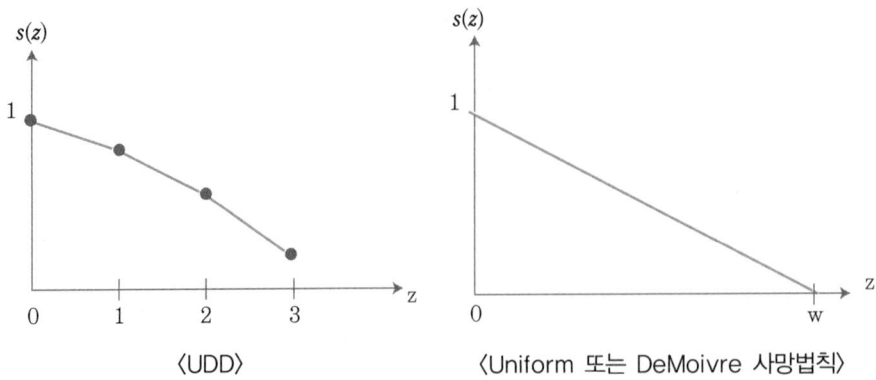

〈UDD〉 〈Uniform 또는 DeMoivre 사망법칙〉

그림에서 알 수 있듯 De Moivre 사망법칙의 경우 생존함수는 직선으로 연결이 되고, UDD 가정의 경우에는 연령이 정수일 경우에만 생존함수를 알 수 있기 때문에 각 점을 직선으로 연결하게 된다. 따라서 구간별로 직선임을 알 수 있다. 이것이 두 방법의 차이점이다. 즉, UDD 가정의 경우 각 정수연령에서의 q_x가 주어져 있지만 De Moivre 사망법칙의 경우 전체 분포에 대한 정보가 주어져 있으므로 q_x에 대한 정보가 간단하다.

Ⅸ 단원 요약표

• 다양한 사망법칙 가정에서의 사력과 생존함수

	$\mu(x)$	$s(x)$	제약조건
De Moivre	$(\omega - x)^{-1}$	$1 - \dfrac{x}{\omega}$	$0 \leq x \leq \omega$
Exponential	μ	$e^{-\mu x}$	$x \geq 0$
Gompertz	Bc^x	$\exp\left[-\dfrac{B}{\log c}(c^x - 1)\right]$	$B > 0,\ c > 1, x \geq 0$
Makeham	$A + Bc^x$	$\exp\left[-Ax - \dfrac{B}{\log c}(c^x - 1)\right]$	$B > 0,\ A \geq -B,\ c > 1,\ x \geq 0$
Weibull	kx^n	$\exp\left(-\dfrac{k}{(n+1)}x^{n+1}\right)$	$k > 0,\ n > 0, x \geq 0$

• 소수 연령 가정을 이용한 공식

	UDD	상수사력	Balducci
$_tq_x$	tq_x	$1-\left(p_x\right)^t$	$\dfrac{tq_x}{1-(1-t)q_x}$
$_tp_x$	$1-tq_x$	$\left(p_x\right)^t$	$\dfrac{p_x}{1-(1-t)q_x}$
$_{1-t}q_{x+t}$	$\dfrac{(1-t)q_x}{1-tq_x}$	$1-\left(p_x\right)^{1-t}$	$(1-t)q_x$
$_yq_{x+t},\ \begin{pmatrix}0<t<1\\0\le y<1\\y+t\le1\end{pmatrix}$	$\dfrac{yq_x}{1-tq_x}$	$1-\left(p_x\right)^y$	$\dfrac{yq_x}{1-(1-y-t)q_x}$
$\mu(x+t)$	$\dfrac{q_x}{1-tq_x}$	$-\ln p_x$	$\dfrac{q_x}{1-(1-t)q_x}$
$_tp_x\mu(x+t)$	q_x	$-\left(p_x\right)^t\ln\left(p_x\right)$	$\dfrac{q_xp_x}{\left[1-(1-t)q_x\right]^2}$

연습문제

1. 다음의 생명표와 주어진 소수연령 가정을 이용하여 $1,000 \cdot {}_{0.7}q_{[60]+0.8}$ 을 구하시오.

x	$l_{[x]}$	$l_{[x]+1}$	l_{x+2}	$x+2$
60	80,625	79,954	78,839	62
61	79,137	78,402	77,252	63
62	77,575	76,770	75,578	64

(1) UDD 가정을 적용하여 $1,000 \cdot {}_{0.7}p_{[60]+0.8}$ 을 구하시오.

(2) 상수사력 가정을 적용하여 $1,000 \cdot {}_{0.7}q_{[60]+0.8}$ 을 구하시오.

(3) Balducci 가정을 적용하여 $1,000 \cdot {}_{0.7}q_{[60]+0.8}$ 을 구하시오.

2. 다음의 사력이 주어졌을 때, 이에 대응하는 생존함수를 구하시오. (단, $x \geq 0$ 가정)

(1) Bc^x $(B>0,\ c>1)$ (Gompertz 사망법칙)

(2) kx^n $(n>0,\ k>0)$ (Weibull 분포)

(3) $a(b+x)^{-1}$ $(a>0,\ b>0)$ (Pareto 분포)

3. A와 B로 이루어진 두 집단이 있다. A는 1,600명의 신생아로부터의 생존자로 이루어진 집단이고, B는 10세인 540명으로부터의 생존자로 이루어진 집단이다. 모든 구성원의 장래생존기간은 독립임을 가정한다. 그리고 두 집단의 구성원들의 사망률은 다음의 생명표를 따른다고 한다.

x	l_x
0	40
10	39
70	26

A집단의 구성원 중 70세까지의 생존자수를 Y_A로, B집단의 구성원 중 70세까

지의 생존자수를 Y_B로 정의할 때, $\Pr(Y_A + Y_B > c) = 0.05$를 만족하는 c를 구하시오. 단, 정규근사(normal approximation)를 이용하되 연속성 수정은 하지 않는다.

4. 정수정기여명 $K^*(x)$는 다음과 같이 정의된다.

$$K^*(x) = K(x) \wedge n = \begin{cases} K(x) & K(x) = 0, 1, \cdots n-1 \\ n & K(x) \geq n \end{cases}$$

이 기대값을 정수정기기대여명이라 하고, $e_{x:\overline{n}|}$으로 나타낸다. 다음을 증명하시오.

(a) $E[K^*(x)] = e_{x:\overline{n}|} = \sum_{k=1}^{n} {}_k p_x$

(b) $Var[K^*(x)] = \sum_{k=1}^{n} (2k-1) {}_k p_x - (e_{x:\overline{n}|})^2$

5. 장래생존기간 $T(x)$의 확률밀도함수가 아래와 같을 때 다음 물음에 답하시오.

$$f_T(t) = ce^{-ct} \quad (단, \ t \geq 0, \ c > 0).$$

(1) $Var(T(x))$

(2) $T(x)$의 중앙값(median)

(3) $T(x)$의 최빈값(mode)

6. 80세와 90세인 두 사람이 있다. 이들의 장래생존기간은 독립이라고 한다. 다음의 표를 이용하여 두 사람 중 마지막 사망이 세 번째 해에 발생할 확률을 구하시오.

k	p_{80+k}	p_{90+k}
0	0.9	0.6
1	0.8	0.5
2	0.7	0.4

7. 다음의 표를 이용하여 소수연령구간에 대한 가정이 UDD일 때와 상수사력일 경우 각각에 대해 $1,000 \cdot {}_{2|3}q_{[60]+0.75}$를 구하시오.

x	$l_{[x]}$	$l_{[x]+1}$	$l_{[x]+2}$	l_{x+3}	$x+3$
60	80,000	79,000	77,000	74,000	63
61	78,000	76,000	73,000	70,000	64
62	75,000	72,000	69,000	67,000	65
63	71,000	68,000	66,000	65,000	66

8. 다음을 가정하여 e_{106}을 구하시오.

(1) $s_0(t) = \left(1 - \dfrac{t}{\omega}\right)^{\frac{1}{4}}$, $(0 \le t \le \omega)$

(2) $\mu_{65} = \dfrac{1}{180}$

9. 선택기간이 2년인 선택종국표(select-and-ultimate table)가 주어졌다. 다음의 정보를 이용하여 $l_{[75]+1}$을 구하시오.

(1) $q_{[x]+1} = 0.95 q_{x+1}$

(2) $l_{76} = 98,153$

(3) $l_{77} = 96,124$

10. 다음을 이용하여 $e_{x+0.75}$를 구하시오.

(1) $p_x = 0.97$

(2) $p_{x+1} = 0.95$

(3) $e_{x+1.75} = 18.5$

(4) x세와 $x+1$세 사이에서는 UDD를, $x+1$세와 $x+2$세 사이에서는 상수 사력을 가정한다.

11. 표준단체(standard group)의 사망률이 다음과 같이 주어졌다.

$$q_{92} = 0.13, \quad q_{93} = 0.19, \quad q_{94} = 0.21$$

모든 연령에 있어서의 사력이 표준단체 사력의 2.5배인 집단이 있다고 한다. 이 집단의 사망률을 *로 구분할 때 $_2q_{92}^*$를 구하시오.

12. 신생아의 장래생존기간 $T(0)$의 누적분포함수가 다음과 같을 때 $\mu(49)$의 값을 구하시오.

$$F(x) = 1 - \frac{1}{x+1}, \ x \geq 0$$

13. 사력이 다음과 같을 때 정기기대여명 $\mathring{e}_{35:\overline{24|}}$을 구하시오.

$$\mu_x(x) = \begin{cases} 0.04, & 0 < x < 40 \\ 0.05, & x \geq 40 \end{cases}$$

14. 다음의 주어진 사력을 이용하여 $_{5|10}q_{50}$을 구하시오.

$$\mu_x = \begin{cases} 0.05, & 50 \leq x < 60 \\ 0.04, & 60 \leq x < 70 \end{cases}$$

15. 생존분포는 다음의 상수사력을 가정한다.

(1) $\mu(x) = \begin{cases} \mu_1, & 0 \leq x < 5 \\ \mu_2, & x > 5 \end{cases}$

이 사력을 이용한 결과가 다음과 같다.

(2) $_{10}p_0 = 0.869358, \ _{5|5}q_0 = 0.072406$

이때 $\dfrac{\mu_1}{\mu_2}$를 구하시오.

16. 2년의 선택기간을 가정하는 선택종국표를 이용하여 다음과 같은 정보를 얻었다. A를 구하시오.

(1) $\mu_{[37]+t} = \mu_{37+t} - A$, $0 \le t \le 2$

(2) $\mathring{e}_{[37]} = 58$, $\mathring{e}_{37} = 57.5$

(3) $\mathring{e}_{[37]:\overline{2}|} = 1.9$, $\mathring{e}_{37:\overline{2}|} = 1.7$

17. 확률 변수 $T^*(x)$를 다음과 같이 정의한다.
$$T^*(x) = \begin{cases} T^*(x) = T(x), & 0 < T(x) \le n \\ T^*(x) = n, & n < T(x) \end{cases}$$
이 확률변수의 기대값을 $\mathring{e}_{x:\overline{n}|}$로 표기하고 완전정기평균여명이라 한다. 다음을 증명하시오.

(1) $\mathring{e}_{x:\overline{n}|} = \int_0^n t \cdot {}_tp_x\mu(x+t)dt + n \cdot {}_np_x = \int_0^n {}_tp_x dt = \dfrac{T_x - T_{x+n}}{l_x}$ $\left(T_x = \int_0^\infty l_{x+t}dt \right)$

(2) $Var[T^*(x)] = \int_0^n t^2 \cdot {}_tp_x\mu(x+t)dt + n^2 \cdot {}_np_x - (\mathring{e}_{x:\overline{n}|})2$

$= 2\int_0^n t \cdot {}_tp_x dt - (\mathring{e}_{x:\overline{n}|})^2$

18. 다음을 이용하여 k를 구하시오.

(1) 김씨의 사망법칙은 Gompertz의 법칙을 따른다. ($B = 0.00025$, $c = 1.03$)

(2) 손씨의 사력은 김씨의 사력의 두 배이다.

(3) 모든 연령 x에 대하여, 손씨의 사력 μ_x는 김씨의 사력 μ_{x+k}로 나타낼 수 있다.

19. 사망법칙은 Makeham의 법칙을 따른다.
$$\mu_x = A + Bc^x$$
이때 $\int_1^\infty {}_tp_x\mu_{x+t}dt$을 간단하게 나타내시오.

생명보험

이 장에서는 생명보험의 현재가치를 계산하는 등 본격적인 보험수리의 주제를 시작한다. 생명보험을 보험금의 지급시기를 기준으로 구분해 보자면 보험금이 사망 즉시 지급되는 경우와 사망연도 말에 지급되는 경우로 나누어 볼 수 있다. 편의상 사망즉시급을 '연속형'으로, 사망연도말 지급을 '이산형'으로 표현하기도 한다. 먼저 사망 즉시 보험금을 지급하는 경우에 대해 알아보도록 한다.

I 사망즉시지급

1. 종신보험

생명보험 상품에는 여러 가지가 있지만 가장 기본적인 종신보험(whole life insurance)부터 시작하도록 하자. 사람은 언젠가 사망하게 되는데 사망 시에 보험금이 지급되는 보험을 종신보험이라고 한다. 아래 그림을 참고하도록 하자.

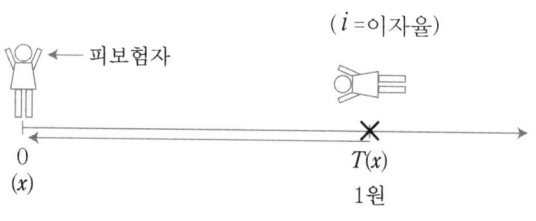

현재 보험에 가입한 x세인 사람이 있다. 이 사람은 미래의 어느 시점에 사망하게 될 것이다. 사망까지의 기간을 $T(x)$라고 하자. 사망시 상속인이 보험회사로부터 받게 되는 돈을 보험금(benefit)이라 한다. 계산의 편의를 위해 보통 보험금이 1원임을 가정하고 모든 설명을 전개한다. 이는 1원을 가정하고 계산한 결과에 실제 지급되는 보험금액을 곱하면 원하는 결과를 얻을 수 있기 때문이다.

여기서 몇 가지 고려해야 할 사항들이 있다. 먼저 (x)의 사망시점은 알 수 없다는 점이다. 즉, $T(x)$ (또는 T)는 확률변수이다. (x)가 젊은 사람이라면 T가 1년 혹은 2년일 수도 있지만 그 확률이 매우 낮을 것이다. (x)는 20년, 30년 혹은 50년 이후에 사망할 것으로 예상해 볼 수 있다. 사망까지의 시간이 길기 때문에 화폐의 시간가치(time value of money)를 고려해야 한다. 미래에 지급될 1원의 가치는 현재 1원의 가치와 다르기 때문이다.

이제 두 가지를 고려해야 한다. 하나는 사망시점이 불확실하기 때문에 이에 대한 확률변수를 고려하는 것이고, 또 다른 하나는 미래와 현재의 화폐 가치의 차이로 이를 위해 이자율을 반영해 준다는 것이다. 앞서 이자론에서 살펴본 바와 같이 미래시점 t에서 지급되는 1원의 현재가치는 복리 하에서

$$v^t = \frac{1}{(1+i)^t}$$

로 나타낼 수 있다. 이처럼 생명보험의 경우 미래 지급될 보험금 1원은 사망시까지의 기간에 걸쳐 할인된다. 이자율이 5%라고 해도 $T(x)$가 30년이 되면 그 현재가치가 약 0.23으로 매우 작아진다. 화폐의 시간가치 때문에 생명보험에서는 이자율이 매우 중요한 요소라는 것을 알아두어야 한다.

이제 종신보험의 경우 지급되는 보험금의 현재가치를 고려해 보자. (x)가 사망시 보험금 1원이 상속인에게 지급된다. 이 보험금을 현재가치로 할인을 하는데 복리를 가정하면 v^T가 된다. v^T 앞에는 사망시 지급되는 보험금 1원이 곱해져 있다고 생각할 수 있다. 이력을 사용할 경우에는 $e^{-\delta T}$로 나타낼 수 있다. T가 확률변수이기 때문에 v^T 역시 확률변수이다. 그러므로 보험계약이 이루어지는 시점에서 정확한 v^T의 값은 알 수 없고 그 기대값 $E[v^T]$를 계산하게 된다. 이 보험금 현가의 기대값을 다음과 같은 기호로 나타낸다.

$$E[v^T] = \overline{A}_x \tag{2.1}$$

만약 T의 분포를 안다면 위의 기대값을 계산할 수 있을 것이다.

$\overline{A}_x$는 보험금 1원이 사망 즉시 지급되는 종신보험의 보험수리적 현가 (actuarial present value: APV)라고 부른다. 이 금액을 종종 일시납 보험료(single premium)라고 부르기도 하는데 지급보험금의 현가의 기대값을 보험료로 책정 하고 이 보험료를 한번에 일시불로 지급한다는 의미가 담겨있다.

$\overline{A}_x$: 종신보험의 보험수리적 현가

(Actuarial Present Value of whole life insurance 또는 APV of whole life insurance)

이 기호의 위쪽에 붙어 있는 '-'(bar)는 사망 즉시 지급의 의미를 지닌다. 즉 연속(continuous)을 의미한다. 사망하자마자 일정한 기간 없이 바로 보험금 을 지급하는 것이다. 대문자 A는 보험(insurance)을 뜻하는 기호로 동일한 단 어인 Assurance의 머리글자인 A에서 따온 것이다. 그리고 x는 연령을 뜻한 다.

보험수리적 현가 $\overline{A}_x$는 단지 기대값일 뿐이다. 따라서 확률현상의 하나의 대표값에 불과할 뿐 전체를 나타내기에는 부족함이 있다. 그래서 확률변수 v^T의 분산을 생각해야 한다. 보험금 현가의 분산은 다음과 같다.

$$Var[v^T] = E\big[(v^T)^2\big] - E[v^T]^2 \tag{2.2}$$

이미 기대값은 $\overline{A}_x$임을 알고 있으므로 제곱의 기대값만 구하면 된다. v^T의 제곱은 이력 δ을 사용하여 다음과 같이 나타낼 수 있다.

$$(v^T)^2 = (e^{-\delta T})^2$$

$(v^T)^2$의 기대값을 계산할 때 $(v^T)^2 = e^{-2\delta T} = e^{-(2\delta)\cdot T}$이므로 δ 대신 2δ 를 사용하면 편리하다.

$$E\big[(v^T)^2\big] = E\big[(e^{-\delta})^{2T}\big] = E\big[e^{-(2\delta)T}\big] = {}^2\overline{A}_x \tag{2.3}$$

이것을 표현하기 위해서 ${}^2\overline{A}_x$라는 기호를 사용한다. 이 기호의 왼쪽 위에 붙

은 2가 뜻하는 것은 기대값 계산에 δ 대신 2δ를 사용하였다는 것이다. 따라서 분산의 계산은 $\overline{A}_x$의 공식을 알고 있다면 다음과 같이 쓸 수 있다.

$$Var[v^T] = {}^2\overline{A}_x - \left(\overline{A}_x\right)^2 \tag{2.4}$$

예를 들어 신생아의 장래생존기간 $T(0)$ (또는 X)가 모수가 μ인 지수분포를 따른다고 해보자.

$$T(0) \sim f(t) = \mu \cdot e^{-\mu t},\ t > 0 \tag{2.5}$$

이 경우 (x)의 장래생존기간 $T(x)$도 여전히 모수가 μ인 지수분포를 따른다.

$$T(x) \sim f(t) = \mu \cdot e^{-\mu t},\ t > 0 \tag{2.6}$$

생존분포가 지수분포라는 것은 사력이 μ로 상수라는 것이다. 이것은 앞으로 자주 사용되므로 꼭 알아두어야 한다. 일반적으로 연령이 많아지면 사망할 확률이 높아지므로 사력이 증가할 것이지만 계산의 편의를 위해 간단한 생존모형을 예로 든 것뿐이다. 이 경우 보험금 현가인 v^T의 기대값은 다음과 같이 계산할 수 있다.

$$\overline{A}_x = E[e^{-\delta T}] = \int_0^\infty e^{-\delta t} \cdot f_T(t) dt \tag{2.7}$$

여기서 $f_T(t)$는 $T(x)$의 확률밀도함수이다. 그리고 $f_T(t) = {}_tp_x \cdot \mu(x+t)$ 라는 것은 1장에서 확인하였다. 이를 상수인 사력 μ와 더불어 식 (2.7)에 대입하면 다음의 결과를 얻게 된다.

$$\begin{aligned}
\overline{A}_x &= \int_0^\infty e^{-\delta t} \cdot {}_tp_x \cdot \mu(x+t) dt \\
&= \int_0^\infty e^{-\delta t} \cdot e^{-\mu t} \cdot \mu\, dt \\
&= \mu \int_0^\infty e^{-(\mu+\delta)t} dt \\
&= \left[-\frac{\mu}{\mu+\delta} \cdot e^{-(\mu+\delta)t} \right]_0^\infty \\
&= \frac{\mu}{\mu+\delta}
\end{aligned} \tag{2.8}$$

식 (2.8)을 바탕으로 $\overline{A}_x$를 보다 자세히 살펴보자. 이력 δ(또는 이자율 i)가 커지면 $\overline{A}_x$(종신보험의 현재가치)가 작아지게 된다. 시장에서 이런 현상을 관측할 수 있는데 이자율에 변동이 있을 경우 종신보험료의 인상 또는 인하 기사가 나는 것을 볼 수 있다. 그리고 사력 μ가 높아질 경우 사망확률이 높아지기 때문에 보험료를 지급하는 시점이 빨라지게 된다. 이 경우 보험회사는 보험금을 먼저 지급해야 하는 부담이 생기기 때문에 보험금의 현재가치가 올라가게 된다.

이제 분산을 계산해 보자. 먼저 보험금 현가의 2차적률을 식 (2.8)을 이용하여 계산하면 다음과 같다.

$$
\begin{aligned}
{}^2\overline{A}_x &= E\big[(v^T)^2\big] = E\big[(e^{-\delta T})^2\big] = E\big[(e^{-2\delta})^T\big] \\
&= \int_0^\infty e^{-2\delta t}\,{}_tp_x\mu_{x+t}dt = \int_0^\infty e^{-2\delta t}e^{-\mu t}\mu dt \\
&= \frac{\mu}{2\delta+\mu}
\end{aligned}
\tag{2.9}
$$

여기서 식 (2.9)의 결과는 식 (2.8)에 δ 대신에 2δ를 대입하면 쉽게 구할 수 있다. 따라서 분산은

$$
Var\big[v^T\big] = {}^2\overline{A}_x - \big(\overline{A}_x\big)^2 = \frac{\mu}{\mu+2\delta} - \left(\frac{\mu}{\mu+\delta}\right)^2
\tag{2.10}
$$

이다.

생존분포가 지수분포일 경우에는 식 (2.8)과 식 (2.10)에서 알 수 있듯이 보험금 현가의 기대값과 분산을 구하기가 용이하다. 예를 들어 $\mu = 0.05$, $\delta = 0.04$라면 다음과 같이 쉽게 계산할 수 있다.

$$
E\big[v^T\big] = \overline{A}_x = \frac{0.05}{0.05+0.04} = 0.556
$$

$$
Var\big[v^T\big] = \frac{0.05}{0.05+0.08} - \left(\frac{0.05}{0.05+0.04}\right)^2 = 0.076
$$

이제 지금까지 배운 내용을 이용하여 문제를 풀어보자.

예제 2.1

(x)세인 사람을 가정한다. 100명의 피보험자에 대하여 다음을 가정한다.

(i) 동일한 시점에 100명 모두 사망즉시 10원을 지급받는 종신보험에 가입하였다.

(ii) 100명의 장래 생존기간은 독립이다.

(iii) 모든 연령에 대하여 $\mu_x = 0.04$이다.

보험회사는 100명의 피보험자들이 가입시 일시불로 납입한 보험료를 이용하여 기금을 형성하고, $\delta = 0.06$으로 부리되는 이 기금을 사용하여 보험금을 지급한다고 한다. 보험회사는 모든 피보험자들에게 사망보험금을 지급하는데 기금이 부족할 확률이 5% 이하가 되도록 기금의 규모를 결정한다. 정규근사(normal approximation)를 이용하여 보험계약시점에 보험회사가 지니고 있어야 하는 이 기금의 규모를 구하시오.

해설 보험가입자 100명의 사망시점은 다를 것이다. 보험금 지급액은 10원이고 사력(μ)과 이력(δ)은 각각 0.04와 0.06인 상수이다. i번째 피보험자의 보험금 현가를 Z_i로 나타내면,

$$Z_1 = 10 \cdot v^{T_1(x)}, \quad T_1 : \text{첫 번째 피보험자의 사망 시점}$$
$$\vdots$$
$$Z_{100} = 10 \cdot v^{T_{100}(x)}, \quad T_{100} : \text{100번째 피보험자의 사망 시점}$$

와 같다. 전체 보험금의 현가를 S라 하면 다음과 같이 나타낼 수 있다.

$$S = 10\left(v^{T_1} + v^{T_2} + \cdots v^{T_{100}}\right)$$

문제에서 요구하는 것은 $\Pr(S > F) \leq 0.05$를 만족하는 기금 F를 구하는 것이다. 이 확률과 $\Pr(S \leq F) \geq 0.95$는 동일하다. 그림으로 나타내면 다음과 같다.

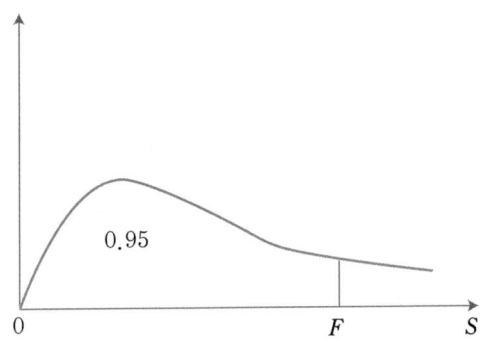

S의 정확한 분포는 알 수 없지만 중심극한정리(central limit theorem)에 의해 근사적으로 정규분포를 따른다고 가정할 수 있다. 따라서 S를 다음과 같이 표준정규분포로 표준화할 수 있다.

$$\Pr(S \leq F) = 0.95 = \Pr\left(\underbrace{\frac{S-E(S)}{\sqrt{Var(S)}}}_{\sim\, N(0,1^2)} < \frac{F-E(S)}{\sqrt{Var(S)}}\right)$$

이를 표준정규분포의 분포함수로 표현하면 아래와 같다.

$$\Pr(S \leq F) = \Phi\left(\frac{F-E(S)}{\sqrt{Var(S)}}\right)$$

이 누적분포함수가 0.95가 나오도록 F를 결정하는 것이다. 표준정규분포표로부터 $Z_{0.95} = 1.645$임을 알 수 있으므로 S의 기대값과 분산을 계산하면 F를 결정할 수 있다. 우선 기대값은 다음과 같이 계산한다.

$$E(S) = E\left[10 \cdot \left(v^{T_1} + v^{T_2} + \cdots v^{T_{100}}\right)\right]$$
$$= 10 \cdot E(v^{T_1}) + 10 \cdot E(v^{T_2}) + \cdots + 10 \cdot E(v^{T_{100}})$$

T는 모두 동일한 분포를 따르므로, 100을 곱하여 쓸 수 있다.

$$E(S) = 10 \times 100 \times E(v^T) = 1{,}000 \times \overline{A}_x = 1{,}000 \times \frac{\mu}{\mu+\delta}$$

$$= 1{,}000 \times \frac{0.04}{0.04 + 0.06} = 400$$

$$\therefore \ \overline{A}_x = \frac{\mu}{\mu+\delta} = \frac{0.04}{0.04+0.06} = 0.4$$

분산을 구해보면

$$Var(S) = Var\left(10 \cdot v^{T_1} + \cdots + 10 \cdot v^{T_{100}}\right)$$

이고 T는 모두 독립이므로 분산의 합은 개별분산의 합으로 나타낼 수 있다.

$$Var(S) = Var\left(10 \cdot v^{T_1}\right) + \cdots + Var\left(10 \cdot v^{T_{100}}\right)$$

100개가 모두 동일한 분포이므로 곱으로 표현하면

$$100\, Var\left(10 \cdot v^{T_{100}}\right)$$

이고 금액 10이 분산에서 밖으로 나올 때는 10^2이 되므로

$$Var(S) = 100 \times 10^2 \times Var(v^T)$$
$$= 100 \times 10^2 \times \left[{}^2\overline{A}_x - \left(\overline{A}_x\right)^2\right]$$
$$= 100 \times 10^2 \times \left(\frac{0.04}{0.04 + 2 \times 0.06} - 0.4^2\right)$$
$$= 900$$

위의 값은 공식을 이용하여 쉽게 계산이 가능하다. 독립이므로 개

별분산의 합으로 쓸 수 있고, 상수가 분산 밖으로 나올 때는 제곱이 된다는 점에 주의할 필요가 있다.

$$Var(S) = 계약수 \times 보험금^2 \times Var(v^T)$$

따라서 F는 다음과 같다.

$$F = E(S) + 1.645 \times \sqrt{Var(S)}$$
$$= 400 + 1.645 \times \sqrt{900}$$
$$= 449.35$$

이 문제에서 얻은 금액은 보험회사가 95%의 경우 보험금 지출을 감당할 수 있도록 지니고 있어야 할 기금을 의미한다. 계약이 100명이므로 이 방식에 의하면 계약당 회사가 감당해야 할 금액은 다음과 같다.

$$100명 \ 계약 \Rightarrow \frac{F}{100} = 4.4935$$

보험회사는 이 금액을 보험계약자 1인이 납부해야 할 보험료로 책정할 수 있다. 보험회사의 입장에서 생각해 보자. 이 생명보험은 사망시 10원을 지급한다. 만약 보험금 현가의 기대값을 보험료로 받는다면 1인당 4원씩을 받게 된다. 그러나 확률적으로 95%를 감당하기 위해서는 기대값보다 높은 4.4935를 받아야 하는 것이다.

위의 예제를 토대로 시뮬레이션 하면 다음과 같은 결과를 얻을 수 있다. 0시점에 F의 기금이 있는데 이자가 부리되어 증가하다가 어떤 사람이 사망하면 10원이 감소하게 된다. 이후 다시 증가하다가 사망이 발생할 때마다 기금이 10원씩 감소하고 이러한 과정을 계속 반복하게 되는데, 마지막에 0원 이하로 떨어질 가능성을 5%로 통제하고 있는 것이다.

이것이 하나의 샘플 경로(sample path)가 된다. 사망이 초반에 안 일어날 수도 있고 가끔 일어날 수도 있고 자주 일어나서 F라는 기금이 일찍 소모될 수도 있는데 이 기금이 소진될 확률을 5%로 통제하고 있는 것이다.

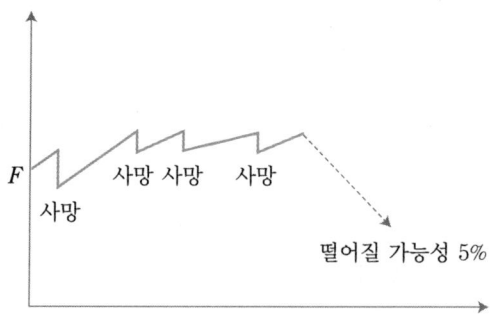

2. 정기보험

이제 종신보험과 유사한 정기보험에 대하여 살펴보자. 정기보험은 정해진 기간이 있다는 뜻이다. 종신보험은 언제 사망하든지 보험금을 지급하기 때문에 좋지만 보험료가 비싸다. 그래서 보험료가 싸면서 일정기간을 보장해 줄 수 있는 보험이 필요하게 되는데 이것이 정기보험이다. 정기보험에서는 계약기간을 n년으로 한정하게 된다. 계약기간 안에 사망하면 1원을 받지만 생존하면 0원을 받게 된다는 점에 유의하여야 한다.

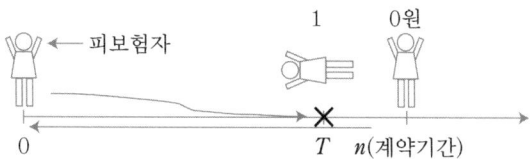

n시점 이후에 사망이 발생할 확률이 높다면 보험회사는 그만큼 보험금을 지급해야 될 의무가 확률적으로 줄어들게 되고, 보험료가 상당히 감소하게 되는 것이다. n시점 이후에 사망할 경우 아무 것도 받지 않으므로 보험금의 현가를 지시함수(indicator function)를 이용하여 나타낼 수 있다. 지시함수는 다음과 같이 정의된다.

$$I(A) = \begin{cases} 1, & A \ \text{참} \\ 0, & A \ \text{거짓} \end{cases} \tag{2.11}$$

따라서 n년 정기보험의 보험금현가는 다음과 같이 표현된다.

$$v^T \cdot I(T \le n) = \begin{cases} v^T, & T \le n \\ 0, & T > n \end{cases} \tag{2.12}$$

정기보험은 좋은 보험상품 중의 하나이다. 어떤 사람이 자녀가 성장하기 전까지 직장을 다니고 있는 동안은 사망시 보험금을 받아서 경제적인 타격을 줄일 수 있고, 자녀가 성장하고 나서 경제적인 지원을 해주지 않아도 되는 시점에는 사망 시에 경제적 부담이 작으므로 이러한 경우 정기보험이 유리하다고 볼 수 있다.

이제 정기보험의 보험금 현가의 기대값 (즉, 보험수리적 현가)을 알아보자. 보험수리적 기호로는 $\overline{A}^{1}_{x\,:\,\overline{n}|}$로 표시한다. x는 $T(x)$를 뜻하고 $\overline{n}|$은 계약기간 인 n년을 뜻한다. 이 두 기간 중에서 $T(x)$가 작을 때 보험금을 지급하기 때문에 x 위에 1을 쓴다. 사망시점이 n보다 작으면 보험금을 지급하겠다는 뜻 이다.

$$APV = E[v^{T} \cdot I(T \leq n)] = \overline{A}^{1}_{x\,:\,\overline{n}|} \tag{2.13}$$

기대값의 계산은 종신보험의 경우와 비슷한데 차이는 정기보험의 경우 n시 점 이후는 생각하지 않아도 되므로 적분은 n까지만 한다는 것이다.

$$\begin{aligned}
\overline{A}^{1}_{x\,:\,\overline{n}|} &= \int_{0}^{n} v^{t} \cdot f_{T}(t) dt \\
&= \int_{0}^{n} v^{t} \cdot {}_{t}p_{x} \cdot \mu(x+t) dt
\end{aligned} \tag{2.14}$$

지수분포를 가정할 경우 $\mu(x+t) = \mu$이므로 이 경우 식 (2.14)는 다음과 같다.

$$\begin{aligned}
\overline{A}^{1}_{x\,:\,\overline{n}|} &= \int_{0}^{n} e^{-\delta t} \cdot e^{-\mu t} \cdot \mu dt \\
&= \mu \int_{0}^{n} e^{-(\mu+\delta)t} dt = \left[-\frac{\mu}{\mu+\delta} \cdot e^{-(\mu+\delta)t} \right]_{0}^{n} \\
&= \frac{\mu}{\mu+\delta} (1 - e^{-(\mu+\delta)n})
\end{aligned} \tag{2.15}$$

종신보험과 비교해볼 때 $(1 - e^{-(\delta+\mu)n})$의 항이 더 곱해졌을 뿐이다. $n \to \infty$ 이면 종신보험의 기대값과 같아지게 된다.

이제 정기보험의 분산을 계산해보자. $v^{T} \cdot I(T \leq n)$은 T에 따라서 달라 지므로 여전히 확률변수이다.

$$\begin{aligned}
Var[v^{T} \cdot I(T \leq n)] &= E[(v^{T} \cdot I(T \leq n))^{2}] - \{E[v^{T} \cdot I(T \leq n)]\}^{2} \\
&= {}^{2}\overline{A}^{1}_{x\,:\,\overline{n}|} - (\overline{A}^{1}_{x\,:\,\overline{n}|})^{2}
\end{aligned} \tag{2.16}$$

위의 식에서 $[(v^{T} \cdot I(T \leq n))^{2}]$는 다음과 같이 계산할 수 있다.

$$\left(v^T \cdot I(T \le n)\right)^2 = e^{-(2\delta)T} \cdot I(T \le n) \tag{2.17}$$

지시함수는 다음과 같이 제곱을 해도 그대로인 성질이 있기 때문이다.

$$(I(A))^2 = I(A) \cdot I(A)$$
$$= \begin{cases} 1, & A \ 참 \\ 0, & A \ 거짓 \end{cases}$$
$$= I(A) \tag{2.18}$$

따라서 다음과 같이 쓸 수 있다.

$$E\left[\left(v^T \cdot I(T \le n)\right)^2\right] = E\left[e^{-(2\delta)T} \cdot I(T \le n)\right] = {}^2\overline{A}{}^{\,1}_{x:\overline{n}|} \tag{2.19}$$

종신보험의 경우 δ 대신 2δ를 사용하여 기대값을 구할 때도 이와 같은 기호를 사용했음을 상기하면 이해하기 쉬울 것이다. 단, 다음을 주의하여야 한다. δ에서 2δ로 바뀐다는 표현은 v에서 v^2으로 바뀐다는 것과 동일하다. $v = e^{-\delta}$이고 $v^2 = e^{-2\delta}$이기 때문이다. 하지만 i가 $2i$가 되는 것은 아니라는 것을 명심하여야 한다.

지금까지 종신보험과 정기보험에 대해서 살펴보았다. 그리고 앞으로 더욱 많은 종류의 생명보험에 대해서 알아볼 것이다. 지금은 보험상품의 종류에 따라 한 가지씩 소개하고 있지만 실제로 보험계약은 하나의 위험만을 담보해 주는 것은 아니다. 실무에서 다양한 종류의 보험 상품들이 혼합되어 있는 경우를 다루기 위해서는 우선 이와 같은 간단한 개별 상품을 다룰 줄 알아야 하기 때문에 이 절이 중요하다는 것을 염두에 두길 바란다.

📝 **예제 2.2**

30세인 사람이 사망시 보험금 1원이 즉시 지급되는 10년만기 정기보험에 가입하였다. 아래 조건을 이용하여 보험금 현가의 기대값과 분산을 구하시오.

(i) $l_x = 95 - x, \ 0 \le x \le 95$

(ii) $\delta = 0.05$

🔍**해설** De Moivre 사망법칙이므로 T의 확률밀도함수는 1/65임을 알 수 있다. 보험금 현가는 $v^t \cdot I(T < 10)$이므로 기대값은 다음과 같다.

$$E[v^T \cdot I(T < 10)] = \overline{A}^{\,1}_{30:\overline{10|}}$$

$$= \int_0^{10} v^t f_T(t) dt$$

$$= \int_0^{10} e^{-0.05t} \frac{1}{65} dt$$

$$= \frac{1}{65} \int_0^{10} e^{-0.05t} dt = \frac{1 - e^{-0.5}}{65 \times 0.05} = 0.12107$$

분산을 구하기 위해 2차적률을 계산하면

$$E\big[(v^T \cdot I(T < 10))^2\big] = {}^2\overline{A}^{\,1}_{30:\overline{10|}}$$

$$= \int_0^{10} (v^T)^2 f_T(t) dt = \int_0^{10} e^{-0.10t} \frac{1}{65} dt$$

$$= \frac{1}{65} \int_0^{10} e^{-0.10t} dt = \frac{1 - e^{-1}}{65 \times 0.10} = 0.09725$$

이므로 따라서 분산은

$$Var(v^t \cdot I(T < 10)) = {}^2\overline{A}^{\,1}_{30:\overline{10|}} - \left(\overline{A}^{\,1}_{30:\overline{10|}}\right)^2 = 0.09725 - 0.12107^2$$
$$= 0.08259$$

3. 생존보험

이제 생존보험금만 있는 생존보험(pure endowment)의 경우를 살펴보자. 생존 보험은 사망 즉시 지급하는 생명보험은 아니다. 하지만 다음의 양로보험과 여러 보험의 기본적인 도구로 많이 사용되므로 여기서 살펴보자. 먼저 그림을 살펴보면서 생존보험을 이해하자.

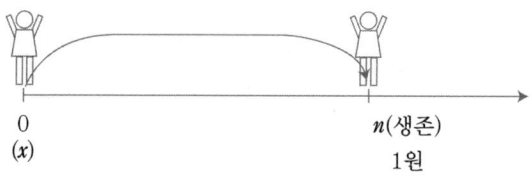

생존해 있을 때에만 보험금을 받으므로 지시함수를 이용하면 보험금을 다음과 같이 나타낼 수 있다.

보험금 $= I(T > n)$

즉, n년 이후에 사망할 경우 $(T > n)$ 이 지시함수는 1의 값을 갖는다. 반면 n년 이내에 사망할 경우 $(T \leq n)$ 이 지시함수는 0의 값을 취한다. 결국 지시 함수가 지급보험금과 같은 구조를 갖는 것이다. 이것의 현가를 계산하여 기대 값을 구하면 다음과 같다.

$$E[v^n \cdot I(T > n)] = v^n \cdot E[I(T > n)] \tag{2.20}$$

여기서 발생시점 n은 상수이다. $I(T > n)$는 1 또는 0이므로 $E[I(T > n)]$는 T가 n보다 클 확률을 의미한다. 따라서

$$E[v^n \cdot I(T > n)] = v^n \cdot E[I(T > n)] = v^n \cdot \Pr(T > n) = v^n \cdot {}_np_x \tag{2.21}$$

보험수리적 기호로는 n시점에 지급하므로 다음과 같이 표기한다.

$$E[v^n \cdot I(T > n)] = A_{x:\frac{1}{n|}} \tag{2.22}$$

A 위에는 사망즉시 지급이 아니기 때문에 '−'(bar)가 없다. 식 (2.22)의 기 호뿐만 아니라 양로보험의 한 형태임을 강조하여 ${}_nE_x$라고 표기할 수 있다는 것도 꼭 알아두자.

$$A_{x:\frac{1}{n|}} = v^n \cdot {}_np_x = {}_nE_x \tag{2.23}$$

이제 생존보험의 분산을 계산해 보겠다. 종신보험과 정기보험의 분산의 결과를 생각해 보면 쉽게 유추할 수 있다.

$$
\begin{aligned}
Var[v^n \cdot I(T > n)] &= E\big[(v^n \cdot I(T > n))^2\big] - \big[E(v^n \cdot I(T > n))\big]^2 \\
&= E[v^{2n} \cdot I(T > n)] - \Big(A_{x:\frac{1}{n|}}\Big)^2 \\
&= E[e^{-2\delta n} \cdot I(T > n)] - \Big(A_{x:\frac{1}{n|}}\Big)^2 \tag{2.24}
\end{aligned}
$$

따라서

$$\therefore \; Var[v^n \cdot I(T > n)] = {}^2A_{x:\frac{1}{n|}} - \Big(A_{x:\frac{1}{n|}}\Big)^2 \tag{2.25}$$

이렇게 δ 대신 2δ를 사용하여 제곱의 기대값을 구하면 된다. 이것은 생존보 험이 아닐 때도 마찬가지였다.

예제 2.3

x세인 피보험자가 생존보험금 1원인 15년만기 생존보험에 가입하였다.

(i) Z는 생존보험금의 현가를 나타내는 확률변수이다.

(ii) 사력은 15년동안 상수로 일정하다.

(iii) $v = 0.9$

(iv) $Var(Z) = 0.065 \cdot E(Z)$

위의 조건을 이용하여 q_x를 구하시오.

해설 확률변수 Z는 아래와 같이 정의된다.

$$Z = \begin{cases} 0, & T < 15 \\ v^{15}, & T \geq 15 \end{cases}$$

$\mu_x(t) = \mu$이므로

$$E[Z] = \int_{15}^{\infty} v^{15} \cdot {}_tp_x \cdot \mu_x(t)dt = v^{15} \int_{15}^{\infty} {}_tp_x \cdot \mu_x(t)dt$$

위의 식에서 v^{15}가 $v = 0.9$으로 주어졌으므로 상수이고, $\int_{15}^{\infty} {}_tp_x \cdot$

$\mu_x(t)dt$ 부분은 $\Pr(T \geq 15)$이므로 아래와 같은 식이 성립한다.

$$\Pr(T \geq 15) = {}_{15}p_x = e^{-15\mu}(\because T(x) \sim \exp(\mu))$$

$$\therefore E[Z] = v^{15} \cdot {}_{15}p_x = (0.9)^{15} \cdot e^{-15\mu}$$

$$E[Z^2] = \int_{15}^{\infty} v^{30} \cdot {}_tp_x \cdot \mu_x(t)dt = v^{30} \int_{15}^{\infty} {}_tp_x \cdot \mu_x(t)dt$$

$$= v^{30} \cdot \Pr(T \geq 15) = v^{30} \cdot e^{-15\mu}$$

$$\therefore Var(Z) = E[Z^2] - (E[Z])^2 = v^{30}{}_{15}p_x - \left(v^{15}{}_{15}p_x\right)^2$$

$$= v^{30}{}_{15}p_x(1 - {}_{15}p_x) = v^{30}{}_{15}p_x \cdot {}_{15}q_x$$

$$= (0.9)^{30} \cdot e^{-15\mu} \cdot \left(1 - e^{-15\mu}\right)$$

문제의 네 번째 조건에서 $Var[Z] = 0.065 \cdot E[Z]$라고 했으므로 위에서 구한 식을 이용하여 계산을 해보면, 아래와 같다.

$$Var[Z] = 0.065 \cdot E[Z]$$

$$(0.9)^{30} \cdot e^{-15\mu} \cdot \left(1 - e^{-15\mu}\right) = 0.065 \cdot (0.9)^{15} \cdot e^{-15\mu}$$

$$1 - e^{-15\mu} = 0.065 \cdot (0.9)^{-15}$$

$$\therefore \mu = 0.02529$$

따라서 사망률 q_x를 구해보면 다음과 같다.

$$\therefore q_x = 1 - e^{-\mu} = 0.02497$$

⟨다른 방법으로 분산구하기⟩

분산 $Var[Z]$를 구할 때 베르누이 분포의 특성을 사용하여 구하는 방법이 있다. 임의의 확률변수 X가 확률이 p인 베르누이 분포를 따를 때 다음과 같은 특징이 있다.

$$\begin{pmatrix} X \sim Bernoulli(p) \\ Z = (a-b) \cdot X + b \end{pmatrix} \rightarrow Var(Z) = (a-b)^2 Var(X)$$

n년만기 생존보험의 보험금 현가를 위의 특징에 대입하면 분산을 쉽게 구할 수 있다. 즉, $p = {}_np_x$, $a = v^n$, $b = 0$이라 하고 이를 그림으로 나타내면 다음과 같다.

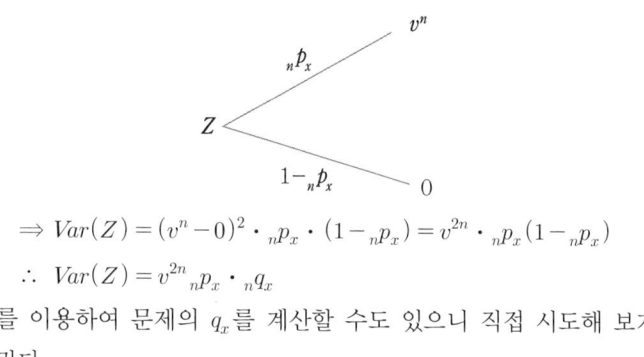

$$\Rightarrow Var(Z) = (v^n - 0)^2 \cdot {}_np_x \cdot (1 - {}_np_x) = v^{2n} \cdot {}_np_x(1 - {}_np_x)$$

$$\therefore \ Var(Z) = v^{2n} \, {}_np_x \cdot {}_nq_x$$

이를 이용하여 문제의 q_x를 계산할 수도 있으니 직접 시도해 보기 바란다.

4. 양로보험(생사혼합보험)

양로보험(endowment)이라 불리는 계약에서는 피보험자의 사망과 생존 모두를 보장한다. 즉, 계약기간 내에 사망할 경우 1원이 사망보험금으로 지급되고 계약기간이 만료하는 n시점에 생존해 있어도 1원을 생존보험금으로 지급하는 것이다. 정기보험의 경우 n시점 이후의 사망은 보장해 주지 않았고 종신보험은 사망을 해야 보험금을 받을 수 있었다.

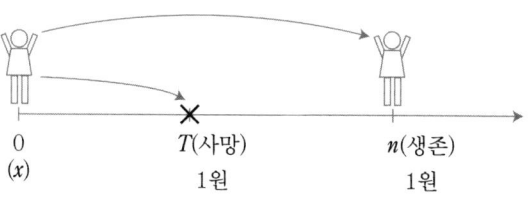

양로보험의 보험금 지급시점을 알아보자. 만약 피보험자가 n시점에 생존해 있으면, 즉 $T > n$이면 지급시점은 n이고, n년 내에 사망하면, 즉 $T \leq n$이면 지급시점은 T이다. 이를 종합해 보면 T와 n의 최소값으로 나타낼 수 있다.

$$T \wedge n = \min(T, \ n) = \begin{cases} T, & T \leq n \\ n, & T > n \end{cases} \tag{2.26}$$

이에 따라 보험금의 현재가치를 나타내면 $v^{T \wedge n}$라고 쓸 수 있고, 이 확률변수의 기대값을 취하여 다음과 같은 보험수리적 기호로 표현할 수 있다.

$$E(v^{T \wedge n}) = \overline{A}_{x:\overline{n}|} = \int_0^\infty v^{t \wedge n} \cdot {}_t p_x \mu_{x+t} dt \tag{2.27}$$

이제 분산을 계산해보자.

$$\begin{aligned} Var[v^{T \wedge n}] &= E[(v^{T \wedge n})^2] - (E[v^{T \wedge n}])^2 \\ &= {}^2\overline{A}_{x:\overline{n}|} - (\overline{A}_{x:\overline{n}|})^2 \end{aligned} \tag{2.28}$$

여기서 ${}^2\overline{A}_{x:\overline{n}|}$은 다음과 같이 계산된다.

$$ {}^2\overline{A}_{x:\overline{n}|} = E[(v^{T \wedge n})^2] = E[e^{-2\delta(T \wedge n)}] \tag{2.29}$$

이제 종신보험과 양로보험의 보험수리적 현가(APV)를 비교해 보자. 이 두 계약은 모두 보험계약 기간에 대한 제한 없이 보험금을 받게 된다. 종신보험은 미래에 언젠가 받게 되지만, 양로보험은 n시점 이전에 사망하면 종신보험과 혜택이 같고 n시점에 생존해 있을 경우 (즉, n시점 이후에 사망) 1원을 받게 된다. 따라서 양로보험이 종신보험보다 보험금을 먼저 받으므로 보험수리적 현가가 크다.

$$\begin{bmatrix} \text{종신보험}: \overline{A}_x \\ \text{양로보험}: \overline{A}_{x:\overline{n}|} \end{bmatrix} \Rightarrow \overline{A}_x < \overline{A}_{x:\overline{n}|}$$

예제 2.4

30세인 사람이 보험금 1원인 10년 만기 양로보험에 가입하였다. 사망시 보험금은 즉시 지급된다. 다음을 이용하여 보험금 현가의 기대값과 분산을 구하시오.

(i) $l_x = 95 - x,\ 0 \le x \le 95$

(ii) $\delta = 0.05$

해설 보험금 현가는 $v^{T \wedge 10}$이다. 이것의 기대값은 다음과 같다.

$$\overline{A}_{30:\overline{10|}} = \overline{A}^{\,1}_{30:\overline{10|}} + A_{30:\frac{1}{10|}}$$

사망률과 이자율은 예제 2.2와 동일하므로

$$\overline{A}^{\,1}_{30:\overline{10|}} = \int_0^{10} e^{-0.05t} \frac{1}{65} dt = \frac{1}{65} \int_0^{10} e^{-0.05t} dt = \frac{1-e^{-0.5}}{65 \times 0.05} = 0.12107$$

$$A_{30:\frac{1}{10|}} = v^{10} \cdot {}_{10}p_x = e^{-0.05 \times 10} \cdot \frac{65-10}{65} = 0.51322$$

$$E[v^{T \wedge 10}] = \overline{A}_{30:\overline{10|}} = \overline{A}^{\,1}_{30:\overline{10|}} + A_{30:\frac{1}{10|}}$$
$$= 0.12107 + 0.51322 = 0.63429$$

분산의 계산을 위해 2차적률을 구하면 다음과 같다. 단지 δ 대신 2δ를 이용하여 계산하면 된다.

$${}^2\overline{A}^{\,1}_{30:\overline{10|}} = \int_0^{10} e^{-0.10t} \frac{1}{65} dt = \frac{1}{65} \int_0^{10} e^{-0.10t} dt = \frac{1-e^{-1}}{65 \times 0.10} = 0.09725$$

$${}^2 A_{30:\frac{1}{10|}} = \left(v^{10}\right)^2 \cdot {}_{10}p_x = v^{20} \cdot {}_{10}p_x = e^{-0.05 \times 20} \cdot \frac{65-10}{65} = 0.31128$$

$$E\left[\left(v^{T \wedge 10}\right)^2\right] = {}^2\overline{A}_{30:\overline{10|}} = {}^2\overline{A}^{\,1}_{30:\overline{10|}} + {}^2 A_{30:\frac{1}{10|}}$$
$$= 0.09725 + 0.31128 = 0.40853$$

$$Var\left(v^{T \wedge 10}\right) = {}^2\overline{A}_{30:\overline{10|}} - \left(\overline{A}_{30:\overline{10|}}\right)^2 = 0.40853 - 0.63429^2 = 0.00621$$

5. 거치보험

이제 또 다른 특성을 가진 거치보험(deferred insurance) 상품에 대해 살펴보자. 개념만 알면 쉽게 이해할 수 있다. 이해를 위하여 그림을 먼저 살펴보자.

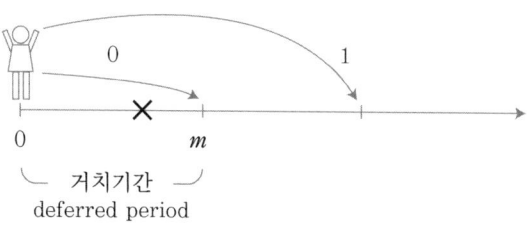

거치기간
deferred period

이 보험에서는 처음 m년 이전에 사망할 경우 아무 것도 지급되지 않는다. 대신 m기간 이후에 사망했을 때는 보험금을 지급하게 된다. 이러한 이유로 '거치'(deferred)라고 표현한다. 그리고 보험금이 지급되지 않는 앞의 기간을 '거치기간'(deferred period)이라고 표현한다.

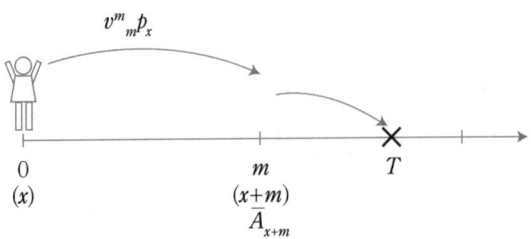

위의 그림에서 알 수 있듯 m년 거치기간이 끝나고 나면 (x)의 연령은 $x+m$으로 증가한다. 이제 $(x+m)$이 종신보험에 가입하는 경우를 생각해 보자. 이때 보험금 현가의 기대값은 $\overline{A}_{x+m}$이다. 그러나 이것은 $x+m$시점에서 계산된 것으로 이를 x시점으로 할인해야 한다. 이를 위해 v^m을 곱한다. 또한 (x)가 $x+m$까지 생존해 있어야만 종신보험에 가입할 수 있으므로 생존확률 $_mp_x$를 곱한 것이다. 거치보험의 보험금 현가의 기대값을 구해보자. 보험수리 기호로는 다음과 같이 표현할 수 있다.

$$_{m|}\overline{A}_x = E[v^T \cdot I(T>m)] = \int_0^\infty v^t \cdot I(t>m) \cdot {_tp_x}\mu_{x+t}dt \tag{2.30}$$

$$= \int_m^\infty v^t \cdot {_tp_x}\mu_x(t)dt$$

이며

$$_{m|}\overline{A}_x = v^m \cdot {_mp_x} \cdot \overline{A}_{x+m} = {_mE_x} \cdot \overline{A}_{x+m} \tag{2.31}$$

이다.

여기서 주의해야 할 점은 $x+m$시점에서의 보험금 현가의 기댓값은 $\overline{A}_{x+m}$인데 그 앞에 $v^m \cdot {_mp_x}$를 붙인다는 점이다. $v^m {_mp_x}$을 $A_{x:\frac{1}{m|}}$ 또는 $_mE_x$로 나타냄은 앞서 설명하였다. 이것과 $\overline{A}_{x+m}$을 합쳐 $_{m|}\overline{A}_x$라는 기호로 표현

하게 된다. 거치보험의 경우도 분산을 구할 수 있다.

$$Var\left[v^T \cdot I(T > m)\right] = {}_{m|}^2\overline{A}_x - \left({}_{m|}\overline{A}_x\right)^2 \tag{2.32}$$

여기에서 지시함수는 T가 m보다 클 때만 유의하다는 것을 알아두자. 그리고 (보험금$\times v^T$)을 곱해주면 된다. 그리고 이전에 했던 것처럼 분산의 식을 이용하여 정리하면 된다.

이제 거치보험과 종신보험을 비교해 보자. 종신보험의 경우 사망이 발생하면 보험금이 지급된다. 이제 이것을 m시점 이전에 사망하는 경우와 m시점 이후에 사망하는 경우로 나누어 보자. 이 경우 전자는 m년 정기보험으로, 후자는 m년거치 종신보험으로 생각할 수 있다. 즉, 두 보험의 합은 종신보험이 되는 것이다. 이를 보험수리 기호로 표현하면 다음과 같다.

$$\overline{A}_x = \overline{A}^1_{x:\overline{m}|} + {}_{m|}\overline{A}_x \tag{2.33}$$

m기간 보장 ⟵⎿⎾⟶ m기간 이후 보장

식 (2.33)은 다음과 같이 표현된다.

$$\overline{A}_x = \overline{A}^1_{x:\overline{m}|} + {}_mE_x \cdot \overline{A}_{x+m} \tag{2.34}$$

이것으로 종신보험이 정기보험, 거치종신보험, 그리고 생존보험과 어떻게 연결되어 있는지를 알 수 있다. 특히 $m = 1$인 경우 이를 재귀식(recursion) 또는 점화식이라 한다. 재귀식은 생명보험이나 앞으로 설명하게 될 생명연금과 책임준비금에서 자주 소개될 것이므로 잘 알아둘 필요가 있다. 다양한 예제를 통해 다양한 생명보험의 재귀식을 소개할 것이므로 예제마다 주의를 기울여 살펴보기 바란다.

📖 예제 2.5

다음 정보를 이용하여 $\overline{A}^1_{x:\overline{n}|}$를 구하시오.

(i) $\overline{A}_{x:\overline{n}|} = 0.7$

(ii) $\overline{A}_x = 0.31$

(iii) $\overline{A}_{x+n} = 0.4$

해설 연속형 종신보험의 점화식을 활용하면 다음과 같이 구해진다.

$$\overline{A}_x = \overline{A}^1_{x:\overline{n}|} + {}_nE_x \cdot \overline{A}_{x+n}$$

$$= \overline{A}^1_{x:\overline{n}|} + \left(\overline{A}_{x:\overline{n}|} - \overline{A}^1_{x:\overline{n}|}\right) \cdot \overline{A}_{x+n}$$

$$= \overline{A}^1_{x:\overline{n}|} + \left(0.7 - \overline{A}^1_{x:\overline{n}|}\right) \cdot 0.4$$

$$\overline{A}_x = 0.6\overline{A}^1_{x:\overline{n}|} + 0.28 = 0.31$$

$$\therefore \ \overline{A}^1_{x:\overline{n}|} = 0.05$$

II 사망즉시급 변동보험

이제 보험금의 크기가 시간에 따라 달라지는 보험(varying benefit insurance)에 대해서 알아보자. 이것 또한 개념적인 내용으로 이해가 중요하다. 보험료를 투자하여 발생한 투자 수익에 따라 지급보험금이 달라지는 변액보험(variable insurance)과는 다르므로 구분해야 한다. 여기서 살펴보는 것은 변액보험이 아니라 사전에 보험금이 변동되도록 약속한 변동보험이다.

1. 보험금이 매년 증가하는 보험

먼저 보험금이 해마다 1원씩 증가하는 보험(annually increasing benefit insurance)에 대해 살펴보자. 지급보험금을 그림으로 나타내면 다음과 같다.

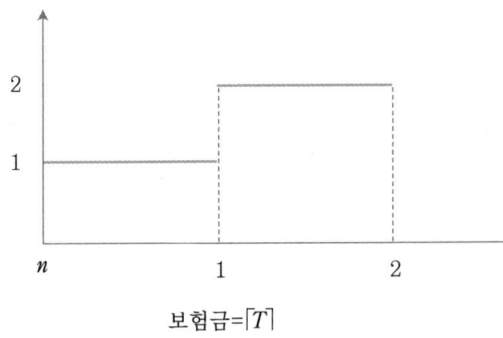

보험금=$\lceil T \rceil$

지급되는 보험금을 수리적으로 표현하면 $\lceil T \rceil$로 나타낼 수 있다. 따라서 보험금의 현가는 아래와 같이 표현할 수 있다.

$$\lceil T \rceil \cdot v^T \tag{2.35}$$

이 현가의 기대값은 다음과 같다.

$$(I\overline{A})_x = E(\lceil T \rceil \cdot v^T) = \int_0^\infty \lceil t \rceil \cdot v^t \cdot {}_tp_x\mu(x+t)dt \tag{2.36}$$

$\longrightarrow$ 보험금

$\lceil T \rceil$의 값은 T의 구간에 따라 달라지므로 식 (2.36)의 적분식을 다음과 같이 나타낼 수 있다.

$$\int_0^1 1 \cdot v^t \cdot f_T(t)dt + \int_1^2 2 \cdot v^t \cdot f_T(t)dt + \cdots \tag{2.37}$$

이 적분식의 계산이 쉽지 않으므로 일반적으로 컴퓨터로 계산한다.

$$\int_0^1 1 \cdot v^t \cdot f_T(t)dt + \int_1^2 2 \cdot v^t \cdot f_T(t)dt + \cdots = \sum_{k=0}^\infty (k+1)_kE_x\overline{A}^1_{x+k:\overline{1}|} \tag{2.38}$$

하지만 특수한 경우에는 계산이 가능하다. 다음 예제를 통하여 식 (2.38)를 연습해 보자.

예제 2.6

x세인 사람이 다음과 같은 종신보험에 가입하였다.
(i) 보험금은 사망 즉시 지급된다.
(ii) 첫 해에 사망할 경우 1원이 지급되고 이후 보험금은 매년 1원씩 증가한다.
(iii) 사력은 모든 연령에 대해 μ로 일정하다.
(iv) 이력은 상수 δ이다.
이 종신보험의 보험수리적 현가(APV)를 구하시오.

해설 구해야 하는 것은 $(I\overline{A})_x$이므로 식 (2.38)를 이용한다. 식 (2.38)에서 합 기호 안에 있는 k년거치 1년만기 정기보험의 계산은 사력이 상수이므로 다음과 같이 간단히 나타낼 수 있다. 다음 식의 우변 마지막 항은 식 (2.15)를 적용한 결과이다.

$$_kE_x\overline{A}^{\,1}_{x+k:\overline{1|}} = e^{-(\mu+\delta)k} \cdot \frac{\mu}{\mu+\delta}\left(1-e^{-(\mu+\delta)}\right)$$

따라서

$$(I\overline{A})_x = \sum_{k=0}^{\infty}(k+1)e^{-(\mu+\delta)k}\frac{\mu}{\mu+\delta}(1-e^{-(\mu+\delta)})$$

$$= \frac{\mu}{\mu+\delta}(1-e^{-(\mu+\delta)})\sum_{k=0}^{\infty}(k+1)e^{-(\mu+\delta)k}$$

위의 식에서 마지막에 있는 합(summation) 부분은 멱급수이므로 다음과 같다.

$$(I\overline{A})_x = \frac{\mu}{\mu+\delta}(1-e^{-(\mu+\delta)})\frac{1}{(1-e^{-(\mu+\delta)})^2}$$

$$= \frac{\mu}{\mu+\delta}\cdot\frac{1}{(1-e^{-(\mu+\delta)})}$$

(참고) 멱급수의 합 $(-1<r<1)$

$$S=1+2\cdot r+3\cdot r^2+\cdots\cdots\cdots\cdots(1)$$

$$rS=1\cdot r+2\cdot r^2+\cdots\cdots\cdots\cdots(2)$$

$(1)-(2)$를 하면

$$(1-r)S=1+r+r^2+\cdots$$

우변은 공비가 r인 무한등비급수이므로 S는 다음과 같다.

$$S=\frac{1}{(1-r)^2}$$

보험금이 매년 증가하는 정기보험의 현가확률변수는

$$\lceil T\rceil v^T\cdot I(T\leq n) \tag{2.39}$$

이고 이의 기대값은 다음과 같다.

$$(I\overline{A})^1_{x:\overline{n|}} = E[\lceil T\rceil v^T\cdot I(T\leq n)]$$

$$= \int_0^n \lceil t\rceil\cdot v^t\cdot {}_tp_x\mu(x+t)dt \tag{2.40}$$

$\lceil T\rceil$의 값은 T의 범위에 따라 달라지므로 식 (2.40)의 적분식을 다음과 같이 나타낼 수 있다.

$$\int_0^1 1\cdot v^t\cdot f_T(t)dt+\int_1^2 2\cdot v^t\cdot f_T(t)dt+\ldots+\int_{n-1}^n n\cdot v^t\cdot f_T(t)dt$$

이 적분식은 종신보험의 경우와 유사하게 다음과 같이 나타낼 수 있다.

$$(I\bar{A})^1_{x:\overline{n}|} = \sum_{k=0}^{n-1}(k+1)_kE_x\bar{A}^1_{x+k:\overline{1}|} \tag{2.41}$$

2. 보험금이 매년 감소하는 정기보험

다음으로 보험금이 매년 감소하는 보험(annually decreasing benefit insurance)에 대해 알아보자. 보험금 지급구조는 아래그림과 같다.

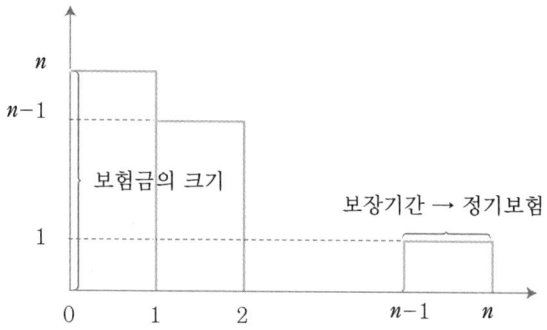

위 그림을 보면, 해마다 보험금이 줄어들고 있다. 주의해야 할 점은 보험금이 n기간 이후 0원이 되면 그 이후는 생각할 필요가 없다는 것이다. 즉, 보험금이 감소하는 종신보험은 존재하지 않는다. 정기보험에만 적용된다. 지급보험금의 현가를 식으로 표현하면

$$(n-\lfloor T\rfloor)_+ \cdot v^T \tag{2.42}$$

와 같고 이의 기대값은 다음과 같이 나타낸다.

$$(D\bar{A})^1_{x:\overline{n}|} = E\big[(n-\lfloor T\rfloor)_+ \cdot v^T\big]$$

$$= \int_0^\infty (n-\lfloor t\rfloor)_+ \cdot v^t f_T(t)dt \tag{2.43}$$

식 (2.43)에서 x_+ 기호가 다음과 같이 정의된다는 것은 이미 1장에서 살펴보았다.

$$x_+ = \begin{cases} x, & x > 0 \\ 0, & x \le 0 \end{cases}$$

위의 기호는 많이 사용할 예정이므로 익숙해 질 필요가 있다. 보험금이 감소하는 보험금의 경우는 기간이 정해져 있으므로 정기보험과 같이 x 위에 사망기호 1을 붙여야 한다.

　보험금이 증가하는 보험을 거치보험을 이용하여 나타내었듯이 이 감소하는 보험 역시 다르게 표현할 수 있다.

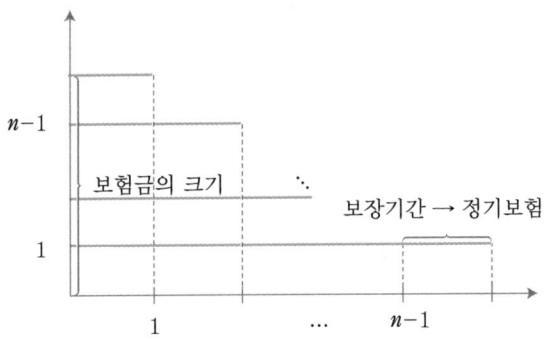

위 그림에서와 같이 지급보험금을 가로로 잘라 생각해보자. 이 경우에도 지급되는 총 보험금에는 변화가 없다. (앞의 그림 참조) 따라서 이것을 이용하여 표현하면 아래와 같이 나타낼 수 있다. 이것은 n개의 정기보험의 합이라고 생각할 수 있다.

$$\left(D\overline{A}\right)^1_{x\,:\,\overline{n}|} = \sum_{s=1}^{n} \overline{A}^1_{x\,:\,\overline{s}|} \tag{2.44}$$

즉 보장 기간이 여러 개(1년, 2년,…, n년)인 혼합상품을 구매하는 것과 동일한 것이다. 보험을 모르는 사람과 대화를 해야 할 때가 있다. 이 때 수식보다는 모르는 사람도 알 수 있게 표현하는 능력이 필요하다. 이러한 기초적인 보험들을 바탕으로 보다 복잡한 보험을 이해하기 쉽게 설명할 수 있어야 한다.

📖 **예제 2.7**

x세인 사람이 n년만기 정기보험에 가입하였다.

(i) 보험금은 사망 즉시 지급된다.

(ii) 첫 해 사망시 n원이 지급되며 이후 보험금은 매년 1원씩 감소한다.

(iii) 모든 연령에 대해 사력은 μ로 일정하다.

(iv) 이력은 상수 δ이다.

🔍 **해설** 구해야 하는 것은 $(D\overline{A})^1_{x:\overline{n}|}$으로 식 (2.44)을 이용하면 된다. 식 (2.44)의 합 기호 안에 있는 것은 s년만기 정기보험이므로 식 (2.15)을 대입하면 된다. 식 (2.15)에 의하면

$$\overline{A}^1_{x:\overline{s}|} = \frac{\mu}{\mu+\delta}\left(1 - e^{-(\mu+\delta)s}\right)$$

이고 문제의 조건에서 사력과 이력이 상수로 주어졌으므로 이를 식 (2.44)에 대입하여 계산하면

$$\left(D\overline{A}\right)^1_{x:\overline{n}|} = \sum_{s=1}^{n} \frac{\mu}{\mu+\delta}(1 - e^{-(\mu+\delta)s}) = \frac{\mu}{\mu+\delta}\left[n - \frac{e^{-(\mu+\delta)}\left(1 - e^{-n(\mu+\delta)}\right)}{1 - e^{-(\mu+\delta)}}\right]$$

과 같다. 위 식에서 최종 결과는 공비가 $e^{-(\mu+\delta)}$인 등비수열의 합을 이용하여 계산한 것이다.

3. 보험금이 연속적으로 증가하는 보험

이 절에서 다룰 생명보험은 앞의 경우와 차이점이 있는데 그것은 아래 그림과 같이 보험금이 연속적으로 증가하는 보험이라는 것이다.

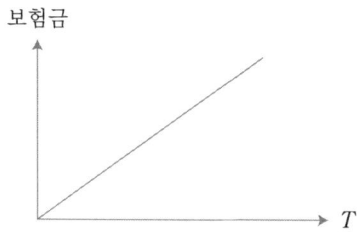

이 경우 보험금의 현가는

$$T \cdot v^T \tag{2.45}$$

이고 이의 기대값을 다음과 같은 보험수리 기호로 나타낸다. I의 위에 '-' (bar)가 있는 것은 보험금이 연속적으로 증가함을 나타낸다.

$$E(T \cdot v^T) = (\overline{IA})_x \tag{2.46}$$

와 같이 쓸 수 있다. 그리고 기대값을 적분식으로 표현하면 다음과 같다.

$$(\overline{IA}_x) = \int_0^\infty t \cdot v^t \cdot {}_tp_x \cdot \mu_x(t)dt \tag{2.47}$$

예제 2.8

$\delta = 0.05$이고 $\mu = 0.04$일 때 $(\overline{IA})_x$를 구하시오.

해설 $(\overline{IA})_x = \int_0^\infty t \cdot e^{-\delta t} \cdot e^{-\mu t} \cdot \mu dt$

$\qquad = \dfrac{\mu}{(\mu+\delta)} \int_0^\infty t(\mu+\delta)e^{-(\mu+\delta)t} dt$

$\qquad = \dfrac{\mu}{(\mu+\delta)^2} = \dfrac{0.04}{(0.05+0.04)^2} = \dfrac{0.04}{0.09^2} = 4.93827$

위의 풀이의 세 번째 등호는 지수분포를 이용하여 적분식을 쉽게 계산한 것이다. 주목할 점은 확률변수 X가 지수분포를 따를 경우 기대값을 다음과 같이 구할 수 있다는 것이다.

$$X \sim f(x) = \mu \cdot e^{-\mu x}, \ x > 0$$

$$\Rightarrow E(X) = \int_0^\infty x\mu e^{-\mu x}dx = \frac{1}{\mu}$$

위의 문제에 이를 적용해 보면

$$\int_0^\infty t(\mu+\delta)e^{-(\mu+\delta)t}dt \ \cdots\cdots\cdots \ (1)$$

는 모수가 $\mu+\delta$인 지수분포의 기대값을 구하는 식으로 볼 수 있으므로

$$\int_0^\infty t(\mu+\delta)e^{-(\mu+\delta)t} dt = \frac{1}{\mu+\delta}$$

이다. 물론 위의 적분식 (1)을 부분적분을 이용하여 계산할 수도 있다. 참고로 부분적분은

$$\int_a^b f' \cdot g \, dx = [f \cdot g]_a^b - \int_a^b f \cdot g' dx$$

이므로 이를 적분식 (1)에 적용하면 다음과 같다.

$$\int_0^\infty t(\mu+\delta)e^{-(\mu+\delta)t} dt = \left[-e^{-(\mu+\delta)t} \cdot t\right]_0^\infty - \int_0^\infty -e^{-(\mu+\delta)t} dt$$

$$= \frac{1}{\mu + \delta}$$

이제 연속적으로 증가하는 보험을 구체적으로 살펴보자. 식 (2.47)을 다시 쓰면

$$(\overline{IA})_x = \int_0^\infty t \cdot v^t \cdot {}_tp_x \cdot \mu_x(t)dt \tag{2.47}$$

이고 적분식의 안에 있는 t를

$$t = \int_0^t 1ds, \quad 0 < s < t < \infty \tag{2.48}$$

로 바꾸어 주면 식 (2.48)은 아래와 같이 이중적분으로 바뀌게 된다. 그리고 적분순서를 교환하면 다음과 같다.

$$\begin{aligned}
(\overline{IA})_x &= \int_0^\infty \int_0^t v^t \cdot {}_tp_x \cdot \mu_x(t)ds\,dt \\
&= \int_0^\infty \int_s^\infty v^t \cdot {}_tp_x \cdot \mu_x(t)dt\,ds \\
&= \int_0^\infty {}_{s|}\overline{A}_x ds
\end{aligned} \tag{2.49}$$

식 (2.49)의 두번째 적분식에서 안에 있는 적분은 식 (2.30)에서 알 수 있듯 s년거치 종신보험의 보험수리적 현가이다. 따라서 식 (2.49)의 마지막 식이 유도된다. 위 경우에는 적분순서를 바꾸면 우리가 알고 있는 거치보험의 형태로 표현할 수 있기 때문에 편리하다. 참고로 다음은 이중적분의 순서 교환에 고려해야 할 적분 영역을 그림으로 표시한 것이다.

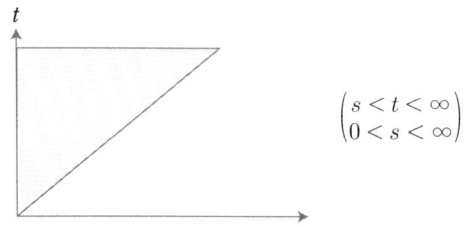

$$\begin{pmatrix} s < t < \infty \\ 0 < s < \infty \end{pmatrix}$$

📝 **예제 2.9**

이력은 δ이고 사력은 μ인 경우를 예로 살펴보자. 편의를 위해 식 (2.49)를 아래에 다시 소개한다.

$$(\overline{IA})_x = \int_0^\infty {}_{s|}\overline{A}_x\,ds$$

🔍해설 여기서 주어진 식의 피적분함수 ${}_{s|}\overline{A}_x$는 식 (2.15)에 의하여

$$_{s|}\overline{A}_x = \int_s^\infty e^{-\delta t}e^{-\mu t}\mu dt = \frac{\mu}{\mu+\delta}e^{-(\mu+\delta)s}$$

이고 이를 주어진 식에 대입하면

$$(\overline{IA})_x = \frac{\mu}{\mu+\delta}\int_0^\infty e^{-(\mu+\delta)s}\,ds$$

$$= \frac{\mu}{\mu+\delta}\frac{1}{\mu+\delta} = \frac{\mu}{(\mu+\delta)^2}$$

위의 식은 피적분 함수가 모수가 $\mu+\delta$인 지수분포의 확률밀도함수이고 이를 적분하면 1이 된다는 사실을 이용하여 쉽게 계산한 것이다. 위의 결과는 (예제 2.8)과 다른 접근 방식을 적용한 결과이다.

📝 **예제 2.10**

x세인 사람이 종신보험에 가입하였다.
(i) Z는 지급보험금의 현가를 나타내는 확률변수이다.
(ii) 보험금은 사망 즉시 지급된다.
(iii) $\mu_x(t) = 0.02,\ t \geq 0$
(iv) $\delta = 0.08$
(v) 사망시 지급되는 보험금은 $b_t = e^{0.03t},\ t \geq 0$
$Var(Z)$를 구하시오.

🔍해설 1. 이 문제의 특징은 사망보험금이 연속적으로 증가하되 앞서 살펴본 보험과는 다른 형태라는 점이다.

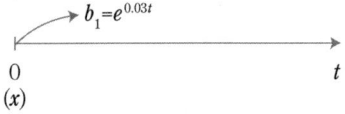

그러나 먼저 보험금 현가를 나타내는 Z를 정의하고 나면 분산을 구하는 것은 그리 어렵지 않다. 확률변수 Z를 정의하면 다음과 같다.

$$Z = e^{0.03t}\cdot v^t = e^{0.03t}\cdot e^{-0.08t} = e^{-0.05t}$$

사력은 모든 연령에서 상수이므로 Z의 기대값과 제곱의 기대값은 다음과 같이 계산할 수 있다.

$$E[Z] = \int_0^\infty e^{-0.05t}\,{}_tp_x\mu_x(t)dt$$

$$= \int_0^\infty e^{-0.05t} \cdot e^{-0.02t} \cdot (0.02)dt = \frac{2}{7}$$

$$E[Z^2] = \int_0^\infty e^{(0.03\times 2)t}e^{-(0.08\times 2)t}e^{-0.02t}(0.02)dt = \frac{1}{6}$$

$$\therefore \ Var[Z] = E[Z^2] - (E[Z])^2 = 0.085$$

2. 이 문제를 보다 간단히 풀 수 있는 또 다른 방법을 소개한다. 현가를 나타내는 확률변수가 $Z = e^{-0.05T}$이므로 지급보험금은 1원이고 $\delta = 0.05$, $\mu = 0.02$인 종신보험의 경우로 간주하는 것이다. 따라서 현가의 기대값과 분산은 다음과 같다.

$$E[Z] = \frac{0.02}{0.02 + 0.05} = \frac{2}{7}$$

$$E[Z^2] = \frac{0.02}{0.02 + 2\times 0.05} = \frac{1}{6}$$

$$Var(Z) = \frac{1}{6} - \left(\frac{2}{7}\right)^2 = 0.085$$

이제 연속적으로 증가하는 정기보험을 살펴보자. 보험금이 연속적으로 증가하는 정기보험의 경우 종신보험과 매우 유사하다. 보험금의 현가는

$$T \cdot v^T \cdot I(T \le n) \tag{2.50}$$

로 나타낼 수 있으며, 지시함수가 보장기간이 n년임을 나타낸다. 이 현가의 기대값은 다음과 같다.

$$(\overline{IA})^1_{x:\overline{n}|} = E\left[Tv^TI(T\le n)\right]$$

$$= \int_0^n tv^t\,{}_tp_x\mu_{x+t}dt$$

$$= \int_0^n \int_0^t v^t\,{}_tp_x\mu_{x+t}\,ds\,dt$$

$$= \int_0^n \int_s^n v^t\,{}_tp_x\mu_{x+t}\,dt\,ds$$

$$= \int_0^n {}_{s|}\overline{A}^1_{x:\overline{n-s}|}ds \tag{2.51}$$

　　기대값을 나타내는 위의 식들을 종신보험의 경우와 비교를 해 보면 이해
에 도움이 된다. 식 (2.51)의 두 번째 등식은 종신보험의 식 (2.47)과 유사하나
적분상한이 n이라는 차이가 있을 뿐이다. 식 (2.51)의 세번째와 네번째 등식
역시 종신보험과 마찬가지로 이중적분의 형태로 나타낸 후 적분순서를 교환
한 것이다. 식 (2.51)의 유도에는 다음을 이용한다.

$$_{m|n}\overline{A}_x = {_{m|}}\overline{A}^1_{x:\overline{n}|} = \int_m^{m+n} v^t \, {_tp_x}\mu_{x+t} dt \tag{2.52}$$

식 (2.52)는 m년 거치 n년 만기 정기보험의 APV로서 이를 식 (2.51)의 네
번째 등식에 대입하면 얻을 수 있다. 즉, 보험금이 연속적으로 증가하는 정기
보험은 거치정기보험을 이용하여 기대값을 나타낼 수 있다.

4. 보험금이 연속적으로 감소하는 정기보험

　　보험금이 연속적으로 감소하는 정기보험의 보험금 현가는

$$(n-T)_+ \cdot v^T \tag{2.53}$$

이고 이것의 기대값은 다음과 같이 나타낸다.

$$(\overline{DA})^1_{x:\overline{n}|} = E\left[(n-T)_+ \cdot v^T\right]$$
$$= \int_0^n (n-t)_+ \cdot v^t f_T(t) dt \tag{2.54}$$

　　해마다 감소하는 보험의 보험수리적 현가를 식 (2.44)에서와 같이 정기보
험의 합으로 나타내었던 것처럼 연속적으로 감소하는 정기보험 역시 비슷하
게 나타낼 수 있다.

$$(\overline{DA})^1_{x:\overline{n}|} = \int_0^n \overline{A}^1_{x:\overline{s}|} ds \tag{2.55}$$

이를 보험금이 연속적으로 증가하는 정기보험 $(\overline{IA})^1_{x:\overline{n}|}$과 비교해 보기를 바
란다.

📖 예제 2.11

x세인 사람이 n년만기 정기보험에 가입하였다.

(i) 보험금은 사망 즉시 지급된다.

(ii) t 시점에 사망시 지급되는 보험금은 n − t 원이다.

(iii) 사력은 모든 연령에 대해 μ인 상수이다.

(iv) 이력은 상수 δ이다.

이 보험의 보험수리적 현가(APV)를 구하시오.

🖋️해설 구해야 하는 것은 $(\overline{DA})^1_{x:\overline{n}|}$으로 식 (2.56)을 이용한다. 먼저 s 기간 정기보험의 보험수리적 현가

$$\overline{A}^1_{x:\overline{s}|} = \frac{\mu}{\mu+\delta}\left[1 - e^{-(\mu+\delta)s}\right]$$

를 구하고 이를 식 (2.55)에 대입하면 다음과 같다.

$$\begin{aligned}(\overline{DA})^1_{x:\overline{n}|} &= \int_0^n \overline{A}^1_{x:\overline{s}|}\,ds \\ &= \frac{\mu}{\mu+\delta}\left[n - \frac{1 - e^{(\mu+\delta)n}}{\mu+\delta}\right]\end{aligned}$$

Ⅲ 사망연도말지급 생명보험

1. 종신보험

이제는 보험금 지급이 사망할 때 즉각 이루어지지 않고 일정 시점이 지난 후에 지급되는 생명보험에 대해 알아보자. 사망 즉시 지급이 이루어지는 보험을 '연속형' 보험이라고 한다면 사망시점 이후에 지급되는 보험은 '이산형' 보험이라 할 수 있다. 아래의 그림을 참조하며 '이산형' 보험을 살펴보자.

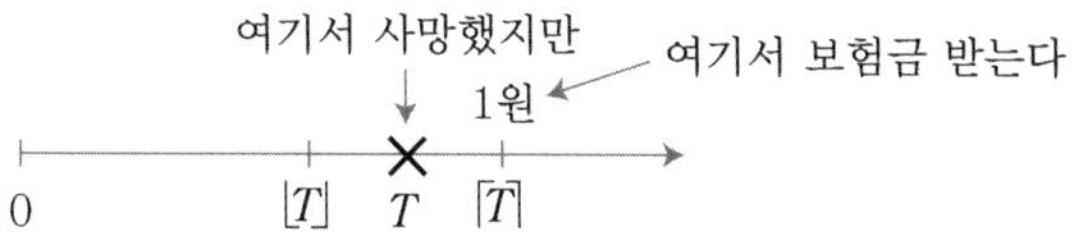

앞 그림에서 알 수 있듯 T시점에서 사망했지만 보험금은 $\lceil T \rceil$시점에 지급되는 것이다. 사망연도 말에 지급한다는 의미이다. $\lfloor T \rfloor$는 T의 floor이고 $\lceil T \rceil$는 ceiling이다. 즉, 정수생존기간 K를 이용하여 $\lfloor T \rfloor$는 K로, $\lceil T \rceil$는 $K+1$로 생각하면 된다. 그러나 $K+1$보다 $\lceil T \rceil$가 더 정확한 표현이므로 이것을 사용한다. 이를 이용하여 이산형 종신보험의 보험금 현가의 기대값을 다음과 같이 나타낸다.

$$A_x = E[v^{\lceil T \rceil}] : \text{사망연도말 지급 종신보험}$$

$\lceil T \rceil = 0 \iff T = 0$ (고려하지 않음)

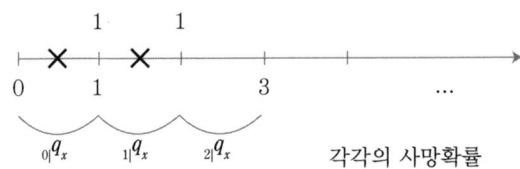

각각의 사망확률

위의 시간 흐름표로부터 알 수 있는 것은 구간별 사망발생 시점이 중요하다는 것이다. 사망 즉시급인 경우 사망발생 시점이 중요했으나 이산형의 경우에는 어느 구간에서 사망이 발생하는지를 알아야 한다. 예를 들어 0.5시점에서 사망이 발생하는 경우와 0.9시점에서 사망이 발생하는 경우 이산형 보험에서는 지급시점의 차이가 없다. 모두 0~1사이에 사망이 발생하므로 지급시점은 1로 동일하다. 따라서 구간별 사망발생 확률이 중요해진다. 그 확률은 $_{0|}q_x$, $_{1|}q_x$, …와 같이 거치 사망확률을 이용하여 나타낼 수 있다. 지급시점은 정수이므로 보험금의 현재가치는 v^1, v^2, …으로 나타낼 수 있다. 이것을 정리하면 아래와 같은 식으로 쓸 수 있다.

$$A_x = E[v^{\lceil T \rceil}] = \sum_{k=0}^{\infty} v^{k+1} \cdot {_{k|}q_x} = \sum_{k=0}^{\infty} v^{k+1} \cdot {_k p_x} \cdot q_{x+k} \tag{2.56}$$

이제 보험금 현가의 분산을 알아보자.

$$\therefore Var[v^{\lceil T \rceil}] = E[(v^{\lceil T \rceil})^2] - (E[v^{\lceil T \rceil}])^2 = {^2A_x} - (A_x)^2 \tag{2.57}$$

왜냐하면

$$E\left[\left(v^{\lceil T\rceil}\right)^2\right] = E\left(v^{2\lceil T\rceil}\right) = E\left(e^{-2\delta\lceil T\rceil}\right) = {}^2A_x \tag{2.58}$$

식 (2.56)의 보험수리적 현가는 연속형 보험의 경우와 매우 유사하다는 것을 알 수 있다. 연속형 보험은 적분을 통해 표현되고 이산형 보험은 합을 이용해 표현한 것뿐이다. 물론 이산형 보험의 경우 역시 Stieltjes 적분으로 나타낼 수 있지만 이 적분의 결과는 식 (2.56)에서와 같이 합으로 나타내게 된다. 이하에서 모든 이산형 보험의 보험수리적 현가는 합으로 표현하도록 하겠다.

예제 2.12

40세인 사람이 사망연도 말에 보험금 1원이 지급되는 종신보험에 가입하였다. 아래 조건을 이용하여 보험금 현가의 기대값과 분산을 구하시오.

(i) $l_x = 100 - x,\ 0 \le x \le 100$

(ii) $i = 0.05$

해설 보험금의 현가는 $v^{\lceil T\rceil}$이다. 구해야 하는 것은 $E\left[v^{\lceil T\rceil}\right]$와 $Var\left(v^{\lceil T\rceil}\right)$이다. De Moivre 사망법칙이므로 $T(40) \sim Uniform(0,\ 60)$이고 $_{k|}q_{40} = \dfrac{1}{60}$임을 알 수 있다. 따라서 $E\left[v^{\lceil T\rceil}\right]$는 다음과 같다.

$$A_{40} = E\left[v^{\lceil T\rceil}\right]$$

$$= \sum_{k=0}^{59} v^{k+1} \cdot {}_{k|}q_{40} = \sum_{k=0}^{59}\left(\frac{1}{1.05}\right)^{k+1} \cdot \frac{1}{60}$$

$$= \frac{1}{60}\sum_{k=0}^{59}\left(\frac{1}{1.05}\right)^{k+1} \overset{(등비수열의 합)}{=} \frac{1}{60} \cdot \frac{\dfrac{1}{1.05}\left(1 - \left(\dfrac{1}{1.05}\right)^{60}\right)}{1 - \dfrac{1}{1.05}}$$

$$= 0.31549$$

분산을 구하기 위해 $E\left[\left(v^{\lceil T\rceil}\right)^2\right]$을 계산해야 하는데, 이것은 식 (2.58)의 결과를 사용하면 쉽게 구할 수 있다. A_{40}의 계산식에서 v를 v^2로 바꾸어 계산하면 다음과 같다.

$$ {}^2A_{40} = E\left[\left(v^{\lceil T\rceil}\right)^2\right]$$

$$= \frac{1}{60} \cdot \frac{\dfrac{1}{1.05^2}\left(1 - \left(\dfrac{1}{1.05^2}\right)^{60}\right)}{1 - \dfrac{1}{1.05^2}} = 0.16214$$

$$Var\left(v^{\lceil T\rceil}\right) = {}^2A_{40} - \left(A_{40}\right)^2 = 0.16214 - 0.31549^2 = 0.06261$$

예제 2.13

x세인 100명이 사망연도 말에 보험금 5원이 지급되는 종신보험에 가입하였다.

(i) $A_x = 0.36$, $^2A_x = 0.17$, $i = 0.06$

(ii) 100명의 장래생존기간은 독립이다.

위의 조건을 이용하여 100개의 보험계약 전체의 보험금 현가의 기대값과 분산을 구하시오. 그리고 정규근사를 이용하여 95%의 경우 보험금 지급에 부족함이 없도록 보험계약 시점에 지니고 있어야 하는 기금의 규모를 구하시오.

해설 100명의 장래생존기간을 T_1, T_2, $\cdots$, T_{100}으로 나타내도록 하자. 지급보험금의 현가를 모두 더한 것을 S라 하면

$$S = 5 \cdot v^{[T_1]} + \cdots + 5 \cdot v^{[T_{100}]}$$

와 같이 나타낼 수 있다. 모든 장래생존기간은 독립이므로 S의 기대값은

$$E(S) = 100 \times 5 \times E(v^{[T]}) = 500 A_x$$

이고 S의 분산은 다음과 같다.

$$\begin{aligned}
Var(S) &= Var(5 \cdot v^{[T_1]}) + \cdots + Var(5 \cdot v^{[T_{100}]}) \\
&= 100 \times 5^2 \times Var(v^{[T]}) = 100 \times 5^2 \times (^2A_x - A_x^2) \\
&= 101
\end{aligned}$$

이제 다음을 만족하는 기금 F를 구하도록 하자.

$$\Pr(S \le F) = 0.95$$

S는 근사적으로 정규분포를 따르므로

$$\Pr(S \le F) = \Pr\left[Z \le \frac{F - E[S]}{\sqrt{var[S]}}\right] = 0.95$$

$$F = E(S) + 1.645 \sqrt{Var(S)}$$
$$= 196.53205$$

이에 대해 자세한 것은 (예제 2.1)을 참고하도록 한다.

2. 정기보험

앞 절에서는 사망 시 사망연도 말에 보험금을 지급하는 종신보험에 대해 살펴보았다. 이번에는 보험계약기간이 n년으로 한정된 정기보험에 대해 알아보자. 연속형 보험에서 설명한 이론과 큰 차이가 없으니 함께 비교하여 공부

해 보길 바란다.

정기보험은 계약 기간 내에 사망할 경우에만 사망연도 말에 보험금을 지급하며, 계약이 종료되면 더 이상 보험회사는 보험금을 지급할 의무가 없다. 따라서, 보험회사의 보험금 현가에 대한 확률변수를 정의해 보면 다음과 같다.

$$V^{\lceil T \rceil} \cdot I(T \le n) = \begin{cases} v^{\lceil T \rceil}, & T \le n \\ 0, & T > n \end{cases} \tag{2.59}$$

이 확률변수를 이용하여 정기보험의 보험수리적 현가(APV)인 일시납보험료를 계산해 보자. 보험수리 기호는 연속형 정기보험과 거의 동일하며, A 위에 있는 '–'(bar) 표시만 없애주면 된다.

$$APV = A^1_{x\,:\,\overline{n}|} = E\left[v^{\lceil T \rceil} \cdot I(T \le n)\right] = E\left[e^{-\delta\lceil T \rceil} \cdot I(T \le n)\right] \tag{2.60}$$

$\lceil T \rceil$는 수학적으로 T의 올림에 해당하는 수이므로 식 (2.60)의 기대값을 계산하면 다음과 같다.

$$A^1_{x\,:\,\overline{n}|} = \sum_{k=0}^{n-1} v^{k+1} \cdot {}_k p_x \cdot q_{x+k} \tag{2.61}$$

이번에는 정기보험의 보험금 현가에 대한 확률변수의 2차 적률을 구해보도록 하자.

$$E\left[(v^{\lceil T \rceil})^2 \cdot I(T \le n)\right] = E\left[(e^{-\delta\lceil T \rceil})^2 \cdot I(T \le n)\right] = E\left[e^{-2\delta\lceil T \rceil} \cdot I(T \le n)\right] \tag{2.62}$$

식 (2.60)의 지수에서 δ 자리에 2δ를 대입하면 식 (2.62)의 마지막 식이 되는 것을 알 수 있다. 따라서 보험수리 기호로 정기보험에 대한 2차적률을 ${}^2 A^1_{x\,:\,\overline{n}|}$로 쓸 수 있다. 마지막으로 앞에서 설명한 식 (2.60)과 식 (2.62)를 이용하여 보험금 현가의 확률변수에 대한 분산을 다음과 같이 계산할 수 있다.

$$Var\left[v^{\lceil T \rceil} \cdot I(T \le n)\right] = {}^2 A^1_{x\,:\,\overline{n}|} - \left(A^1_{x\,:\,\overline{n}|}\right)^2 \tag{2.63}$$

📖 예제 2.14

40세인 사람이 사망 시 보험금 1원이 연말에 지급되는 20년만기 정기보험에 가입하였다. 아래 조건을 이용하여 보험금 현가의 기대값과 분산을 구하시오.

(i) $l_x = 100 - x,\ 0 \le x \le 100$

(ii) $i = 0.05$

해설 $\omega = 100$인 De Moivre 사망법칙이므로 $_{k|}q_x = \dfrac{1}{100-x}$ 이다. 또한 보험금 현가는 $v^{\lceil T \rceil} \cdot I(T(40) \le 20)$ 이므로 그 기대값은 다음과 같다.

$$A_{40:\overline{20|}}^{1} = E\big[v^{\lceil T \rceil} \cdot I(T(40) \le 20)\big]$$

$$= \sum_{k=0}^{19} v^{k+1} \cdot {}_{k|}q_{40} = \sum_{k=0}^{19} \left(\frac{1}{1.05}\right)^{k+1} \cdot \frac{1}{60}$$

$$= \frac{1}{60} \sum_{k=0}^{19} \left(\frac{1}{1.05}\right)^{k+1} \quad \text{(등비수열의 합)}$$

$$= \frac{1}{60} \cdot \frac{\dfrac{1}{1.05}\left(1 - \left(\dfrac{1}{1.05}\right)^{20}\right)}{1 - \dfrac{1}{1.05}} = 0.20770 \tag{1}$$

이제 정기보험의 2차적률을 구할 차례이다. 식 (2.63)의 결과를 이용하면 2차적률을 쉽게 구할 수 있다. $\delta \to 2\delta$로 바꿔서 계산할 수 있다는 것은 $v \to v^2$, $(1+i) \to (1+i)^2$으로 바꿔서 계산할 수 있다는 것을 의미한다. 따라서 $A_{40:\overline{20|}}^{1}$를 구할 때 사용했던 식 (1)에서 $(1+i)^2$로 바꾸어 다음과 같이 계산한다.

$$^{2}A_{40:\overline{20|}}^{1} = E\big[\big(v^{\lceil T \rceil} \cdot I(T(40) \le 20)\big)^2\big]$$

$$= \frac{1}{60} \cdot \frac{\dfrac{1}{1.05^2}\left(1 - \left(\dfrac{1}{1.05^2}\right)^{20}\right)}{1 - \dfrac{1}{1.05^2}} = 0.1395$$

따라서 분산은 다음과 같다.

$$\therefore Var\big(v^{\lceil T \rceil} \cdot I(T(40) \le 20)\big) = {}^{2}A_{40:\overline{20|}}^{1} - \big(A_{40:\overline{20|}}^{1}\big)^2$$

$$= 0.13950 - 0.20770^2 = 0.09636$$

📖 예제 2.15

$q_{x+k} = q = 0.01$, $k = 0,\ 1,\ \cdots$ 이고, $v = 0.9434$일 때, $A_{x:\overline{20|}}^{1}$ 을 구하여라.

해설 문제에서 주어진 조건을 보면 k가 증가하여 연령이 증가하더라도 사망확률이 일정하므로 다음이 성립한다.

$$_{k|}q_x = {}_{k}p_x \cdot q_{k+k}$$

$$_{k}p_x = p_x \cdot p_{x+1} \cdots p_{x+k-1} = (1-q) \cdot (1-q) \cdots (1-q) = (1-q)^k$$

$$\therefore {}_{k|}q_x = (1-q)^k \cdot q$$

이를 이용하여 정기보험의 보험수리적 현가를 다음과 같이 계산할 수 있다.

$$A_{x\,:\,\overline{n}|}^{1} = \sum_{k=0}^{n-1} v^{k+1} \cdot {}_{k|}q_x$$

$$= \sum_{k=0}^{n-1} v^{k+1} \cdot (1-q)^k \cdot q$$

공비가 $v \cdot (1-q)$인 등비수열의 합

$$= \frac{v \cdot q \cdot \left(1 - (v \cdot (1-q))^n\right)}{1 - v \cdot (1-q)}$$

$$= \frac{0.9434 \times 0.01 \times \left(1 - (0.9434(1-0.01))^{20}\right)}{1 - 0.9434 \times (1-0.01)} = 0.1064$$

(참고) $a + ar + \cdots ar^{n-1} = \dfrac{a \cdot (1 - r^n)}{1 - r}$

$a + ar + ar^2 + \cdots = \dfrac{a}{1-r}$ (무한등비급수)

3. 생사혼합보험

이산형 생사혼합보험에 대하여 알아보자. 생사혼합보험은 이미 확인했듯이 정기보험과 생존보험의 보장 내용을 합쳐 놓은 상품이다. 계약 기간 내에 피보험자가 사망한다면 사망연도 말에 사망보험금을 지급하지만, 계약기간 동안 피보험자가 사망하지 않고 만기 시점까지 생존해 있다면 생존보험금을 지급해야 한다. 앞으로 풀어볼 문제들에서는 일반적으로 사망보험금과 생존보험금의 크기가 동일한 경우가 대다수 일 것이다. 그러나 때때로 두 보험금의 크기가 다를 경우도 존재할 수 있다. 사망보험금과 생존보험금의 크기가 다를 경우에는 하나의 보험수리 기호로 나타낼 수 없기 때문에 정기보험과 생존보험의 보험수리 기호를 각각 사용해야 한다는 것에 유의하자.

생사혼합보험의 보험금 현가에 대한 확률변수를 정기보험과 생존보험을 이용하여 정의해 보도록 하자. 사망보험금과 생존보험금은 모두 1원으로 가정한다.

$$v^{\lceil T \wedge n \rceil} = v^{\lceil T \rceil} \cdot I(T \le n) + v^n \cdot I(T > n) \tag{2.64}$$

생사혼합보험에 가입한 피보험자가 일시불로 계약 시점에 보험료를 납입한다고 가정하면 식 (2.64)에 대한 기대값이 일시납 보험료가 된다.

$$A_{x:\overline{n}|} = E[v^{\lceil T \wedge n \rceil}] = E[v^{\lceil T \rceil} \cdot I(T \le n) + v^n \cdot I(T > n)]$$
$$= E[v^{\lceil T \rceil} \cdot I(T \le n)] + E[v^n \cdot I(T > n)] = A^1_{x:\overline{n}|} + A_{x:\overline{n}|}^{1} \quad (2.65)$$

다음으로는 현가의 분산을 알아보도록 하자. 먼저 식 (2.64)의 좌변에 있는 확률변수를 이용하여 분산을 구해보자.

$$Var(v^{\lceil T \wedge n \rceil}) = E[(v^{\lceil T \wedge n \rceil})^2] - [E(v^{\lceil T \wedge n \rceil})]^2 = {}^2A_{x:\overline{n}|} - (A_{x:\overline{n}|})^2 \quad (2.66)$$

식 (2.64)의 우변에 있는 확률변수를 이용하여 다른 방식으로 분산을 계산할 수도 있다.

$$Var[v^{\lceil T \wedge n \rceil}] = Var[v^{\lceil T \rceil} \cdot I(T \le n) + v^n \cdot I(T > n)]$$
$$= Var[v^{\lceil T \rceil} \cdot I(T \le n)] + Var[v^n \cdot I(T > n)]$$
$$+ 2Cov[v^{\lceil T \rceil} \cdot I(T \le n), v^n \cdot I(T > n)] \quad (2.67)$$

먼저 식 (2.67)의 공분산을 계산해 보자.

$$Cov[v^{\lceil T \rceil} \cdot I(T \le n), \ v^n \cdot I(T > n)]$$
$$= E[v^{\lceil T \rceil} \cdot I(T \le n) \times v^n \cdot I(T > n)] - E[v^{\lceil T \rceil} \cdot I(T \le n)]E[v^n \cdot I(T > n)] \quad (2.68)$$

식 (2.68)에서 첫 번째 기대값은 0인데 그 이유에 대해서 생각해 보자. 첫 번째 확률변수는 계약 기간 내에 사망 시 $v^{\lceil T \rceil}$이 보험금 현가이지만 계약 기간 이후에 사망 시 0의 값을 갖는다. 반면에, 두 번째 확률변수는 계약 기간 내에 사망 시 0이지만, 계약 기간 이후에 사망 시 v^n이 보험금 현가가 된다. 따라서 같은 범위의 값끼리 곱해 보면 항상 0이 나오는 것을 알 수 있다. 0의 기대값은 0이기 때문에 공분산의 첫 번째 기대값이 0이 되는 것이다. 그리고 마지막 항의 두 개의 기댓값은 이미 앞 절에서 살펴본 정기보험과 생존보험의 일시납보험료를 의미한다. 따라서 공분산은 다음과 같다.

$$Cov[v^{\lceil T \rceil} \cdot I(T \le n), \ v^n \cdot I(T > n)] = 0 - A^1_{x:\overline{n}|} A_{x:\overline{n}|}^{1} \quad (2.69)$$

식 (2.69)의 공분산 값을 식 (2.67)에 대입하면 다음과 같다.

$$Var[v^{\lceil T \wedge n \rceil}] = \left[{}^2A^1_{x:\overline{n}|} - (A^1_{x:\overline{n}|})^2 \right] + \left[{}^2A_{x:\overline{n}|}^{1} - (A_{x:\overline{n}|}^{1})^2 \right] - 2A^1_{x:\overline{n}|} A_{x:\overline{n}|}^{1}$$

$$= \left[{}^2A^1_{x\,:\,\overline{n}|} + {}^2A_{x\,:\,\frac{1}{n}|}\right] - \left[\left(A^1_{x\,:\,\overline{n}|}\right)^2 + 2A^1_{x\,:\,\overline{n}|}\,A_{x\,:\,\frac{1}{n}|} + \left(A_{x\,:\,\frac{1}{n}|}\right)^2\right]$$

$$= \left[{}^2A^1_{x\,:\,\overline{n}|} + {}^2A_{x\,:\,\frac{1}{n}|}\right] - \left[A^1_{x\,:\,\overline{n}|} + A_{x\,:\,\frac{1}{n}|}\right]^2$$

$$\left(\because\ A_{x\,:\,\overline{n}|} = A^1_{x\,:\,\overline{n}|} + A_{x\,:\,\frac{1}{n}|}\right)$$

$$= {}^2A_{x\,:\,\overline{n}|} - \left(A_{x\,:\,\overline{n}|}\right)^2 \tag{2.70}$$

식 (2.67)의 마지막 결과는 식 (2.66)과 일치한다. 이 방식으로 분산을 구하는 것은 사망시 지급되는 보험금과 생존시 지급되는 보험금에 차이가 있을 때 유용하게 사용될 수 있다.

예제 2.16

40세인 사람이 사망연도 말 보험금 1원이 지급되고 10년 생존 시에도 1원이 지급되는 10년 만기 생사혼합보험에 가입하였다. 아래 조건을 이용하여, 보험금 현가의 기대값과 분산을 구하시오.

(i) $q_{x+t} = q_x = 0.03$

(ii) $i = 0.05$

해설 보험금의 현가는 $v^{\lceil T \wedge 10\rceil}$ 이다. 구해야 하는 것은 $E\left[v^{\lceil T \wedge 10\rceil}\right] = A_{40\,:\,\overline{10}|}$ 와 $Var\left(v^{\lceil T \wedge 10\rceil}\right)$ 이다. 모든 정수연령에서 사망률은 상수로 동일하므로 $_kp_x = p_x \cdot p_{x+1} \cdot \cdots \cdot p_{x+k-1} = 0.97^k$ 임을 알 수 있다. 따라서 $_{k|}q_{40} = {}_kp_x \cdot q_{40+k} = (0.97)^k \cdot 0.03$ 이다.

$$E\left[v^{\lceil T \wedge 10\rceil}\right] = A_{40\,:\,\overline{10}|} = A^1_{40\,:\,\overline{10}|} + A_{40\,:\,\frac{1}{10}|}$$

$$= \sum_{k=0}^{9} v^{k+1} \cdot {}_{k|}q_{40} + v^{10}\,{}_{10}p_{40}$$

$$= \sum_{k=0}^{9} \left(\frac{1}{1.05}\right)^{k+1}(0.97)^k(0.03) + \left(\frac{1}{1.05}\right)^{10}(0.97)^{10}$$

$$(\text{등비수열의합}) = \frac{\dfrac{0.03}{1.05}\left(1 - \left(\dfrac{0.97}{1.05}\right)^{10}\right)}{\left(1 - \dfrac{0.97}{1.05}\right)} + \left(\frac{0.97}{1.05}\right)^{10}$$

$$= 0.65795 \tag{1}$$

분산을 구하기 위해 $E\left[\left(v^{\lceil T \wedge 10\rceil}\right)^2\right]$ 을 계산해야 한다.

$$E\left[\left(v^{\lceil T \wedge 10\rceil}\right)^2\right] = {}^2A_{40\,:\,\overline{10}|} = {}^2A^1_{40\,:\,\overline{10}|} + {}^2A_{40\,:\,\frac{1}{10}|}$$

$$= \frac{\frac{0.03}{1.05^2}\left(1-\left(\frac{0.97}{1.05^2}\right)^{10}\right)}{\left(1-\frac{0.97}{1.05^2}\right)} + \left(\frac{0.97}{1.05^2}\right)^{10} = 0.44142 \tag{2}$$

$$Var\left(v^{\lceil T \wedge 10 \rceil}\right) = {}^2A_{40:\overline{10}|} - \left(A_{40:\overline{10}|}\right)^2 = 0.44142 - 0.65795^2 = 0.00852$$

위에서 현가 확률변수의 2차적률을 구할 때 이력 δ 대신 2δ를 이용하여 보다 편리하게 계산하였다. 이력이 δ에서 2δ로 변한다는 것은 $1+i$ 대신 $(1+i)^2$를 사용한다는 것과 동일하다. 따라서 기대값을 구하는 식 (1)에 1.05 대신 1.05^2을 대입하면 쉽게 2차적률을 계산할 수 있다.

4. 거치보험

이번 절에서는 거치기간이 존재하는 생명보험의 보험수리적 현가 및 분산을 계산하는 방법에 대해 알아보도록 한다. 간단하게 예를 통해 살펴보도록 하자. 가입 후 m년 안에 사망하면 사망보험금을 지급하지 않는 거치 종신보험에 피보험자 (x)가 가입하였다. 이 보험의 보험금 현가를 나타내는 확률변수를 정의해 보자.

$$v^{\lceil T \rceil} \cdot I(T > m) \tag{2.71}$$

거치 종신보험의 보험수리 기호는 1장에서 거치 사망확률을 ${}_{k|}q_x$로 나타내었던 것과 유사하게 종신보험의 보험수리 기호 좌측에 거치기간을 표시한다. 그리고 반드시 A의 우측에는 첨자로 가입 시점의 연령을 작성해 둬야 한다는 것에 주의해야 한다.

$$_{m|}A_x = E\left[v^{\lceil T \rceil} \cdot I(T > m)\right] \tag{2.72}$$

식 (2.72)는 다음과 같이 생각해 볼 수 있다. 실제로 사망보장을 받을 수 있는 시점은 $(x+m)$세부터이다. 따라서 마치 $(x+m)$세의 종신보험으로 생각해 볼 수 있다. 그러나 실제 가입 연령은 (x)세이고 $(x+m)$세까지는 피보험자가 반드시 생존해야만 $(x+m)$세부터 사망보험금을 보장 받을 수 있다. 따라서 다음의 식과 같이 거치기간은 생존보험을 이용하여 표현할 수 있다.

$$_{m|}A_x = {}_mE_x \cdot A_{x+m} \tag{2.73}$$

식 (2.73)과 같은 식은 거치 종신보험뿐만 아니라 모든 거치 생명보험 상품의 보험수리 기호에 적용할 수 있다. 예를 들어 m년 거치 n년 양로보험의 보험수리적 현가는

$$_{m|}A_{x\,:\,\overline{n}|} = {}_mE_x \cdot A_{x+m\,:\,\overline{n}|} \tag{2.74}$$

로 쓸 수 있다.

다시 식 (2.73)으로 돌아가서 기대값을 계산해 보자.

$$_{m|}A_x = \sum_{k=m}^{\infty} v^{k+1} \cdot {}_kp_x \cdot q_{x+k} \tag{2.75}$$

마지막으로 분산을 계산하는 방법을 살펴보면 다음과 같다.

$$Var\big[v^{[T]} \cdot I(\,T > m\,)\big] = {}_{m|}^{2}A_x - \big({}_{m|}A_x\big)^2 \tag{2.76}$$

여기서 2차적률은 다음과 같이 계산하면 된다.

$$_{m|}^{2}A_x = \sum_{k=m}^{\infty} \big(v^{k+1}\big)^2 \cdot {}_kp_x \cdot q_{x+k} \tag{2.77}$$

연속형 보험과 마찬가지로 종신보험을 정기보험과 식 (2.73)에서 살펴본 거치종신보험의 합으로도 표현할 수 있다.

$$A_x = A^{\,1}_{x\,:\,\overline{n}|} + {}_{n|}A_x = A^{\,1}_{x\,:\,\overline{n}|} + {}_nE_x \cdot A_{x+n} \tag{2.78}$$

위 식은 종종 종신, 정기, 거치종신 중 하나의 보험수리적 현가가 미지수 일 때 사용할 수 있다.

m년 거치 n년 정기보험의 경우도 생각해 볼 수 있다. 이를 나타낸 것이 아래의 그림이다.

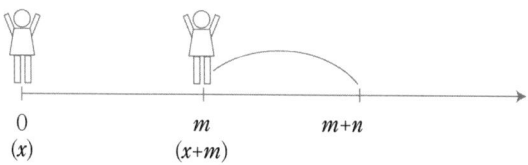

이 경우 보험금 현가는

$$v^{\lceil T \rceil} \cdot I(m < T(x) \le m+n) \tag{2.79}$$

이고, 기대값은 다음과 같다.

$$\begin{aligned}
{}_{m|n}A_x = {}_{m|}A^1_{x:\overline{n}|} &= E\big[v^{\lceil T \rceil} \cdot I(m < T(x) \le m+n)\big] \\
&= \sum_{k=m}^{m+n-1} v^{k+1} \, {}_{k|}q_x \\
&= {}_mE_x \cdot A^1_{x+m:\overline{n}|} \tag{2.80}
\end{aligned}$$

보험금 현가의 분산은 다음과 같이 나타낼 수 있다.

$$Var\big(v^{\lceil T \rceil} \cdot I(m < T(x) \le m+n)\big) = {}^2_{m|n}A_x - \big({}_{m|n}A_x\big)^2 \tag{2.81}$$

5. 사망연도말 지급 변동보험

앞서 연속형 보험을 살펴볼 때 보험금이 매년 증가하거나 감소하는 경우를 살펴 보았다. 마찬가지로 이산형 보험에서도 이러한 변동보험을 생각해 볼 수 있다. 매년 보험금이 1원씩 증가하는 경우 현가확률변수는

$$\lceil T \rceil \cdot v^{\lceil T \rceil} \tag{2.82}$$

과 같이 정의할 수 있으며, 이것의 기대값인 보험수리적 현가는 다음과 같다.

$$(IA)_x = \sum_{k=0}^{\infty} (k+1) \cdot v^{k+1} \cdot {}_kp_x q_{x+k} \tag{2.83}$$

이를 거치보험의 합으로 나타낼 수 있는 것 역시 연속형의 경우와 유사하다.

$$(IA)_x = \sum_{k=0}^{\infty} {}_{k|}A_x \tag{2.84}$$

📖✏️ **예제 2.17**

30세인 사람이 보험금이 매년 1원씩 증가하는 3년 만기 정기보험에 가입하였다. 보험금은 연도말에 지급된다. 아래 조건을 이용하여 보험금 현가의 기대값을 구하시오.

(i) $l_x = 95 - x$, $0 \leq x \leq 95$

(ii) $i = 0.05$

_해설 (i)로부터 De Moivre 사망법칙임을 알 수 있다. 따라서 $_{k|}q_{30} = \dfrac{1}{65}$ 임을 알 수 있다. 보험금 현가는 $\lceil T \rceil \cdot v^{\lceil T \rceil} \cdot I(T \leq 3)$이다. 이 기 대값은 다음과 같이 구할 수 있다.

$$E(\lceil T \rceil \cdot v^{\lceil T \rceil} \cdot I(T \leq 3)) = (IA)^1_{30\,:\,\overline{3|}}$$

$$= \sum_{k=0}^{2} (k+1) v^{k+1}{}_{k|}q_{30}$$

$$= 1vq_{30} + 2v^2{}_{1|}q_{30} + 3v^3{}_{2|}q_{30}$$

$$= 1\left(\dfrac{1}{1.05}\right)\left(\dfrac{1}{65}\right) + 2\left(\dfrac{1}{1.05}\right)\left(\dfrac{1}{65}\right) + 3\left(\dfrac{1}{1.05}\right)^3\left(\dfrac{1}{65}\right)$$

$$= 0.08243$$

또한 매년 1원씩 감소하는 보험의 경우의 현가확률변수는

$$(n - \lfloor T \rfloor)_+ v^{\lceil T \rceil} \tag{2.85}$$

와 같이 정의할 수 있으며, 이것의 보험수리적 현가는 다음과 같이 표현한다.

$$(DA)^1_{x\,:\,\overline{n|}} = \sum_{k=0}^{n-1} (n-k) \cdot v^{k+1} \cdot {}_{k|}q_x \tag{2.86}$$

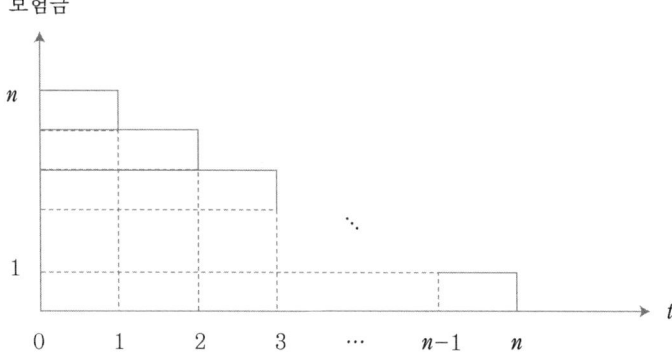

그림으로 그려보면 위와 같이 나타낼 수 있는데, 다시 생각해보면 n기간 중 에 사망 시 1원을 지급하는 보험과 $n-1$기간 중에 사망 시 1원을 지급하는 보험 등 다양한 기간의 정기보험을 함께 보유하는 것으로 볼 수 있다.

$$(DA)^1_{x\,:\,\overline{n}|} = \sum_{k=0}^{n-1} A^1_{x\,:\,\overline{n-k}|}$$

(2.87)

예제 2.18

80세의 사람이 보험금이 매년 감소하는 20년 만기 정기보험에 가입하였다. $k+1$번째 해에 사망할 경우 보험금은 $(20-k)$ $(k=0,1,2,\cdots,19)$이고 연말에 지급된다.

(i) $i = 0.06$

(ii) $q_{80} = 0.2$인 생명표를 사용할 경우, 이 보험의 보험수리적 현가(APV)는 13원이다.

(iii) 80세의 사망률만 0.1로 바뀌고 나머지 연령에서의 사망률은 (ii)의 생명표와 동일하다고 할 때, 보험수리적 현가는 P이다.

P를 구하시오.

해설 지급되는 보험금을 시간선에 나타내면 아래와 같다.

```
        20   19   18    ...        1
    ├────┼────┼────┼─────────────┤
    0    1    2    3              20
   (80)
```

구해야 하는 것은 $q_{80} = 0.2$일 때, $(DA)^1_{80\,:\,\overline{20}|} = 13$임을 이용하여 $q_{80} = 0.1$일 때의 $(DA)^{(*)}_{80\,:\,\overline{20}|}$를 구하는 것이다. 이를 해결하기 위해서는 보험금 현가에 관한 재귀식 표현이 필요하다. 예를 들어 $(DA)^1_{80\,:\,\overline{3}|}$의 재귀식을 그림으로 표현 하면 아래와 같다.

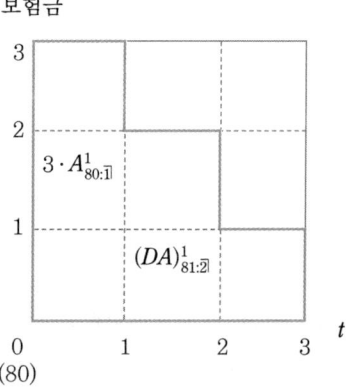

이를 식으로 표현하면 다음과 같다.

$$(DA)^1_{80:\overline{3|}} = 3A^1_{80:\overline{1|}} + vp_{80}(DA)^1_{81:\overline{2|}}$$

이 예에서는 보장기간이 3년이지만, 문제에서는 보장기간이 20년 이므로

$$(DA)^1_{80:\overline{20|}} = 20A^1_{80:\overline{1|}} + {}_1E_{80}(DA)^1_{81:\overline{19|}}$$

$$= 20vq_{80} + vp_{80}(DA)^1_{81:\overline{19|}}$$

$(DA)^1_{80:\overline{20|}}$은 사망률 $q_{80}=0.2$일 때의 보험수리적 현가로, 아래와 같이 유도할 수 있다.

$$13 = \frac{20(0.2)}{1.06} + \frac{0.8}{1.06} \times (DA)^1_{81:\overline{19|}}$$

$$\therefore (DA)^1_{81:\overline{19|}} = 12.225$$

이 결과를 이용하여 $q_{80}=0.1$일 때의 보험수리적 현가 $(DA)^{(*)\ 1}_{80:\overline{20|}}$ 은 다음과 같다.

$$P = (DA)^{(*)\ 1}_{80:\overline{20|}} = 20v(0.1) + v(0.9)(12.225) = 12.267$$

예제 2.19

다음은 매년 보험금이 증가하는 10년 만기 이산형 정기보험이다.

(i) 제 $k+1$보험연도에 사망시 연도말에 지급되는 보험금은

$$b_{k+1} = 100{,}000(1+k), \quad (k=0,\ 1,\ \cdots,\ 9)$$

(ii) $i=0.06$

(iii) $A_{40} = \dfrac{161.32}{1{,}000}$, $A_{50} = \dfrac{249.05}{1{,}000}$, ${}_5E_{40} = \dfrac{735.29}{1{,}000}$, ${}_5E_{45} = \dfrac{729.88}{1{,}000}$

(iv) $l_{41} = 9{,}287{,}264$, $l_{50} = 8{,}950{,}901$, $q_{40} = \dfrac{2.78}{1{,}000}$, $q_{50} = \dfrac{5.92}{1{,}000}$

(v) $100{,}000(IA)^1_{41:\overline{10|}} = 16.736$

이 변동보험의 보험수리적 현가를 구하시오.

해설 문제에서 주어진 형태의 보험금을 시간흐름선에 나타내 보면 아래와 같이 나타낼 수 있다.

재귀식을 이용하여 $(IA)^1_{40:\overline{10|}}$를 다음과 같이 나타낼 수 있다.

$$(IA)^1_{40:\overline{10|}} = A^1_{40:\overline{10|}} + {}_1E_{40}(IA)^1_{41:\overline{9|}}$$

위의 식에서 $(IA)^1_{41:\overline{9}|}$를 다시 재귀식을 이용하여 다음과 같이 나타낼 수 있다.

$$(IA)^1_{41:\overline{9}|} = (IA)^1_{41:\overline{10}|} - {}_9E_{41}A^1_{50:\overline{1}|} \times 10$$

따라서 $(IA)^1_{40:\overline{10}|}$는 아래와 같다.

$$(IA)^1_{40:\overline{10}|} = A^1_{40:\overline{10}|} + vp_{40}\left[(IA)^1_{41:\overline{10}|} - 10v^9 {}_9p_{41}\left(A^1_{50:\overline{1}|}\right)\right]$$

이 식의 값을 구하기 위해 주어진 조건 $(IA)^1_{41:\overline{10}|} = 0.16736$를 이용하면, $A^1_{50:\overline{1}|}$은 vq_{50}이므로, $A^1_{40:\overline{10}|}$만 구하면 된다. 이제 A_{40}의 재귀식을 이용해 보자.

$$A_{40} = A^1_{40:\overline{10}|} + {}_{10}E_{40}A_{50} = A^1_{40:\overline{10}|} + {}_5E_{40}\,{}_5E_{45}A_{50}$$

$$\therefore\ A^1_{40:\overline{10}|} = A_{40} - {}_{10}E_{40}A_{50}$$

$$= A_{40} - {}_5E_{40}\,{}_5E_{45}A_{50}$$

따라서,

$$(IA)^1_{40:\overline{10}|} = A^1_{40:\overline{10}|} + vp_{40}\left[(IA)^1_{41:\overline{10}|} - 10v^9 {}_9p_{41}q_{50}\right]$$

$$= 0.15513$$

$$\therefore\ 100{,}000(IA)^1_{40:\overline{10}|} = 15{,}513$$

Ⅳ 연속형 생명보험과 이산형 생명보험의 관계

이제 보험금 지급이 이산형인 경우와 연속형인 경우의 관계를 살펴보도록 하자. $\overline{A}_x$는 사망 즉시 보험금을 지급하므로 실제 대부분의 보험에 해당된다고 할 수 있을 것이다. 그럼에도 불구하고 A_x가 사용되는 이유는 생명표가 정수 연령의 사망확률에 대한 정보만을 가지고 있기 때문이다. 그러므로 $\overline{A}_x$와 A_x의 관계를 알고 있다면 생명표를 이용해서 $\overline{A}_x$을 계산할 수 있다.

$\overline{A}_x$와 A_x 사이의 관계를 찾기 위해서는 소수연령(fractional age)에 대한 가정이 필요한데, 대표적으로 많이 사용되는 것이 UDD 가정이다. 이 가정 하에서 $\overline{A}_x$와 A_x의 관계는 다음과 같다.

$$\overline{A}_x = \frac{i}{\delta}A_x \quad (UDD\ 가정) \tag{2.88}$$

식 (2.88)에 대한 증명은 나중에 보이기로 하고 먼저 예제를 보도록 하자.

예제 2.20

$A_x = 0.3$이고 $i = 0.05$일 때 UDD 가정을 이용하여 $\overline{A}_x$를 구하시오.

해설 $\delta = \ln(1+i) = \ln 1.05$

$$\therefore \overline{A}_x = \frac{i}{\delta} A_x = \frac{0.05}{\ln 1.05} \times 0.3 = 0.307439$$

이제 식 (2.88)을 증명해 보자.

$$\overline{A}_x = E(v^T) = E(v^{T - \lceil T \rceil + \lceil T \rceil})$$

$$= E(v^{T - \lceil T \rceil} \cdot v^{\lceil T \rceil}) = E[(1+i)^{\lceil T \rceil - T} \cdot v^{\lceil T \rceil}] \qquad (2.89)$$

UDD 가정 하에서 $\lceil T \rceil - T$와 $\lceil T \rceil$가 독립이므로 식 (2.89)는 다음과 같이 표현된다.

$$\overline{A}_x = E[(1+i)^{\lceil T \rceil - T}] \cdot E(v^{\lceil T \rceil}) \qquad (2.90)$$

독립임을 살펴보기 위해 $\lceil T \rceil$는 $\lfloor T \rfloor + 1$임을 염두에 두면서 다음의 그림을 참조하도록 하자.

위의 그림에서와 같이 정수생존기간이 $\lfloor T \rfloor$일 때 나머지 소수생존기간 $T - \lfloor T \rfloor$를 S라 하자. 이제 $\lfloor T \rfloor$와 S에 대한 다음의 확률을 UDD 가정 하에서 전개해 보도록 하자.

$$\Pr(\lfloor T \rfloor = k, \ S \le s) = \Pr(k < T \le k+s) = {}_{k}p_{x}\,{}_{s}q_{x+k}$$

$$= {}_{k}p_{x}(s \cdot q_{x+k}) \ (UDD)$$

$$= {}_{k}p_{x}\,q_{x+k} \cdot s$$

$$= {}_{k|}q_{x} \cdot s$$

$$= \Pr(\lfloor T \rfloor = k)\Pr(S \le s) \qquad (2.91)$$

이로부터 UDD 하에서 정수생존기간과 소수생존기간은 독립임을 알 수 있다. 따라서 식 (2.89)는 다음의 과정을 통해 식 (2.90)으로 표현된다.

$$
\begin{aligned}
E\big[v^{\lceil T\rceil}(1+i)^{\lceil T\rceil-T}\big] &= E\big[v^{\lceil T\rceil}(1+i)^{1-S}\big] \\
&= E\big[v^{\lceil T\rceil}\big]E\big[(1+i)^{1-S}\big] \\
&= E\big[v^{\lceil T\rceil}\big]E\big[(1+i)^{\lceil T\rceil-T}\big]
\end{aligned}
\tag{2.92}
$$

$E\big(v^{\lceil T\rceil}\big)=A_x$ 이므로 이제 식 (2.90)에서 $E\big[(1+i)^{\lceil T\rceil-T}\big]=\dfrac{i}{\delta}$ 임을 보이기만 하면 된다.

$\lceil T\rceil - T = U$ 라고 하자. UDD 가정에 따라 연초와 연말 사이에 사망이 발생할 확률이 동일하게 분포되어 있으므로 소수연령이 균등분포를 따른다고 할 수 있다. 즉, U~Uniform(0,1)이므로

$$
\begin{aligned}
E\big[(1+i)^{\lceil T\rceil-T}\big] &= E\big[(1+i)^{U}\big]=\int_{0}^{1}(1+i)^{u}\cdot 1\,du \\
&= \int_{0}^{1}e^{u\ln(1+i)}du=\int_{0}^{1}e^{u\delta}du=\left[\frac{1}{\delta}e^{u\delta}\right]_{0}^{1}=\frac{e^{\delta}-1}{\delta}=\frac{i}{\delta}
\end{aligned}
\tag{2.93}
$$

$$
\therefore\ \overline{A}_x = \frac{i}{\delta}A_x \quad (UDD \text{ 가정일 때})
\tag{2.88}
$$

위에서 UDD 가정하에 $\overline{A}_x$ 와 A_x 의 관계에 대해서 알아보았는데, 이와 유사한 다른 관계식들도 알아보면 다음과 같다.

$$
\overline{A}_x \overset{UDD}{=} \frac{i}{\delta}A_x,\ \ \overline{A}^{1}_{x:\overline{n}|} \overset{UDD}{=} \frac{i}{\delta}\, A^{1}_{x:\overline{n}|},\ \ \overline{A}_x = \frac{i^{(m)}}{\delta}\, A^{(m)}_x,\ \ A^{(m)}_x = \frac{i}{i^{(m)}}A_x
\tag{2.94}
$$

$A^{(m)}_x$ 과 $i^{(m)}$ 에 대한 내용은 다음 절에서 설명할 것이므로 일단 위의 관계식이 성립한다는 사실을 명심하도록 하자. 또한 $\overline{A}_{x:\overline{n}|}\neq\dfrac{i}{\delta}A_{x:\overline{n}|}$ 임에 주의하자. 왜냐하면 $\overline{A}_{x:\overline{n}|}$ 는 다음과 같기 때문이다.

$$
\overline{A}_{x:\overline{n}|} = \overline{A}^{1}_{x:\overline{n}|}+A_{x:\overline{n}|}^{\ 1} = \frac{i}{\delta}A^{1}_{x:\overline{n}|}+A_{x:\overline{n}|}^{\ 1}
\tag{2.95}
$$

V 사망시점의 해당 분기말 보험금 지급

이제 $A_x^{(m)}$ 에 대해서 알아보도록 하자. 이자론에서 소개한 (m) 의 의미를 알고 있겠지만, 다시 설명하자면 1년을 m 등분하여 보험금 지급시기를 결정하는 것이다. 이 경우 보험금 지급시점은 $\dfrac{\lceil mT \rceil}{m}$ 이다. 이해를 돕기 위해 예를 들어 A_x 와 $A_x^{(2)}$ 를 비교해 보자.

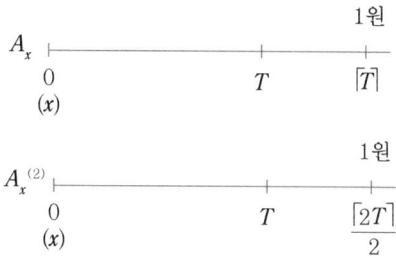

예1) 만약 $T = 2.7$ 이면 $2T = 5.4$ 이고, 이 경우에 $\lceil T \rceil = 3$, $\lceil 2T \rceil = 6$ 이므로 $\dfrac{\lceil 2T \rceil}{2} = 3$ 이 되어 보험금 지급시기에 차이가 없다.

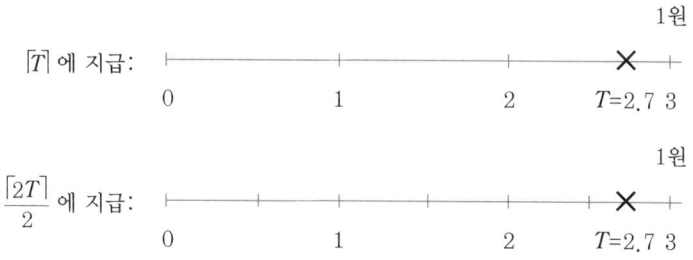

예2) 그러나 $T = 2.3$ 이면 $2T = 4.6$ 이고, 이 경우에 $\lceil T \rceil = 3$, $\lceil 2T \rceil = 5$ 이므로, $\dfrac{\lceil 2T \rceil}{2} = 2.5$ 가 되어 보험금 지급시기가 달라지게 된다.

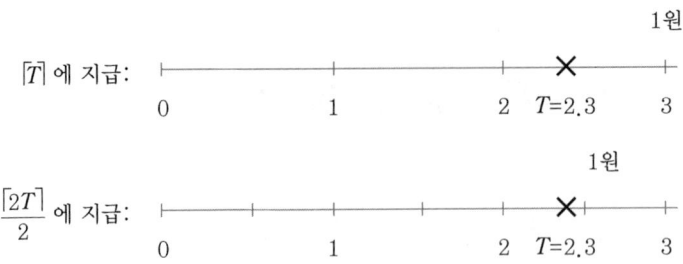

(예2)에서 보험금 지급시기가 달라지는 이유를 다시 설명하자면 A_x의 경우는 보험금을 무조건 연말에 지급하지만 $A_x^{(2)}$의 경우는 사망발생 시점에 따라 연중에 지급할 수도 있고 연말에 지급할 수도 있기 때문이다. 실제로는 $m = 12$인 경우가 많은데, 이를 일반화하면 다음과 같이 나타낼 수 있다.

$$A_x^{(m)} = E\left[v^{\frac{\lceil mT\rceil}{m}}\right] = \sum_{k=0}^{\infty} v^{\frac{k+1}{m}}\,_{\frac{k}{m}}\left|\,_{\frac{1}{m}}q_x \right. \tag{2.96}$$

UDD 가정 하에서는 식 (2.96)이 다음과 같음은 이미 언급한 바 있는데 이제 이를 증명해 보도록 하자.

$$A_x^{(m)} = \frac{i}{i^{(m)}} A_x \tag{2.94}$$

아래 그림에서처럼 지급시점은 정수생존기간과 소수생존기간 S에 의해 결정된다.

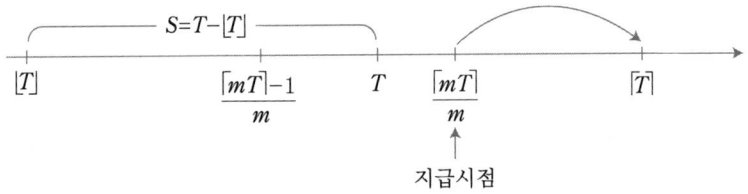

식 (2.88)의 증명과정에서 보았듯이 소수생존기간은 정수생존기간과 독립이므로 다음의 전개가 가능하다.

$$A_x^{(m)} = E\left[v^{\frac{\lceil mT \rceil}{m}}\right]$$

$$= E\left[v^{\lceil T \rceil + \frac{\lceil mT \rceil}{m} - \lceil T \rceil}\right]$$

$$= E\left[v^{\lceil T \rceil}\right] \cdot E\left[v^{\frac{\lceil mT \rceil}{m} - \lceil T \rceil}\right]$$

$$= A_x \cdot E\left[(1+i)^{\lceil T \rceil - \frac{\lceil mT \rceil}{m}}\right] \tag{2.97}$$

이제 식 (2.97)의 마지막 기대값이 $\dfrac{i}{i^{(m)}}$ 임을 확인하면 된다. $\lceil T \rceil$와 보험금

지급시점 $\dfrac{\lceil mT \rceil}{m}$ 의 격차는

$$\lceil T \rceil - \frac{\lceil mT \rceil}{m} = \frac{j}{m} \qquad (j = 0, 1, 2, \cdots, m-1)$$

임을 알 수 있다. 1년을 m등분하였으므로 m개 $(j=0, 1, 2, \cdots, m-1)$가 존재한다. 소수생존기간을 확률변수 S라 할 때, S는 구간 $(0, 1)$에서 균등분포이므로 m개의 작은 구간에서 사망이 발생할 확률은 $1/m$이다. 따라서 식 (2.97)에서의 기대값은 다음과 같다.

$$E\left[(1+i)^{\lceil T \rceil - \frac{\lceil mT \rceil}{m}}\right] = \sum_{j=0}^{m-1} (1+i)^{\frac{j}{m}} \cdot \frac{1}{m} = s_{\overline{1}|}^{(m)} = \frac{i}{i^{(m)}} \tag{2.98}$$

정기보험의 경우는 다음과 같다. 아래의 그림을 참조하기 바란다.

$$A_{x:\overline{n}|}^{1(m)} = E\left[v^{\frac{\lceil mT \rceil}{m}} \cdot I(T \le n)\right] = \sum_{k=0}^{nm-1} v^{\frac{k+1}{m}} \cdot {}_{\frac{k}{m}|\frac{1}{m}}q_x \tag{2.99}$$

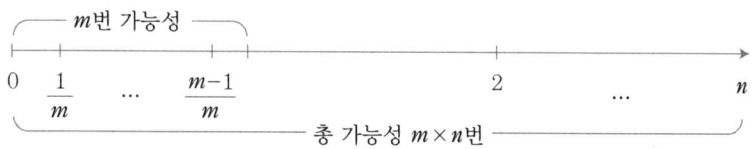

또한 UDD 가정 하에서 정기보험과 양로보험은 다음과 같이 나타낼 수 있다.

$$A_{x:\overline{n}|}^{1(m)} \overset{UDD}{=} \frac{i}{i^{(m)}} \cdot A_{x:\overline{n}|}^{1} \tag{2.100}$$

$$A_{x:\overline{n}|}^{(m)} \overset{UDD}{=} \frac{i}{i^{(m)}} \cdot A_{x:\overline{n}|}^{1} + A_{x:\overline{n}|}^{1} \tag{2.101}$$

VI ▶ 실무근사법(Claims Accelerated approach)

　연속형 생명보험과 이산형 생명보험과의 관계식을 도출하는 방법으로 UDD 가정 이외에 실무근사법(Claims Accelerated approach)이 있다. 실무근사법이란 A_x와 $A_x^{(m)}$, 그리고 $\overline{A}_x$ 사이의 대략적인 관계를 도출하는 보다 경험적인 방법이다. 이러한 보험금들의 유일한 차이점은 지급시기이다. 일반적으로 1/m기간마다 지급되는 사망보험금의 경우, 사망자가 일 년 동안 균등하게 분포 되어 있다고 가정한다면 사망 보험금을 지급하는 평균 시간은

$$\frac{\frac{1}{m}+\frac{2}{m}+\cdots+\frac{m-1}{m}+\frac{m}{m}}{m} = \frac{1+2+\cdots+m}{m^2} = \frac{\frac{m(m+1)}{2}}{m^2} = \frac{m+1}{2m}$$

임을 알 수 있다.

　따라서 다음과 같은 근사값을 가지게 된다.

$$A_x^{(m)} \approx q_x v^{\frac{m+1}{2m}} + {}_{1|}q_x v^{1+\frac{m+1}{2m}} + {}_{2|}q_x v^{2+\frac{m+1}{2m}} + \cdots$$
$$= \sum_{k=0}^{\infty} {}_{k|}q_x v^{k+\frac{m+1}{2m}}$$
$$= (1+i)^{\frac{m-1}{2m}} \sum_{k=0}^{\infty} {}_{k|}q_x v^{k+1} = (1+i)^{\frac{m-1}{2m}} A_x \tag{2.102}$$

　연속적인 종신보험의 보험수리적 현가인 $\overline{A}_x$를 구하기 위해서는 위의 식에서 $m \to \infty$로 보내서 다음과 같은 근사값을 구할 수 있다.

$$\overline{A}_x \approx (1+i)^{1/2} A_x \tag{2.103}$$

이는 보험금이 사망 직후에 지급되고 그 해 동안 균등하게 사망하는 경우, 평균적으로 보험금은 사망 한 해의 중간 시점에 지급되고, 이는 보험금 A_x보다 반년정도 더 일찍 지급된다는 것을 의미한다.

UDD근사와 마찬가지로 이러한 근사치는 사망 보험금에만 적용된다. 따라서 실무근사법을 적용한 양로보험은 다음과 같이 나타낼 수 있다.

$$\overline{A}_{x:\overline{n|}} \approx (1+i)^{1/2} A^1_{x:\overline{n|}} + v^n {}_n p_x \tag{2.104}$$

UDD근사와 실무근사법 모두 $A_x^{(m)}/A_x$, 그리고 $\overline{A}_x/A_x$ 값이 x와 독립적인 $A_x^{(m)}$와 $\overline{A}_x$의 값을 도출한다.

📖 **예제 2.21**

실무근사법을 이용하고 ILT(Illustrative Life Table)를 참고하여 다음을 구하시오.

1) $1{,}000 A_{45}^{(12)}$

2) $1{,}000 \overline{A}_{35:\overline{20|}}$

✏️ **해설** 1) $1{,}000 A_{45}^{(12)} \approx (1+0.06)^{\frac{12-1}{2(12)}} 1{,}000 A_{45}$

$$= (1.06)^{\frac{11}{24}} (201.20) = 206.56$$

2) $1{,}000 \overline{A}_{35:\overline{20|}} \approx (1.06)^{\frac{1}{2}} 1{,}000 A^1_{35:\overline{20|}} + 1{,}000 {}_{20}E_{35}$

$1{,}000 A_{35} = 1{,}000 A^1_{35:\overline{20|}} + 1{,}000 {}_{20}E_{35} A_{35}$

$1{,}000 A^1_{35:\overline{20|}} = 41.45$

$1{,}000 \overline{A}_{35:\overline{20|}} = (1.06)^{\frac{1}{2}} (41.45) + 286 = 328.6753$

Ⅶ 단원 요약표

• 연속형 생명보험

보험종류		확률변수	기대값	분산
종신보험		v^T	$\overline{A}_x = \int_0^\infty v^t \cdot {}_tp_x \cdot \mu(x+t)dt$	${}^2\overline{A}_x - (\overline{A}_x)^2$
n년 정기보험		$v^T \cdot I(T \le n)$	$\overline{A}_{x:\overline{n}|}^1 = \int_0^n v^t \cdot {}_tp_x \cdot \mu(x+t)dt$	${}^2\overline{A}_{x:\overline{n}|}^1 - (\overline{A}_{x:\overline{n}|}^1)^2$
n년 생존보험		$v^n \cdot I(T > n)$	$A_{x:\frac{1}{n}|} = v^n \cdot {}_np_x = {}_nE_x$	${}^2A_{x:\frac{1}{n}|} - (A_{x:\frac{1}{n}|})^2$
n년 양로보험		$v^{T \wedge n}$	$\overline{A}_{x:\overline{n}|} = \overline{A}_{x:\overline{n}|}^1 + A_{x:\frac{1}{n}|}$	${}^2\overline{A}_{x:\overline{n}|} - (\overline{A}_{x:\overline{n}|})^2$
n년 거치 종신보험		$v^T \cdot I(T > n)$	${}_{n|}\overline{A}_x = \int_n^\infty v^t \cdot {}_tp_x \cdot \mu(x+t)dt$	${}^2{}_{n|}\overline{A}_x - ({}_{n|}\overline{A}_x)^2$
증가하는 종신보험	계단형	$\lceil T \rceil v^T$	$(\overline{IA})_x = \int_0^\infty \lceil t \rceil \cdot v^t \cdot {}_tp_x \cdot \mu(x+t)dt$	
	연속 증가형	Tv^T	$(\overline{IA})_x = \int_0^\infty t \cdot v^t \cdot {}_tp_x \cdot \mu(x+t)dt$	
감소하는 정기보험	계단형	$v^T \cdot (n - \lfloor T \rfloor)_+$	$(D\overline{A})_{x:\overline{n}|}^1 = \int_0^n (n - \lfloor t \rfloor) \cdot v^t \cdot {}_tp_x \cdot \mu(x+t)dt$	
	연속 감소형	$v^T \cdot (n - T)_+$	$(\overline{DA})_{x:\overline{n}|}^1 = \int_0^n (n - t) \cdot v^t \cdot {}_tp_x \cdot \mu(x+t)dt$	

• 이산형 생명보험

보험종류	확률변수	기대값	분산
종신보험	$v^{\lceil T \rceil}$	$A_x = \sum_{k=0}^{\infty} v^{k+1} \cdot {}_{k\mid}q_x$	${}^2A_x - (A_x)^2$
n년 정기보험	$v^{\lceil T \rceil} \cdot I(T \leq n)$	$A^{\,1}_{x\,:\,\overline{n}\mid} = \sum_{k=0}^{n-1} v^{k+1} \cdot {}_{k\mid}q_x$	${}^2A^{\,1}_{x\,:\,\overline{n}\mid} - (A^{\,1}_{x\,:\,\overline{n}\mid})^2$
n년 생존보험	$v^{n} \cdot I(T > n)$	$A_{x\,:\,\overline{n}\mid}^{\;\;1} = v^n \cdot {}_np_x = {}_nE_x$	${}^2A_{x\,:\,\overline{n}\mid}^{\;\;1} - (A_{x\,:\,\overline{n}\mid}^{\;\;1})^2$
n년 양로보험	$v^{\lceil T \wedge n \rceil}$	$A_{x\,:\,\overline{n}\mid} = A^{\,1}_{x\,:\,\overline{n}\mid} + A_{x\,:\,\overline{n}\mid}^{\;\;1}$	${}^2A_{x\,:\,\overline{n}\mid} - (A_{x\,:\,\overline{n}\mid})^2$
n년거치 종신보험	$v^{\lceil T \rceil} \cdot I(T > n)$	${}_{n\mid}A_x = \sum_{k=n}^{\infty} v^{k+1} \cdot {}_{k\mid}q_x$	${}^2_{\;n\mid}A_x - ({}_{n\mid}A_x)^2$
증가하는 정기보험	$\lceil T \rceil \cdot v^{\lceil T \rceil} \cdot I(T \leq n)$	$(IA)^{\,1}_{x\,:\,\overline{n}\mid} = \sum_{k=0}^{n-1} (k+1) \cdot v^{k+1} \cdot {}_{k\mid}q_x$	
감소하는 정기보험	$(n-\lfloor T \rfloor) \cdot v^{\lceil T \rceil} \cdot I(T \leq n)$	$(DA)^{\,1}_{x\,:\,\overline{n}\mid} = \sum_{k=0}^{n-1} (n-k) \cdot v^{k+1} \cdot {}_{k\mid}q_x$	

점화식	
이산형	**연속형**
$A_x = vq_x + vp_x \cdot A_{x+1}$	$\overline{A}_x = \overline{A}^{\,1}_{x\,:\,\overline{n}\mid} + vp_x \cdot \overline{A}_{x+1}$
$A_x = \left(vq_x + v^2{}_{1\mid}q_x\right) + v^2{}_2p_x \cdot A_{x+2}$	$\overline{A}_x = \overline{A}^{\,1}_{x\,:\,\overline{n}\mid} + {}_{n\mid}\overline{A}_x$
$A_x = A^{\,1}_{x\,:\,\overline{n}\mid} + {}_{n\mid}A_x$	$\overline{A}^{\,1}_{x\,:\,\overline{n}\mid} = \overline{A}^{\,1}_{x\,:\,\overline{1}\mid} + vp_x \cdot \overline{A}^{\,1}_{x+1\,:\,\overline{n-1}\mid}$
$A^{\,1}_{x\,:\,\overline{n}\mid} = vq_x + vp_x \cdot A^{\,1}_{x+1\,:\,\overline{n-1}\mid}$	$\overline{A}_{x\,:\,\overline{n}\mid} = \overline{A}^{\,1}_{x\,:\,\overline{1}\mid} + vp_x \cdot \overline{A}_{x+1\,:\,\overline{n-1}\mid}$
$A_{x\,:\,\overline{n}\mid} = vq_x + vp_x \cdot A_{x+1\,:\,\overline{n-1}\mid}$	$(\overline{IA})_x = \overline{A}_x + vp_x (\overline{IA})_{x+1}$
$(IA)_x = vq_x + vp_x \cdot A_{x+1} + vp_x (IA)_{x+1}$	$(\overline{IA})^{\,1}_{x\,:\,\overline{n}\mid} = \overline{A}^{\,1}_{x\,:\,\overline{n}\mid} + vp_x (\overline{IA})^{\,1}_{x+1\,:\,\overline{n-1}\mid}$
$(IA)^{\,1}_{x\,:\,\overline{n}\mid} = vq_x + vp_x \cdot A^{\,1}_{x+1\,:\,\overline{n-1}\mid} + vp_x \cdot (IA)^{\,1}_{x+1\,:\,\overline{n-1}\mid}$	$(D\overline{A})^{\,1}_{x\,:\,\overline{n}\mid} = n \cdot \overline{A}^{\,1}_{x\,:\,\overline{n}\mid} + vp_x (D\overline{A})^{\,1}_{x+1\,:\,\overline{n-1}\mid}$
$(DA)^{\,1}_{x\,:\,\overline{n}\mid} = n(vq_x) + vp_x (DA)^{\,1}_{x+1\,:\,\overline{n-1}\mid}$	$(\overline{IA})^{\,1}_{x\,:\,\overline{n}\mid} + (D\overline{A})^{\,1}_{x\,:\,\overline{n}\mid} = (n+1)\overline{A}^{\,1}_{x\,:\,\overline{n}\mid}$
$(IA)^{\,1}_{x\,:\,\overline{n}\mid} + (DA)^{\,1}_{x\,:\,\overline{n}\mid} = (n+1)A^{\,1}_{x\,:\,\overline{n}\mid}$	

1. 20세인 피보험자가 사망즉시 보험금 1원이 지급되는 종신보험에 가입하였다. 계약자의 장래생존기간은 구간 (0,80)에서 균등분포를 따르며, 이력은 0.05 로 가정한다. 다음의 정보를 이용하여 물음에 답하여라.

   (1) 보험금의 현가를 나타내는 확률변수 Z의 기대값과 분산을 구하시오.

   (2) Z의 90백분위수 (90th percentile)를 구하시오.

   (3) Z의 확률밀도함수를 구하시오.

   (4) 장래생존기간이 독립인 1,000명의 20세인 피보험자를 고려한다. 또한 사망 보험금은 100,000원인 경우를 생각한다. 정규근사(normal approximation) 를 이용하여 90%의 경우 지급보험금이 부족하지 않도록 보험회사가 현재 가지고 있어야 할 기금의 규모를 구하시오. (단, $\Phi(1.282) = 0.9$)

2. 사망 즉시 보험금 b_t가 지급되는 종신보험을 고려한다.

   (i) Z는 보험금의 현가를 나타내는 확률변수이다.

   (ii) $b_t = e^{-t}, \ t > 0$

   (iii) 모든 연령에 대해 사력은 μ로 가정한다.

   (iv) 이력은 상수 0.06이다.

   (v) $E[Z] = 0.03636$.

   $Var(Z)$를 구하시오.

3. x세인 사람이 종신보험에 가입하였을 때, 다음의 정보를 이용하여 $Var[Z]$를 구하시오.

   (i) Z는 보험금 현가를 나타내는 확률변수이다.

   (ii) 보험금은 사망즉시 지급된다.

   (iii) $\mu_x(t) = 0.02, \ t \geq 0$.

   (iv) $\delta = 0.06$

   (v) $b_t = e^{0.03t}, \ t \geq 0$.

4. 40세인 사람이 선택기간이 5년인 종신보험에 가입하였다. 선택기간 중 사력은 $\frac{1}{60}$이고, 선택기간 이후의 사력은 $\frac{1}{40}$로 증가한다. $\delta = 0.05$일 때, $\overline{A}_{[40]}$와 $\overline{A}_{[40]+1}$을 구하시오.

5. 60세인 사람이 사망하는 해의 연말에 보험금 1원이 지급되는 20년 만기 양로보험에 가입하였다. $\mu_{60}(t) = \frac{1}{40}$ $(t \geq 0)$이고 $\delta = 0.06$이라 할 때, 보험금의 현가를 나타내는 확률변수 Z의 기대값과 분산을 구하시오.

6. x세인 피보험자가 3년만기 정기보험에 가입하였다.
(i) Z는 보험금의 현가를 나타내는 확률변수이다.
(ii) $q_{x+k} = 0.02(k+1)$, 단, $k = 0,\ 1,\ 2$
(iii) 사망연도말에 지급되는 보험금은 다음과 같다.

$\lceil T \rceil$	보험금
0	300원
1	350원
2	400원

(iv) $i = 0.06$
$Var(Z)$를 구하시오.

7. 다음의 조건을 이용하여 $(\overline{IA})_x$를 구하시오.
(a) 사력은 상수이다.
(b) $\delta = 0.06$
(c) $^2\overline{A}_x = 0.25$

8. 소수연령에 대해 상수 사력(constant force of mortality)을 가정한다. 각 연령별 사력이 $\mu_x(k) = -\log p_{x+k}$, $k = 0,\ 1,\ 2,\ \cdots$로 주어졌을 때 다음이 성립함을 보이시오.

$$\overline{A}_x = \sum_{k=0}^{\infty} v^{k+1} {}_kp_x \mu_x(k) \frac{i+q_{x+k}}{\delta + \mu_x(k)}$$

9. x세인 사람이 만기가 n년인 양로보험에 가입하였다. 만기 시점까지 생존할 경우 1,000원을 지급하고, 만기 이전에 사망하는 경우에는 사망연도 말에 사망보험금으로 일시납보험료 600원을 지급한다. 동일한 연령의 보험금 1,000원을 지급하는 양로보험의 일시납보험료는 800원이다. 동일 연령의 보험금 1,000원을 지급하는 생존보험의 일시납순보험료를 구하시오.

10. 25세의 보험계약자가 보험금 3,000원인 15년 만기 정기보험에 가입하였다.

(i) Z는 보험금의 현가를 나타내는 확률변수이다.

(ii) 보험금은 사망즉시 지급한다.

(iii) $s(x) = \dfrac{120-x}{120}$, $0 \le x \le 120$

(iv) $i = 4\%$

$Var(Z)$를 구하시오.

11. 55세의 사람이 사망 즉시 보험금 b_t를 지급하는 종신보험에 가입하였다. 다음의 정보를 이용하여 이 상품의 보험수리적 현가를 구하시오.

(i) $b_t = \dfrac{50}{(50-t)}$, $(0 < t < 50)$

(ii) $\mu_x = \dfrac{2}{105-x}$, $(0 < t < 105)$

(iii) $\delta = 0.04$

12. x세 n명으로 이루어진 집단이 있다. 각 구성원들은 보험금 1,000원인 5년 만기 양로보험에 가입하려한다. 만기 이전에 사망할 경우 보험금은 즉시 지급된다. 95% 경우에 보험금을 지급하는데 부족함이 없도록 각 구성원이 납입해야 할 금액은 800원이라고 한다. 사력은 0.03이고 이력은 0.05일 때, 이

를 만족하는 최소 구성원 수 n을 구하시오.

13. 다음 조건을 이용하여 물음에 답하시오.

(i) Z_1는 사망즉시 1원이 지급되는 10년 만기 정기보험의 보험금 현가 확률변수이다.

(ii) Z_2는 사망즉시 1원이 지급되는 10년 거치 종신보험의 보험금 현가 확률변수이다.

(iii) Z_3는 사망즉시 1원이 지급되는 종신보험의 보험금 현가 확률변수이다.

(iv) $\mu_{x+t} = 0.01,\ t > 0$

(v) $\delta = 0.04$

(vi) $E[Z_2] = 0.35,\ Var(Z_2) = 0.23$

$Var(Z_3)$을 구하시오.

14. x세인 사람이 사망하는 해의 연말에 보험금 1원이 지급되는 10년 거치 종신보험에 가입하였다. 이 종신보험의 보험금 현가확률변수를 Z라 하자.

(i) Z는 보험금 현가를 나타내는 확률변수이다.

(ii) $_tp_x = \sqrt{\dfrac{60-t}{60}}$, (단 $t < 60$)

(iii) $v = 0.9$

$\Pr(Z < 0.1)$를 구하시오.

15. 30세인 사람 1,000명으로 구성된 단체가 있다. 이 단체는 각 회원으로부터 2년 만기 정기보험의 보험수리적 현가를 받아 기금을 조성하려 한다. 이 기금으로 회원이 사망하면 그 해 연도 말에 보험금을 지급한다. 첫 해에 사망하면 1,000원을 지급하고, 두 번째 해에 사망하면 500원을 지급한다. 회원이 기금에 내는 돈은 2년 만기 정기보험의 보험수리적 현가와 동일한 금액이다. 다음의 조건을 이용하여, 두 번째 해의 말 예상 기금잔여액과 실제 기금잔여액의 차이를 구하시오.

(i) 예상사망률은 부록의 ILT를 따른다.

(ii) 예상 이자율은 $i = 0.05$이다.

(iii) 실제 이자율과 사망자 수는 다음과 같다.

연도	실제 적용 이자율	사망 회원 수
0	0.070	1
1	0.069	1

16. 63세인 최씨는 사망한 해의 말에 사망보험금 $10,000$원을 지급하는 종신보험에 가입하려 한다. 보험회사는 아래의 정보를 이용하여 보험료를 산정한다.

(i) 사망률은 부록의 ILT를 따른다.

(ii) $i = 0.05$

(iii) 이 회사가 실제 부과하는 보험료는 일시납 보험료의 112%이다.

최씨가 납부해야 하는 보험료는 $5,233$원이라고 한다. 그는 보험 구입을 2년 후로 미루는 대신 $5,233$원을 2년 동안 투자하기로 결정하였다. 2년 후 원금과 투자이익의 합이 65세인 사람이 납부해야하는 보험료와 동일하다고 할 때, 이를 만족하는 최소한의 투자수익률을 구하시오.

17. 아래의 주어진 정보를 이용하여 물음에 답하시오.

(i) 다음은 선택기간이 3년인 선택종국표이다:

x	$q_{[x]}$	$q_{[x]+1}$	$q_{[x]+2}$	q_{x+3}	$x+3$
60	0.09	0.11	0.13	0.15	63
61	0.10	0.12	0.14	0.16	64
62	0.11	0.13	0.15	0.17	65
63	0.12	0.14	0.16	0.18	66
64	0.13	0.15	0.17	0.19	67

(ii) $i = 0.03$

60세인 사람이 보험금 1원인 2년거치 2년만기 이산형 정기보험에 가입하였다. 이 보험의 보험수리적 현가(APV)를 구하시오.

18. x세인 사람이 사망시 보험금 1원이 지급되는 종신보험에 가입하였다.

    (i) $\mu_x(t) = \mu$

    (ii) $\delta = 0.06$

    (iii) $\overline{A}_x = 0.60$

    모든 연령에 대하여 사력이 0.03 증가하고, 이력이 0.03 감소할 때, 이 새로운 조건하에서의 보험수리적 현가(APV)를 구하시오.

19. x세인 사람이 사망연도 말에 1원의 보험금이 지급되는 2년 정기보험에 가입하였다.

    (i) 제 1보험연도에 손실이 발생하지 않도록 하는 최소한의 보험료는 0.95이다.

    (ii) $p_x = 0.75$

    (iii) $p_{x+1} = 0.80$

    (iv) Z는 보험금 현가를 나타내는 확률변수이다.

    $Var(Z)$를 구하시오.

20. 100명의 동일한 연령의 피보험자들은 일시납으로 보험료를 납입하고, 사망시 사망연도 말에 10원을 지급받는 5년 거치 종신보험에 각각 가입하였다.

    (i) $\mu = 0.04$

    (ii) $\delta = 0.06$

    (iii) F는 보험가입 시 100명의 피보험자들로부터 받는 보험료의 총합이다.

    정규근사를 이용하여 95%의 경우 지급보험금이 부족하지 않도록 보험회사가 지니고 있어야 하는 F의 값을 구하시오 (단, $\Phi(1.645) = 0.95$).

21. 80세인 사람이 사망한 해의 연말에 보험금 1,000원을 지급받는 종신보험에 가입하였다.

    (i) 사망률은 선택기간이 1년인 선택종국표를 따른다.

    (ii) $q_{[80]} = 0.5q_{80}$

    (iii) $i = 0.06$

(iv) $1,000A_{80} = 679.80$

(v) $1,000A_{81} = 689.52$

$1,000A_{[80]}$을 구하시오.

22. x세인 사람이 2년 만기 양로보험(생사혼합보험)에 가입하려 한다.
보험금은 1원이다.
(i) 사망할 경우 보험금은 즉시 지급된다.
(ii) $i = 0.01$
(iii) $q_x = 0.05$, $q_{x+1} = 0.08$
(iv) 소수연령에 대해서는 UDD 가정을 적용한다.
위의 2년 만기 양로보험의 보험수리적 현가(APV)를 구하시오.

23. Z_1과 Z_2는 각각 n년 만기 정기보험과 생존보험의 보험금 현가를 나타내는 확률변수이다. 단, 정기보험의 경우 보험금은 사망 즉시 지급된다.
(1) $Cov(Z_1, Z_2)$를 구하시오.
(2) n년 만기 양로보험을 고려한다. $Cov(Z_1, Z_2)$를 최소화하는 양로보험의 계약기간을 구하는 식을 전개하시오.
(3) 사력이 상수 μ일 때 (2)의 결과를 간단히 나타내시오.

24. 다음과 같은 정보가 주어져 있다.
(i) $\delta_t = \dfrac{0.2}{1+0.05t}$
(ii) $l_x = 100 - x$, $0 \le x \le 100$
위의 정보를 이용하여 다음의 물음에 답하시오.
(1) x세인 사람이 사망 즉시 1원을 지급하는 종신보험에 가입할 때 보험금 현가의 기대값 및 분산을 구하시오.
(2) $(\overline{IA})_x$를 구하시오.

25. 20년 만기 양로보험을 고려한다. 사망 시 보험금은 즉시 지급된다. Z는 이 보험의 보험금 현가를 나타내는 확률변수이다. $\delta = 0.05$이고 $\mu_{x+t} = 0.01$일 때 다음 물음에 답하시오.

(1) Z의 누적분포함수를 구하고 이를 그래프로 나타내시오.

(2) (1)의 결과를 이용하여 Z의 기댓값 $\overline{A}_{x:\overline{20|}}$을 구하시오.

26. 20세인 사람이 사망즉시 보험금을 지급하는 종신보험에 가입하였다. 지급보험금은 다음과 같다.

나이	보험금
20	1,000원
21	2,000원
22	4,000원
23	6,000원
24	8,000원
25–40	10,000원
41세 이상	50,000원

(i) 사망률은 부록의 ILT를 따른다.

(ii) 소수연령에 대해서는 UDD 가정을 적용한다.

(iii) $i = 0.06$

위 종신보험의 보험수리적 현가(APV)를 구하시오.

27. 보증기간인 5년 안에 고장이 나면 판매금액에 잔여보증기간을 비례하여 보상금을 지급하는 기기가 있다. 예를 들어, 구매한지 3년 3/4분기에 고장이 나면, 판매금액의 25%를 보상한다. 기존 연구에 의하면 1차 년도에 고장이 날 확률은 0.2이고, 2, 3, 4차 년도에 고장이 날 확률은 0.1, 5차 년도에 고장이 날 확률은 0.2이다. 소수기간에서의 고장발생에 UDD 가정을 적용할 때 위 보증의 보험수리적 현가(APV)를 판매가격의 비율로 나타내시오. (단, $i = 0.10$).

28. $\delta = 0.05$이고 장래생존기간 $T(x)$의 확률밀도함수는

$$f_{T(x)}(t) = \frac{2}{10\sqrt{2\pi}}e^{-t^2/200}, \ t > 0$$

이다. 다음을 증명하시오.

(1) $\overline{A}_x = 2e^{0.125}[1 - \Phi(0.5)] = 0.6992$

(2) $^2\overline{A}_x = 2e^{0.5}[1 - \Phi(0.1)] = 0.5232$

(3) $Var(Z) = 0.0343, \ where \ Z = v^T$

(4) $\xi_Z^{0.5} = 0.7076 \ (\xi_Z^{0.5}$는 Z의 50분위수를 의미)

(5) $v^{\overset{\circ}{e}_x} = 0.6710 < 0.6992 = \overline{A}_x$

29. $\delta > 0$일 때, $v^{\overset{\circ}{e}_x} \leq \overline{A}_x$임을 증명하시오.

CHAPTER

생명연금

03

이제 생명연금에 대해 살펴보도록 하자. 연금이라는 개념 자체가 중요하기도 하지만 생명보험에서 보험료를 분할납입과 같이 일시납으로 납부하지 않는 경우의 보험료를 계산하기 위해서도 반드시 알아야 할 내용이다.

I 연금의 종류와 용어의 정의

연금은 크게 다음과 같이 나누어 볼 수 있다.

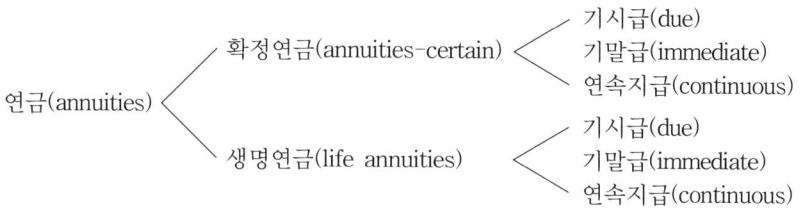

이자론에서 살펴본 연금은 확정연금으로 이는 연금 수급자의 생존여부에 관계없이 확정된 기간동안 지급되는 연금을 일컫는다. 반면 수급자의 생존이 연금 지급의 조건이 되는 연금을 생명연금이라고 한다. 즉, 수급자가 생존해 있어야만 연금 지급이 이루어지는 것이다.

또한 연금의 지급시점에 따라 확정연금과 생명연금을 각각 기시급, 기말급 그리고 연속지급으로 나누어 볼 수 있다. 일정한 기간을 주기로 연금이 지급될 때 매 기간의 시작 시점에 지급되는 경우를 기시급 연금, 그리고 매 기간의 말에 지급되는 연금을 기말급 연금이라 칭한다. 예를 들어 6개월에 한 번 지급이 이루어지는 연금의 경우 매 6개월의 시작 시점에 지급되면 기시급, 매 6개월의 마지막 시점에 지급되면 기말급 연금이라 부른다. 연금 지급의 주기가 매우 짧아지게 되면 마치 연속적으로 지급되는 경우로 생각해 볼 수 있다. 이를 "연속형" 연금 또는 "연속 지급" 연금이라 한다. 실제 존재하는 연금은 아니지만 이론적으로 중요한 연금의 형태이다. 왜냐하면 연속형 연금의 공식은 이산형 연금의 근사값이 되므로 개념적으로 매우 중요하다. 앞으로 지급주기가 1년인 연금 형태가 자주 언급되기 때문에 1년을 지급 주기로 하는 연금을 편의상 "기시급 연금" 또는 "기말급 연금"이라 간단히 나타낸다. 지급주기가 1년이 아닌 경우는 지급주기를 명시적으로 나타내어 구분하도록 한다.

생명연금의 이해를 위하여 우선 이자론에서 다루었던 확정연금을 다시 한번 정리한 후 이를 생명연금으로 확장하도록 하자. n년간 매년 초에 1원씩을 지급하는 연금을 기시급 확정연금이라 하고 그 현가를 $\ddot{a}_{\overline{n}|}$라고 표시하며, 매년 말에 지급하는 경우 기말급 확정연금이라 하고 그 현가를 $a_{\overline{n}|}$로 표기한다. 이 현가를 다음과 같이 계산한다는 것은 이미 이자론에서 소개한 바 있다.

$$\ddot{a}_{\overline{n}|} = 1 + v + \cdots + v^{n-1} = \frac{1-v^n}{d} \tag{3.1}$$

$$a_{\overline{n}|} = v + v^2 + \cdots + v^n = \frac{1-v^n}{i} \tag{3.2}$$

확정연금의 경우 연금 수급자의 생존여부에 관계없이 정해진 기간 동안 연금이 지급된다. 반면 생명연금은 수급자가 생존해 있을 경우에만 연금이 지급된다는 차이가 있다. 즉, 확정연금의 경우 기간을 나타내는 $\overline{n}|$에서 n이 고정되어 있는 반면 생명연금의 경우는 n이 정해져 있는 상수가 아니라 수급자의 생존기간에 따라 그 값이 달라질 수 있는 확률변수라는 것이다. 다음 절에서부터 다양한 생명연금의 종류에 대해 살펴보기로 한다. 먼저 연금이 일정한 시간간격을 두고 정기적으로 지급되는 "이산형" 생명연금을 소개한 후 연속적으로 지급되는 '연속형' 생명연금을 알아본다. '이산형' 생명연금에서는 보

다 중요하고 많이 이용되는 기시급 연금에 초점을 둔다. 기말급 연금의 경우 기시급 연금과의 비교를 통해 알아보도록 하겠다.

기시급 연금은 영어로 annuity due인데 연금이 마지막에 지급되고도 계약이 남아 있음을 나타내고 있기에 due라는 용어를 사용한다. 반면에 기말급 연금은 영어로 annuity immediate인데 연금이 마지막에 지급되고 바로 계약이 종료되기에 immediate라는 용어를 사용한다. 식 (3.1)의 분모에 있는 d는 due를, 식 (3.2)의 분모에 있는 i는 immediate로 각각 생각하면 공식을 외우기 쉽다.

Ⅱ 이산형 생명연금

1. 종신연금

먼저 종신연금(whole life annuity)에 대해서 살펴보자. 사망할 때까지 매년 초에 1원씩을 지급하는 생명연금을 기시급 종신연금(whole life annuity due)이라 한다. 연금의 지급구조는 아래의 그림과 같다.

지급기간은 생존기간에 의해 결정되므로 연금의 현가는 확률변수이다.

$$\ddot{a}_{\overline{\lceil T \rceil}|} \tag{3.3}$$

이 연금 현가의 기대값을 $\ddot{a}_x$로 표시한다.

$$\ddot{a}_x = E\left(\ddot{a}_{\overline{\lceil T \rceil}|}\right) \tag{3.4}$$

그리고 식 (3.3)의 확률변수를 식 (3.1)을 이용하여 기대값을 적용하면,

$$\ddot{a}_x = E(\ddot{a}_{\overline{\lceil T \rceil}|}) = E\left(\frac{1 - v^{\lceil T \rceil}}{d}\right) = \frac{1 - E[v^{\lceil T \rceil}]}{d} = \frac{1 - A_x}{d} \tag{3.5}$$

이고, 이것은 생명연금과 생명보험과의 관계를 보여준다. 식 (3.5)를 이용하면 생명연금의 보험수리적 현가를 구하는 문제는 생명보험의 보험수리적 현가를 이용하여 구할 수 있다.

a_x는 기말급 종신연금의 보험수리적 현가를 나타내는 기호이다. 사망할 때까지 매년 말에 1원씩을 지급하는 생명연금을 기말급 생명연금(life annuity immediate)이라 한다. 기말급 종신연금의 연금 지급구조를 그림으로 나타내면 다음과 같다.

여기서 $\ddot{a}_x$와 a_x를 비교해보면 최초 시점에 지급하는 1원만 차이가 있다. 이것을 확률변수로 나타내면

$$a_{\overline{\lceil T \rceil}|} = \ddot{a}_{\overline{\lceil T \rceil}|} - 1 \tag{3.6}$$

로 나타낼 수 있다. 따라서 a_x는 다음과 같이 식 (3.6)의 기대값으로 나타낼 수 있다.

$$a_x = E[a_{\overline{\lceil T \rceil}|}] = E[\ddot{a}_{\overline{\lceil T \rceil}|} - 1] \tag{3.7}$$

식 (3.4)의 결과를 바탕으로 이 확률변수의 기대값은 다음과 같다.

$$a_x = \ddot{a}_x - 1 \tag{3.8}$$

다음의 예제를 통해 식 (3.5)와 식 (3.8)을 익히고 또한 기시급 종신연금과 기말급 종신연금의 관계를 알아보자.

예제 3.1

$A_x = 0.1$, $d = 0.05$일 때, a_x의 값을 구하시오.

해설 식 (3.5)을 이용하여 기시급 종신연금의 보험수리적 현가를 쉽게 계산할 수 있다.

$$\ddot{a}_x = \frac{1 - A_x}{d} = \frac{1 - 0.1}{0.05} = 18$$

따라서 구하고자 하는 답은 아래와 같다.

$$a_x = \ddot{a}_x - 1 = 18 - 1 = 17$$

앞서 배운 $\ddot{a}_x$를 기대값의 정의를 이용하여 식 (3.9)를 유도해 보자.

$$\ddot{a}_x = \sum_{k=0}^{\infty} v^k \cdot {}_k p_x \tag{3.9}$$

먼저 $\ddot{a}_x$를 현가확률변수의 기대값으로 나타내어보면 다음과 같다.

$$\ddot{a}_x = E\left(\ddot{a}_{\overline{T}|}\right) = \int_0^{\infty} \ddot{a}_{\overline{t}|} \, d_t q_x \tag{3.10}$$

식 (3.10)을 Stieltjes 적분을 이용하여 전개해 보면 다음과 같다.

$$\ddot{a}_x = \int_0^{\infty} \ddot{a}_{\overline{t}|} \, d_t q_x$$

$$= \int_0^{\infty} \ddot{a}_{\overline{t}|} \, d(-{}_t p_x)$$

$$= \left[\ddot{a}_{\overline{t}|} \cdot (-{}_t p_x)\right]_0^{\infty} - \int_0^{\infty} (-{}_t p_x) \cdot d(\ddot{a}_{\overline{t}|}) \tag{3.11}$$

만약 장래생존기간이 유한(finite)인 경우는 충분히 큰 t에 대하여 ${}_t p_x = 0$이므로 곱해지는 값에 상관없이 식 (3.11)에 있는 마지막 등식의 첫 번째 항은 0이 된다.

이제 장래생존기간이 유한(finite)이 아닌 경우를 생각해보자. 식 (3.11)의 첫 번째 항에서 t에 0을 대입하면 간단히 0이 된다. ∞를 대입하면 ${}_t p_x$는 0으로 수렴하므로 $\ddot{a}_{\overline{\infty}|}$ 값에 따라 첫 항의 값이 결정된다는 것을 알 수 있다. $\ddot{a}_{\overline{\infty}|}$의 값을 생각해 보자. $\ddot{a}_{\overline{n}|} = \dfrac{1 - v^n}{d}$이고 일반적으로 $0 < v < 1$이다. 따라서 다음

과 같음은 이자론 부분에서 영속연금(perpetuity)을 다룰 때 이미 소개하였다.

$$\ddot{a}_{\overline{\infty}|} = \lim_{n \to \infty} \ddot{a}_{\overline{n}|} = \lim_{n \to \infty} \left(\frac{1 - v^n}{d} \right) = \frac{1}{d} \tag{3.12}$$

$\ddot{a}_{\overline{\infty}|}$의 값이 상수이므로, $\ddot{a}_{\overline{\infty}|} \cdot {}_{\infty}p_x$는 0으로 수렴하여 적분식의 첫 번째 항의 값이 0이 된다. 이를 반영하여 식 (3.11)을 다음과 같이 간단히 나타낼 수 있다.

$$\ddot{a}_x = \int_0^{\infty} {}_tp_x \cdot d\left(\ddot{a}_{\overline{t}|}\right) \tag{3.13}$$

이제 $d\left(\ddot{a}_{\overline{t}|}\right)$에 초점을 맞추어 식 (3.13)의 적분식을 계산하면 되겠다. 이를 살펴보기 위해 $\ddot{a}_{\overline{t}|}$의 그래프를 그려보자.

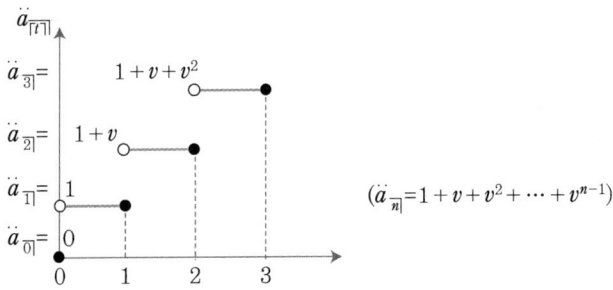

t가 0일 때는 $\ddot{a}_{\overline{t}|} = \ddot{a}_{\overline{0}|} = 0$이고, t가 0과 1 사이의 값일 때는 $\ddot{a}_{\overline{t}|} = \ddot{a}_{\overline{1}|} = 1$로 일정한 값을 지닌다. 이와 같은 방식으로 그림을 그리면 위의 계단식 그래프를 얻을 수 있다. $d\left(\ddot{a}_{\overline{t}|}\right)$의 값을 살펴보면, 점프가 일어나는 점을 제외한 곳에서는 $\ddot{a}_{\overline{t}|}$의 값에 변화가 없으므로 $d\left(\ddot{a}_{\overline{t}|}\right)$의 값은 모두 0이다. 그리고 점프가 발생하는 점에서의 점프 크기는 각각 1, v, v^2, ⋯이므로 이를 이용해 Stieltjes 적분을 마무리하면 다음과 같이 식 (3.9)가 유도된다.

$$\ddot{a}_x = \int_0^{\infty} {}_tp_x \cdot d\left(\ddot{a}_{\overline{t}|}\right) = {}_0p_x \cdot (1) + {}_1p_x \cdot (v) + {}_2p_x \cdot (v^2) + \cdots = \sum_{k=0}^{\infty} v^k \cdot {}_kp_x$$

$$\tag{3.14}$$

지금까지 종신연금의 기대값에 대해서 살펴보았다. $\ddot{a}_x$는 식 (3.5)와 식 (3.9)로 나타낼 수 있음을 살펴보았다. 매우 중요하므로 잘 익혀두도록 하자.

예제 3.2

$q_{x+k} = q$ $(k = 0, 1, 2, \cdots)$ 일 때 $\ddot{a}_x$를 구하시오.

해설 먼저 p_{x+k}는 $1 - q_{x+k} = 1 - q$임을 쉽게 알 수 있다. 이를 통해 $_kp_x$를 생각해 보면 매 해의 생존율이 $1 - q$로 상수이고, k년간 거듭 생존해야 하기 때문에 아래와 같음을 알 수 있다.

$$_kp_x = (1-q)^k$$

따라서 식 (3.9)를 이용하면 다음과 같다.

$$\ddot{a}_x = \sum_{k=0}^{\infty} v^k \cdot (1-q)^k = \frac{1}{1 - v \cdot (1-q)} \quad (\text{무한등비급수})$$

이에 더하여 이자율이 주어질 경우 식 (3.5)을 이용하면 A_x까지 계산할 수 있을 것이다.

예제 3.3

$T(x) \sim Uniform(0, 100-x)$일 때 $\ddot{a}_x$(또는 A_x)를 구하시오.

해설 이 문제는

$$\ddot{a}_x = \sum_{k=0}^{\infty} v^k \cdot {_kp_x} \tag{3.9}$$

또는

$$A_x = \sum_{k=0}^{\infty} v^{k+1} \cdot {_{k|}q_x} \tag{2.56}$$

를 이용하여 이 문제에 접근할 수 있다. 조건에 따라 둘 중 더 적절하다고 생각하는 방법을 선택하여 계산하면 된다. 일반적으로 지수분포가 주어지는 경우 생존확률을 계산하기 편리하고, 균등분포가 주어지는 경우 사망확률을 계산하기가 편리하므로 균등분포가 주어진 이번 문제에서는 2장의 식 (2.56)을 이용해 문제를 풀어보도록 하자. 식 (3.9)를 이용할 경우 v^k은 등비수열이고 $_kp_x$는 등차수열이므로 이들을 곱하여 더한 $\ddot{a}_x$은 계산이 복잡하기 때문이다. $T(x)$가 균등분포를 따르므로 $_{k|}q_x$는 k의 값에 관계없이 항상 $\frac{1}{100-x}$이다. 따라서 다음과 같이 A_x를 계산할 수 있다.

$$A_x = \sum_{k=0}^{\infty} v^{k+1} {}_{k|}q_x = \sum_{k=0}^{100-x-1} v^{k+1} \frac{1}{100-x} = \frac{1}{100-x} \sum_{k=0}^{100-x-1} v^{k+1}$$

여기서 주의할 점은 균등분포에 따르면 생명이 유한하기 때문에 $\sum_{k=0}^{100-x-1} v^{k+1}$는 유한 합이고, 이것은 두 가지 방법으로 계산할 수 있다. 첫번째 방법은 기말급 확정연금의 현가로 유한합을 계산하는 방법이다. 따라서

$$A_x = \frac{1}{100-x} \sum_{k=0}^{100-x-1} v^{k+1} = \frac{1}{100-x} a_{\overline{100-x|}} = \frac{1}{100-x} \left(\frac{1-v^{100-x}}{i} \right)$$

두번째 방법은 유한 합을 등비수열의 합 공식을 이용하여 계산하는 방법이다.

$$A_x = \frac{1}{100-x} \sum_{k=0}^{100-x-1} v^{k+1} = \frac{1}{100-x} \cdot \left(\frac{v \cdot (1-v^{100-x})}{1-v} \right)$$

식 (3.14)를 바탕으로 $\ddot{a}_x$와 $\ddot{a}_{x+1}$의 관계를 알아보자.

$$\begin{aligned} \ddot{a}_x &= \sum_{k=0}^{\infty} v^k {}_k p_x \\ &= 1 + v p_x + v^2 {}_2 p_x + \cdots \\ &= 1 + v p_x \left[1 + v p_{x+1} + v^2 {}_2 p_{x+1} + \cdots \right] \\ &= 1 + v p_x \ddot{a}_{x+1} \end{aligned} \tag{3.15}$$

식 (3.15)와 같은 등식을 점화식(recursion)이라 하는데 매우 중요하므로 잘 알아두어야 한다. 점화식의 의미를 생각해 보자. x세인 사람이 생존해 있는 동안 지급되는 1원을 x시점에 지급되는 1원과 $x+1$시점부터 종신동안 지급되는 1원으로 나누어 볼 수 있다. x시점에 지급되는 1원의 현가는 1이다. $x+1$시점부터 매년 초 지급되는 연금의 가치는 $\ddot{a}_{x+1}$로 나타낼 수 있다. 그러나 $\ddot{a}_{x+1}$은 $x+1$시점에 계산된 값이므로 이를 x시점으로 할인해야 하고 또한 x세가 $x+1$세까지 생존해야 하므로 $\ddot{a}_{x+1}$에 $v \cdot p_x$를 곱해주어야 한다. 따라서 식 (3.15)가 성립하는 것이다.

📖 **예제 3.4**

x세인 사람이 매년 초 1원씩 지급하는 종신연금에 가입하였다.

(i) $q_x = 0.01$

(ii) $q_{x+1} = 0.05$

(iii) $i = 0.05$

(iv) $\ddot{a}_{x+1} = 7$

다른 조건은 변화 없이 오직 p_{x+1}만 0.02 증가할 때 위의 종신연금의 보험수리적 현가가 얼마나 증가하는지를 구하시오.

✏️ **해설** 새로이 변화된 것을 "*"를 덧붙여 표현하면

$$p^*_{x+1} = p_{x+1} + 0.02$$

이고 구해야 하는 것은

$$\ddot{a}^*_x - \ddot{a}_x$$

으로 나타낼 수 있다. $\ddot{a}_x$에서 $\ddot{a}^*_x$로 변화하였을 때 어느 정도 차이가 발생하는지를 알아보기 위해 $\ddot{a}^*_x$를 다시 계산할 필요는 없다. 단지 p^*_{x+1}에 의해 영향을 받는 부분만을 고려해 주면 된다. 이를 알아보기 위해 $\ddot{a}_x$를 식 (3.9)를 이용하여 다음과 같이 나타내 보자.

$$\ddot{a}_x = \sum_{k=0}^{\infty} v^k {}_k p_x = 1 + v p_x + v^2 {}_2 p_x + v^3 {}_3 p_x + \cdots$$

$$= 1 + v p_x + v^2 {}_2 p_x (1 + v p_{x+2} + v^2 {}_2 p_{x+2} + \cdots)$$

$$= 1 + v p_x + v^2 p_x p_{x+1} \ddot{a}_{x+2}$$

마찬가지로 p^*_{x+1}를 이용하여 $\ddot{a}^*_x$를 전개해 보면 다음과 같다.

$$\ddot{a}^*_x = 1 + v \cdot p_x + v^2 \cdot p_x \cdot p^*_{x+1} \cdot \ddot{a}_{x+2}$$

$x+2$세부터는 사망률의 변화가 없으므로 위 식에서도 $\ddot{a}_{x+2}$는 변화가 없다. 따라서 새로운 보험수리적 현가와 기존의 보험수리적 현가의 차이는 다음과 같다.

$$\ddot{a}^*_x - \ddot{a}_x = \left(p^*_{x+1} - p_{x+1}\right) \cdot v^2 \cdot p_x \cdot \ddot{a}_{x+2}$$

주어진 q_x와 q_{x+1}로부터 p_x와 p_{x+1}의 값을 계산할 수 있다.

$$p_x = 1 - q_x = 0.99 \qquad p_{x+1} = 1 - q_{x+1} = 0.95$$

$\ddot{a}_{x+2}$는 식 (3.15)에 주어진 $\ddot{a}_{x+1}$의 값을 대입하여 다음과 같이 계산할 수 있다.

$$\ddot{a}_{x+1} = 1 + v \cdot p_{x+1} \cdot \ddot{a}_{x+2}$$

$$7 = 1 + \frac{0.95}{1.05} \ddot{a}_{x+2}$$

$$\Rightarrow \ddot{a}_{x+2} = 6.6315789$$

따라서 구하고자 하는 답은 아래와 같다.

$$\ddot{a}_x^* - \ddot{a}_x = (0.97 - 0.95)\frac{1}{1.05^2}(0.99)(6.6315789) = 0.1190977$$

생명보험에서 분산이 중요했듯이 생명연금에서도 분산의 역할이 중요하다. 왜냐하면 연금 현가의 기대값을 보험료로 책정하는 것만으로는 불충분할 때가 많기 때문이다. 보험회사가 감당해야 할 리스크의 크기를 가늠하는 중요한 척도로서 분산을 잘 알아두어야 한다. 분산을 구하기 위해서 연금의 현가를 나타내는 확률변수의 2차 적률을 구해야 한다. 그러나 아래의 식을 계산하기는 매우 복잡하다.

$$E\left[\ddot{a}_{\overline{T}|}{}^2\right] = E\left[\left(\frac{1 - v^{\lceil T \rceil}}{d}\right)^2\right] \tag{3.16}$$

따라서 이보다는 생명연금과 생명보험의 관계를 이용하여 분산을 직접 구하는 방법이 더 선호된다. 식 (3.5)의 기대값에 대응하는 분산을 살펴보면 다음과 같다.

$$Var(\ddot{a}_{\overline{T}|}) = Var\left(\frac{1 - v^{\lceil T \rceil}}{d}\right) = \frac{1}{d^2} Var(v^{\lceil T \rceil}) \tag{3.17}$$

식 (3.17)에서 $Var(v^{\lceil T \rceil})$는 2장의 식 (2.57)에서 알 수 있듯 사망연도 말에 보험금이 지급되는 이산형 종신보험의 분산임을 알 수 있다. 따라서 식 (3.17)을 다음과 같이 이산형 종신보험의 분산을 이용하여 나타낼 수 있다.

$$Var(\ddot{a}_{\overline{T}|}) = \frac{1}{d^2} Var(v^{\lceil T \rceil}) = \frac{1}{d^2}\left({}^2A_x - A_x^2\right) \tag{3.18}$$

📖 예제 3.5

$\mu(x) = 0.05$이고 $\delta = 0.07$일 때 다음 물음에 답하시오.

(a) 연금 연액이 1원인 기시급 종신연금의 현가 확률변수의 분산을 구하시오.

(b) 연금 연액이 1원인 기말급 종신연금의 현가 확률변수의 분산을 구하시오.

해설 식 (3.18)을 이용하면 간단히 구할 수 있다. 이를 위해 필요한 항들을 먼저 계산하면 다음과 같다.

$$A_x = \sum_{k=0}^{\infty} v^{k+1}\,_{k|}q_x = \sum_{k=0}^{\infty} e^{-0.07(k+1)} e^{-0.05k}(1-e^{-0.05})$$

$$= e^{-0.07}(1-e^{-0.05})\sum_{k=0}^{\infty} e^{-0.12k}$$

$$= e^{-0.07}(1-e^{-0.05})\frac{1}{1-e^{-0.12}}$$

$$= 0.402136$$

$$^2A_x = \sum_{k=0}^{\infty} (v^{k+1})^2\,_{k|}q_x = \sum_{k=0}^{\infty} e^{-0.14(k+1)} e^{-0.05k}(1-e^{-0.05})$$

$$= e^{-0.14}(1-e^{-0.05})\sum_{k=0}^{\infty} e^{-0.19k}$$

$$= e^{-0.14}(1-e^{-0.05})\frac{1}{1-e^{-0.19}}$$

$$= 0.245024$$

이므로 이를 식 (3.18)에 대입하면 아래와 같다.

$$Var(\ddot{a}_{\overline{T|}}) = 18.2275$$

식 (3.8)에서 알 수 있듯 기시급 종신연금의 현가를 이용하여 기말급 종신연금의 현가를 표현하면 식 (3.6)와 같으므로

$$Var(\ddot{a}_{\overline{T|}} - 1) = Var(\ddot{a}_{\overline{T|}})$$

이 되어 기시급 종신연금의 분산과 동일함을 알 수 있다. 따라서 문제 (b)의 답은 (a)의 답과 동일하다.

예제 3.6

x세의 피보험자 20명으로 이루어진 집단이 있다.
(i) 모든 피보험자들의 장래 생존기간은 독립이고, 동일 분포를 따른다.
(ii) 각 피보험자들은 생존해있는 동안 매년 초 5원을 지급받는다.
(iii) $A_x = 0.36$
(iv) $^2A_x = 0.17$
(v) $i = 0.06$
정규근사법을 이용하여 20명의 모든 피보험자들에게 연금을 지급하기에 부족함이 없도록 보험회사가 계약시점에 기금을 지니고 있을 확률이 95%가 되는 계약시점의 기금의 규모를 구하시오.(단, $\Phi(1.645) = 0.95$)

주어진 정보를 다음과 같이 정리해 볼 수 있다.
- 20명의 장래생존기간 : T_1, T_2, T_3, $\cdots$, T_{20} (독립관계)
- 종신생명연금

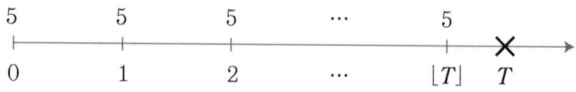

현재 20명의 종신연금 계약자가 있다. 각 계약의 종결기간과 총 지급액은 다를 것이다. 모든 계약에 대한 총 지급액을 S로 나타내면 다음과 같다.

$$S = 5 \cdot \ddot{a}_{\overline{\lfloor T_1 \rfloor}|} + \cdots + 5 \cdot \ddot{a}_{\overline{\lfloor T_{20} \rfloor}|}$$

앞에 숫자 5가 붙는 것에 유의해야 한다. 앞서 소개한 연금 기호들은 연금 연액이 1원일 때를 나타낸다. 문제에서 주어진 연금계약은 매년 5원이 지급되므로 5를 곱해주어야 하는 것이다. 구해야 하는 것은 다음을 만족하는 기금의 크기 F이다.

$$\Pr(S \leq F) = 0.95$$

총 지급액이 계약 시점의 기금 F보다 작아야 손실을 입지 않으므로 위와 같은 F를 찾는 것은 보험료 책정에 도움이 될 것이다. 위 조건은 다음과 같이 나타낼 수 있다.

$$\Pr\left[\frac{S - E(S)}{\sqrt{Var(S)}} \leq \frac{F - E(S)}{\sqrt{Var(S)}}\right] = 0.95$$

S가 근사적으로 정규분포를 따른다고 가정하기에 $\dfrac{S - E(S)}{\sqrt{Var(S)}}$ 는

표준정규분포를 따른다. 따라서 $\dfrac{F - E(S)}{\sqrt{Var(S)}}$ 가 약 1.645라는 것을

알 수 있다. 그러므로 F를 다음과 같이 구할 수 있다.

$$\therefore \ F = E(S) + 1.645 \cdot \sqrt{Var(S)}$$

S의 기대값과 분산은 아래와 같이 계산한다.

① $E(S) = E\left(5 \cdot \ddot{a}_{\overline{\lfloor T_1 \rfloor}|}\right) + \cdots + E\left(5 \cdot \ddot{a}_{\overline{\lfloor T_{20} \rfloor}|}\right)$

$\qquad = 20 \times 5 \times E\left(\ddot{a}_{\overline{\lfloor T \rfloor}|}\right)$ (20명의 T가 모두 동일분포)

$\qquad = 20 \times 5 \times \ddot{a}_x = 20 \times 5 \times \dfrac{1 - A_x}{d} = 1{,}130.6667$

② $Var(S) = Var\left(5 \cdot \ddot{a}_{\overline{\lfloor T_1 \rfloor}|} + \cdots + 5 \cdot \ddot{a}_{\overline{\lfloor T_{20} \rfloor}|}\right)$

$\qquad = Var\left(5 \cdot \ddot{a}_{\overline{\lfloor T_1 \rfloor}|}\right) + \cdots + Var\left(5 \cdot \ddot{a}_{\overline{\lfloor T_{20} \rfloor}|}\right)$ (독립가정)

$$= 20 \times 5^2 \times Var\left(\ddot{a}_{\overline{\lceil T \rceil}|}\right) \quad \text{(20명의 } T \text{가 모두 동일분포)}$$

$$= 20 \times 5^2 \times \frac{{}^2A_x - (A_x)^2}{d^2} = 6,304.6444$$

따라서 이를 이용하여 문제에서 주어진 수치들을 대입하면 F는 다음과 같다.

$$F = 1,130.6667 + 1.645\sqrt{6,304.6444} = 1,261.2826$$

2. 정기연금

이제 n년 정기 기시급 연금을 알아보자. 다음은 이 연금의 지급구조를 그림으로 나타낸 것이다.

① $T \le n$

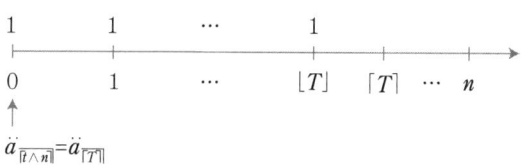

② $T > n$

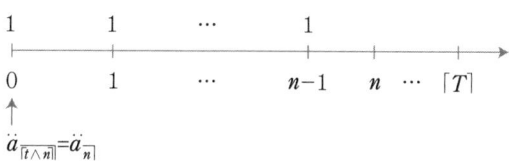

위 그림에서 알 수 있듯이 이 연금은 사망 시까지 연금을 지급하되 n년보다 오래 생존할 경우에는 n년까지만 지급하는 구조이다. 즉 생존기간과 n의 최소값에 해당하는 기간까지 연금을 지급한다. 따라서 연금의 현가는 $\ddot{a}_{\overline{\lceil T \wedge n \rceil}|}$로 나타낼 수 있고 이는 T의 범위에 따라 다음과 같다.

$$\ddot{a}_{\overline{\lceil T \wedge n \rceil}|} = \begin{cases} \ddot{a}_{\overline{\lceil T \rceil}|}, & T \le n \\ \ddot{a}_{\overline{n}|}, & T > n \end{cases} \tag{3.19}$$

이 연금의 현가의 기대값을 $\ddot{a}_{x\,:\,\overline{n}|}$로 나타낸다.

$$\ddot{a}_{x\,:\,\overline{n}|} = E\left(\ddot{a}_{\overline{\lceil T \wedge n \rceil}|}\right) \tag{3.20}$$

그리고 기대값은 다음과 같이 계산할 수 있다.

$$\ddot{a}_{x:\overline{n}|} = E\big(\ddot{a}_{\overline{T \wedge n}|}\big) = E\left(\frac{1 - v^{\lceil T \wedge n \rceil}}{d}\right) = \frac{1 - A_{x:\overline{n}|}}{d} \tag{3.21}$$

식 (3.21)에서 양로보험의 기대값이 분자에 있다는 사실을 유념해서 보도록 하자. 이는 종신연금의 경우 분자에 종신보험의 기대값이 있는 식 (3.5)와 유사하다.

$$\ddot{a}_{x:\overline{n}|} = \sum_{k=0}^{n-1} v^k {}_k p_x \tag{3.22}$$

식 (3.22)는 기대값의 정의에 의해 보험수리적 현가를 표현한 것으로 이는 Stieltjes 적분의 결과를 나타낸 것이다. 종신연금의 기대값을 나타내는 식 (3.9)에서 무한대까지 더해지는 것과는 달리 식 (3.22)에서는 $n-1$까지만 더해지는 것에 유의하자. $\ddot{a}_{x:\overline{n}|}$는 최대 지급가능 횟수가 n번이기 때문에 식 (3.22)와 같은 결과가 얻어진다는 것을 직관적으로도 알 수 있다.

정기연금의 경우도 종신연금과 마찬가지로 생명보험과의 관계를 이용하여 연금 현가의 분산을 쉽게 구할 수 있다.

$$\begin{aligned} Var\big(\ddot{a}_{\overline{T \wedge n}|}\big) &= Var\left(\frac{1 - v^{\lceil T \wedge n \rceil}}{d}\right) \\ &= \frac{1}{d^2} Var\big(v^{\lceil T \wedge n \rceil}\big) \\ &= \frac{1}{d^2}\big({}^2A_{x:\overline{n}|} - A_{x:\overline{n}|}{}^2\big) \end{aligned} \tag{3.23}$$

n년 기말급 정기연금의 경우 그림을 통해 기시급 연금과의 차이를 쉽게 살펴볼 수 있다.

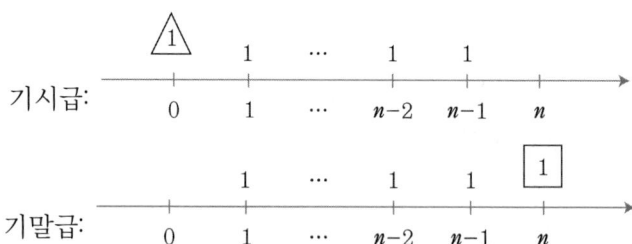

두 연금의 차이는 기시급의 경우 계약시점에 1원이 지급되는 반면 기말급의 경우 n년 생존시 1원이 지급된다는 것이다. 따라서 다음의 식이 성립한다.

$$\ddot{a}_{x:\overline{n}|} = a_{x:\overline{n}|} + 1 - {}_nE_x \tag{3.24}$$

📖 **예제 3.7**

아래의 정보를 이용하여 $a_{x:\overline{20}|}$를 구하시오.

(i) $A_x = 0.28$

(ii) $A_{x+20} = 0.40$

(iii) $A_{x:\frac{1}{20}|} = 0.25$

(iv) $i = 0.05$

해설 구해야 하는 것은 20년 정기 기말급 생명연금 $a_{x:\overline{20}|}$으로 식 (3.24)를 이용하여 계산할 수 있다. 이를 위해 먼저 $\ddot{a}_{x:\overline{20}|}$을 구해야 하는데 이는 양로보험(생사혼합보험)과 정기 생명연금과의 관계를 나타내는 다음 식을 이용하면 된다.

$$\ddot{a}_{x:\overline{20}|} = \frac{1 - A_{x:\overline{20}|}}{d}$$

우선 $A_{x:\overline{20}|}$을 계산해 보자.

$$A_{x:\overline{20}|} = A_{x:\overline{20}|}^1 + A_{x:\frac{1}{20}|} = (A_x - A_{x:\frac{1}{20}|} \cdot A_{x+20}) + A_{x:\frac{1}{20}|}$$

이므로 주어진 조건을 위 식에 대입하면

$$\therefore A_{x:\overline{20}|} = (0.28 - 0.25 \times 0.4) + 0.25 = 0.43$$

이다. 따라서 $\ddot{a}_{x:\overline{20}|}$ 값은

$$\ddot{a}_{x:\overline{20}|} = \frac{1 - A_{x:\overline{20}|}}{d} = 11.97$$

이고 이를 식 (3.24)에 대입하여 구하고자 하는 답을 계산하면 아래와 같다.

$$\begin{aligned} a_{x:\overline{20}|} &= \ddot{a}_{x:\overline{20}|} - 1 + {}_{20}E_x \\ &= 11.97 - 1 + 0.25 \\ &= 11.22 \end{aligned}$$

3. 거치연금

다음으로 거치(deferred) 연금을 소개하겠다. 먼저 그림으로 살펴보자.

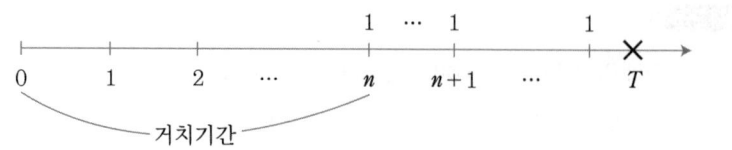

위에서 알 수 있듯이 거치기간 동안은 연금이 지급되지 않다가 그 이후부터 사망할 때까지 연금을 지급한다. 거치연금은 실생활에 흔히 존재하는 연금 상품이다. 위 거치연금의 현가확률변수는

$$_{n|}\ddot{a}_{\overline{(\lceil T \rceil - n)_+}|}$$

(3.25)

로 나타낼 수 있으며, 이것의 보험수리적 현가를 기호로 표현해보면 다음과 같다.

$$_{n|}\ddot{a}_x = E\left[_{n|}\ddot{a}_{\overline{(\lceil T \rceil - n)_+}|}\right]$$

(3.26)

식 (3.26)은 확률변수에 대한 기대값을 보험수리적 기호로 나타낸 것이며, 이것을 계산함에 있어 가장 이해가 쉽고 반드시 알아두어야 할 식을 소개하도록 하겠다.

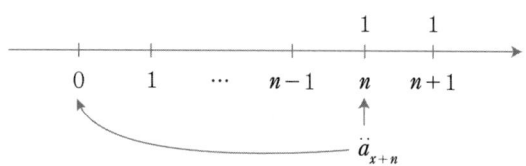

위의 그림을 살펴보면 거치연금의 현금흐름을 n시점에서 바라보면 매년 초 1원씩 종신토록 지급하는 연금의 현금흐름과 같다는 것을 알 수 있다. 따라서 n시점에서 계산한 $\ddot{a}_{x+n}$를 0시점으로 할인한 값은 거치연금의 보험수리

적 현가와 같아야 한다. 이러한 관계를 정리하면 식 (3.27)를 얻을 수 있다.

$$_{n|}\ddot{a}_x = {}_nE_x \cdot \ddot{a}_{x+n} \tag{3.27}$$

이제 $_{n|}\ddot{a}_x$ 를 다른 형태로 표현해 보자.

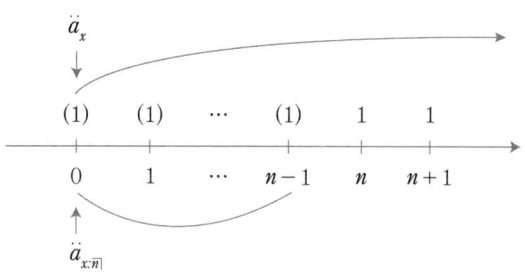

위의 그림에서 사망 시까지의 모든 기간에 거쳐 지급된 연금에서 앞의 거치기간 n 년 동안 지급된 연금을 빼면 거치 종신연금의 현금흐름이 된다는 것을 알 수 있다. 이러한 관계를 식으로 나타내면 다음과 같다.

$$_{n|}\ddot{a}_x = \ddot{a}_x - \ddot{a}_{x:\overline{n|}} \tag{3.28}$$

식 (3.28)에서 $\ddot{a}_{x:\overline{n|}}$ 가 $\ddot{a}_{\overline{n|}}$ 이 아님을 유의해야 한다. 예를 들어 x 세의 사람이 n 기간 이내에 사망하게 되는 경우를 생각해 보자. 이 경우 연금지급이 없어야 한다. $\ddot{a}_x - \ddot{a}_{x:\overline{n|}}$ 는 이를 반영해 주는 반면 $\ddot{a}_x - \ddot{a}_{\overline{n|}}$ 의 경우 사망여부에 관계없이 n 기간 동안의 확정연금 현가의 값이 차감되므로 주의해야 한다.

$$_{n|}\ddot{a}_x = \sum_{k=n}^{\infty} v^k \, {}_kp_x \tag{3.29}$$

식 (3.29)은 거치연금의 기대값을 나타내는 식 (3.26)을 Stieltjes 적분으로 계산한 결과이다. 앞서 종신연금의 식 (3.9)와 정기연금의 식 (3.22)을 유도한 것과 유사하다. 실제 거치연금의 보험수리적 현가를 계산할 경우 식 (3.29)을 자주 사용하게 된다. 2장에서 종신보험을 정기보험과 거치보험의 합으로 나타낼 수 있었던 것과 마찬가지로 종신연금 역시 정기연금과 거치연금의 합으로 표현할 수 있다. 이는 식 (3.9)와 식 (3.22) 그리고 식 (3.29)을 통해 확인할 수 있다.

$$\ddot{a}_x = \sum_{k=0}^{\infty} v^k {}_kp_x$$

$$= \sum_{k=0}^{n-1} v^k {}_kp_x + \sum_{k=n}^{\infty} v^k {}_kp_x$$

$$= \ddot{a}_{x:\overline{n}|} + {}_{n|}\ddot{a}_x \tag{3.30}$$

${}_{n|}\ddot{a}_x$를 나타내는 식 (3.29)은 모두 매우 중요하므로 잘 숙지해 두어야 한다.

아래의 그림을 통해 기시급 거치연금과 기말급 거치연금의 관계를 알아보자. 각 연금의 지급구조를 비교하며 살펴보면 도움이 된다.

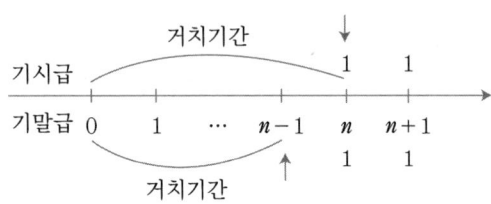

현가의 평가시점은 모두 0시점 (즉, 계약이 이루어지는 시점)이다. 또한 연금이 지급되는 시점은 모두 일치한다. 그러나 기시급 거치연금의 입장에서는 거치기간이 n년인 반면 기말급 거치연금의 경우 거치기간은 $n-1$년이다. 따라서 다음의 관계식이 성립한다.

$$_{n|}\ddot{a}_x = {}_{n-1|}a_x \tag{3.31}$$

예제 3.8

35세인 사람이 30년 거치 종신연금에 가입하였다.

(i) 연금이 개시되면 매년 초마다 1원씩 지급된다.

(ii) 거치기간 중에 사망 시 일시납 보험료를 사망연도 말에 지급한다.

(iii) $\ddot{a}_{65} = 9.90$, $A_{35:\overline{30}|} = 0.21$, $A^1_{35:\overline{30}|} = 0.07$

위의 거치 종신연금의 일시납 보험료를 구하시오.

해설 보험수리적 현가는 보험실무에서 종종 일시납 보험료(net single premium: NSP)라고도 불리운다. 아래의 그림은 이 문제에서 나타나는 보험금 및 연금의 지급구조를 나타낸 것이다.

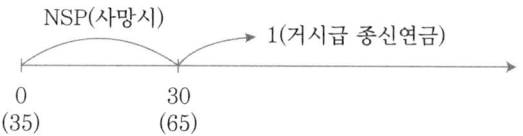

보험금이 NSP인 30년 만기 정기보험과 연금액 1원인 30년 거치 종신연금을 동시에 계약한 것과 같다. 따라서 이 상품의 보험수리적 현가(일시납 보험료)는 다음과 같은 식을 만족한다.

$$NSP = NSP \cdot A^{1}_{35\,:\,\overline{30|}} + {}_{30}E_{35} \cdot \ddot{a}_{65}$$

$$NSP = \frac{{}_{30}E_{35} \cdot \ddot{a}_{65}}{1 - A^{1}_{35\,:\,\overline{30|}}}$$

위의 식에서 문제의 조건에서 주어지지 않은 것은 ${}_{30}E_{35}$으로, 이를 구하기 위해 다음의 관계식을 사용할 수 있다.

$$A_{35\,:\,\overline{30|}} = A^{1}_{35\,:\,\overline{30|}} + {}_{30}E_{35}$$

$$\Rightarrow {}_{30}E_{35} = A_{35\,:\,\overline{30|}} - A^{1}_{35\,:\,\overline{30|}} = 0.21 - 0.07 = 0.14$$

따라서 일시납 보험료(NSP)는 아래와 같음을 알 수 있다.

$$\therefore NSP = \frac{{}_{30}E_{35} \cdot \ddot{a}_{65}}{1 - A^{1}_{35\,:\,\overline{30|}}} = 1.49$$

4. 지급기간보증 생명연금

지급기간보증 생명연금은 연금 수령자의 생존여부에 상관없이 확정적으로 지급하는 보증기간이 있는 종신연금을 말한다. 만약 수급자가 보증기간 이후에도 생존해 있을 경우에는 사망 시까지 연금이 지급되고, 보증기간 이전에 사망할 경우에도 보증기간이 끝날 때까지 연금지급이 이루어진다. 이러한 연금의 현가는 다음과 같이 나타낸다.

$$\ddot{a}_{\overline{|T \vee n|}} \tag{3.32}$$

"$T \vee n$"기호는 $\max(T,\ n)$을 의미한다. 이 기호에 따르면 T가 n보다 작을 경우, 즉 n년 이내에 사망할 경우에도 적어도 n년까지는 연금이 지급됨을 알 수 있다. 이 현가의 기대값은 아래와 같이 표기한다.

$$\ddot{a}_{\overline{x\,:\,\overline{n|}}} = E\left[\ddot{a}_{\overline{|T \vee n|}}\right] \tag{3.33}$$

앞서 배운 기호인 $\ddot{a}_{x\,:\,\overline{n}|}$와 비슷하지만 첨자 위에 '‒'(bar)가 있다. 여기서는 '‒'(bar)가 최대값을 나타내는 개념이다. 즉, $\max[T(x),\,n]$까지 연금을 지급한다는 의미이다. 이와 비교해서 $\ddot{a}_{x\,:\,\overline{n}|}$는 $\min[T(x),\,n]$까지 지급하는 연금의 보험수리적 현가라고 생각할 수 있다.

이제 식 (3.33)의 기대값을 계산해 보자. 먼저 $\ddot{a}_{\overline{T\vee n}|}$를 분해해서 생각해 보면 아래와 같다.

$$\ddot{a}_{\overline{T\vee n}|} = \ddot{a}_{\overline{n}|} + \ddot{a}_{\overline{T}|} - \ddot{a}_{\overline{T\wedge n}|} \tag{3.34}$$

마치 수학의 합집합과 개념이 유사한데, T의 범위를 아래와 같이 나누어서 나타내면 식 (3.34)가 성립한다는 것을 쉽게 알 수 있다.

$T \le n$일 때, (좌변) $\ddot{a}_{\overline{n}|} = \ddot{a}_{\overline{n}|} + \ddot{a}_{\overline{T}|} - \ddot{a}_{\overline{T}|} = \ddot{a}_{\overline{n}|}$ (우변)

$T > n$일 때, (좌변) $\ddot{a}_{\overline{T}|} = \ddot{a}_{\overline{n}|} + \ddot{a}_{\overline{T}|} - \ddot{a}_{\overline{n}|} = \ddot{a}_{\overline{T}|}$ (우변)

따라서 이 지급기간보증 생명연금의 기대값은 식 (3.34)의 양변에 기대값을 취함으로써 계산할 수 있다.

$$
\begin{aligned}
E[\ddot{a}_{\overline{T\vee n}|}] &= E[\ddot{a}_{\overline{n}|} + \ddot{a}_{\overline{T}|} - \ddot{a}_{\overline{T\wedge n}|}] \\
&= E[\ddot{a}_{\overline{n}|}] + E[\ddot{a}_{\overline{T}|}] + E[\ddot{a}_{\overline{T\wedge n}|}] \\
&= \ddot{a}_{\overline{n}|} + \ddot{a}_x - \ddot{a}_{x\,:\,\overline{n}|} \tag{3.35}
\end{aligned}
$$

종신연금과 정기연금의 보험수리적 현가를 나타내는 식 (3.10)와 식 (3.20)을 이용하여 식 (3.35)를 유도하였다. 그리고 거치연금을 종신연금과 정기연금의 차이로 나타낼 수 있음을 알려주는 식 (3.28)을 이용하여 다시 표현하면 식 (3.36)을 유도할 수 있다.

$$\ddot{a}_{\overline{x\,:\,\overline{n}|}} = \ddot{a}_{\overline{n}|} + {}_{n|}\ddot{a}_x \tag{3.36}$$

예제 3.9

(x)는 가입 후 10년 동안은 확정적으로 매년 초에 100원씩 연금을 지급받고, 그 이후 10년 동안은 생존해 있는 동안 매년 초에 k원씩 연금을 지급받는 연금에 가입하였다. 이 피보험자는 가입 시 3,000원을 일시불로 납입하였다.

(i) $A_{x\,:\,\overline{20|}}=0.3231$

(ii) $\ddot{a}_{x\,:\,\overline{10|}}=7.75$

(iii) $i=0.06$

k를 구하시오.

해설 피보험자 (x)는 가입 시 일시불로 3,000원을 납입하였고, 이 일시납 보험료는 10년 정기 확정연금과 10년 거치 10년 정기 생명연금의 APV이다. 따라서 다음의 식이 성립한다.

$$3{,}000 = 100 \times \ddot{a}_{\overline{10|}} + k \times {}_{10}E_x \ddot{a}_{x+10\,:\,\overline{10|}} \qquad (*)$$

위 식을 만족하는 k를 구하기 위해서는 10년 정기 확정연금의 현가와 10년 거치 10년 정기연금의 APV를 알아야 한다. 먼저 거치 정기연금의 APV를 구해보도록 하자. 주어진 조건 중에 20년 만기 생사혼합보험의 APV를 보험과 연금간의 관계식을 이용하여 먼저 20년 정기연금의 APV로 바꿀 수 있다.

$$\ddot{a}_{x\,:\,\overline{20|}} = \frac{1-A_{x\,:\,\overline{20|}}}{d} = 11.9585667$$

20년 정기연금은 10년 정기연금과 10년 거치 10년 정기연금으로 나누어 볼 수 있다. 즉, 20년 동안 매년 초에 연금을 받을 수 있는 방법은 다음의 두 계약으로 나누어 생각해 볼 수 있다. 우선 (x)세에 10년 정기연금을 가입하여 그 계약기간 동안 생존해 있으면 매년 초에 연금을 지급받을 수 있다. 그리고 그 계약의 만기 시점인 $(x+10)$세까지 피보험자가 생존해 있다면, 새로운 10년 정기 연금에 가입할 수 있고 이렇게 두 가지의 계약으로부터 본래의 20년 정기연금과 동일한 보장을 받을 수 있다. 이것을 식으로 표현하면 다음과 같다.

$$\ddot{a}_{x\,:\,\overline{20|}} = \ddot{a}_{x\,:\,\overline{10|}} + {}_{10}E_x \ddot{a}_{x+10\,:\,\overline{10|}}$$

$$\Rightarrow {}_{10}E_x \ddot{a}_{x+10\,:\,\overline{10|}} = \ddot{a}_{x\,:\,\overline{20|}} - \ddot{a}_{x\,:\,\overline{10|}} = 11.9585667 - 7.75 = 4.2085667$$

이제는 필요한 모든 값들을 다 구했으니 식 $(*)$에 대입해 보도록 한다.

$$3{,}000 = 100 \times \ddot{a}_{\overline{10|}} + k \times {}_{10}E_x \ddot{a}_{x+10\,:\,\overline{10|}}$$

$$= 100 \times \frac{1-(1.06)^{-10}}{\dfrac{0.06}{1.06}} + k \times 4.2085667$$

$$\Rightarrow \therefore\ k = 527.455291$$

Ⅲ 연 m회 지급 생명연금

여기서는 1년에 m회 연금 지급이 이루어지는 생명연금을 소개한다. 이해를 돕기 위해 이자론에서 살펴본 확정연금의 경우를 먼저 살펴보도록 하자. 1년에 m번을 지급하되 매회 $\dfrac{1}{m}$원씩 지급하는 기시급 확정연금의 지급구조는 다음의 그림과 같다.

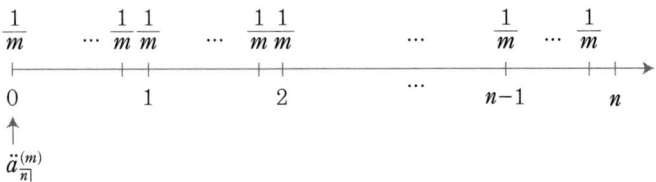

연금의 지급 주기가 다를 경우 비교를 위해 1년 동안 지급된 연금의 총액수를 기준으로 삼는다. 이하에서는 이를 '연금 연액' 또는 간단히 '연금액'으로 표현한다. 예를 들어 매월 초 1원씩 지급되는 연금을 '연금 연액'이 12원이고 지급 주기가 1개월인 기시급 연금으로 나타내는 것이다. '연금 연액'의 개념은 특히 연속형 연금의 경우 유용하다. 예를 들어 1년 동안 총 3원이 연속적으로 지급되는 연금은 '연금 연액이 3원인 연속형 연금'이라 표현할 수 있다.

매년 초 1원을 지급하는 연금과 비교해 볼 때 이자를 무시하면 1년 동안 지급되는 연금액의 크기는 1원으로 동일하다. 연 m회 지급연금의 현가를 나타내는 기호와 계산공식이 다음과 같음은 이미 이자론 부분에서 소개하였다.

$$\ddot{a}_{\overline{n}|}^{(m)} = \frac{1-v^n}{d^{(m)}}$$

$\ddot{a}_{\overline{n}|}^{(m)}$의 앞에 곱해지는 것은 매회 지급되는 연금액 $\dfrac{1}{m}$원이 아니라 연금연액 1원임에 주의해야 한다.

이제 생명연금의 경우를 보도록 하자. 연 m회 지급 종신연금의 경우 확정연금과 지급구조는 동일하지만 지급기간이 n년으로 정해진 것이 아니라 수급자가 사망할 때까지 지급된다는 점만 다를 뿐이다. 6개월에 한 번씩 지급되는 종신연금을 예로 들어보겠다. 이를 매년 초 1원이 지급되는 종신연금과 비교하여 나타낸 것이 아래의 그림이다.

1년 1회 지급:

1년 2회 지급:

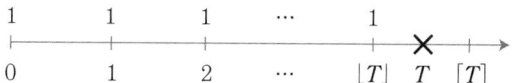

위 그림에서 알 수 있듯이 두 종신연금 모두 연금연액은 1원으로 동일하다. 또한 두 연금 모두 사망시까지 지급되고 기시급이라는 점도 동일하다. 다만 1년에 한 번 지급하는 경우 지급기간은 $\lceil T \rceil$이고 1년에 두 번 지급하는 경우 지급기간은 $\dfrac{\lceil 2T \rceil}{2}$라는 차이가 있다. 일반적인 경우로 연간 m회 지급되는 종신연금의 지급기간은 $\dfrac{\lceil mT \rceil}{m}$로 나타낼 수 있다. 따라서 연 m회 지급되는 종신연금의 현가는

$$\ddot{a}^{(m)}_{\frac{\lceil mT \rceil}{m}|} \tag{3.37}$$

으로 나타내고 그 기대값을 $\ddot{a}^{(m)}_x$으로 표기한다. 기대값의 계산은 다음과 같다.

$$\ddot{a}^{(m)}_x = E\left[\ddot{a}^{(m)}_{\frac{\lceil mT \rceil}{m}|}\right] = E\left[\frac{1 - v^{\frac{\lceil mT \rceil}{m}}}{d^{(m)}}\right] = \frac{1 - A^{(m)}_x}{d^{(m)}} \tag{3.38}$$

식 (3.38)의 세 번째 등식은 2장의 식

$$A^{(m)}_x = E\left[v^{\frac{\lceil mT \rceil}{m}}\right] \tag{2.96}$$

를 이용한 것이다. 식 (3.38)를 계산할 때 연 1회 지급하는 종신연금의 식 (3.9)와 유사하게 다음과 같이 계산할 수 있다.

$$\ddot{a}_x^{(m)} = \sum_{k=0}^{\infty} \frac{1}{m} v^{\frac{k}{m}} {}_{\frac{k}{m}} p_x \tag{3.39}$$

이에 대한 해석은 다음과 같다.

$$\ddot{a}_x^{(m)} = \sum_{k=0}^{\infty} \underbrace{\frac{1}{m}}_{\substack{\text{연금} \\ \text{지급액}}} \cdot \underbrace{v^{\frac{k}{m}}}_{\substack{\text{할인} \\ \text{요소}}} \underbrace{{}_{\frac{k}{m}} p_x}_{\substack{\text{생존} \\ \text{확률}}}$$

즉, $\dfrac{k}{m}$ 라는 시점에 $\dfrac{1}{m}$ 을 지급받으려면 생존해 있어야 하므로 생존확률을 곱해 주어야 한다. 또한 현재가치(즉, 계약시점에서의 가치)로 전환하기 위해 할인해야 하므로 할인율도 $v^{\frac{k}{m}}$ 가 곱해지게 된 것이다.

식 (3.39)에서와 같이 $\ddot{a}_x^{(m)}$ 을 계산하기 위해서는 소수연령에 대한 가정이 필요하다. 여기서는 UDD 가정의 경우만을 살펴보도록 한다. 먼저 살펴볼 것은 $\ddot{a}_x^{(m)}$ 과 $\ddot{a}_x$ 의 관계이다. UDD 가정 하에서

$$A_x^{(m)} = \frac{i}{i^{(m)}} A_x \tag{2.94}$$

이고,

$$A_x = 1 - d\ddot{a}_x \tag{3.5}$$

이므로 이를 식 (3.38)의 오른쪽 마지막 식에 대입하여 전개하면 다음과 같다.

$$\ddot{a}_x^{(m)} = \frac{1 - A_x^{(m)}}{d^{(m)}}$$

$$\stackrel{\text{UDD}}{=} \frac{1 - \dfrac{i}{i^{(m)}} A_x}{d^{(m)}}$$

$$= \frac{i^{(m)} - i A_x}{i^{(m)} d^{(m)}}$$

$$= \frac{i^{(m)} - i(1 - d\ddot{a}_x)}{i^{(m)}d^{(m)}}$$

$$= \frac{id}{i^{(m)}d^{(m)}}\ddot{a}_x - \frac{i - i^{(m)}}{i^{(m)}d^{(m)}}$$

$$= \alpha(m)\ddot{a}_x - \beta(m) \tag{3.40}$$

식 (3.40)에서 $\alpha(m)$과 $\beta(m)$은 각각 다음을 나타내는 기호이다.

$$\alpha(m) = \frac{id}{i^{(m)}d^{(m)}}, \quad \beta(m) = \frac{i - i^{(m)}}{i^{(m)}d^{(m)}} \tag{3.41}$$

연 m회 지급이 이루어지는 n년 정기 기시급 연금은 종신연금과 거치연금과의 관계를 이용하여 나타낼 수 있다. 즉,

$$\ddot{a}_x^{(m)} = \ddot{a}_{x:\overline{n}|}^{(m)} + {}_{n|}\ddot{a}_x^{(m)} = \ddot{a}_{x:\overline{n}|}^{(m)} + {}_nE_x\ddot{a}_{x+n}^{(m)} \tag{3.42}$$

이므로 정기연금은 다음과 같다.

$$\ddot{a}_{x:\overline{n}|}^{(m)} = \ddot{a}_x^{(m)} - {}_nE_x\ddot{a}_{x+n}^{(m)} \tag{3.43}$$

식 (3.43)의 종신연금 부분에 식 (3.40)을 대입하여 전개하면 다음의 결과를 유도할 수 있다.

$$\ddot{a}_{x:\overline{n}|}^{(m)} = \ddot{a}_x^{(m)} - {}_nE_x\ddot{a}_{x+n}^{(m)}$$

$$= \alpha(m)\ddot{a}_x - \beta(m) - {}_nE_x[\alpha(m)\ddot{a}_{x+n} - \beta(m)]$$

$$= \alpha(m)[\ddot{a}_x - {}_nE_x\ddot{a}_{x+n}] - \beta(m)[1 - {}_nE_x]$$

$$= \alpha(m)\ddot{a}_{x:\overline{n}|} - \beta(m)[1 - {}_nE_x] \tag{3.44}$$

📖 예제 3.10

6개월에 한번씩 $\frac{1}{2}$원을 지급하는 종신연금이 있다. 연금 지급은 지급주기 (6개월)의 시작 시점에 이루어진다. 다음의 조건을 이용하여 물음에 답하시오.

(i) 소수 연령에 대하여 UDD 가정을 적용한다.

(ii) $q_{69} = 0.03$

(iii) $i = 0.05$

(iv) $1{,}000 \cdot \overline{A}_{70} = 600$

$\ddot{a}_{69}^{(2)}$ 를 구하시오.

해설 $\ddot{a}_{69}^{(2)}$ 의 지급구조를 나타내면 아래와 같다.

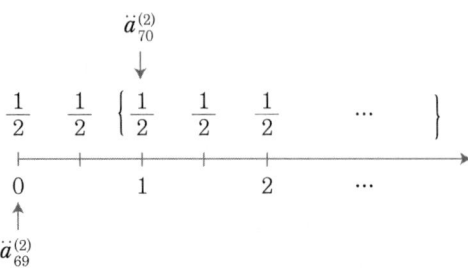

이를 0시점과 $\frac{1}{2}$ 시점에서 지급되는 연금과 그 이후에 지급되는 연금으로 나누어 생각해 볼 수 있다. 먼저 0 시점의 $\frac{1}{2}$ 은 연금 가입 시 바로 지급되므로 보험수리적 현가를 계산할 때 단순히 더해주면 된다. $\frac{1}{2}$ 시점에 지급되는 연금은 $\frac{1}{2}$ 기간 동안 생존해 있어야 지급되므로 생존확률인 $_{\frac{1}{2}}p_{69}$ 와 할인요소인 $v^{\frac{1}{2}}$ 를 곱하여 더해준다. 1시점부터 지급되는 연금의 보험수리적 현가는 70세인 사람을 기준으로 보았을 때, $\ddot{a}_{70}^{(2)}$ 로 나타낼 수 있다. 이를 다시 69세에서의 현가로 나타내기 위해 $_1E_{69}$ 또는 $v \cdot p_{69}$ 를 곱해주어야 한다. 따라서 다음의 등식이 성립한다.

$$\ddot{a}_{69}^{(2)} = \frac{1}{2} + \frac{1}{2} \cdot v^{\frac{1}{2}} \cdot {}_{\frac{1}{2}}p_{69} + v \cdot p_{69} \cdot \ddot{a}_{70}^{(2)}$$

여기서 $\ddot{a}_{70}^{(2)}$ 는 생명보험과의 관계를 이용하여 다음과 같이 계산할 수 있다.

$$\ddot{a}_{70}^{(2)} = \frac{1 - A_{70}^{(2)}}{d^{(2)}}$$

이제 문제의 조건 (iv)와 UDD 가정을 이용하여 $A_{70}^{(2)}$ 를 구하면,

$$A_{70}^{(2)} = \frac{\delta}{i^{(2)}} \overline{A}_{70} = \frac{\log(1+i)}{\left[(1+i)^{\frac{1}{2}} - 1\right] \times 2} \overline{A}_{70} = 0.5927$$

이고, 따라서

$$\ddot{a}_{70}^{(2)} = \frac{1-0.5927}{d^{(2)}} = \frac{1-0.5927}{0.04820} = 8.4502$$

이다. 그러므로 구하고자 하는 답은 다음과 같다.

$$\ddot{a}_{69}^{(2)} = \frac{1}{2} + \frac{1}{2} v^{\frac{1}{2}} \cdot {}_{\frac{1}{2}} p_{69} + v \cdot p_{69} \cdot \ddot{a}_{70}^{(2)}$$

$$= \frac{1}{2} + \frac{1}{2} \left(\frac{1}{1.05}\right)^{\frac{1}{2}} \cdot \left(1 - \frac{1}{2} \times 0.03\right) +$$

$$\left(\frac{1}{1.05}\right)(1 - 0.03)(8.4502)$$

$$= 8.7870$$

Ⅳ 연속형 생명연금

1. 종신연금

연속형 연금도 이자론에서 다루었던 확정연금의 개념과 유사하므로 먼저 연속적으로 지급이 이루어지는 확정연금을 아래의 그림을 통해 다시 살펴보 도록 하자.

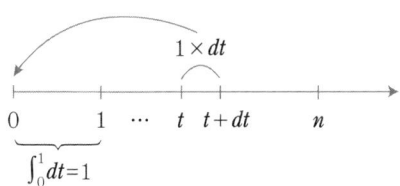

연간 지급되는 연금액이 1원인 경우 t시점에서 아주 짧은 시간 dt동안 지 급되는 금액은 $1 \times dt$이다. 현재가치를 계산하기 위해 이를 0시점으로 할인해 야 하므로 v^t를 곱한다. 전체 지급기간에 걸쳐 모든 시점에서 이 과정을 반복 하여 더해야 하므로 다음과 같은 식을 0장에서 유도하였다.

$$\bar{a}_{\overline{n|}} = \int_0^n v^t dt = \int_0^n e^{-\delta t} dt = \left[-\frac{1}{\delta} e^{-\delta t} \right]_0^n = \frac{1-e^{-\delta n}}{\delta} = \frac{1-v^n}{\delta}$$

$$\therefore \ \bar{a}_{\overline{n|}} = \frac{1-v^n}{\delta}$$

연속형 종신연금과 확정연금의 차이는 연금의 지급기간에서 나타난다. 종신연금의 경우 수급자가 사망할 때까지 연금이 지급된다는 점이 다르다. 따라서 연속형 종신연금의 현가를 나타내는 확률변수는

$$\bar{a}_{\overline{T|}} \tag{3.45}$$

로 나타낼 수 있고, 이산형 종신연금에서와 마찬가지로 확률변수의 기대값을 $\bar{a}_x$로 표시하고 다음과 같이 계산할 수 있다.

$$\bar{a}_x = E(\bar{a}_{\overline{T|}}) = E\left[\frac{1-v^T}{\delta} \right] = \frac{1-E[v^T]}{\delta} = \frac{1-\overline{A}_x}{\delta} \tag{3.46}$$

식 (3.46)은 앞서 살펴본 연 m회 지급 종신연금과의 관계를 이용해서 유도할 수도 있다. 즉, 식 (3.38)에서 $m \to \infty$인 경우 식 (3.46)을 얻게 된다.

$$\frac{1-A_x^{(m)}}{d^{(m)}} \xrightarrow{m \to \infty} \frac{1-\overline{A}_x}{\delta}$$

m이 커짐에 따라 명목할인율 $d^{(m)}$은 이력 δ로 수렴한다. 또한 m이 커짐에 따라 사망시점과 보험금이 지급되는 시점 사이의 시차가 점차 감소하여 사망 즉시 보험금 지급이 이루어지는 연속형 보험이 되는 것이다.

이제 식 (3.46)에서 기대값의 정의를 적분으로 나타내어 전개하자.

$$\begin{aligned} \bar{a}_x &= E\left(\bar{a}_{\overline{T|}} \right) \\ &= \int_0^\infty \bar{a}_{\overline{t|}} \, d(-{}_t p_x) \\ &= \left[\bar{a}_{\overline{t|}} \cdot (-{}_t p_x) \right]_0^\infty - \int_0^\infty (-{}_t p_x) d\bar{a}_{\overline{t|}} \end{aligned} \tag{3.47}$$

식 (3.47)의 마지막 등식의 첫 번째 항에 $t \to \infty$를 대입해 보면 다음과 같다.

$$\bar{a}_{\overline{n|}} = \frac{1-v^n}{\delta} \xrightarrow{n \to \infty} \frac{1}{\delta}$$

$_\infty p_x$는 0이므로 결국 상수 $1/\delta$와 0을 곱하게 되어 0이 된다. $t = 0$을 대입하면 $\overline{a}_{\overline{0}|}$이 0이 되므로 결국 식 (3.47)의 마지막 등식의 첫 번째 항은 0이다. 따라서 식 (3.47)의 마지막 등식에서 두 번째 항만 남게 되어 다음 식이 된다.

$$\overline{a}_x = \int_0^\infty {}_t p_x \, d\overline{a}_{\overline{t}|} \qquad (3.48)$$

여기서 $\overline{a}_{\overline{t}|} = \int_0^t v^z dz$이므로 미적분학의 기본정리에 의해

$$\frac{d\overline{a}_{\overline{t}|}}{dt} = v^t \qquad (3.49)$$

임을 알 수 있다. 따라서 연속형 종신연금의 보험수리적 현가를 계산하는 또 하나의 중요한 식을 유도할 수 있다.

$$\overline{a}_x = \int_0^\infty {}_t p_x \, d\overline{a}_{\overline{t}|} = \int_0^\infty {}_t p_x v^t dt \qquad (3.50)$$

이제 연속형 종신연금의 현가 $\overline{a}_{\overline{T}|}$의 분산을 구해보자. 기시급 종신연금의 경우와 마찬가지로 분산은 종신보험과의 관계를 이용하면 쉽게 유도할 수 있다.

$$Var\left(\overline{a}_{\overline{T}|}\right) = Var\left(\frac{1 - v^T}{\delta}\right) = \frac{1}{\delta^2} Var(v^T) = \frac{1}{\delta^2}\left[{}^2\overline{A}_x - \left(\overline{A}_x\right)^2\right] \qquad (3.51)$$

식 (3.46)의 마지막 등식과 식 (3.51)과 같이 생명보험과 생명연금 간의 관계를 이용하는 식은 이미 이산형 종신연금에서도 살펴본 바 있다. 이후 살펴볼 정기연금에서도 보험과 연금의 관계에 기반한 식은 반복된다. 중요하므로 잘 숙지해 두도록 하자.

예제 3.11

$\mu_x(t) = \mu$일 때 $\overline{a}_x$를 구하시오.

해설 연속형 종신연금의 보험수리적 현가를 나타내는 식 (3.50)을 이용하여 계산하면 다음과 같다.

$$\overline{a}_x = \int_0^\infty v^t \cdot {}_t p_x dt = \int_0^\infty e^{-\delta t} \cdot e^{-\mu t} dt = \int_0^\infty e^{-(\mu+\delta)t} dt = \frac{1}{\mu + \delta}$$

또는 연속형 종신보험과의 관계를 이용하여 다음과 같이 계산할 수도 있다.

$$\bar{a}_x = \frac{1 - \bar{A}_x}{\delta} = \frac{1 - \frac{\mu}{\mu + \delta}}{\delta} = \frac{1}{\mu + \delta}$$

참고로 문제를 풀고 난 정확한 답이 나왔는지 확인할 수 있는 방법으로 $\bar{a}_x$와 $\bar{A}_x$의 크기를 1과 비교해 보는 것이 있다. $\bar{a}_x$는 연금액 1원이 매 지급주기마다 지급되는 연금의 현가이므로 그 값이 1보다 커야 한다. 반면 $\bar{A}_x$는 사망 시 지급되는 1원의 현가이기 때문에 1보다 더 작은 값이 나와야 한다. 만약 계산결과가 이러한 조건을 만족하지 않는다면 계산과정을 다시 한 번 확인해야 한다.

예제 3.12

(x)는 연금액 1원인 연속형 종신연금에 가입하였다.
(i) 사력과 이력은 모두 상수이며 동일하다.
(ii) $\bar{a}_x = 12.50$

$\bar{a}_{\overline{T(x)|}}$의 표준편차를 구하시오.

해설 $\bar{a}_{\overline{T(x)|}}$는 연속형 종신연금의 현가를 나타내는 확률변수이다. 이 확률변수의 분산은 식 (3.51)을 이용하여 쉽게 계산할 수 있다.

$$Var\left(\bar{a}_{\overline{T(x)|}}\right) = Var\left(\frac{1 - v^T}{\delta}\right) = \frac{1}{\delta^2} \cdot Var(v^T) = \frac{1}{\delta^2} \cdot \left({}^2\bar{A}_x - \bar{A}_x^2\right)$$

문제에서 $\bar{a}_x = 12.50$가 주어지고 사력과 이력이 모두 동일한 상수라 했으므로 (예제 3.11)의 결과를 이용하면

$$\bar{a}_x = \frac{1}{\mu + \delta} = \frac{1}{\mu + \mu} = 12.5$$
$$\therefore \ \mu = \delta = 0.04$$

임을 알 수 있다. 또한 사력이 상수일 때 연속형(즉시급) 종신보험의 보험수리적 현가는 다음과 같이 쉽게 계산할 수 있음은 이미 2장에서 살펴보았다.

$$\bar{A}_x = \frac{\mu}{\mu + \delta} = \frac{1}{2}, \ {}^2\bar{A}_x = \frac{\mu}{\mu + 2\delta} = \frac{1}{3}$$

따라서 분산은

$$Var\left(\bar{a}_{\overline{T(x)|}}\right) = \frac{1}{\delta^2} \cdot \left({}^2\bar{A}_x - \bar{A}_x^2\right) = \frac{1}{0.04^2}\left(\frac{1}{3} - \left(\frac{1}{2}\right)^2\right) = 52.08333$$

이고 따라서 구해야 하는 표준편차는 다음과 같다.

$$\sqrt{Var\left(\overline{a}\,_{\overline{T(x)|}}\right)} = \sqrt{52.08333} = 7.216878$$

2. 정기연금

이미 이산형 연금에서 설명한 바와 같이 정기연금은 연금지급이 최대 n년 까지만 가능한 상품을 말한다. 다만 연금의 지급이 연속적으로 이루어질 뿐 기타 다른 조건은 이산형 정기연금과 동일하다. 따라서 연속형 정기연금의 현가를 나타내는 확률변수는

$$\overline{a}\,_{\overline{T \wedge n|}} \tag{3.52}$$

으로 나타내고 이 기대값은 다음과 같다.

$$\begin{aligned}
\overline{a}\,_{x:\overline{n|}} &= E\left(\overline{a}\,_{\overline{T \wedge n|}}\right) \\
&= \int_0^\infty \overline{a}\,_{\overline{T \wedge n|}} d(-\,_t p_x) \\
&= \int_0^n v^t\,_t p_x\, dt
\end{aligned} \tag{3.53}$$

식 (3.53)는 기대값의 정의를 Stieltjes 적분으로 계산했을 때의 결과이다. 식 (3.53)의 마지막 등식으로부터

$$\overline{a}\,_{x:\overline{n|}} = \int_0^n v^t \cdot\,_t p_x\, dt < \int_0^n v^t dt = \overline{a}\,_{\overline{n|}} \tag{3.54}$$

라는 부등식이 성립함을 알 수 있다. 왜냐하면 $\,_t p_x < 1$이기 때문이다. 즉, 기간이 n년인 확정연금보다 동일한 보장의 생명연금의 가치가 더 작다고 말할 수 있다. 확정연금은 무조건 지급이 되는 반면 생명연금은 생존하지 않는 사람들에게는 지급되지 않으므로 당연한 결과라 하겠다. 또한 연속형 정기연금 역시 이산형 정기연금과 유사하게 양로보험(생사혼합보험)을 이용하여 기대값을 나타낼 수 있다.

$$\overline{a}\,_{x:\overline{n|}} = E\left(\overline{a}\,_{\overline{T \wedge n|}}\right) = E\left(\frac{1 - v^{T \wedge n}}{\delta}\right) = \frac{1 - E(v^{T \wedge n})}{\delta} = \frac{1 - \overline{A}\,_{x:\overline{n|}}}{\delta} \tag{3.55}$$

식 (3.55)에서 알 수 있듯 연속형 정기연금의 경우 단지 보험금을 사망연

도말에 지급하는 양로보험 대신 사망즉시급 양로보험이 사용되었음을 확인할 수 있다.

$\overline{a}_{\overline{T \wedge n}|}$의 분산은 다음과 같다. 이 역시 사망즉시급 양로보험과의 관계를 통해 유도된다.

$$Var\left(\overline{a}_{\overline{T \wedge n}|}\right)= Var\left(\frac{1-v^{T \wedge n}}{\delta}\right)= \frac{1}{\delta^2}Var\left(v^{T \wedge n}\right)= \frac{1}{\delta^2}\left[{}^2\overline{A}_{x:\overline{n}|}-\left(\overline{A}_{x:\overline{n}|}\right)^2\right]$$

(3.56)

예제 3.13

30세인 사람이 연금 연액 1원이 연속적으로 지급되는 10년 정기연금에 가입하였다.

(i) $\overline{A}_{30}=0.6$

(ii) $\overline{A}^{1}_{30:\overline{10}|}=0.1$

(iii) $A_{30:\overline{10}|}^{1}=0.7$

(iv) $\delta=0.02$

이 연금의 일시납 보험료(또는 보험수리적 현가)를 구하시오.

해설 문제의 조건에서 생명보험에 대한 정보가 주어졌으므로 정기연금과 생사혼합보험과의 관계를 이용하여 답을 구하도록 한다.

$$\overline{a}_{30:\overline{10}|}= \frac{1-\overline{A}_{30:\overline{10}|}}{\delta}= \frac{1-\left(\overline{A}^{1}_{30:\overline{10}|}+A_{30:\overline{10}|}^{1}\right)}{\delta}= \frac{1-(0.1+0.7)}{0.02}=10$$

3. 거치연금

연속형 거치연금의 현가를 나타내는 확률변수는

$$_{n|}\overline{a}_{\overline{(T-n)_+}|}$$

(3.57)

로 나타낼 수 있다. 거치기간인 n년 이내에 사망할 경우 $(T-n)_+$가 0이 되어 확률변수의 값은 0이 된다(즉, $_{n|}\overline{a}_{\overline{0}|}=0$). 거치기간 이후에 사망할 경우에는 n시점부터 사망 시까지 $T-n$기간 동안 연금이 지급되므로 이 연속연금의 현가를 $_{n|}\overline{a}_{\overline{T-n}|}$로 나타낼 수 있다. 이산형 거치연금과 비교해 보기 바란

다. 연속형 거치연금의 기대값은 Stieltjes 적분을 사용하여 표현하면 다음과 같다.

$$_{n|}\bar{a}_x = E\left[_{n|}\bar{a}_{\overline{(T-n)_+}}\right]$$

$$= \int_0^\infty {_{n|}}\bar{a}_{\overline{(T-n)_+}}d(-_tp_x)$$

$$= \int_n^\infty v^t {_t}p_x dt \tag{3.58}$$

식 (3.58)과 연속형 정기연금의 식 (3.53)를 더하면 연속형 종신연금의 식 (3.50)과 같음을 알 수 있다.

$$\int_0^\infty v^t {_t}p_x dt = \int_0^n v^t {_t}p_x dt + \int_n^\infty v^t {_t}p_x dt \tag{3.59}$$

즉, 종신연금은 정기연금과 거치연금의 합으로 나타낼 수 있다는 것이다. 이러한 사실은 앞서 이산형 연금에서도 확인한 바 있다. 1년에 한 번 지급할 경우 혹은 1년에 m번 지급하는 경우 모두 이러한 등식은 성립한다. 연금뿐만 아니라 생명보험도 마찬가지임을 상기하기 바란다.

V 연금액이 변동하는 연금

1. 이산형 변동연금

2장의 생명보험에서 보험금이 변동하는 경우를 살펴보았다. 일정하게 증가 혹은 감소하는 경우 이러한 생명보험의 보험수리적 현가(APV)를 $(IA)_x$ 또는 $(DA)^1_{x:\overline{n}|}$ 등과 같은 기호를 사용하여 나타내고 기대값을 계산해 보았다. 생명연금도 지급액이 변동하는 경우를 생각해 볼 수 있다. 먼저 이산형 정기연금에서 연금액이 매년 증가하는 정기 생명연금을 살펴보자. 아래의 그림은 이 연금의 지급구조를 나타낸 것이다.

지급액 1   2   ··· $\lceil T \rceil$

$\xmapsto{\hspace{3cm}}$ $T \leq n$

0   1   ··· $\lfloor T \rfloor$ T $\lceil T \rceil$ $n-1$ n

지급액 1   2   ··· n

$\xmapsto{\hspace{3cm}}$ $T > n$

0   1   ··· $n-1$ n T

그림에서 알 수 있듯 이 정기 생명연금의 현가확률변수는

$$(I\ddot{a})_{\overline{\lceil T \wedge n \rceil}|} \tag{3.60}$$

으로 나타낼 수 있다. 따라서 이 현가의 기대값은 다음과 같다.

$$(I\ddot{a})_{x:\overline{n}|} = E\left[(I\ddot{a})_{\overline{\lceil T \wedge n \rceil}|}\right]$$
$$= \int_0^\infty (I\ddot{a})_{\overline{\lceil T \wedge n \rceil}|} d(-_t p_x) \tag{3.61}$$

식 (3.61)는 기대값의 정의에 따라 이를 Stieltjes 적분의 형태로 표현한 것이다. 이를 부분적분을 이용하여 나타내면 다음과 같다.

$$(I\ddot{a})_{x:\overline{n}|} = \left[(I\ddot{a})_{\overline{T \wedge n}|} \cdot (-_t p_x)\right]_0^\infty - \int_0^\infty -_t p_x \, d\left((I\ddot{a})_{\overline{t \wedge n}|}\right) \tag{3.62}$$

식 (3.62)의 오른쪽 부분의 첫 번째 항을 계산해 보도록 하자. $t \to \infty$ 이면 $_t p_x$ 는 0이 되고 $t=0$ 이면 $(I\ddot{a})_{\overline{t \wedge n}|}$ 이 0이 되어 결국 첫 번째 항은 0이 된다. 그리고 두 번째 항인 적분식의 구간을 0에서 n까지, 그리고 n에서 ∞ 까지 나눠서 생각해 보자. t가 n보다 크면 $(I\ddot{a})_{\overline{t \wedge n}|}$의 값에는 변화가 없으므로 $d(I\ddot{a})_{\overline{t \wedge n}|} = 0$이 되어 아래와 같이 t가 0에서 n사이일 때의 적분식만 남게 된다.

$$(I\ddot{a})_{x:\overline{n}|} = \int_0^n {}_t p_x \, d(I\ddot{a})_{\overline{t}|} \tag{3.63}$$

식 (3.63)의 계산을 위해

$$(I\ddot{a})_{\overline{n}|} = \sum_{k=0}^{n-1} (k+1)v^k \tag{3.64}$$

임을 이용하면 $d(I\ddot{a})_{\overline{\lceil t\rceil}}$는 t가 정수값을 갖는 부분에서 $(k+1)v^k$만큼 점프가 발생한다는 것을 알 수 있다. 따라서 다음의 등식이 성립한다.

$$(I\ddot{a})_{x:\overline{n}|} = \sum_{k=0}^{n-1} {}_kp_x \cdot (k+1)v^k \tag{3.65}$$

종신연금의 경우는 식 (3.65)를 이용하여 쉽게 유도할 수 있다. 즉, 계약기간이 $n \to \infty$일 경우 종신연금이 된다. 따라서 연금 지급액이 매년 증가하는 종신연금의 보험수리적 현가는 다음과 같다.

$$\begin{aligned}
(I\ddot{a})_x &= \lim_{n\to\infty}(I\ddot{a})_{x:\overline{n}|} \\
&= \lim_{n\to\infty}\sum_{k=0}^{n-1} {}_kp_x \cdot (k+1)v^k \\
&= \sum_{k=0}^{\infty} {}_kp_x(k+1)v^k
\end{aligned} \tag{3.66}$$

식 (3.66)을 거치 종신연금을 이용하여 나타낼 수도 있다.

$$(I\ddot{a})_x = \sum_{k=0}^{\infty} {}_{k|}\ddot{a}_x \tag{3.67}$$

식 (3.67)의 유도는

$$(IA)_x = \sum_{k=0}^{\infty} {}_{k|}A_x \tag{2.84}$$

임을 증명한 것과 유사하다. 즉, 보험수리적 현가(APV)를 이중 합 (double summation)으로 나타낸 후 이중 합의 순서를 교환하는 것이다. 다음은 식 (3.67)의 유도과정이다.

$$\begin{aligned}
(I\ddot{a})_x &= \sum_{k=0}^{\infty}(k+1)v^k\,{}_kp_x \\
&= \sum_{k=0}^{\infty}\left(\sum_{j=0}^{k}1\right)v^k\,{}_kp_x \\
&= \sum_{j=0}^{\infty}\left(\sum_{k=j}^{\infty}v^k\,{}_kp_x\right)
\end{aligned}$$

$$= \sum_{j=0}^{\infty} {}_{j|}\ddot{a}_x \tag{3.68}$$

식 (3.68)의 세 번째 등식에서 괄호 안의 합이 j년 거치 생명연금임을 나타내는 식 (3.29)가 이용되었다. 연금액이 매년 증가하는 정기연금의 경우 역시 유사한 방법으로 식 (3.65)를 다음과 같이 거치 생명연금을 이용하여 나타낼 수 있다.

$$(I\ddot{a})_{x:\overline{n|}} = \sum_{j=0}^{n-1} {}_{j|}\ddot{a}_{x:\overline{n-j|}} \tag{3.69}$$

이제 연금지급액이 매년 감소하는 경우를 알아보자. 연금액이 감소하는 경우 종신연금은 존재하지 않으므로 정기연금만을 고려한다. 이 경우 연금의 지급구조는 다음과 같다.

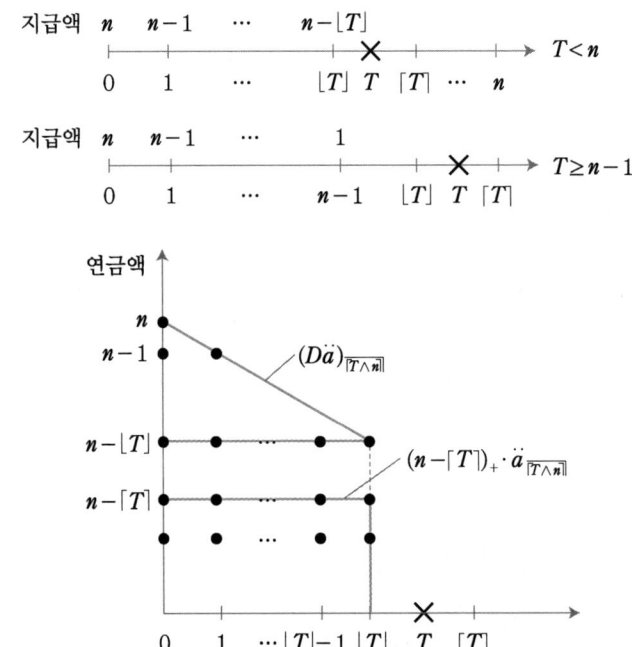

이 연금의 현가확률변수는

$$\sum_{k=0}^{\lceil T \wedge \bar{n} \rceil} (n-k) \cdot v^{k} \tag{3.70}$$

또는

$$(D\ddot{a})_{\overline{\lceil T \wedge \bar{n} \rceil}|} + (n - \lceil T \rceil)_{+} \cdot \ddot{a}_{\overline{\lceil T \wedge \bar{n} \rceil}|} \tag{3.71}$$

으로 나타낼 수 있다. 연금의 현가확률변수가 단순하지 않으므로 유의해서 살펴보기 바란다. 식 (3.70)은 그림에서 지급 연금액을 세로축 방향으로 더해 나아가는 방식을 의미한다. 반면 식 (3.71)은 가로축 방향으로 더해 연금의 현가를 나타낸 것이다. 식 (3.70)을 이용하여 이 연금의 보험수리적 현가를 다음과 같이 계산할 수 있다.

$$
\begin{aligned}
(D\ddot{a})_{x:\overline{n}|} &= E\left[\sum_{k=0}^{\lceil T \wedge \bar{n} \rceil} (n-k) \cdot v^{k} \right] \\
&= \int_{0}^{\infty} \sum_{k=0}^{\lceil t \wedge \bar{n} \rceil} (n-k) \cdot v^{k} d(-_{t}p_{x}) \\
&= \left[\sum_{k=0}^{\lceil t \wedge \bar{n} \rceil} (n-k) \cdot v^{k} \cdot (-_{t}p_{x}) \right]_{0}^{\infty} - \int_{0}^{\infty} (-_{t}p_{x}) d\left(\sum_{k=0}^{\lceil t \wedge \bar{n} \rceil} (n-k) \cdot v^{k} \right) \\
&= \sum_{k=0}^{n-1} (n-k) \cdot v^{k} {}_{k}p_{x} \tag{3.72}
\end{aligned}
$$

예제 3.14

50세인 사람이 정기연금에 가입하였다.

(i) 연금은 매년 초에 지급된다.

(ii) 첫 해의 연금액은 4,000원이고 이후 매년 200원씩 감소하여 마지막으로 지급되는 연금액은 2,200원이다.

(iii) $\delta = 0.06$

(iv) $\mu = 0.02$

이 생명연금의 일시납 보험료를 구하시오.

해설 연금의 지급구조를 그림으로 나타내면 다음과 같다.

먼저 연금의 지급기간, 즉 계약기간을 구해보도록 한다. 연금액은 초항이 4,000, 공차가 -200인 등차수열이므로

$$2200 = 4000 - 200(n-1)$$

을 만족하는 n을 찾으면 된다. $n=10$이므로 이 연금은 10년 정기연금임을 알 수 있다.

이 연금의 일시납 보험료, 즉 보험수리적 현가를 앞서 소개한 $(D\ddot{a})_{50:\overline{10}|}$ 기호를 나타내 보도록 하자. 연금의 감소액이 200원이므로 일단 $200(D\ddot{a})_{50:\overline{10}|}$ 으로 표기하면 이는 다음과 같은 지급구조를 갖는다.

```
2000    1800                              200
 +       +                                 +
(50)    (51)                              (59)
```

문제에서 주어진 연금의 지급구조와 동일하도록 맞춰주려면 다음과 같은 추가적인 연금이 필요함을 알 수 있다.

```
2000    2000                              2000
 +       +                                 +
(50)    (51)                              (59)
```

이 연금은 매년 초 2,000원을 지급하는 10년 정기연금이므로 구하고자 하는 답은

$$\text{일시납보험료} = 200(D\ddot{a})_{50:\overline{10}|} + 2{,}000\,\ddot{a}_{50:\overline{10}|}$$

으로 나타낼 수 있다. 이제 $(D\ddot{a})_{50:\overline{10}|}$ 과 $\ddot{a}_{50:\overline{10}|}$ 을 계산하면 된다. 먼저 $\ddot{a}_{50:\overline{10}|}$ 을 계산하면 아래와 같다.

$$\ddot{a}_{50:\overline{10}|} = \sum_{k=0}^{9} v^k \,_k p_{50} = \sum_{k=0}^{9} e^{-0.06k} e^{-0.02k}$$

$$= \sum_{k=0}^{9} e^{-0.08k} = \frac{1 - e^{-0.08 \times 10}}{1 - e^{-0.08}}$$

$$= 7.162394$$

$(D\ddot{a})_{50:\overline{10}|}$ 은 식 (3.72)를 이용하여 계산할 수 있다.

$$(D\ddot{a})_{50:\overline{10}|} = \sum_{k=0}^{9} (10-k) v^k \,_k p_{50}$$

$$= \sum_{k=0}^{9} (10-k) e^{-0.06k} e^{-0.02k}$$

$$= \sum_{k=0}^{9} 10e^{-0.08k} - \sum_{k=0}^{9} ke^{-0.08k}$$

첫번째 합은 등비수열의 합이므로 계산에 어려움이 없다.

$$\sum_{k=0}^{9} 10e^{-0.08k} = 10 \cdot \frac{1 - e^{-0.08 \times 10}}{1 - e^{-0.08}} = 71.62394$$

두번째 항은 멱급수로 처리해야 한다. 계산식을 유도하기 위하여

$$S = 0 + r + 2r^2 + 3r^3 + \cdots + nr^n = \sum_{k=0}^{n} kr^k$$

라 하면,

$$S = 0 + r + 2r^2 + 3r^3 + \cdots + nr^n$$

$$r \cdot S = r^2 + 2r^3 + \cdots + (n-1)r^n + n \cdot r^{n+1}$$

$$(1-r)S = r + r^2 + \cdots + r^n - n \cdot r^{n+1}$$

따라서 다음의 멱급수 공식을 유도 할 수 있다.

$$S = \frac{r(1 - r^n)}{(1-r)^2} - \frac{n \cdot r^{n+1}}{1-r} \tag{3.73}$$

$r = e^{-0.08}$, $n = 9$를 대입하면,

$$\therefore \; S = \sum_{k=0}^{9} ke^{-0.08k} = 27.553757$$

따라서 $(D\ddot{a})_{50:\overline{10}|} = 71.623940 - 27.553757 = 44.070183$이고, 구하고 자 하는 답은 이 결과를 대입하여 계산하면 된다.

$$APV = 200 \cdot (D\ddot{a})_{50:\overline{10}|} + 2{,}000\ddot{a}_{50:\overline{10}|}$$

$$= 200 \times 44.070183 + 2{,}000 \times 7.162394$$

$$= 23{,}138.8246$$

2. 연속형 변동연금

다음의 연금은 연속적으로 지급되나 연금 연액이 변동하는 경우이다. 먼 저 연금 연액이 연속적으로 증가 혹은 감소하는 경우를 살펴보자. 이해를 돕 기 위해 연금 연액이 연속적으로 증가하는 확정연금을 소개한다.

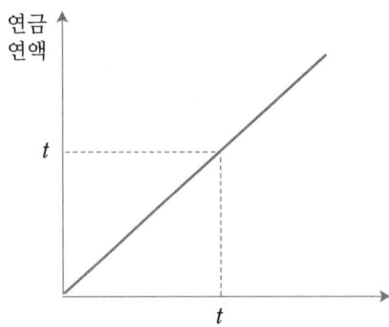

연금 연액이 연속적으로 증가하는 경우 t 시점에서 지급되는 연금액은 $t \times dt$이고 이것의 현가는 $v^t \cdot t\,dt$이므로 확정연금의 현가를 다음과 같이 나타낼 수 있다.

$$(\overline{I}\,\overline{a})_{\overline{t}|} = \int_0^t s \cdot v^s ds \tag{3.74}$$

앞서 소개한 확정연금과 유사한 정기 생명연금의 경우 연금의 현가는 $(\overline{I}\,\overline{a})_{\overline{T \wedge n}|}$로 나타낼 수 있고, 이의 기대값은 다음과 같다.

$$
\begin{aligned}
(\overline{I}\,\overline{a})_{x:\overline{n}|} &= E\left[(\overline{I}\,\overline{a})_{\overline{T \wedge n}|}\right] \\
&= \int_0^\infty (\overline{I}\,\overline{a})_{\overline{T \wedge n}|} d(-_t p_x) \\
&= \left[(\overline{I}\,\overline{a})_{\overline{T \wedge n}|}(-_t p_x)\right]_0^\infty - \int_0^\infty (-_t p_x) d(\overline{I}\,\overline{a})_{\overline{T \wedge n}|} \\
&= \int_0^n {}_t p_x d(\overline{I}\,\overline{a})_{\overline{t}|} \\
&= \int_0^n {}_t p_x t\,v^t dt \tag{3.75}
\end{aligned}
$$

식 (3.75)의 마지막 등식은 식 (3.74)와 미적분학의 기본 정리를 이용한 것이다. 즉, 식 (3.74)을 미분하면 미적분학의 기본정리에 의해

$$\frac{d}{dt}(\overline{I}\,\overline{a})_{\overline{t}|} = t \cdot v^t \Rightarrow d(\overline{I}\,\overline{a})_{\overline{t}|} = t \cdot v^t dt$$

이고 이를 식 (3.75)의 네 번째 등식 $d(\overline{I}\,\overline{a})_{\overline{t}|}$에 대입하면 식 (3.75)의 마지막

등식이 유도되는 것이다.

연금 연액이 연속적으로 증가하는 종신연금은 정기연금의 기대값을 나타내는 식 (3.75)를 이용하여 쉽게 유도할 수 있다. 연금액이 매년 증가하는 경우와 마찬가지로 $n \to \infty$ 이면 종신연금이 되므로 다음이 성립한다.

$$
\begin{aligned}
\left(\overline{I}\,\overline{a}\right)_x &= \lim_{n \to \infty} \left(\overline{I}\,\overline{a}\right)_{x:\overline{n}|} \\
&= \lim_{n \to \infty} \int_0^n {}_t p_x\, t v^t\, dt \\
&= \int_0^\infty {}_t p_x\, t v^t\, dt
\end{aligned}
\tag{3.76}
$$

연금 연액이 연속적으로 감소하는 정기생명연금을 알아보자. 아래의 그림은 이러한 정기연금의 지급구조를 보여준다.

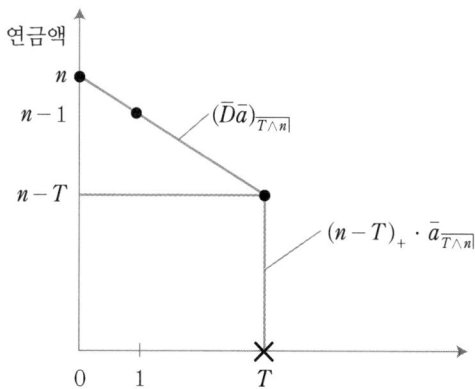

그림에서 알 수 있듯 이 연금의 현가확률변수는

$$
\int_0^{T \wedge n} (n-s) \cdot v^s\, ds
\tag{3.77}
$$

또는

$$
\left(\overline{D}\,\overline{a}\right)_{\overline{T \wedge n}|} + (n-T)_+ \cdot \overline{a}_{\overline{T \wedge n}|}
\tag{3.78}
$$

이다. 이 확률변수의 기대값은 다음과 같이 두 가지 방법으로 구할 수 있다.

먼저 식 (3.77)의 확률변수를 이용한 기대값을 살펴보자.

$$(\overline{Da})_{x:\overline{n}|} = E\left[\int_0^{\lceil T \wedge n\rceil} (n-s) \cdot v^s \, ds\right]$$

$$= \int_0^\infty \int_0^{\lceil t \wedge n\rceil} (n-s) \cdot v^s \, ds \, d(-{}_t p_x) \qquad (3.79)$$

식 (3.79)은 기대값의 정의에 따라 Stieltjes 적분의 형태로 나타낸 것이다. 이를 부분적분을 이용하여 나타내면 다음과 같다.

$$(\overline{Da})_{x:\overline{n}|} = \left[\left(\int_0^{\lceil t \wedge n\rceil} (n-s) \cdot v^s \, ds\right)(-{}_t p_x)\right]_0^\infty -$$

$$\int_0^\infty (-{}_t p_x) d\left(\int_0^{\lceil t \wedge n\rceil} (n-s) \cdot v^s \, ds\right) \qquad (3.80)$$

식 (3.80)에서 첫 번째 항을 계산하면 0임을 알 수 있다. 왜냐하면 $t \to \infty$ 일 때 ${}_t p_x = 0$ 이고, $t = 0$ 일 때 적분범위가 0에서 0까지이므로 적분값이 0이 되기 때문이다. 따라서 식 (3.80)의 두 번째 항만 남게 된다. 두 번째 항의 적분구간을 0에서 n까지, 그리고 n에서 무한대까지 나누어 생각해 보자. 그리고 이 구간에 따라 괄호 안에 있는 적분식에 어떠한 변화가 있게 될지에 주의하며 살펴보자. $t > n$인 경우 $\lceil t \wedge n\rceil = n$이므로 괄호 안의 적분값은 상수가 되고 $t < n$일 때는 $\lceil t \wedge n\rceil = t$이므로 식 (3.80)은 다음과 같이 간단히 나타낼 수 있다.

$$(\overline{Da})_{x:\overline{n}|} = \int_0^n {}_t p_x d\left(\int_0^t (n-s) \cdot v^s \, ds\right)$$

$$= \int_0^n {}_t p_x (n-t) \cdot v^t \, dt \qquad (3.81)$$

식 (3.81)의 최종결과는 미적분학의 기본정리를 이용하여 유도된 것이다.

다음으로 식 (3.78)에서 설명한 확률변수를 이용하여 다른 공식의 기대값을 유도해 보도록 하자. 기대값의 정의에 따라 Stieltjes 적분의 형태로 나타내면 다음과 같다.

$$(\overline{Da})_{x:\overline{n}|} = E\left[(\overline{Da})_{\overline{T \wedge n}|} + (n-T)_+ \overline{a}_{\overline{T \wedge n}|}\right]$$

$$= \int_0^\infty \left((\overline{Da})_{\overline{T \wedge n}|} + (n-t)_+ \cdot \overline{a}_{\overline{T \wedge n}|}\right) d(-{}_t p_x) \qquad (3.82)$$

이를 부분적분하면 다음과 같다.

$$\left(\overline{Da}\right)_{x:\overline{n}|} = \left[\left(\left(\overline{Da}\right)_{\overline{t\wedge n}|} + (n-t)_+ \cdot \overline{a}_{\overline{t\wedge n}|}\right)\left(-_tp_x\right)\right]_0^\infty$$

$$- \int_0^\infty \left(-_tp_x\right)d\left(\left(\overline{Da}\right)_{\overline{t\wedge n}|} + (n-t)_+ \cdot \overline{a}_{\overline{t\wedge n}|}\right) \tag{3.83}$$

식 (3.83)에서 첫 번째 항은 0이고, 식 (3.81)의 유도에서와 마찬가지로 두 번째 항의 적분범위를 나누어 계산하면 다음과 같음을 알 수 있다.

$$\left(\overline{Da}\right)_{x:\overline{n}|} = \int_0^n {}_tp_x \, d\left[\left(\overline{Da}\right)_{\overline{t}|} + (n-t)\overline{a}_{\overline{t}|}\right] \tag{3.84}$$

식 (3.84)에서 $d\left[\left(\overline{Da}\right)_{\overline{t}|} + (n-t)\overline{a}_{\overline{t}|}\right]$ 부분을 자세히 살펴보자.

$$\left(\overline{Da}\right)_{\overline{t}|} = \int_0^t (t-s)v^s ds$$

$$= \int_0^t \int_s^t dz v^s ds, \ 0 < s < z < t$$

$$= \int_0^t \int_0^z v^s ds dz$$

$$= \int_0^t \overline{a}_{\overline{z}|} dz \tag{3.85}$$

이므로 미적분학의 기본정리에 의해

$$\frac{d}{dt}\left(\overline{Da}\right)_{\overline{t}|} = \overline{a}_{\overline{t}|} \tag{3.86}$$

임을 알 수 있다. 또한

$$\frac{d}{dt}(n-t)\overline{a}_{\overline{t}|} = -\overline{a}_{\overline{t}|} + (n-t)v^t \tag{3.87}$$

이므로 식 (3.86)과 식 (3.87)을 식 (3.84)의 마지막 등식에 대입하면 다음의 결과가 유도된다.

$$\therefore \left(\overline{Da}\right)_{x:\overline{n}|} = \int_0^n {}_tp_x(n-t)v^t dt \tag{3.88}$$

예제 3.15

다음의 조건을 이용하여 $(\overline{I}\,\overline{a})_x$를 구하시오.

(i) $\mu = 0.005$

(ii) $\delta = 0.06$

해설 식 (3.76)을 이용하여 구해보도록 하자.

$$(\overline{I}\,\overline{a})_x = \int_0^\infty tv^t \,_t p_x dt = \int_0^\infty te^{-0.065t}dt$$

2장 생명보험에서 위와 같은 적분식을 보다 쉽게 계산하는 방법을 소개하였다. 즉, 지수분포의 기대값을 구하는 방법을 이용하는 것이다.

$$(\overline{I}\,\overline{a})_x = \int_0^\infty te^{-0.065t}dt = \frac{1}{0.065}\int_0^\infty t(0.065)e^{-0.065t}dt = \frac{1}{0.065^2}$$
$$= 236.68639$$

연금 연액이 연속적으로 변동하지 않고 1년마다 변동하는 경우 역시 고려해 볼 수 있다. 연금 연액이 매년 증가하는 정기연금의 경우 현가는 $(I\overline{a})_{\overline{T \wedge n}|}$으로 나타낼 수 있으므로 그 기대값은 다음과 같다.

$$
\begin{aligned}
(I\overline{a})_{x:\overline{n}|} &= E\left[(I\overline{a})_{\overline{T \wedge n}|}\right] \\
&= \int_0^\infty (I\overline{a})_{\overline{t \wedge n}|} d(-\,_t p_x) \\
&= \left[(I\overline{a})_{\overline{t \wedge n}|} \cdot (-\,_t p_x)\right]_0^\infty - \int_0^\infty (-\,_t p_x) d(I\overline{a})_{\overline{t \wedge n}|} \\
&= \int_0^n \,_t p_x \, d(I\overline{a})_{\overline{t}|} \\
&= \int_0^n \,_t p_x \cdot \lceil t \rceil \cdot v^t dt \tag{3.89}
\end{aligned}
$$

식 (3.76)을 유도한 것과 마찬가지로 연금 연액이 매년 증가하는 종신연금의 보험수리적 현가는 식 (3.89)에서 $n \to \infty$이면 된다. 따라서 다음의 등식이 성립한다.

$$
\begin{aligned}
(I\overline{a})_x &= \lim_{n \to \infty}(I\overline{a})_{x:\overline{n}|} \\
&= \lim_{n \to \infty}\int_0^n \,_t p_x \cdot \lceil t \rceil \cdot v^t dt
\end{aligned}
$$

$$= \int_0^\infty {}_tp_x \cdot \lceil t \rceil \cdot v^t dt \qquad (3.90)$$

이제 연금연액이 매년 감소하는 경우를 살펴보자. 이 연금액의 지급구조는 아래와 같다.

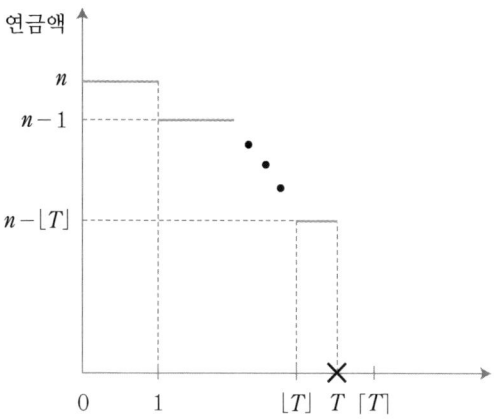

지급 연금의 현가확률변수는

$$\int_0^{T \wedge n} (n - \lfloor s \rfloor) v^s ds \qquad (3.91)$$

또는

$$(D\bar{a})_{\overline{T \wedge n|}} + (n - \lfloor T \rfloor)_+ \cdot \bar{a}_{\overline{T \wedge n|}} \qquad (3.92)$$

로 나타낼 수 있으며, 그 기대값은 다음과 같다.

$$(D\bar{a})_{x:\overline{n|}} = E\left[\int_0^{T \wedge n} (n - \lfloor s \rfloor) v^s ds\right]$$

$$= \int_0^\infty \int_0^{t \wedge n} (n - \lfloor s \rfloor) v^s ds d(-{}_tp_x)$$

$$= \left[\int_0^{t \wedge n} (n - \lfloor s \rfloor) v^s ds (-{}_tp_x)\right]_0^\infty$$

$$-\int_0^\infty (-\,_tp_x)d\left(\int_0^{t\wedge n}(n-\lfloor s\rfloor)v^s ds\right)$$

$$=\int_0^n \,_tp_x d\left(\int_0^{t\wedge n}(n-\lfloor s\rfloor)v^s ds\right)$$

$$=\int_0^n (n-\lfloor t\rfloor)v^t\,_tp_x dt \tag{3.93}$$

예제 3.16

x세인 사람이 종신연금에 가입하였다.

(i) 연금은 연속적으로 지급된다.

(ii) 첫 해의 연금 연액은 1원이고 이후 매년 1원씩 증가한다.

(iii) $\delta = 0.06$

(iv) $\mu = 0.02$

위 종신연금의 보험수리적 현가(APV)를 구하시오.

해설 구해야 하는 것은 $(\bar{I}a)_x$로 식 (3.90)을 이용하여 계산한다.

$$(\bar{I}a)_x = \int_0^\infty \lceil t\rceil v^t\,_tp_x dt$$

$$=\int_0^\infty \lceil t\rceil e^{-0.06t}e^{-0.02t}dt$$

$$=\int_0^1 1e^{-0.08t}dt+\int_1^2 2e^{-0.08t}dt+\int_2^3 3e^{-0.08t}dt+\cdots$$

$$=\sum_{k=0}^\infty \int_k^{k+1}(k+1)e^{-0.08t}dt$$

$$=\sum_{k=0}^\infty (k+1)\int_k^{k+1}e^{-0.08t}dt$$

$$=\sum_{k=0}^\infty (k+1)\frac{1}{0.08}\left[e^{-0.08k}-e^{-0.08(k+1)}\right]$$

$$=\frac{1}{0.08}\left(1-e^{-0.08}\right)\sum_{k=0}^\infty (k+1)e^{-0.08k}$$

첫번째 합은 멱급수로 식 (3.73)에 $n=\infty$와 $r=e^{-0.08}$을 대입하여 구할 수 있고, 두번째 합은 $r=e^{-0.08}$인 무한등비급수이다. 이를 계산하면 다음과 같다.

$$(\bar{I}a)_x = \frac{1}{0.08}\left(1-e^{-0.08}\right)(156.16669+13.00667)=162.58333$$

 지금까지 다양한 종류의 생명연금과 그 보험수리적 현가를 알아보았다. 특히 보험수리적 현가(APV)의 경우 연금의 현가를 나타내는 확률변수를 정의한 후 기대값의 정의에 따라 Stieltjes 적분을 이용하여 계산하였다. 그리고 기대값의 계산 결과는 보다 간단한 형태의 (연속형 연금의 경우) 적분식 혹은 (이산형 연금의 경우) 합으로 나타낼 수 있음을 확인하였다. 이를 종합해 보면 생명연금의 보험수리적 현가는 다음과 같은 형태로 나타낼 수 있음을 알 수 있다.

$$APV = \Sigma \ (\text{또는} \int) \ \text{지급액} \times \text{할인요소} \times \text{지급확률}$$

 예를 들어 연금 연액이 연속적으로 증가하는 경우는

$$(\overline{I}\,\overline{a})_x = \int \underbrace{v^t}_{\text{할인율}} \cdot \underbrace{{}_t p_x}_{\substack{\text{지급}\\\text{확률}}} \cdot \underbrace{t}_{\text{지급액}} dt$$

임을, 그리고 연금액이 매년 감소하는 경우 역시 유사하게

$$(D\ddot{a})_{x:\overline{n}|} = \sum \underbrace{v^k}_{\substack{\text{할인}\\\text{율}}} \cdot \underbrace{{}_k p_x}_{\substack{\text{지급}\\\text{확률}}} \cdot \underbrace{(n-k)}_{\text{지급액}}$$

로 나타낼 수 있음을 확인할 수 있다.

 이처럼 보험수리적 현가를 '세 가지 요소의 곱에 대한 총합'으로 표현할 수 있다는 사실은 연금의 지급구조가 복잡하더라도 간단히 보험수리적 현가를 계산할 수 있게 해 준다. 앞서 살펴본 바와 같이 연금액이 감소하는 생명연금의 경우 현가를 나타내는 확률변수가 매우 복잡하게 나타난다. 그리고 기대값의 정의에 의해 보험수리적 현가를 구하기가 쉽지 않았다. 그러나 이 경우 보험수리적 현가를 "세 가지 요소의 곱에 대한 총합"으로 나타내면 쉽게 처리할 수 있는 것이다. 그러나 한 가지 주의해야 할 점은 연금 현가의 분산을 구할 때는 이를 사용할 수 없다는 사실이다. "세 가지 요소의 곱에 대한 총합"은 단지 Stieltjes 적분을 계산한 결과이기 때문이다. 연금 현가의 2차적률은 직접 확률변수에 제곱한 후 그 기대값을 계산하거나 종신연금 혹은 정

기연금의 경우에서처럼 생명보험과의 관계를 이용해서 직접 분산을 계산해야 한다. 생명보험에서와 같이 단순히 δ 대신 2δ를 대입함으로써 2차적률을 구할 수 없다는 점에 주의하기 바란다.

예제 3.17

65세인 사람이 다음 3가지 종류의 정기 생명연금을 비교하려 한다. 모든 연금은 지급 주기가 1년인 이산형 연금이고 마지막 지급은 75세 시점에 이루어진다.

(i) 66세부터 연금액 5,000원을 지급받고 이후 연금액이 매년 500원씩 감소하는 연금의 보험수리적 현가는 14,000원이다.

(ii) 65세부터 1,000원의 연금이 지급되어 이후 75세까지 매년 지급액이 1,000원씩 증가하는 연금의 보험수리적 현가는 21,000원이다.

(iii) 65세부터 75세까지 연금액 1,000원이 지급되는 연금의 보험수리적 현가는 P이다.

P를 구하시오.

해설 문제를 풀기에 앞서 연금액이 증가하는 연금과 연금액이 감소하는 연금 사이에 다음의 관계가 성립한다는 것을 먼저 알아두도록 하자.

$$(I\ddot{a})_{x:\overline{n}|} + (D\ddot{a})_{x:\overline{n}|} = (n+1)\ddot{a}_{x:\overline{n}|}$$

이 등식은 각 연금의 지급구조를 생각해 보면 쉽게 이해할 수 있다. 연금액의 변화가 매년 발생하는 경우 이외에도 연금액이 연속적으로 변동하는 경우 역시 아래와 같이 유사한 등식을 생각해 볼 수 있다.

$$(\overline{I}\,\overline{a})_{x:\overline{n}|} + (\overline{D}\overline{a})_{x:\overline{n}|} = n\overline{a}_{x:\overline{n}|}$$

문제에게 제기된 세 가지 생명연금의 지급구조를 그림으로 나타내면 다음과 같다.

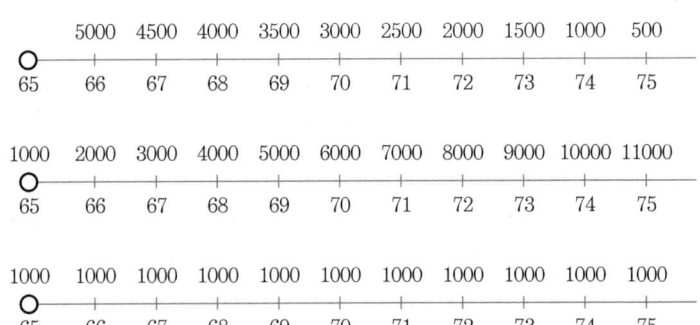

첫 번째 연금의 연금액은 500원씩 감소하는 반면 두 번째 연금의 연금액은 1,000원씩 증가하므로 연금액의 변동정도를 동일하게 맞추기 위해 첫 번째 연금의 지급액에 2를 곱하여 본다. 그리고 이를 두 번째 연금에 더해 보면 다음과 같은 지급구조를 갖게 된다.

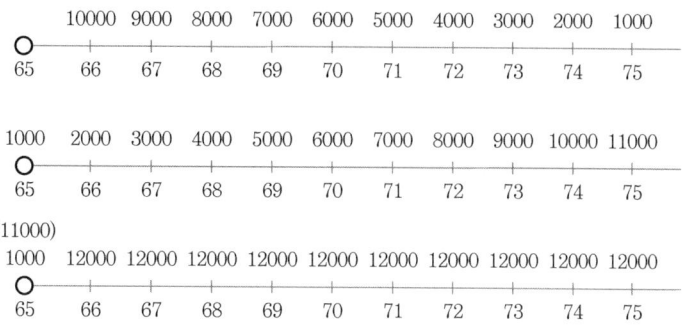

첫 번째 연금액이 감소하는 연금의 보험수리적 현가를 a_1, 두 번째 연금액이 증가하는 연금의 보험수리적 현가를 a_2라고 하면 P는 다음과 같이 계산할 수 있다.

$$12P = 11,000 + 2a_1 + a_2 = 11,000 + 2(14,000) + 21,000$$

$$\therefore \ P = 5,000$$

VI Woolhouse 공식의 생명연금에 활용

1. Woolhouse 공식

Woolhouse 공식은 소수연령 가정에 근거하지 않고, 연 m회 지급 생명연금, 혹은 연속형 생명연금의 보험수리적 현가를 계산하는 방법이다. 이는 Euler-Maclaurin 공식을 기반으로 하고 $\ddot{a}_x$로 $\ddot{a}_x^{(m)}$, 또는 $\bar{a}_x$를 표현한다. 이 방법은 수치 적분 방법으로 미분 가능한 함수의 적분을 급수 전개(series expansion)로 표현한 공식이다. 구체적으로, $\lim_{t \to \infty} g(t) = 0$을 만족하는 g(t)가 상수 h에 대한 식으로 다음과 같이 전개할 수 있다.

$$\int_0^\infty g(t)dt = h\sum_{k=0}^\infty g(kh) - \frac{h}{2}g(0) + \frac{h^2}{12}g'(0) - \frac{h^4}{720}g'''(0) + \cdots$$

여기서 우리는 우변에서 g의 고차 미분한 것을 생략하여 표현한다.

연금의 보험 수리적 현가의 근사치를 구하기 위해서 $g(t) = v^t {}_t p_x$라고 설정하면 위의 식은 $\bar{a}_x$를 나타낸다. 본장에서는 h의 2차 근사 공식(Three-term Woolhouse approximation formula)을 이용하므로 수치 적분 오차는 $\frac{h^3}{120}\int_0^\infty |g'''(t)|dt$로 표현할 수 있다. $g(0) = 1$, $\lim_{t\to\infty} g(t) = 0$라면

$$\begin{aligned} g'(t) &= {}_t p_x \frac{d}{dt}v^t + v^t \frac{d}{dt}\,{}_t p_x \\ &= {}_t p_x \frac{d}{dt}e^{-\delta t} + v^t \frac{d}{dt}\,{}_t p_x \\ &= -{}_t p_x \delta e^{-\delta t} - v^t\,{}_t p_x \mu_{x+t} \end{aligned}$$

이이 성립하므로 $g'(0) = -(\delta + \mu_x)$이 된다.

먼저 h=1을 대입하게 되면 다음과 같이 정리할 수 있다.

$$\begin{aligned} \sum_{k=0}^\infty g(k) - \frac{1}{2} + \frac{1}{12}g'(0) &= \sum_{k=0}^\infty v^k\,{}_k p_x - \frac{1}{2} - \frac{1}{12}(\delta + \mu_x) \\ &= \ddot{a}_x - \frac{1}{2} - \frac{1}{12}(\delta + \mu_x) \end{aligned} \tag{3.94}$$

또한, h=1/m을 대입하면 다음과 같다.

$$\begin{aligned} &\frac{1}{m}\sum_{k=0}^\infty g(k/m) - \frac{1}{2m} + \frac{1}{12m^2}g'(0) \\ &= \frac{1}{m}\sum_{k=0}^\infty v^{\frac{k}{m}}\,{}_{\frac{k}{m}} p_x - \frac{1}{2m} - \frac{1}{12m^2}(\delta + \mu_x) \\ &= \ddot{a}_x^{(m)} - \frac{1}{2m} - \frac{1}{12m^2}(\delta + \mu_x) \end{aligned} \tag{3.95}$$

이때, (3.94)와 (3.95)는 모두 $\bar{a}_x$의 근사값이므로 다음과 같이 두 식 또한 근사적으로 같다고 표현할 수 있다.

$$\ddot{a}_x^{(m)} - \frac{1}{2m} - \frac{1}{12m^2}(\delta + \mu_x) \approx \ddot{a}_x - \frac{1}{2} - \frac{1}{12}(\delta + \mu_x) \tag{3.96}$$

따라서 이를 통해 지급 주기가 다른 두 종신연금 사이의 관계의 근사식을 다음과 같이 정의할 수 있다.

$$\ddot{a}_x^{(m)} \approx \ddot{a}_x - \frac{m-1}{2m} - \frac{m^2-1}{12m^2}(\delta + \mu_x) \tag{3.97}$$

지급 주기가 다른 정기연금(term annuities) 사이의 관계식 또한 Woolhouse 근사 공식을 이용하여 구할 수 있다. $\ddot{a}_{x:\overline{n}|}^{(m)} = \ddot{a}_x^{(m)} - {}_nE_x \ddot{a}_{x+n}^{(m)}$ 임을 사용하여 h의 2차 근사 공식에 의해서 각각 관계식을 구하면 다음과 같다.

$$\ddot{a}_{x:\overline{n}|}^{(m)} \approx \ddot{a}_{x:\overline{n}|} - \frac{m-1}{2m}\left(1 - {}_nE_x\right) - \frac{m^2-1}{12m^2}\left(\mu_x + \delta - {}_nE_x(\mu_{x+n}+\delta)\right) \tag{3.98}$$

연 m회 지급 거치 종신 연금(temporary and deferred annuities) 사이의 관계식 또한 Woolhouse 근사 공식을 이용하여 구할 수 있다.

$$_{n|}\ddot{a}_x^{(m)} \approx {}_{n|}\ddot{a}_x - \frac{m-1}{2m}{}_nE_x - \frac{m^2-1}{12m^2}{}_nE_x\left(\mu_{x+n}+\delta\right) \tag{3.99}$$

다음으로 연속형 생명연금(continuous annuities)과 이산형 생명연금 사이의 관계식을 구하기 위해서는 (3.97)식과 (3.98)식에 각각 $m \to \infty$를 대입하여 구하면 다음과 같다.

$$\bar{a}_x \approx \ddot{a}_x - \frac{1}{2} - \frac{1}{12}\left(\mu_x + \delta\right) \tag{3.100}$$

$$\bar{a}_{x:\overline{n}|} \approx \ddot{a}_{x:\overline{n}|} - \frac{1}{2}\left(1 - v^n {}_np_x\right) - \frac{1}{12}\left(\delta + \mu_x - v^n {}_np_x(\delta + \mu_{x+n})\right) \tag{3.101}$$

만약, 정수 연령 정보에 μ_x에 대한 정보를 포함하지 않는 경우에 Woolhouse 공식을 사용하여 μ_x에 대한 근사식을 구할 수 있다. 이때 $_2p_{x-1} = \exp\left\{-\int_{x-1}^{x+1}\mu_s ds\right\} \approx \exp\{-2\mu_x\}$이 성립하므로 다음과 같이 정리할 수 있다.

$$\mu_x \approx -\frac{1}{2}\left[\log(p_{x-1}) + \log(p_x)\right] \tag{3.102}$$

📖 **예제 3.18**

h의 1차 근사 공식(Two-term Woolhouse approximation formula)
과 다음의 조건을 이용해서 $1{,}000\ddot{a}^{(2)}_{35:\overline{30|}}$을 구하시오.

1) $A_{35}=0.188$

2) $A_{65}=0.498$

3) $_{30}p_{35}=0.883$

4) $i=0.04$

🔍해설 h의 1차 근사 공식은 2차 근사 공식에서 마지막 항을 제외한 공식
으로 다음과 같다.

$$\bar{a}_{x:\overline{n|}} \approx \ddot{a}_{x:\overline{n|}} - \frac{1-{_n}E_x}{2} \approx \ddot{a}^{(m)}_{x:\overline{n|}} - \frac{1-{_n}E_x}{2m}$$

$$\ddot{a}^{(m)}_{x:\overline{n|}} \approx \ddot{a}_{x:\overline{n|}} - \frac{m-1}{2m}\left(1-{_n}E_x\right)$$

따라서 문제에서 주어진 조건을 이용하면 다음과 같다.

$$\bar{a}_{35:\overline{30|}} \approx \ddot{a}_{35:\overline{30|}} - \frac{1-{_{30}}E_{35}}{2} \approx \ddot{a}^{(2)}_{35:\overline{30|}} - \frac{1-{_{30}}E_{35}}{2\times 2} \quad (*)$$

$$d=\frac{0.04}{1.04},\ \ddot{a}_{35}=\frac{1-A_{35}}{d}=21.112,\ \ddot{a}_{65}=\frac{1-A_{65}}{d}=13.052,$$

$_{30}E_{35}=v^{30}\,_{30}p_{35}=0.272245$을 이용하여

$\ddot{a}_{35:\overline{30|}}=\ddot{a}_{35}-\ddot{a}_{65}\,_{30}E_{35}=17.558653$임을 알 수 있다.

식 (*)에 계산값을 대입하면 $\ddot{a}^{(2)}_{35:\overline{30|}}$를 구할 수 있다.

$$17.558653 - \frac{1-(0.883)1.04^{-30}}{2} \approx \ddot{a}^{(2)}_{35:\overline{30|}} - \frac{1-(0.883)1.04^{-30}}{2\times 2}$$

$$\ddot{a}^{(2)}_{35:\overline{30|}} \approx 17.37671435$$

$$\therefore 1{,}000\ddot{a}^{(2)}_{35:\overline{30|}} = 17{,}377$$

2. Woolhouse 공식과 UDD 근사의 정확도 비교

UDD근사와 Woolhouse공식을 이용한 근사의 정확도를 비교하면
Woolhouse공식으로 도출한 근사값이 더 정확하다. <표 3-1>은 $\ddot{a}^{(12)}_{x:\overline{10|}}$의 참값
과 각각의 근사 공식을 이용하여 구한 결과값과 참값 사이의 오차율(상대오차)
을 정리해 놓은 표이다. 이자율은 10%이고 참값의 계산은 Makeham's law
$\left(A=0.00022, B=2.7\times 10^{-6}, c=1.124\right)$를 가정한다.

❖ 표 3-1 $\ddot{a}_{x\,:\,\overline{10|}}^{(12)}$의 참값과 UDD, Woolhouse공식으로 구한 $\ddot{a}_{x\,:\,\overline{10|}}^{(12)}$의 근사값과 참값 사
　　　　　이의 상대오차

x	참값	(1)UDD	(2) W_2	(3) W_3	(4) W_3^*
20	6.4655	0	0.000758	0	0
30	6.4630	0	0.000758	0	0
40	6.4550	0	0.000759	0	0
50	6.4295	−0.0000155533	0.000762	0	0
60	6.3485	−0.0000472553	0.000788	0	0
70	6.0991	−0.00162319	0.000869	−0.0000163959	−0.0000163959
80	5.4003	−0.000259245	0.001296	0	0
90	3.8975	0.000564464	0.003643	0	0
100	2.0497	0.009855101	0.016832	0	−0.0000487876

<표 3-1>의 각 항목들은 다음을 의미한다. 참값은 Makeham's law 하에
서 계산한 값이고, (1)은 UDD가정 하에서 구한 APV 근사값과 참값의 상대
오차를 뜻한다. (2)는 h의 1차 근사 공식을, (3)은 h의 2차 근사 공식을 이용
해서 구한 APV 근사값(실제 사력값을 이용)과 참값의 상대오차를 나타낸다. 마
지막으로 (4)는 h의 2차 근사 공식을 이용해서 구한 APV 근사값(Woolhouse
공식으로 구한 사력의 근사값을 이용)과 참값의 상대오차를 의미한다.

Woolhouse 공식 외에도 Trapezium rule과 Repeated Simpson's rule 등
적분근사공식들이 있으나 Woolhouse 공식을 소개하는 이유는 정확도에 있
다. 표 3-1에서 W_3는 거의 모두 상대오차가 0인 값을 가지는 것으로 보아 h
의 2차 근사 공식은 다른 근사 관계식 보다 정확하다는 것을 알 수 있다. 또
한 W_3^*가 대부분 상대오차가 0인 값을 가지는 것으로 보아 Woolhouse 공식
으로 구한 사력을 이용해서 근사값을 구하더라도 정확도가 높은 편이라는 것
을 알 수 있다.

VII · 단원 요약표

• 이산형 연금

	확률변수	기대값	분산
종신연금	$\ddot{a}_{\overline{\lceil T\rceil\rceil}} = \dfrac{1-v^{\lceil T\rceil}}{d}$	$\ddot{a}_x = \sum\limits_{k=0}^{\infty} v^k{}_kp_x$	$\dfrac{{}^2A_x - (A_x)^2}{d^2}$
n년 정기연금	$\ddot{a}_{\overline{\lceil T\wedge n\rceil\rceil}} = \dfrac{1-v^{\lceil T\wedge n\rceil}}{d}$	$\ddot{a}_{x:\overline{n\rceil}} = \sum\limits_{k=0}^{n-1} v^k{}_kp_x$	$\dfrac{{}^2A_{x:\overline{n\rceil}} - \left(A_{x:\overline{n\rceil}}\right)^2}{d^2}$
n년 거치 종신연금	$_{n\lvert}\ddot{a}_{(\overline{\lceil T\rceil -n})_+\rceil}$	$_{n\lvert}\ddot{a}_x = \sum\limits_{k=n}^{\infty} v^k{}_kp_x$	$\dfrac{2}{d}v^{2n}{}_np_x\left(\ddot{a}_{x+n} - {}^2\ddot{a}_{x+n}\right) +$ ${}^2_{n\lvert}\ddot{a}_{x+n} - \left({}_{n\lvert}\ddot{a}_x\right)^2$
n년 지급기간 보증종신연금	$\ddot{a}_{\overline{\lceil T\vee n\rceil\rceil}}$	$\ddot{a}_{x:\overline{n\rceil}} = \ddot{a}_{\overline{n\rceil}} + \sum\limits_{k=n}^{\infty} v^k{}_kp_x$	$\dfrac{2}{d}v^{2n}{}_np_x\left(\ddot{a}_{x+n} - {}^2\ddot{a}_{x+n}\right) +$ ${}^2_{n\lvert}\ddot{a}_{x+n} - \left({}_{n\lvert}\ddot{a}_x\right)^2$

• 연속형 연금

	확률변수	기대값	분산
종신연금	$\bar{a}_{\overline{T\rceil}} = \dfrac{1-v^T}{\delta}$	$\bar{a}_x = \displaystyle\int_0^{\infty} v^t{}_tp_x\,dt$	$\dfrac{{}^2\overline{A}_x - (\overline{A}_x)^2}{\delta^2}$
n년 정기연금	$\bar{a}_{\overline{T\wedge n\rceil}} = \dfrac{1-v^{T\wedge n}}{\delta}$	$\bar{a}_{x:\overline{n\rceil}} = \displaystyle\int_0^{n} v^t{}_tp_x\,dt$	$\dfrac{{}^2\overline{A}_{x:\overline{n\rceil}} - (\overline{A}_{x:\overline{n\rceil}})^2}{\delta^2}$
n년 거치 종신연금	$\bar{a}_{\overline{T\wedge n\rceil}} - \bar{a}_{\overline{n\rceil}}$	$_{n\lvert}\bar{a}_x = \displaystyle\int_n^{\infty} v^t{}_tp_x\,dt$	$\dfrac{2}{\delta}v^{2n}{}_np_x\left(\bar{a}_{x+n} - {}^2\bar{a}_{x+n}\right) +$ ${}^2_{n\lvert}\bar{a}_{x+n} - \left({}_{n\lvert}\bar{a}_x\right)^2$

• 연금과 보험의 관계식

$\bar{a}_x = \dfrac{1 - \bar{A}_x}{\delta}$	$\bar{a}_{x:\overline{n}\|} = \dfrac{1 - \bar{A}_{x:\overline{n}\|}}{\delta}$
$\ddot{a}_x = \dfrac{1 - A_x}{d}$	$\ddot{a}_{x:\overline{n}\|} = \dfrac{1 - A_{x:\overline{n}\|}}{d}$
$\ddot{a}_x^{(m)} = \dfrac{1 - A_x^{(m)}}{d^{(m)}}$	$\ddot{a}_{x:\overline{n}\|}^{(m)} = \dfrac{1 - A_{x:\overline{n}\|}^{(m)}}{d^{(m)}}$

점화식	연 m 회지급 연금(UDD가정)
$\ddot{a}_x = 1 + vp_x \ddot{a}_{x+1}$	$\ddot{a}_x^{(m)} = \alpha(m)\ddot{a}_x - \beta(m)$
$a_x = vp_x \ddot{a}_{x+1}$	$\ddot{a}_{x:\overline{n}\|}^{(m)} = \alpha(m)\ddot{a}_{x:\overline{n}\|} - \beta(m)(_0E_x - {_nE_x})$
$\ddot{a}_{x:\overline{n}\|} = 1 + vp_x \ddot{a}_{x+1:\overline{n-1}\|}$	$_{n\|}\ddot{a}_x^{(m)} = \alpha(m)\,_{n\|}\ddot{a}_x - \beta(m)(_nE_x - {_\infty E_x})$
$\bar{a}_x = \bar{a}_{x:\overline{1}\|} + vp_x \bar{a}_{x+1}$	$\alpha(m) = \dfrac{id}{i^{(m)}d^{(m)}}, \ \beta(m) = \dfrac{i - i^{(m)}}{i^{(m)}d^{(m)}}$
$\bar{a}_{x:\overline{n}\|} = \bar{a}_{x:\overline{1}\|} + vp_x \bar{a}_{x+1:\overline{n-1}\|}$	

1. 60세인 사람이 연금 연액 1원인 연속형 종신연금에 가입하였다. 사망은 $\omega = 120$인 de Moivre 법칙을 따른다. $\delta = 0.05$일 때 다음 물음에 답하시오.
   (a) 이 연금의 현가확률변수가 α보다 작을 확률이 0.95가 되도록 α를 구하시오.
   (b) $\Pr\left(\bar{a}_{\overline{T|}} > \bar{a}_{60}\right)$을 구하시오.
   (c) 1,000명의 60세인 사람들로 구성된 집단을 고려한다. 이들의 장래생존기간은 독립임을 가정한다. 연금지급액이 1,000원일 때, 정규근사를 이용하여 95%의 경우 지급 연금액이 부족하지 않도록 보험회사가 계약 당시 지니고 있어야 할 기금의 규모를 구하시오.

2. 어떤 보험회사가 $\delta = 0.03$이고, $\mu_x(t) = 0.02$ $(t \geq 0)$을 가정하여 연금액이 1원인 연속형 종신보험의 보험수리적 현가를 계산하였다. 그러나 사력에 대한 새로운 정보를 입수하였다. 새로운 사력은 다음과 같다.
$$\mu_x(t) = \begin{cases} 0.02, & t \leq 10 \\ 0.01, & t > 10 \end{cases}$$
새로운 사력 하에서의 보험수리적 현가와 이전의 보험수리적 현가의 차이를 구하시오.

3. x세인 사람들로 구성된 어떤 집단이 있다. 다음의 정보를 이용하여 $\bar{a}_x$을 구하시오.
   (i) 이 집단 내 각 구성원들의 사력 μ는 구간 $[0.01, 0.02]$에서 균등분포를 따른다.
   (ii) $\delta = 0.01$

4. 다음을 증명하시오.
   (a) 연금액 1원, 연속형 n년 정기연금의 현가 확률변수를 Y라 할 때,
$$Var[Y] = \frac{2}{\delta}\left(\bar{a}_{x:\overline{n|}} - {}^2\bar{a}_{x:\overline{n|}}\right) - \left(\bar{a}_{x:\overline{n|}}\right)^2$$

(b) 연금액 1원, 연속형 n년 거치 종신연금의 현가확률변수를 Y라 할 때,

$$Var[Y] = \frac{2}{\delta} v^{2n}{}_{n}p_x \left(\overline{a}_{x+n} - {}^2\overline{a}_{x:+n} \right) - \left({}_{n|}\overline{a}_x \right)^2$$

5. 40세인 사람이 연금액 1원인 연속형 종신연금에 가입하였다. 사망은 $\omega = 120$인 de Moivre 법칙을 따르고, $\delta = 0.025$이라고 한다. 이 연금의 현가를 나타내는 확률변수를 Y라 할 때 Y의 75백분위수(75th percentile)를 구하시오.

6. 30세인 사람이 3년 정기 기시급 생명연금에 가입하였다.

(i) $s(x) = 1 - \dfrac{x}{80}, \ 0 \le x < 80$

(ii) $i = 0.06$

(iii) $Y = \begin{cases} \ddot{a}_{\overline{k+1|}}, & k = 0, \ 1, \ 2 \\ \ddot{a}_{\overline{3|}}, & k = 3, \ 4, \ 5, \ ... \end{cases}$

$Var(Y)$를 구하시오.

7. 40세인 사람에게 다음의 2가지 연금 지급 방법이 제시되었다.

- 일시금으로 10,000원을 지급받는다.
- 처음 10년간은 매년 초 K원을 생존여부에 상관없이 확정적으로 지급받고, 그 이후에는 생존해 있는 동안 매년 초에 K원을 지급받는다.

이 두 가지 방법의 보험수리적 현가는 동일하다고 할 때, 다음을 이용하여 K를 구하시오.

(i) $i = 0.04$

(ii) $A_{40} = 0.3$

(iii) $A_{50} = 0.35$

(iv) $A_{40:\overline{10|}}^{1} = 0.09$

8. 80세인 사람이 연금액이 1,000원인 기시급 종신연금에 가입하였다.

(i) 사망률은 선택기간이 1년인 선택종국표를 따른다.

(ii) $q_{[80]} = 0.5q_{80}$

(iii) $i = 0.05$

(iv) $1,000\ddot{a}_{80} = 5,650$

(v) $1,000\ddot{a}_{81} = 5,480$

위 종신연금의 보험수리적 현가를 구하시오.

9. 45세인 사람이 연금액이 1원인 6년 거치 기시급 종신연금에 가입하였다.

(i) $\mu = 0.01$

(ii) $i = 0.05$

(iii) $\ddot{a}_{45:\overline{6}|} = 5.4127$

(iv) H는 매년 지급된 연금액들의 합을 나타내는 확률변수이다.

$\Pr[H > {}_{6|}\ddot{a}_{45}]$을 구하시오.

10. 다음의 물음에 답하시오.

(a) ${}_tp_x = 0.5e^{-\frac{t}{50}} + 0.5e^{-\frac{t}{100}}$ 이고, 이력이 5%일 때 $\bar{a}_{x:\overline{20}|}$을 구하시오.

(b) x세인 피보험자를 고려한다. 보험금 1원인 10년만기 양로보험의 보험수리적 현가는 0.62이고, 10년만기 정기보험의 보험수리적 현가는 0.03이며, 종신보험의 보험수리적 현가는 0.15이다. 단, 사망시 보험금은 연도말에 지급된다고 한다. 이자율이 5%일 경우 ${}_{10|}\ddot{a}_x$를 구하시오.

11. 다음을 이용하여 $Cov[Y, Z]$를 구하시오.

(i) Y는 연금 연액이 1원인 20년 정기 연속형 생명연금의 현가확률변수이다.

(ii) Z는 보험금 1원이 사망 즉시 지급되는 20년만기 정기보험의 현가확률변수이다.

(iii) $\bar{A}^1_{x:\overline{20}|} = 0.062$, ${}^2\bar{A}^1_{x:\overline{20}|} = 0.040$

(iv) $\delta = 0.04$, ${}_{20}p_x = 0.99160$

12. 40세인 사람이 연금 연액이 1원인 연속형 종신연금에 가입하였다. 이 연금의 현가확률변수 Y라 할 때 다음을 이용하여 $\Pr[Y \leq 10]$을 구하시오.

  (i) $_tp_{40} = \left(\dfrac{60-t}{60} \right)^{0.5}$

  (ii) $\delta = 0.03$

13. 어떤 보험회사는 피보험자의 남은 여생 동안 요양시설 비용을 부담하는 상품을 판매하고 있다.

  (i) 요양시설에 들어온 피보험자는 그곳에서 사망 시까지 지낸다.

  (ii) 요양시설에 들어온 피보험자 각각에 대하여 사력은 μ로 일정하다.

  (iii) μ는 구간 $[0.5, 1]$에서 균등분포를 따른다.

  (iv) 요양비용은 연속적으로 매년 50,000원씩 발생한다.

  (v) $\delta = 0.045$

  요양시설에 들어온 피보험자 중 임의로 한 명을 선택하였을 때, 요양비용의 보험수리적 현가를 구하시오.

14. 다음을 이용하여 $_{1|}a_{70:\overline{2|}}$를 구하시오

  (i) $\mu_x = 0.0002 + 0.000003(1.1)^x$이다(Makeham 사망법칙).

  (ii) 연간 실이율은 5%이다.

15. 30세의 피보험자가 연금액이 200원인 30년 거치 기시급 종신연금에 가입하였다.

  (i) 거치기간에 사망할 경우 일시납 순보험료는 이자 없이 사망연도 말에 환불된다.

  (ii) 사망률은 ILT를 따른다.

  (iii) $i = 0.06$

  이 연금의 일시납 순보험료를 구하시오.

16. 다음을 이용하여 $Var\left(\bar{a}_{\overline{T|}}\right)$를 구하시오.

   (i) $\mu_{x+t} = c, \ t \geq 0$

   (ii) $\delta = 0.08$

   (iii) $\bar{A}_x = 0.3443$

17. 45세의 사람이 연금 연액이 1원인 20년 거치 종신연금에 가입하였다.

   (i) 사망률은 $\omega = 105$인 de Moivre 사망법칙을 따른다.

   (ii) $i = 0.05$

   연금 지급액의 합이 이 연금의 보험수리적현가보다 클 확률을 구하시오.

18. 다음의 조건을 이용하여 $\Pr\left(\bar{a}_{\overline{T(x)|}} > \bar{a}_x - g\right)$를 구하시오.

   (i) $\mu_{x+t} = 0.03 \ t \geq 0$

   (ii) $\delta = 0.05$

   (iii) g는 $\bar{a}_{\overline{T(x)|}}$의 표준편차이다.

19. 다음을 이용하여 이자율 i를 구하시오.

   (i) $\ddot{a}_x = 5.6$

   (ii) $\ddot{a}_{\overline{x.2|}} = 5.6459$

   (iii) $e_x = 8.83$

   (iv) $e_{x+1} = 8.29$

20. 다음은 (x)세 피보험자들로 구성된 집단에 대한 설명이다.

   (i) 집단의 30%는 흡연자이고, 나머지 70%는 비흡연자로 구성되어있다.

   (ii) 흡연자의 사력은 0.06이다.

   (iii) 비흡연자의 사력은 0.03이다.

   (iv) $\delta = 0.08$

무작위로 선택한 피보험자 한 명에 대한 $Var\left(\bar{a}_{\overline{T(x)}|}\right)$를 구하시오.

21. 피보험자 (x)는 다음과 같은 연금액을 매년 초에 지급하는 3년 정기연금에 가입하였다.

(i)

t	Annuity Payment	p_{x+t}
0	15원	0.95
1	20원	0.90
2	25원	0.85

(ii) $i=0.06$

이 연금 현가의 분산을 구하시오.

22. 피보험자(40)은 다음과 같은 종신연금에 가입하였다.

(i) Y는 연금 현가 확률변수이다.

(ii) 연금은 가입시점부터 시작해서 30년마다 한 번씩 지급된다.

(iii) 가입시점의 연금액은 10원이며 30년마다 10원씩 증가한다.

(iv) 사망률은 $\omega=110$인 de Moivre 사망법칙을 따른다.

(v) $i=0.04$

$Var(Y)$를 구하시오.

23. (한국 보험계리사 28회 4번) 다음은 보험계리사 홍길동이 개발하려고 하는 상품내용에 대한 설명이다.

(i) 기시급, 3년 정기 즉시 생명연금(immediate 3-year temporary life annuity-due)

(ii) x세 피보험자가 연금수령자

(iii) 적용하는 연금지급액, 예정사망율 및 예정이자율은 다음과 같다.

t 시점	B_{x+t}(연금지급액)	q_{x+t}(예정사망율)
0	1,000원	0.03
1	1,050원	0.05
2	1,092원	0.06

기간별 예정이자율(multiple assumed interest rates)

- 제1보험년도에 적용된 예정이율 5%
- 제2보험년도에 적용된 예정이율 4%
- 제3보험년도에 적용된 예정이율 3%

(a) 상기 상품에 대하여 향후 지급될 연금의 현가를 나타내는 확률변수 Y를 정의하시오.

(b) 기대값 $E[Y]$를 구하시오.

(c) 분산 $Var[Y]$를 구하시오.

24. (한국 보험계리사 29회 3번 변형) 현재 55세인 퇴직연금보험의 피보험자가 아래 (i)과 (ii)의 선택권을 부여 받았다.

(i) 현재 55세부터 기시급 종신연금액은 0.09원이다(10년 지급기간 보증).

(ii) 60세부터 기시급 연금액은 초기 5년간은 a, 이후 5년간은 2a, 그 이후에는 3a가 종신연금으로 지급된다(60세부터 10년 지급기간 보증). 단, 55세부터 연금개시 전까지는 사망관련 보장이 없다.

상기 조건으로 (i)과 (ii)의 보험수리적 현가가 동일하다고 할 때, 연금액 a를 계산하시오. (예정이율은 6.0%로 하며, 사망률은 부록의 Illustrative Life Table을 따른다.)

25. (한국 보험계리사 29회 5번) 주어진 조건이 다음과 같을 때, 기대값 $E\left[\ddot{a}_{\overline{Min(K(30)+1,\ 3)}|}\right]$를 구하시오.

(i) $K(30)$은 (30)세 피보험자의 장래개산생존기간(curtate future lifetime)을 나타내는 확률변수임.

(ii) $l_x = 100 - x,\ 1 \le x \le 100,\ v = 0.9$

CHAPTER 04

보 험 료

3장까지는 생명보험과 생명연금에 대하여 계약 시 일시불로 납입하는 일시납 보험료 계산방법을 배웠다. 이제 보험료를 분할 납입하는 경우를 보다 구체적으로 생각해보자. 이번 장에서 보험료(benefit premium)는 등식

보험료의 보험수리적 현가＝보험금의 보험수리적 현가
　　(APV of premiums)　　　　(APV of benefits)

즉, 수지상등의 원칙(equivalence principle)을 만족시키는 보험료 계산 방법을 먼저 살펴 볼 것이다. 이후 또 다른 보험료 산출 방법인 백분위 보험료(percentile premium) 산출 방법을 소개한다. 이 장에서 살펴볼 보험료는 '순보험료'로 이는 보험금을 감당하기 위해 받는 보험료를 말한다. 비용을 감안한 '영업보험료'는 차후 소개하도록 한다.

I 일시납과 분납

보험료는 영어로 premium이라고 한다. 보험료의 납입방식은 여러 가지가 있는데 제일 간단한 방식이 일시납(net single premium, NSP)이다. 일시납은 계약 시 한꺼번에 보험료를 내고 추후 보험료 납입 없이 보장만 받는 형태라고 할 수 있다. 또 다른 방식은 분납으로 월납, 6개월납, 연납 등이 있다. 분납 시 보험료 납입기간 동안 지속적으로 내야 하는 보험료가 얼마인지 계산하는 것

이 이번 장에서 살펴볼 내용이다. 일시납과 분납(연납)을 그림으로 나타내면 다음과 같다.

일시납

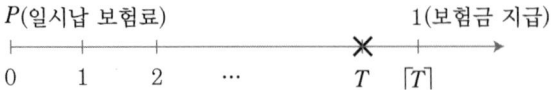

분납(연납)

위 그림에서 분납의 경우 보험료 납입기간 동안 동일한 액수의 보험료 P 가 납입되도록 설정되었는데 이 때의 보험료를 '평준(level) 보험료'라 한다. 분납의 경우에 주목하여 보험료 P를 구해보도록 하자. 예를 들어 보험료는 매년 초에 납입하고, 사망 보험금은 사망연도 말에 지급하는 종신보험을 생각해보자. 납입 보험료들의 0시점 보험수리적 현가는 $P \cdot \ddot{a}_x$라고 할 수 있다. 그리고 사망연도 말 지급되는 보험금의 보험수리적 현가는 A_x이다. 이 때 수지상등의 원칙에 의해 종신보험의 연납평준보험료를 계산하면 다음과 같다.

$$(보험료의\ APV) = (보험금의\ APV)$$
$$P \cdot \ddot{a}_x = A_x$$
$$\Rightarrow P = \frac{A_x}{\ddot{a}_x}$$

물론 보험료의 계산은 보험상품의 계약내용과 보험료 납입방식에 따라서 모두 다르다. 보험료의 연납, 월납 등의 분납 방식, 그리고 종신보장, 정기보장 등의 보장기간, 사망 즉시급, 연도 말 지급 등의 지급방식 등 다양한 요소의 영향을 받을 것이다. 앞으로 특별한 언급이 없을 경우에는 보험료 산출의 기본원리는 수지상등의 원칙을 따른다고 하자.

📖 **예제 4.1**

25세인 사람이 사망 즉시 보험금 1원을 지급하는 종신보험에 가입하였다. 생존해 있는 동안 매년 초에 일정한 액수의 보험료를 납입한다고 할 때, 보험료를 계산하시오.

(i) $\overline{A}_{25} = 0.2$

(ii) 소수 연령에 대해서는 UDD 가정을 적용한다.

(iii) $i = 0.05$

🔍해설 보험금의 보험수리적 현가는 $\overline{A}_{25} = 0.2$로 주어져 있으므로 보험료의 보험수리적 현가를 구하면 보험료를 계산할 수 있다. 보험료의 보험수리적 현가를 구하기 위해 $\ddot{a}_{25}$를 다음과 같이 계산한다.

$$A_{25} \overset{UDD}{=} \frac{\delta}{i} \cdot \overline{A}_{25} = 0.19516$$

$$\Rightarrow \ddot{a}_{25} = \frac{1 - A_{25}}{d} = \frac{1 - 0.19516}{0.047619} = 16.90166$$

따라서 다음 관계식을 이용하여 P를 계산할 수 있다.

$$P \cdot \ddot{a}_{25} = \overline{A}_{25}$$

$$\Rightarrow P = \frac{\overline{A}_{25}}{\ddot{a}_{25}} = \frac{0.2}{16.90166} = 0.01183$$

Ⅱ ▸ 보험금 지급시기와 보험료 납입시기에 따른 분류

순보험료(benefit premium)의 종류는 다음과 같이 계약의 종류별로 달라지게 된다. 아래에서 설명하는 용어에 익숙해지도록 하자.

	보험료 납입방식	보험금 지급 시점
연속형(fully continuous)	연속납(매 기간동안 연속 납입)	즉시급(사망즉시 지급)
이산형(fully discrete)	기시납(매 기간 초 납입)	기말급(사망연도 말 지급)
혼합형(semi continuous)	기시납(매 기간 초 납입)	즉시급(사망즉시 지급)

연속형(fully continuous) 보험에서는 보험료가 연속적으로 납입되는데 현실

적으로는 불가능하지만 월납 또는 매주 납입 또는 매일 납입 등의 보험료 산
출에 근사적인 값을 제공하는 방법으로 이론적 의의가 있다. 이산형(fully
discrete) 보험과 혼합형(semi continuous) 보험의 경우가 현실에서 많이 볼 수
있는 일반적인 경우이다. 이제부터는 구체적으로 각 계약 종류별 보험료 계산
방법에 대해 알아보자.

Ⅲ 연속납 / 즉시급 계약의 보험료

1. 종신보험

간단하게 보험료의 보험수리 기호를 작성하는 방법에 대해 살펴보자. 사
망 즉시급 종신보험의 일시납 보험료는 $\overline{A}_x$ 이다. 그리고 보험료 역시 보장기
간 동안 연속적으로 납입된다고 하자. 보험료는 P를 사용하여 표시하고, 보
험료 납입방식이 연속납 일 때는 P위에 '⁻'(bar)를 쓴다. 그리고 계산하고자
하는 보험상품의 보험금 지급이 사망 즉시(continuous) 이뤄진다면 $\overline{P}$의 우측
에 괄호를 써서 그 안에 해당 상품의 보험수리 기호를 작성하도록 한다. 앞으
로는 보험료의 보험수리 기호를 상품마다 작성할 줄 알아야 하며, 기호만 보
고 보험상품 및 보험료 납입방법을 알아볼 수 있어야 한다. 따라서 위에서 예
로 들은 종신보험의 연속납 보험료는 $\overline{P}(\overline{A}_x)$라고 표기한다. 따라서 보험료의
APV는 $\overline{P}(\overline{A}_x) \cdot \overline{a}_x$가 될 것이다. 이때 수입과 지출의 APV가 수지상등의
원칙에 의해 일치해야 하므로,

$$\overline{A}_x = \overline{P}(\overline{A}_x) \cdot \overline{a}_x$$

이다. 그러므로 순보험료(benefit premium)는 다음과 같이 구할 수 있다.

$$\overline{P}(\overline{A}_x) = \frac{\overline{A}_x}{\overline{a}_x} \tag{4.1}$$

여기서 주의해야 할 점은 $\overline{P}(\overline{A}_x)$는 1년간 납부하는 보험료의 총액을 의미한다는 점이다. 앞으로 대문자 P로 표현된 보험료의 보험수리 기호는 모두 1년 동안 납부하는 보험료 총액을 의미한다는 것을 알아두도록 하자.

이제 보험회사의 손실(loss)에 대해 생각해 보자. 보험회사의 손실(L)이란 특정한 시점을 기준으로 미래 발생될 지출의 현가에서 수입의 현가를 뺀 것을 말한다. 이를 확률변수 $_tL$ 또는 L로 나타낸다. 단, 이번 장에서는 주로 가입 시점에서 손실 현가 확률변수를 평가하게 되므로 $_0L$ 또는 L를 혼용하여 표시하고, 다음 장에서 배우게 될 계약 후 t년이 경과된 시점에서 평가한 손실 현가 확률변수는 $_tL$로 표시하도록 한다.

보험회사 입장에서 보험금 지급은 지출이고, 보험료는 수입이므로 L은 아래와 같이 정의된다.

$$L = \overbrace{1 \cdot v^T}^{\text{보험금의 현재가치}} - \underbrace{\overline{P}(\overline{A}_x) \cdot \overline{a}_{\overline{T}|}}_{\text{보험료의 현재가치}}$$

: 보험회사 관점(insurer's perspective)   (4.2)

확률적으로 L은 음수일 수도 있고, 양수일 수도 있다. L이 양수인 경우는 보험회사에 손실이 발생한다는 것을 의미한다. 사망시점 T가 작을 경우, 즉 피보험자가 가입 후 비교적 이른 시점에 사망할 경우 손실이 발생한다고 볼 수 있다. L이 음수인 경우는 반대로 보험회사에 이익이 발생한다고 볼 수 있다. 사망이 상대적으로 늦게 발생하여 보험료의 수입이 그것에 비해 더 많이 축적된 경우가 될 것이다. 보험사는 각 계약마다 계약시점에서 L을 생각해 볼 수 있는데 이 L을 이용하여 모든 계약에 대해 총손실을 관리할 수 있다.

L은 확률변수이므로 기대값 및 분산 등의 개념을 생각해 볼 수 있는데, 수지상등의 원칙을 통해 계산된 순보험료는 $E(L) = 0$을 만족하는 보험료이다. 먼저 L의 기대값을 살펴보자.

$$E(L) = E\left(v^T - \overline{P} \cdot \overline{a}_{\overline{T}|}\right) \tag{4.3}$$

이 때,

$$\overline{P} = \overline{P}(\overline{A}_x) \tag{4.4}$$

이다. 식 (4.4)를 식 (4.3)에 대입하면, $E[L] = 0$이 되는 것을 확인할 수 있다. 이제 L의 분산을 계산해 보자. 식 (4.2)의 확률변수에 분산을 취하면

$$Var(L) = Var\left(v^T - \overline{P} \cdot \overline{a}_{\overline{T}|}\right)$$

이다. 손실 확률변수의 값은 생존기간을 나타내는 확률변수 T의 값에 따라 결정되므로 위 식을 T가 포함된 v^T로 정리하면 다음과 같다.

$$Var(L) = Var\left(v^T - \overline{P}\left(\frac{1-v^T}{\delta}\right)\right) = Var\left(\left(1+\frac{\overline{P}}{\delta}\right) \cdot v^T - \frac{\overline{P}}{\delta}\right)$$

위 식에서 확률변수 v^T에 곱해져 있는 상수 $\left(1+\frac{\overline{P}}{\delta}\right)$는 제곱 처리하여 분산 밖으로 나온다. 그리고 확률변수 v^T는 종신보험의 보험금 현가를 나타내므로 2장 생명보험의 식 (2.4)에서 이미 살펴본 분산 식을 대입하면

$$Var(L) = \left(1+\frac{\overline{P}}{\delta}\right)^2 Var(v^T) = \left(1+\frac{\overline{P}}{\delta}\right)^2 \left[{}^2\overline{A}_x - (\overline{A}_x)^2\right]$$

이 된다. 따라서 연속납, 즉시급 종신보험의 0시점 손실 현가 확률변수에 대한 분산은 다음과 같다.

$$\therefore \ Var(L) = \left(1+\frac{\overline{P}}{\delta}\right)^2 \left[{}^2\overline{A}_x - (\overline{A}_x)^2\right] \tag{4.5}$$

예제 4.2

연속형(fully continuous) 종신보험의 순보험료(benefit premium)를 구하시오. 단, μ와 δ는 상수이다.

해설 사력이 상수인 경우 사망 즉시급, 종신보험의 APV를 구하는 공식인 2장의 식 (2.8) 그리고 종신보험과 종신연금 간의 관계를 이용하면 된다.

$$\overline{A}_x = \frac{\mu}{\mu+\delta}$$

$$\overline{a}_x = \frac{1-\overline{A}_x}{\delta} = \frac{1}{\mu+\delta}$$

종신보험과 종신연금의 보험수리적 현가를 이용하면 연속납, 즉시급 보험의 보험료를 다음과 같이 구할 수 있다.

$$\overline{P}\left(\overline{A}_x\right) = \overline{A}_x / \overline{a}_x = \mu$$

여기서 재미있는 사실은 상수 사력의 경우 1년간 납부하는 보험료의 총액이 μ가 된다는 점이다. 따라서 짧은 순간 $(t,\ t+dt]$에 납부하는 보험료는 $\mu\,dt$이다.

2. 정기보험

피보험자가 n년 안에 사망할 경우 즉시 1원을 지급하는 정기보험에 대해 연속납 보험료를 계산해 보자. 이 경우 0시점의 손실 확률변수는 다음과 같이 정의된다.

$$L = v^T \cdot I(T \le n) - \overline{P} \cdot \overline{a}_{\overline{T \wedge n|}} \tag{4.6}$$

수지상등의 원칙에 의한 보험료는 $E[_0L] = 0$을 만족하는 보험료이므로 이를 만족하는 보험료를 구해 보면 다음과 같다.

$$\overline{P}\left(\overline{A}^1_{x:\overline{n|}}\right) = \frac{\overline{A}^1_{x:\overline{n|}}}{\overline{a}_{x:\overline{n|}}} \tag{4.7}$$

간단한 예를 들어 직접 계산을 해보도록 하자. x세인 피보험자와 한계연령(생존자수가 0명이 되는 시점의 연령)이 ω인 De Moivre 사망법칙을 가정한다. 먼저 식 (4.7)에서 분자인 지출의 APV를 계산하면 다음과 같다.

$$\overline{A}^1_{x:\overline{n|}} = \int_0^n v^t\,_tp_x\mu_{x+t}dt = \int_0^n v^t \frac{1}{\omega-x}dt = \frac{\int_0^n v^t dt}{\omega-x} = \frac{\overline{a}_{\overline{n|}}}{\omega-x} \tag{4.8}$$

식 (4.8)에서 De Moivre 사망법칙은 장래생존기간 $T(x)$가 구간 $(0,\ w-x)$에서 균등분포를 따른다는 것을 의미하므로

$$f_{T(x)}(t) = {}_tp_x\mu_{x+t} = \frac{1}{\omega-x} \tag{4.9}$$

라는 사실을 이용하였다. 그리고 수입의 APV는

$$\overline{a}_{x:\overline{n|}} = \int_0^n \overline{a}_{\overline{t|}}\,_tp_x\mu_{x+t}dt + \int_n^{\omega-x} \overline{a}_{\overline{n|}}\,_tp_x\mu_{x+t}dt$$

으로 계산할 수 있지만, De Moivre 사망법칙 하에서는 생명보험의 APV를 구하는 것이 더 용이하므로 이를 이용한다. 따라서 생사혼합보험의 APV를 먼저 계산한 뒤 보험과 연금간의 관계식을 이용하여 정기연금의 APV를 구하도록 하자.

$$\overline{A}_{x\,:\,\overline{n}|} = \overline{A}^{\,1}_{x\,:\,\overline{n}|} + A_{x\,:\,\overline{n}|}^{\quad 1}$$

$$\overline{a}_{x\,:\,\overline{n}|} = \frac{1 - \overline{A}_{x\,:\,\overline{n}|}}{\delta}$$

식 (4.8)를 이용하면

$$\overline{a}_{x\,:\,\overline{n}|} = \frac{1 - \left(\dfrac{\overline{a}_{\overline{n}|}}{\omega - x} + v^n \times \dfrac{\omega - x - n}{\omega - x} \right)}{\delta} \qquad \left(\because \ _n p_x = \frac{\omega - x - n}{\omega - x} \right) \quad (4.10)$$

와 같이 수입의 APV를 구할 수 있다. 식 (4.8)에서 계산한 지출의 APV를 식 (4.10)에서 계산한 수입의 APV로 나누면 최종적으로 연속납 보험료 그대로를 얻게 된다.

$$\therefore \ \overline{P}\left(\overline{A}^{\,1}_{x\,:\,\overline{n}|} \right) = \frac{\overline{A}^{\,1}_{x\,:\,\overline{n}|}}{\overline{a}_{x\,:\,\overline{n}|}} = \frac{식\,(4.8)}{식\,(4.10)}$$

위 식으로부터 구한 보험료를 식 (4.6)에 대입하여 손실의 기대값을 구하면 당연히 0이 됨을 알 수 있다.

이번에는 손실의 분산을 계산해 보자.

$$Var(L) = Var\!\left(v^T \cdot I(\,T \le n\,) - \overline{P} \cdot \overline{a}_{\overline{T \wedge n}|} \right) \tag{4.11}$$

여기서 손실 확률변수를 조금 더 정리해 보면

$$L = v^T \cdot I(\,T \le n\,) - \overline{P} \cdot \overline{a}_{\overline{T \wedge n}|} = v^T \cdot I(\,T \le n\,) - \overline{P} \cdot \left(\frac{1 - v^{T \wedge n}}{\delta} \right)$$

$$= v^T \cdot I(\,T \le n\,) + \frac{\overline{P}}{\delta} \cdot v^{T \wedge n} - \frac{\overline{P}}{\delta} \tag{4.12}$$

식 (4.12)에서 마지막 등호 뒤의 확률변수를 이용하여 분산을 계산하는 것이 원래 손실 확률변수 정의(식 (4.6))를 그대로 이용하는 것보다 쉽다.

$$Var[L] = Var\left[v^T \cdot I(T \le n) + \frac{\overline{P}}{\delta} \cdot v^{T \wedge n} - \frac{\overline{P}}{\delta}\right]$$

$$= Var\left[v^T \cdot I(T \le n) + \frac{\overline{P}}{\delta} \cdot v^{T \wedge n}\right] \qquad (4.13)$$

식 (4.13)는 두 확률변수의 합으로 이루어진 것으로 이 경우 분산은 다음과 같이 구할 수 있다.

$$Var(aX \pm bY) = a^2 Var(X) + b^2 Var(Y) \pm 2ab Cov(X, Y) \qquad (4.14)$$

식 (4.14)을 이용하여 식 (4.13)을 계산하면 다음과 같다.

$$Var[L] = Var[v^T \cdot I(T \le n)] + \left(\frac{\overline{P}}{\delta}\right)^2 \times Var[v^{T \wedge n}] + 2\left(\frac{\overline{P}}{\delta}\right) \times$$
$$Cov[v^T \cdot I(T \le n), \ v^{T \wedge n}] \qquad (4.15)$$

식 (4.15)에서 첫 번째와 두 번째 항의 분산은 다음과 같이 쉽게 구할 수 있다.

$$Var[v^T \cdot I(T \le n)] = {}^2\overline{A}{}^1_{x:\overline{n}|} - \overline{A}{}^1_{x:\overline{n}|}{}^2, \qquad Var[v^{T \wedge n}] = {}^2\overline{A}_{x:\overline{n}|} - \overline{A}_{x:\overline{n}|}{}^2$$
$$(4.16)$$

이제 마지막으로 공분산은

$$Cov(X, Y) = E(XY) - E(X)E(Y) \qquad (4.17)$$

임을 이용하면 된다.

$$Cov[v^T \cdot I(T \le n), \ v^{T \wedge n}] = E[(v^T \cdot I(T \le n)) \cdot v^{T \wedge n}] -$$
$$E[v^T \cdot I(T \le n)]E[v^{T \wedge n}] \qquad (4.18)$$

이고, 첫 번째 항의 기대값을 구하기 위해서는 장래생존기간 T를 구간별로 나누어 고려해야 한다.

$$(v^T \cdot I(T \le n)) \cdot v^{T \wedge n} = \begin{cases} v^T \cdot v^T, & T \le n \\ 0 \cdot v^n = 0, & T > n \end{cases}$$

이므로 위의 확률변수에 대한 기대값은

$$E[(v^T)^2 \cdot I(T \le n)] = {}^2\overline{A}{}^1_{x:\overline{n}|}$$

임을 알 수 있다. 따라서 식 (4.18)의 공분산은 다음과 같다.

$$Cov\left[v^T \cdot I(T \leq n), \ v^{T \wedge n}\right] = {}^2\overline{A}^{\,1}_{x:\overline{n}|} - \overline{A}^{\,1}_{x:\overline{n}|} \cdot \overline{A}_{x:\overline{n}|} \tag{4.19}$$

식 (4.16)에서 식 (4.19)까지의 결과를 식 (4.15)에 대입하면 연속납, 즉시급 정기보험의 손실함수에 대한 분산을 최종적으로 구할 수 있고, 그 식은 다음과 같다.

$$Var[L] = \left({}^2\overline{A}^{\,1}_{x:\overline{n}|} - \overline{A}^{\,1}_{x:\overline{n}|}{}^2\right) + \left(\frac{\overline{P}}{\delta}\right)^2 \cdot \left({}^2\overline{A}_{x:\overline{n}|} - \overline{A}_{x:\overline{n}|}{}^2\right) +$$

$$2\left(\frac{\overline{P}}{\delta}\right) \times \left[{}^2\overline{A}^{\,1}_{x:\overline{n}|} - \overline{A}^{\,1}_{x:\overline{n}|} \cdot \overline{A}_{x:\overline{n}|}\right] \tag{4.20}$$

식 (4.5)은 연속납, 즉시급 종신보험의 손실함수에 대한 분산이고, 식 (4.20)은 연속납, 즉시급 정기보험의 손실함수에 대한 분산이다. 종신보험의 경우 매우 간단한 식으로 유도되었기 때문에 공식을 암기하는 데 무리가 없을 것이다. 그러나 이번 절에서 살펴 본 정기보험의 경우처럼 보험료 납입기간과 보험계약기간이 다른 경우 손실의 분산은 공분산을 계산해야 하는 경우가 많다. 따라서 단순히 공식을 외우기 보다는 유도과정 자체를 잘 이해하여 어떤 보험상품에서도 적용해 볼 수 있어야겠다.

예제 4.3

2013년 1월 1일 40세의 피보험자는 사망 시 100,000원을 지급하는 10년 정기보험을 계약했다. 보험료는 가입 시점부터 5년 동안만 납입된다.
(i) 사망보험금은 즉시 지급한다.
(ii) 피보험자는 5년 동안 매년 보험료 4,000원을 연속적으로 납입한다.
(iii) $i = 0.05$
(iv) L은 가입시점에 정의된 장래 손실 현가 확률변수이다
피보험자가 2015년 6월 30일에 사망할 경우 L의 값을 구하시오.

해설 위의 전체보험을 그림으로 나타내면 다음과 같다.

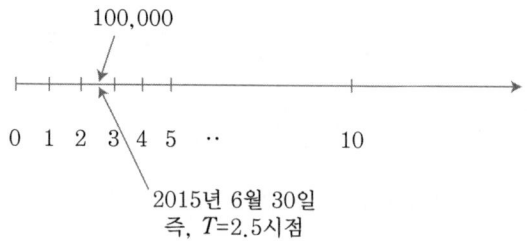

보험료는 2.5년 동안 연속적으로 2.5회 납입하였으므로 $\overline{a}_{\overline{2.5}|}$이다. 손실현가 확률변수 '$L$=지출의 현가-수입의 현가'이므로 다음과 같이 표현된다.

$$L = 100{,}000v^{2.5} - 4{,}000\overline{a}_{\overline{2.5}|} \quad : \quad T = 2.5시점\ 평가$$

$$\therefore\ L = 79{,}102.83187$$

3. 생사혼합보험

이제 n년 생사혼합보험(양로보험)의 순보험료를 생각해 보자. 수지상등의 원칙에 의해 다음 식이 성립한다.

$$\overline{A}_{x:\overline{n}|} = \overline{P}\left(\overline{A}_{x:\overline{n}|}\right) \cdot \overline{a}_{x:\overline{n}|}$$

$$\Rightarrow\ \overline{P}\left(\overline{A}_{x:\overline{n}|}\right) = \frac{\overline{A}_{x:\overline{n}|}}{\overline{a}_{x:\overline{n}|}} \tag{4.21}$$

위 식에서 $\overline{P}$ 기호 우측 괄호 안의 기호는 해당 보험상품의 보험수리 기호임을 이미 소개했었다. 이제 생사혼합보험에 대해 가입시점의 손실현가 확률변수를 정의해 보자.

$$L = v^{T \wedge n} - \overline{P} \cdot \overline{a}_{\overline{T \wedge n}|} = v^{T \wedge n} - \overline{P} \cdot \left(\frac{1 - v^{T \wedge n}}{\delta}\right) = \left(1 + \frac{\overline{P}}{\delta}\right) \cdot v^{T \wedge n} - \frac{\overline{P}}{\delta} \tag{4.22}$$

앞서 종신보험의 경우와 마찬가지로 수지상등의 원칙에 의한 $\overline{P}$를 사용한다면 당연히 $E[L] = 0$이다. 다음으로 분산을 계산해 보자. 2장 생명보험의 식 (2.18)에서 계산한 즉시급 생사혼합보험의 분산을 이용하면 다음과 같은 공식을 쉽게 유도할 수 있다.

$$Var(L) = \left(1 + \frac{\overline{P}}{\delta}\right)^2 Var\left(v^{T \wedge n}\right)$$

$$= \left(1 + \frac{\overline{P}}{\delta}\right)^2 \left[{}^2\overline{A}_{x:\overline{n}|} - \left(\overline{A}_{x:\overline{n}|}\right)^2\right] \tag{4.23}$$

지금까지는 보험료 납입기간과 보험계약기간이 동일한 '전기납(보험계약 전기간 동안 납입)' 보험료 산출 방법에 대해 알아보았다. 이번에는 보험료 납입기간이 계약기간보다 짧게 설정된 경우에 대해 살펴보겠다. h년납 n년 생사혼합보험은 계약 보장기간은 n년이고 보험료 납부기간은 h년인 보험($h < n$)을 의미한다. 수지상등의 원칙에 의해 아래의 식이 성립함을 알 수 있다.

$$\overline{A}_{x:\overline{n}|} = {}_h\overline{P}\left(\overline{A}_{x:\overline{n}|}\right) \cdot \overline{a}_{x:\overline{h}|}$$

이것을 보험료만 남기고 정리하면 아래와 같이 나타낼 수 있다.

$${}_h\overline{P}\left(\overline{A}_{x:\overline{n}|}\right) = \frac{\overline{A}_{x:\overline{n}|}}{\overline{a}_{x:\overline{h}|}} \tag{4.24}$$

여기서 보험료의 보험수리 기호의 좌측 첨자 h는 보험료 납입기간을 추가적으로 표시하기 위한 것이다.

생사혼합보험의 손실 현가확률변수는 다음과 같이 정의할 수 있다.

$$L = v^{T \wedge n} - {}_h\overline{P} \cdot \overline{a}_{\overline{T \wedge h}|}$$
$$= v^{T \wedge n} - {}_h\overline{P} \cdot \frac{1 - v^{T \wedge h}}{\delta} \tag{4.25}$$

위 손실 현가 확률변수의 분산을 구해보자. 보험계약기간 n과 보험료 납입기간 h가 서로 다르므로 앞 절에서 정기보험의 손실에 대한 분산을 산출한 것과 유사한 과정을 통해 분산을 계산한다. 따라서 여기서는 자세한 설명은 생략하도록 하겠으니 정기보험에서 산출한 분산 계산 방법을 참고하여 다음과 같이 유도되는지 직접 확인해 보길 바란다.

$$Var(L) = Var\left(v^{T \wedge n} - {}_h\overline{P} \cdot \frac{1 - v^{T \wedge h}}{\delta}\right) = Var\left(v^{T \wedge n} + \frac{{}_h\overline{P}}{\delta} \cdot v^{T \wedge h} - \frac{{}_h\overline{P}}{\delta}\right)$$
$$= Var\left(v^{T \wedge n} + \frac{{}_h\overline{P}}{\delta} \cdot v^{T \wedge h}\right) \tag{4.26}$$

식 (4.14)와 식 (4.17)에서 설명한 분산과 공분산을 구하는 방법을 적용하면 다음과 같은 결과를 얻을 수 있다.

$$Var(L) = \left({}^2\overline{A}_{x:\overline{n}|} - \left(\overline{A}_{x:\overline{n}|}\right)^2\right) + \left(\frac{{}_h\overline{P}}{\delta}\right)^2\left[{}^2\overline{A}_{x:\overline{h}|} - \left(\overline{A}_{x:\overline{h}|}\right)^2\right]$$
$$+ 2\frac{{}_h\overline{P}}{\delta} \cdot \left[\left({}^2\overline{A}^1_{x:\overline{h}|} + v^h \cdot {}_hE_x\overline{A}^1_{x+h:\overline{n-h}|} + v^h \cdot {}_nE_x\right) - \overline{A}_{x:\overline{n}|} \times \overline{A}_{x:\overline{h}|}\right]$$

$$\tag{4.27}$$

📖 **예제 4.4**

보험금 1,000원, 만기 2년의 연속형(fully continuous) 생사혼합보험에 가입한 피보험자 (40)에 대하여 $\omega = 100$인 De Moivre법칙을 사용하여 연속납 보험료 π를 산출하시오. 단, $\delta = 0.05$이다.

✏️해설 보험료 계산을 위해 수지상등의 원칙을 이용한다.

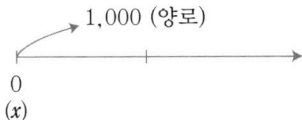

1,000 (양로)

0
(x)

먼저 지출의 APV를 구해보자.

$$1,000\bar{A}_{40:\overline{2}|} = 1,000\bar{A}^{1}_{40:\overline{2}|} + 1,000\,{}_2E_{40}$$

에서 De Moivre법칙을 이용하여 정기보험의 APV를 구해보면

$$\bar{A}^{1}_{40:\overline{2}|} = \int_0^2 v^t\,{}_tp_{40}\mu_{40+t}dt = \int_0^2 e^{-0.05t} \times \frac{1}{100-40}dt = \frac{\bar{a}_{\overline{2}|}}{60} = 0.0317209$$

이고, 생존보험의 APV를 구해보면

$$_2E_{40} = v^2\,{}_2p_{40} = e^{-2 \times 0.05} \times \frac{100-40-2}{100-40} = 0.8746762$$

이다. 따라서 지출의 APV는 906.3971이다.

이번에는 수입의 APV를 구해보자. 보험과 연금간의 관계식을 이용하면 쉽게 계산할 수 있다.

$$\pi\bar{a}_{40:\overline{2}|} = \pi\frac{1 - \bar{A}_{40:\overline{2}|}}{\delta} = 1.872058\pi$$

따라서 수지상등의 원칙에 의한 보험료는

$$\pi = \frac{1,000\bar{A}_{40:\overline{2}|}}{\bar{a}_{40:\overline{2}|}} = \frac{906.3971}{1.872058} = 484.17150$$

이다.

Ⅳ 기시납 / 기말급 계약의 보험료

1. 종신보험

기시납/기말급 계약인 이산형(fully discrete) 보험에 대해 알아보자. 보험료가 매년초에 납입되고 보험금이 사망연도 말에 지급되는 종신보험을 그림으로 나타내면 다음과 같다.

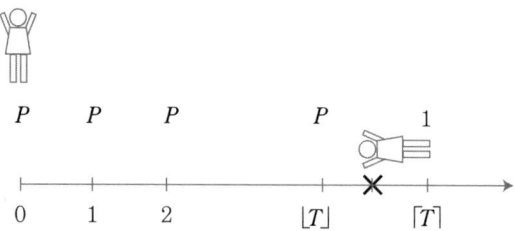

보험금의 APV는 A_x이고 보험료의 APV는 $P_x \cdot \ddot{a}_x$라고 표시하며 보험료 기호 P 우측에는 연속형 종신보험과 달리 x만 쓴다. 연속형 보험에서와 마찬가지로 보험료는 항상 대문자 P를 사용한다. 이산형 보험상품의 경우 P 우측에 괄호를 사용하지 않는다는 점이 다르다. 아래는 수지상등의 원칙에 의한 것으로 보험금을 사망연도 말에 지급하는 종신보험에 대해 매년 초에 납입하는 보험료 산출 공식이다.

$$P_x = \frac{A_x}{\ddot{a}_x} \tag{4.28}$$

다음의 예제를 통해 종신보험의 보험료 계산을 연습해 보자.

📖 예제 4.5

$_{k|}q_x = 0.04 \times 0.96^k$, $k = 0, 1, 2, \cdots$, $i = 0.06$일 때 P_x를 구하시오.

해설 $_k|q_x = \, _kp_x \cdot q_{x+k}$임을 이용하면 문제에서 주어진 조건으로부터

$$q_{x+k} = 0.04, \ p_{x+k} = 0.96, \ _kp_x = 0.96^k$$

임을 알 수 있다. 보험료 계산을 위해 $\ddot{a}_x$를 계산해 보자.

$$\ddot{a}_x = \sum_{k=0}^{\infty} v^k \cdot \, _kp_x = \sum_{k=0}^{\infty} \frac{1}{(1.06)^k} \times (0.96)^k = \frac{1}{1 - \dfrac{0.96}{1.06}} = \frac{1.06}{1.06 - 0.96}$$

$$= 10.6$$

한편, $A_x = 1 - d \cdot \ddot{a}_x$이므로

$$A_x = 1 - \frac{0.06}{1.06} \times 10.6 = 0.4$$

이며, 보험료는 다음과 같이 구할 수 있다.

$$P_x = \frac{A_x}{\ddot{a}_x} = \frac{0.4}{10.6} = 0.0377$$

📖 예제 4.6

피보험자 (40)세는 사망보험금 1,000원인 이산형 종신보험에 가입하였다.
(i) 처음 20년 동안은 매년 초에 연납평준순보험료 π를 납입한다.
(ii) 20년 이후에 납입하는 순보험료의 크기는 다음과 같다.

$$1,000 \cdot v \cdot q_x, \ x = 60, \ 61, \ 62, \ \cdots$$

(iii) $i = 0.06$

처음 20년 동안 납입하는 보험료 π를 보험수리 기호를 이용하여 간단히 표현하시오.

해설 이 상품은 보험료와 보험금을 이산적으로 처리한다. 즉 보험료는 연초에 내고 보험금은 연말에 받는 것이다. 이를 그림으로 나타내면 다음과 같다.

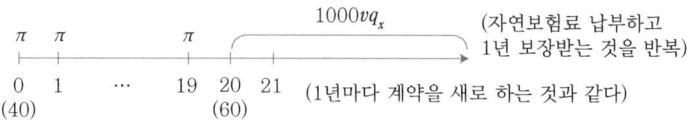

연납평준순보험료(level benefit premium)는 20년 동안 일정하게 보험료를 내는 것을 말한다. (ii) 조건은 20년 동안 π라는 보험료를 내다가 그 다음부터 $1,000 \cdot v \cdot q_x$를 내는 것인데 20년 이후의 보험료는 20시점부터해서 각 해마다 한 해씩 보장하기 위한 보험료라고 볼 수 있다. $1,000 \cdot v \cdot q_x$를 내면 1년 동안만 보장이 되는 것

이다. 이를 자연보험료라 한다. 다시 정리하자면 사망하는 확률에 비례하는 아주 간단한 구조의 자연보험료를 말하는 것이다. 그러므로 처음 20년 동안의 평준 보험료는 그와 대응되는 기간인 가입 후 20년 동안만 보장해 줄 보험료를 생각하면 된다. 20년 동안의 수입과 지출은 다음과 같다.

$$\text{지출의 } APV = 1{,}000 \cdot A^1_{40:\overline{20|}}$$

$$\text{수입의 } APV = \pi \cdot \ddot{a}_{40:\overline{20|}}$$

수지상등의 원칙에 의한 보험료는

$$\pi \cdot \ddot{a}_{40:\overline{20|}} = 1{,}000 \cdot A^1_{40:\overline{20|}}$$

$$\pi = \frac{1{,}000 \cdot A^1_{40:\overline{20|}}}{\ddot{a}_{40:\overline{20|}}}$$

이다.

2. 정기보험

사망 시 사망연도 말에 보험금이 지급되는 정기보험에 대해 보험료를 계산해보자. 보험료 납입기간이 보험계약기간과 동일할 경우 '전기납(전기간 납부)'이라 하고, 보험료 납입기간이 보험계약기간 보다 짧을 경우 '단기납(단기간 납부)'이라 한다. 연속형 정기보험에서는 전기간 납입 보험료 산출 방법에 대해 살펴 보았으므로, 여기서는 이산형(fully discrete) 정기보험의 전기납 보험료 산출방법을 다음의 식으로만 간단하게 소개하도록 한다.

$$P^1_{x:\overline{n|}} = \frac{A^1_{x:\overline{n|}}}{\ddot{a}_{x:\overline{n|}}} \tag{4.29}$$

이번에는 단기간 납부 보험료의 경우에 대해 생각해보자. 정기보험의 계약기간이 n년이고, 보험료 납입은 $h(h < n)$년 동안만 이루어진다고 가정하자. 이 경우 식 (4.29)의 보험료 기호와 다르게 P의 좌측에 첨자로 h를 덧붙인다. 지출의 APV는 식 (4.29)와 동일하고, 수입의 APV는 다음과 같다.

$$_hP^1_{x:\overline{n|}} \cdot \ddot{a}_{x:\overline{h|}} \tag{4.30}$$

식 (4.30)에서 h년 정기연금이 사용된 것에 주의하자. 따라서 보험료 납부기간인 h년 동안 동일한 크기의 보험료가 매년 초마다 납입된다고 하면 다음과 같이 수지상등의 원칙을 만족하는 보험료를 구할 수 있다.

$$_hP^1_{x:\overline{n}|} = \frac{A^1_{x:\overline{n}|}}{\ddot{a}_{x:\overline{h}|}} \tag{4.31}$$

기시납, 기말급 정기보험의 손실확률변수의 분산을 구하는 과정은 4.3.2절에서 다룬 연속납, 즉시급 정기보험의 경우와 동일하다. 단지 보험수리 기호만 연속형과 이산형에 대해 구분하여 표시하기만 하면 되므로 스스로 학습해보길 바란다.

📖 예제 4.7

30세인 피보험자가 20년 만기 이산형(fully discrete) 정기보험에 가입하였다.

(i) 처음 10년 동안은 사망 보험금이 1,000원이고, 다음 10년 동안은 사망 보험금이 2,000원이다.

(ii) 보험료는 수지상등의 원칙에 의해 산출되고, 처음 10년 동안은 π원 그리고 이후 10년 동안은 2π원이 매년 초에 납입된다.

(iii) $\ddot{a}_{30:\overline{20}|} = 15.0364$

(iv)

x	$\ddot{a}_{x:\overline{10}|}$	$1{,}000 \cdot A^1_{x:\overline{10}|}$
30	8.7201	16.66
40	8.6602	32.61

위의 조건을 이용하여 π를 구하시오.

 이산형(fully discrete) 보험은 보험료와 보험금 부분이 전부이산적이라는 것을 뜻한다. 10년 동안은 보험금이 1,000원이고 그 이후 10년 동안은 보험금이 2,000원이다. 그리고 처음 10년 동안은 π만큼의 보험료를 내고 나머지 10년 동안은 2π를 낸다.

보험금:

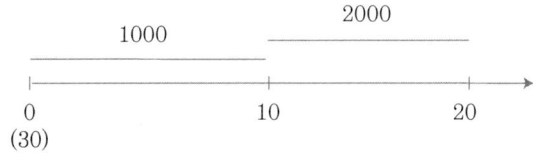

보험료:

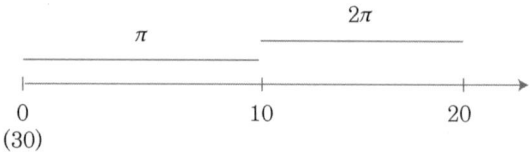

보험금의 경우 초기에 1,000원을 받고 나중에 2,000원을 받는다고 생각해도 되지만, 간단하게 전체적으로 2,000원을 받고 초기에 1,000원을 차감해도 된다.

$$\text{보험금의 } APV = 2{,}000 \cdot A^1_{30:\overline{20|}} - 1{,}000 \cdot A^1_{30:\overline{10|}}$$

보험료도 비슷한 방식으로 계산하면 다음과 같다.

$$\text{보험료의 } APV = 2\pi \cdot \ddot{a}_{30:\overline{20|}} - \pi \cdot \ddot{a}_{30:\overline{10|}}$$

이 둘을 일치시키면 π를 구할 수 있다.

$$\pi = \frac{2{,}000 \cdot A^1_{30:\overline{20|}} - 1{,}000 \cdot A^1_{30:\overline{10|}}}{2 \cdot \ddot{a}_{30:\overline{20|}} - \ddot{a}_{30:\overline{10|}}}$$

먼저 분모 부분은 문제에서 주어진 조건들을 이용하면 구할 수 있으며, 분자 부분을 계산하기 위해서는 $A^1_{30:\overline{20|}}$을 알아야 한다. 따라서 다음의 공식을 활용해야 한다.

$$A^1_{30:\overline{20|}} = A^1_{30:\overline{10|}} + {}_{10}E_{30} \cdot A^1_{30+10:\overline{10|}}$$

위의 식을 계산하기 위한 ${}_{10}E_x$는 연금의 공식을 통하여 알아낼 수 있다.

$$\ddot{a}_{30:\overline{20|}} = \ddot{a}_{30:\overline{10|}} + {}_{10}E_{30} \cdot \ddot{a}_{30+10:\overline{10|}}$$

$$\Rightarrow {}_{10}E_{30} = \frac{\ddot{a}_{30:\overline{20|}} - \ddot{a}_{30:\overline{10|}}}{\ddot{a}_{40:\overline{10|}}} = \frac{15.0364 - 8.7201}{8.6602} = 0.7293$$

따라서 다음과 같이 $A^1_{30:\overline{20|}}$의 값을 구할 수 있다.

$$A^1_{30:\overline{20|}} = A^1_{30:\overline{10|}} + {}_{10}E_{30} \cdot A^1_{30+10:\overline{10|}} = 0.01666 + 0.7293 \times 0.03261$$
$$= 0.04044$$

그러므로 구하고자 하는 답은 아래와 같다.

$$\pi = \frac{2{,}000 \cdot A^1_{30:\overline{20|}} \cdot 1{,}000 \cdot A^1_{30:\overline{10|}}}{2 \cdot \ddot{a}_{30:\overline{20|}} - a_{30:\overline{10|}}} = \frac{2{,}000 \times 0.04044 - 16.66}{2 \times 15.0364 - 8.7201}$$
$$= 3.0076$$

3. 생사혼합보험

이 장 Ⅲ. 3에서 배운 연속납, 즉시급 생사혼합보험에 대한 계산 식들은 이번 절에서 살펴 볼 기시납, 기말급의 보험료 산출 방법과 유사하니 이 장 Ⅲ. 3을 다시 한 번 복습해 보길 바란다. 이번 절에서는 연속납, 즉시급에서 소개한 것과는 조금 다른 방법으로 생사혼합보험의 보험료를 구해보려 한다.

수지상등의 원칙에 의한 보험료 산출 방법은 다음과 같다.

$$P_{x:\overline{n}|} = \frac{A_{x:\overline{n}|}}{\ddot{a}_{x:\overline{n}|}} \tag{4.32}$$

여기서 생사혼합보험을 정기보험과 생존보험의 합으로 바꿔서 대입해보면

$$P_{x:\overline{n}|} = \frac{A^1_{x:\overline{n}|} + A_{x:\overline{n}|}^{\;\;1}}{\ddot{a}_{x:\overline{n}|}} \tag{4.33}$$

이고, 이것은

$$P_{x:\overline{n}|} = P^1_{x:\overline{n}|} + P_{x:\overline{n}|}^{\;\;1} \tag{4.34}$$

로도 나타낼 수 있다.

참고로 연속형 생사혼합보험에 대해서도 식 (4.34)가 성립하는지 살펴보자. 수지상등의 원칙에 의한 보험료는

$$\overline{P}\left(\overline{A}_{x:\overline{n}|}\right) = \frac{\overline{A}_{x:\overline{n}|}}{\overline{a}_{x:\overline{n}|}} \tag{4.35}$$

이지만, 분자 부분의 즉시급 생사혼합보험은 즉시급 정기보험과 생존보험으로 이뤄지므로 다음과 같이 분해할 수 있다.

$$\overline{A}_{x:\overline{n}|} = \overline{A}^1_{x:\overline{n}|} + A_{x:\overline{n}|}^{\;\;1} \tag{4.36}$$

그리고 양변을 $\overline{a}_{x:\overline{n}|}$으로 나누면 다음과 같이 보험료를 구할 수 있다.

$$\overline{P}\left(\overline{A}_{x:\overline{n}|}\right) = \overline{P}\left(\overline{A}^1_{x:\overline{n}|}\right) + \overline{P}\left(A_{x:\overline{n}|}^{\;\;1}\right) \tag{4.37}$$

식 (4.34)과 식 (4.37)의 차이점을 기억해 두자. 생존보험은 만기 시점에만 보험금이 지급될 수 있지만, 보험료는 연속납 보험료를 가정하고 있기 때문에 생존보험에 대한 보험료 기호가 서로 다르게 표시된다. 이제 예제를 통해 지금까지 학습한 내용을 연습해 보도록 하자.

예제 4.8

$_{15}P_{45} = 0.038$, $P_{45:\overline{15|}} = 0.056$이고, $A_{60} = 0.625$일 때 $P^1_{45:\overline{15|}}$를 구하시오.

해설 $_{15}P_{45}$는 45세에 가입한 종신보험에 대해 15년 동안 납입하는 보험료를 의미한다.

종신보험은 정기보험과 거치종신보험을 이용하여 다음과 같이 나타낼 수 있다.

$$A_x = A^1_{x:\overline{n|}} + {}_nE_x \cdot A_{x+n}$$

위 식의 양변을 $\ddot{a}_{x:\overline{n|}}$으로 나누면

$$_nP_x = \frac{A_x}{\ddot{a}_{x:\overline{n|}}} = \frac{A^1_{x:\overline{n|}}}{\ddot{a}_{x:\overline{n|}}} + \frac{{}_nE_x \cdot A_{x+n}}{\ddot{a}_{x:\overline{n|}}}$$

$$= P^1_{x:\overline{n|}} + P_{x:\overline{n|}}^{1} \cdot A_{x+n}$$

이고, 식 (4.34)를 이용하여 생존보험의 보험료에 생사혼합보험과 정기보험의 보험료를 대입하면

$$_nP_x = P^1_{x:\overline{n|}} + \left(P_{x:\overline{n|}} - P^1_{x:\overline{n|}}\right)A_{x+n}$$

이 된다. 따라서

$$_{15}P_{45} = 0.038 = P^1_{45:\overline{15|}} + \left(P_{45:\overline{15|}} - P^1_{45:\overline{15|}}\right)A_{45+15}$$

$$= P^1_{45:\overline{15|}} + \left(0.056 - P^1_{45:\overline{15|}}\right)0.625$$

이다. 따라서 방정식을 풀어 정기보험의 보험료를 구할 수 있다.

$$P^1_{45:\overline{15|}} = \frac{0.038 - 0.056 \times 0.625}{1 - 0.625} = 0.008$$

예제 4.9

피보험자 (x)세는 보험금 1,000원인 2년 만기 생사혼합보험에 가입하였다.
(i) 첫 해 보험료의 크기는 668원이다.
(ii) 두 번째 해 보험료의 크기는 258원이다.
(iii) $d = 0.06$
수지상등의 원칙에 의해 평준(level) 보험료를 구하시오. 단, 사망 보험

금은 사망연도 말에 지급되고, 생존보험금은 만기 시에 지급된다.

해설 구하려는 보험료는 $1{,}000P_{x:\overline{2}|}$ 이다.

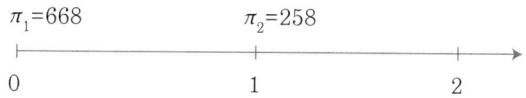

보험료의 $APV = \pi_1 \cdot v^0 \cdot {}_0p_x + \pi_2 \cdot v^1 \cdot p_x = 668 + 258 \cdot v \cdot p_x$

보험금의 $APV = 1{,}000 \cdot \left(v \cdot {}_{0|}q_x + v^2 \cdot {}_{1|}q_x + v^2 \cdot {}_2p_x \right)$

$\qquad = 1{,}000 \left\{ v \cdot q_x + v^2 (p_x \cdot q_{x+1} + p_x \cdot p_{x+1}) \right\}$

$\qquad = 1{,}000 \left\{ v \cdot q_x + v^2 \cdot p_x (q_{x+1} + p_{x+1}) \right\}$

$\qquad = 1{,}000 \left\{ v \cdot q_x + v^2 \cdot p_x \right\}$

여기서 v는 d와의 관계식을 통해 구할 수 있다.

$$v = 1 - d = 1 - 0.06 = 0.94$$

[π_1과 π_2를 이용한 수입의 APV]와 [보험금의 APV]를 일치시키면 p_x를 구할 수 있다.

$$668 + 258 \cdot v \cdot p_x = 1{,}000 \cdot v \cdot (1 - p_x) + 1{,}000 \cdot v^2 \cdot p_x$$

$$\therefore \ p_x = \frac{1{,}000v - 668}{258v + 1{,}000 - 1{,}000v^2} = 0.90994$$

구해야 할 값은 평준 보험료이므로

[π_1과 π_2를 이용한 수입의 APV]=[평준 보험료를 이용한 수입의 APV]를 만족하는 평준보험료를 구해본다.

$$668 + 258 \cdot v \cdot p_x = 1{,}000P_{x:\overline{2}|} \cdot \ddot{a}_{x:\overline{2}|}$$

위 식에 정기연금의 APV를 다음과 같이 계산할 수 있으므로

$$\ddot{a}_{x:\overline{2}|} = 1 + v \cdot p_x$$

등식은 아래와 같다.

$$668 + 258 \cdot v \cdot p_x = 1{,}000P_{x:\overline{2}|} \cdot (1 + v \cdot p_x)$$

따라서

$$1{,}000P_{x:\overline{2}|} \frac{668 + 258 \cdot v \cdot p_x}{1 + v \cdot p_x} = 478.9833$$

이다.

예제 4.10

$A_x \cdot P_{x:\overline{n}|} + (1-A_x) \cdot P_x$를 보험료를 나타내는 보험수리기호를 이용하여 간단히 나타내시오.

해설 P_x는 평준(level) 보험료를 종신토록 내는 것이고, $P_{x:\overline{n}|}$는 n년 동안만 내기 때문에 다음과 같이 표현한다.

$$P_{x:\overline{n}|} = \frac{A_{x:\overline{n}|}}{\ddot{a}_{x:\overline{n}|}}, \ P_x = \frac{A_x}{\ddot{a}_x}$$

A_x는 사망 시 1원을 받게 되기 때문에 현재 가치로 할인하면 1원보다 작은 숫자라는 것을 알 수 있다. 또한 문제에서 구하고자 하는 식은 $P_{x:\overline{n}|}$와 P_x의 내분이라고 볼 수 있기 때문에 $_nP_x$가 답이 될 것이라고 짐작해 볼 수 있다.

(참고) 직관적으로 생각했을 때

$$P_{x:\overline{n}|} = \frac{A_{x:\overline{n}|}}{\ddot{a}_{x:\overline{n}|}} > \frac{A_x}{\ddot{a}_x} = P_x$$

$$(\because \ A_{x:\overline{n}|} > A_x, \ \ddot{a}_{x:\overline{n}|} < \ddot{a}_x)$$

$$\therefore \ P_{x:\overline{n}|} = \frac{A_{x:\overline{n}|}}{\ddot{a}_{x:\overline{n}|}} > \frac{A_x}{\ddot{a}_{x:\overline{n}|}} > \frac{A_x}{\ddot{a}_x} = P_x$$

$$P_{x:\overline{n}|} > {}_nP_x > P_x$$

$$A_x \cdot P_{x:\overline{n}|} + (1-A_x)P_x = {}_nP_x \ (\text{직관적})$$

(증명)

$P_{x:\overline{n}|}$과 P_x를 다음과 같이 나타낼 수 있다.

$$P_{x:\overline{n}|} = \frac{A_{x:\overline{n}|}}{\ddot{a}_{x:\overline{n}|}} = \frac{A_{x:\overline{n}|}}{\dfrac{1-A_{x:\overline{n}|}}{d}} = \frac{d \cdot A_{x:\overline{n}|}}{1-A_{x:\overline{n}|}}$$

$$P_x = \frac{A_x}{\ddot{a}_x} = \frac{A_x}{\dfrac{1-A_x}{d}} = \frac{d \cdot A_x}{1-A_x}$$

이를 문제에서 주어진 식에 대입하면 다음의 결과를 얻을 수 있다.

$$\therefore \ \text{준식} = A_x \frac{d \cdot A_{x:\overline{n}|}}{1-A_{x:\overline{n}|}} + (1-A_x) \frac{d \cdot A_x}{1-A_x}$$

$$= A_x \frac{d\left(A_{x:\overline{n}|} + (1-A_{x:\overline{n}|})\right)}{1-A_{x:\overline{n}|}} = \frac{A_x}{\dfrac{1-A_{x:\overline{n}|}}{d}} = \frac{A_x}{\ddot{a}_{x:\overline{n}|}} = {}_nP_x$$

4. 연 m회 분할납 보험료

앞 절까지는 주로 보험료가 1년에 한 번씩 납입되는 경우를 생각해 보았다. 이번 절에서는 월납 보험료와 같이 1년에 여러 번 보험료를 납입하는 경우를 살펴본다. 보험료를 1년에 m회 분할하여 매 기간 초에 납입하는 것도 기시납 보험료 방식의 하나이기 때문에 보험금이 사망연도 말 또는 사망분기 말에 지급되는 보험상품의 보험료도 역시 기시납/기말급 보험료로 언급할 수 있음을 알아두도록 한다.

먼저 1년에 m회 분할하여 납입하는 보험료의 보험수리 기호에 대해 알아보자. 예를 들어 사망연도 말에 1원을 지급하는 종신보험에 대해 1년에 m회 보험료를 납입할 때, 연간 납부하는 보험료의 총액을 다음과 같이 표시한다.

$$P_x^{(m)} = \frac{A_x}{\ddot{a}_x^{(m)}} \tag{4.38}$$

위 기호에서 P 우측의 위 첨자 m은 연간 납입 횟수를 표시한다. 예를 들어 1년에 12회 납입하는 경우 m자리에 12를 쓰고, 1년에 4회 납입하는 보험료의 경우 m자리에 4를 쓴다. 여기서 주의할 점은 $P_x^{(m)}$가 매회 납입하는 보험료가 아니라 1년 동안 납입하는 보험료의 총합이라는 것이다. 만약 월납 보험료를 구하고자 한다면 반드시 12로 한 번 더 나눠야 한다.

$$\text{월납 보험료} = \frac{P_x^{(12)}}{12} \tag{4.39}$$

다음의 예제를 통해 분할 납입 보험료 산출 방법에 대해 알아보자.

📖 예제 4.11

피보험자 (30)세는 3년 만기 정기보험에 가입하였다.
(i) 보험료는 6개월에 한 번씩(semiannually) 납입된다.
(ii) 보험료는 가입 후 첫 해에만 납입된다.
(iii) 보험금(b_{k+1})은 $k+1$ 보험연도에 사망 시 $k+1$시점에 지급되고, 보험금의 크기는 다음과 같다.

k	b_{k+1}
0	1,000
1	500
2	250

(iv) $s(x) = \dfrac{100-x}{100}$, $0 \leq x \leq 100$

(v) 소수연령에 대하여 UDD를 가정한다.

(vi) $i = 0.06$

6개월납 보험료(semiannual benefit premium)를 구하시오.

해설 1년 동안 납입하는 보험료의 총액을 π라 하면 보험료는 첫해에 0 시점과 6개월 시점에 $\dfrac{\pi}{2}$씩 납부한다. 따라서

보험료의 $APV = \pi \cdot \ddot{a}^{(2)}_{30:\overline{1}|} = \dfrac{\pi}{2} + \dfrac{\pi}{2} \cdot {}_{0.5}p_{30} \cdot v^{\frac{1}{2}}$

보험금의 $APV = 1,000 \cdot v \cdot {}_{0|}q_{30} + 500 \cdot v^2 \cdot {}_{1|}q_{30} + 250 \cdot v^3 \cdot {}_{2|}q_{30}$

수지상등의 원칙에 의해 위의 두 식을 일치시키는 보험료를 계산 해야 하는데 두 식에는 소수연령 기간 안에 사망할 확률 및 생존율 이 포함되어 있다. 따라서 UDD 가정을 이용하여

$${}_{0.5}p_{30} = 1 - {}_{0.5}q_{30} \overset{UDD}{=} 1 - \frac{1}{2} \times q_{30} = 1 - \frac{1}{2} \times \frac{1}{100-30} = 0.9928571$$

를 구하고, 이것을 다시 보험료와 보험금의 APV에 대입하면 6개 월 보험료 $\dfrac{\pi}{2}$를 계산할 수 있다.

$$\therefore \frac{\pi}{2} = 11.6236$$

V 기시납 / 즉시급 계약의 보험료

이번 절에서는 혼합형(semi-continuous) 계약에 대하여 살펴보자. 보험료는 매년 초 또는 매월 초에 납입되고, 보험금 지급은 사망 즉시 이루어지는 계약 으로 현실에서 가장 많이 볼 수 있는 계약의 형태이다. 먼저 종신보험의 전기 납 보험료를 살펴보자. 이 보험료를 수지상등의 원칙에 의해

$$P\left(\overline{A}_x\right) = \frac{\overline{A}_x}{\ddot{a}_x}$$

로 나타낼 수 있다. 또한 가입시점의 손실 현가 확률변수는 다음과 같이 정의 할 수 있다.

$$L = v^T - P\left(\overline{A}_x\right)\ddot{a}_{\overline{T}|}$$

다음의 예제를 통해 혼합형 계약의 보험료 산출 및 손실 현가 확률변수의 기대값과 분산을 계산해 보도록 한다.

예제 4.12

피보험자 (x)는 사망 시 사망보험금 1원을 사망즉시 지급하는 10년 거치 종신보험에 가입하였다. 보험료는 수지상등의 원칙으로 결정되고 거치기간 동안 매년 초에 납입된다. 가입시점을 기준으로 한 손실 현가 확률변수를 정의하고 그것의 기대값과 분산을 구하시오. 단 $\delta = 0.05$이고 모든 연령에 대해 $\mu = 0.05$이다.

해설 해당 상품의 가입시점 기준 손실 현가 확률변수를 정의 하면 다음과 같다.

$$L = v^T \cdot I(T > 10) - P\ddot{a}_{\overline{T \wedge 10}|}$$

여기서 P는 수지상등의 원칙에 의해 산출된다고 하였으므로

$$P = \frac{_{10|}\overline{A}_x}{\ddot{a}_{x:\overline{10}|}}$$

일 때 $E[L] = 0$이다. 여기서 보험료를 먼저 구해보면 사력이 상수이므로

$$_{10|}\overline{A}_x = {}_{10}E_x \cdot \overline{A}_{x+10} = e^{-10(\mu+\delta)}\frac{\mu}{\mu+\delta} = 0.1839397$$

$$\ddot{a}_{x:\overline{10}|} = \sum_{k=0}^9 v^k{}_kp_x = \sum_{k=0}^9 e^{-k(\mu+\delta)} = \frac{1-e^{-10(\mu+\delta)}}{1-e^{-(\mu+\delta)}} = 6.6425327$$

이고, 따라서 $P = 0.0276912$이다. 이번에는 손실현가 확률변수를 좀 더 정리하여 보자.

$$L = v^T \cdot I(T > 10) - P\ddot{a}_{\overline{T \wedge 10}|} = v^T \cdot I(T > 10) - P \cdot \frac{1-v^{\lceil T \wedge 10\rceil}}{d}$$

$$= v^T \cdot I(T > 10) + \frac{P}{d} \cdot v^{\lceil T \wedge 10\rceil} - \frac{P}{d}$$

위 확률변수에 분산을 취하면

$$Var[L] = Var\left[v^T \cdot I(T>10) + \frac{P}{d} \cdot v^{\lceil T \wedge 10 \rceil}\right]$$

$$= Var[v^T \cdot I(T>10)] + \left(\frac{P}{d}\right)^2 Var[v^{\lceil T \wedge 10 \rceil}] +$$

$$2\frac{P}{d} \cdot Cov[v^T \cdot I(T>10),\ v^{\lceil T \wedge 10 \rceil}]$$

이다. 위 식에서 두 번째 등호 뒤의 첫 번째항의 분산 값은 다음과 같다.

$$Var[v^T \cdot I(T>10)] = {}_{10|}\overline{A}_x - \left({}_{10|}\overline{A}_x\right)^2$$

$$= {}^2A_{x:\overline{10|}}^{\ 1} \cdot {}^2\overline{A}_{x+10} - \left(A_{x:\overline{10|}}^{\ 1} \cdot \overline{A}_{x+10}\right)^2$$

$$= e^{-10(\mu+2\delta)} \cdot \frac{\mu}{\mu+2\delta} - \left(e^{-10(\mu+\delta)} \cdot \frac{\mu}{\mu+\delta}\right)^2 = 0.0405429$$

그리고 두 번째 항의 분산 식은 다음과 같다.

$$Var[v^{\lceil T \wedge 10 \rceil}] = {}^2A_{x:\overline{10|}} - (A_{x:\overline{10|}})^2$$

위 식의 값들을 각각 구해보면,

$$A_{x:\overline{10|}} = \sum_{k=0}^{9} v^{k+1}{}_kp_x \cdot q_{x+k} + {}_{10}E_x$$

$$= \sum_{k=0}^{9} e^{-(k+1)\delta} e^{-\mu k}(1-e^{-\mu}) + e^{-10(\mu+\delta)}$$

$$= e^{-\delta}(1-e^{-\mu}) \times \frac{1-e^{-10(\mu+\delta)}}{1-e^{-(\mu+\delta)}} + e^{-10(\mu+\delta)} = 0.6760399$$

이고,

$${}^2A_{x:\overline{10|}} = \sum_{k=0}^{9} (v^2)^{k+1}{}_kp_x \cdot q_{x+k} + (v^2)^{10}{}_{10}p_x$$

$$= \sum_{k=0}^{9} e^{-(k+1)2\delta} e^{-\mu k}(1-e^{-\mu}) + e^{-10(\mu+2\delta)}$$

$$= e^{-2\delta}(1-e^{-\mu}) \times \frac{1-e^{-10(\mu+2\delta)}}{1-e^{-(\mu+2\delta)}} + e^{-10(\mu+2\delta)}$$

$$= 0.4692522$$

이다. 따라서,

$$Var[v^{\lceil T \wedge 10 \rceil}] = {}^2A_{x:\overline{10|}} - (A_{x:\overline{10|}})^2 = 0.0122223$$

이다.

마지막으로 공분산은 다음의 공식을 사용하면 된다.

$$Cov[v^T \cdot I(T>10),\ v^{\lceil T \wedge 10 \rceil}] = E[v^T \cdot I(T>10) \times v^{\lceil T \wedge 10 \rceil}] -$$

$$E[v^T \cdot I(T>10)]E[v^{\lceil T \wedge 10 \rceil}]$$

위 식에서 등호 뒤 첫 번째 항은

$$v^T \cdot I(T > 10) \times v^{\lceil T \wedge 10 \rceil} = \begin{cases} 0 \times v^T, & T \leq 10 \\ v^T \times v^{10}, & T > 10 \end{cases} = v^{10} \left[v^T \cdot I(T > 10) \right]$$

의 기댓값이므로, $v^{10} \cdot {}_{10|}\overline{A}_x$ 가 된다.

따라서 공분산은

$$Cov \left[v^T \cdot I(T > 10), \; v^{\lceil T \wedge 10 \rceil} \right] = v^{10} \cdot {}_{10|}\overline{A}_x - {}_{10|}\overline{A}_x \times A_{x:\overline{10|}}$$

$$= -0.0127855$$

이다. 지금까지 계산한 값들을 대입하면 최종적으로 분산을 구할 수 있다.

$$\therefore \; Var[L] = 0.0299643$$

예제 4.13

피보험자(40)는 2년 만기 정기보험에 가입하였다. 보험료는 매 6개월의 시작 시점에 납입되고, 사망보험금 100,000원은 사망 즉시 지급된다. 부록의 생명표(ILT)와 UDD 가정을 이용하여 이 6개월납 보험료를 구하시오. 단, $i = 0.06$이다.

해설 먼저 수지상등의 원칙에 의해 보험료를 구하는 식을 적어보면

$$100,000 P^{(2)}\left(\overline{A}_{40:\overline{2|}}^1 \right) = \frac{100,000 \overline{A}_{40:\overline{2|}}^1}{\ddot{a}_{40:\overline{2|}}^{(2)}}$$

먼저 분자의 APV를 구해보자. UDD 가정을 이용하면

$$\overline{A}_{40:\overline{2|}}^1 = \frac{i}{\delta} A_{40:\overline{2|}}^1$$

이 성립한다.

$$A_{40:\overline{2|}}^1 = v q_{40} + v^2 p_{40} \cdot q_{40+1} = 0.0052675$$

이므로 $\overline{A}_{40:\overline{2|}}^1 = 0.005424$이다.

이번에는 분모의 APV를 구해보자.

$$\ddot{a}_{40:\overline{2|}}^{(2)} = \sum_{k=0}^{3} \frac{1}{2} \cdot v^{\frac{k}{2}} \cdot {}_{\frac{k}{2}}p_{40}$$

$$= \frac{1}{2}\left(1 + v^{\frac{1}{2}} \cdot {}_{\frac{1}{2}}p_{40} + v \cdot p_{40} + v^{\frac{3}{2}} \cdot p_{40} \cdot {}_{\frac{1}{2}}p_{41} \right)$$

이므로, UDD가정을 이용하면

$$\ddot{a}_{40:\overline{2|}}^{(2)} = \frac{1}{2}\left[1 + v^{\frac{1}{2}} \cdot \left(1 - \frac{1}{2} \cdot q_{40} \right) + v \cdot p_{40} + v^{\frac{3}{2}} \cdot p_{40}\left(1 - \frac{1}{2} \cdot q_{41} \right) \right]$$

$$= 1.911554$$

이다. 따라서,

$$100,000P^{(2)}\left(\overline{A}^1_{40:\overline{2}|}\right)=\frac{100,000\,\overline{A}^1_{40:\overline{2}|}}{\ddot{a}^{(2)}_{40:\overline{2}|}}=\frac{100,000\times0.005424}{1.911554}$$

$$=283.7481965$$

이고, 6개월납 보험료는 다음과 같다.

$$\therefore\ \frac{100,000P^{(2)}\left(\overline{A}^1_{40:\overline{2}|}\right)}{2}=141.87$$

Ⅵ ▸ 사망 시 보험료 보장하는 상품의 보험료

거치연금(deferred annuity)은 일반적으로 거치기간 동안 보험료를 내고, 거치기간 이후부터 연금을 받게 되는 구조이다. 단순한 거치연금은 사망 보험금이 없고 피보험자가 생존을 해야만 연금을 받을 수 있다.

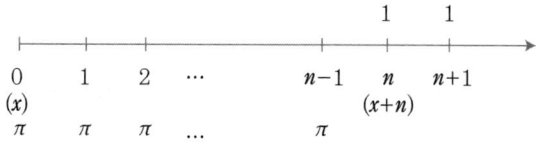

사망 보험금이 없는 거치연금의 경우 연납평준보험료 π는 다음과 같이 간단히 나타낼 수 있다.

보험료의 $APV=\pi\cdot\ddot{a}_{x:\overline{n}|}$

연금액의 $APV={}_{n|}\ddot{a}_x={}_nE_x\cdot\ddot{a}_{x+n}$

수지상등의 원칙에 의해

$$\pi=\frac{{}_nE_x\cdot\ddot{a}_{x+n}}{\ddot{a}_{x:\overline{n}|}} \tag{4.40}$$

이번에는 조금 복잡한 구조의 거치연금을 고려해 보자. 일반적인 거치 연금은 사망보장이 포함되어 있지 않지만 거치기간 중 사망하게 되면 이미 피

보험자가 납입한 보험료를 이자와 함께 지급한다. 이때 사망보험금은 사망연도 말에 지급한다고 가정하자. 즉, T시점에 사망 시 사망보험금 $\pi \cdot \ddot{s}_{\overline{\lceil T \rceil}|}$를 사망연도 말인 $\lceil T \rceil$시점에 주는 경우를 말한다.

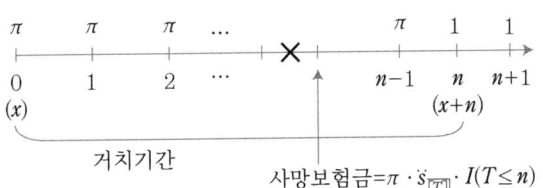

수지상등의 원칙에 따라 보험료를 결정하려면 다음의 등식을 만족하는 보험료 π를 구해야 한다. 지출을 나타내는 우변이 연금과 사망보험금으로 구성되어 있음에 주의하자.

$$\pi \cdot \ddot{a}_{x\,:\,\overline{n}|} = {}_nE_x \cdot \ddot{a}_{x+n} + E\left[\pi \cdot \ddot{s}_{\overline{\lceil T \rceil}|} \cdot v^{\lceil T \rceil} \cdot I(T \le n)\right] \tag{4.41}$$

식 (4.41)에서 우변에 있는 사망 보장에 대한 APV를 좌변으로 옮겨 보험료 π로 묶어보면 다음과 같다.

$$\pi \cdot \ddot{a}_{x\,:\,\overline{n}|} - \pi E\left[\ddot{s}_{\overline{\lceil T \rceil}|} \cdot v^{\lceil T \rceil} \cdot I(T \le n)\right] = {}_nE_x \cdot \ddot{a}_{x+n}$$

$$\pi E\left[\frac{1 - v^{\lceil T \wedge n \rceil}}{d}\right] - \pi E\left[\frac{1 - v^{\lceil T \rceil}}{d} \cdot I(T \le n)\right] = {}_nE_x \cdot \ddot{a}_{x+n}$$

위 식에서 좌변식을 정리하면

$$\pi \cdot E\left[\frac{1}{d}\left((1 - v^{\lceil T \wedge n \rceil}) - (1 - v^{\lceil T \rceil}) \cdot I(T \le n)\right)\right] \equiv {}_nE_x \cdot \ddot{a}_{x+n} \tag{4.42}$$

이다. 식 (4.42)에서 $(1 - v^{\lceil T \wedge n \rceil}) - (1 - v^{\lceil T \rceil}) \cdot I(T \le n)$는 다음과 같이 나누어 생각해 볼 수 있다.

$$(1 - v^{\lceil T \wedge n \rceil}) - (1 - v^{\lceil T \rceil}) \cdot I(T \le n) = \begin{cases} (1 - v^{\lceil T \rceil}) - (1 - v^{\lceil T \rceil}) = 0, & T \le n \\ (1 - v^n) - 0 = (1 - v^n), & T > n \end{cases}$$

$$= (1 - v^n) \cdot I(T > n) \tag{4.43}$$

식 (4.43)를 식 (4.42)에 대입하면

$$\pi \cdot E\left[\frac{1-v^n}{d} I(T > n)\right] = {}_nE_x \cdot \ddot{a}_{x+n}$$

이다. 여기서 $(1-v^n)/d = \ddot{a}_{\overline{n}|}$ 이고, $E[I(T > n)] = {}_np_x$ 이므로 사망보장이 포함된 거치연금의 보험료는 다음과 같다.

$$\pi \cdot \ddot{a}_{\overline{n}|} \cdot {}_np_x = {}_nE_x \cdot \ddot{a}_{x+n} \tag{4.44}$$

$$\pi = \frac{{}_nE_x \cdot \ddot{a}_{x+n}}{\ddot{a}_{\overline{n}|} \cdot {}_np_x} = \frac{v^n \cdot {}_np_x \cdot \ddot{a}_{x+n}}{\ddot{a}_{\overline{n}|} \cdot {}_np_x} = \frac{v^n \cdot \ddot{a}_{x+n}}{\ddot{a}_{\overline{n}|}} = \frac{\ddot{a}_{x+n}}{\ddot{s}_{\overline{n}|}} \tag{4.45}$$

이제 예제를 통해 기납입 보험료를 반환해 주는 경우의 보험료 계산을 연습해 보도록 하자.

예제 4.14

피보험자(x)는 사망시 사망보험금 5,000원을 사망연도 말에 지급하는 20년 정기보험에 가입하였다. 이때 사망보험금 지급 시 추가적으로 기납입 보험료를 반환해 준다고 한다. 다음의 두 가지 경우에 대해 연납순보험료의 식을 유도해 보시오.

(a) 기납입 보험료를 이자 없이 사망연도 말에 반환해 주는 경우

(b) 기납입 보험료를 이자율(예정이율 i)로 부리하여 사망연도 말에 반환해 주는 경우

해설 문제에서 주어진 정보를 살펴보자면 사망할 경우 보험금 5,000원, 그리고 20년 이내에 사망할 경우에는 기납입 보험료도 반환해 주는 보험이다. 보험료의 지급구조를 그림으로 나타내면 다음과 같다.

(a) 경우의 보험료를 π_a 라 하고, (b) 경우의 보험료를 π_b 라 하자. (a)의 경우 보험금은 $\lceil T \rceil \cdot \pi_a + 5{,}000$ 로 표현될 수 있으며, (b)의 경우 보험금을 $\pi_a \cdot \ddot{s}_{\overline{\lceil T \rceil}|} + 5{,}000$ 로 나타낼 수 있다. 먼저 (a)인 경우를 알아보자.

$$\pi_a \cdot \ddot{a}_{x:\overline{20}|} = \pi_a \cdot (IA)^1_{x:\overline{20}|} + 5{,}000 \cdot A^1_{x:\overline{20}|}$$

위 식에서 좌변은 납입해야 할 보험료 부분이고, 우변은 보험금 지급 부분이다. 우변에서 첫 번째 항은 조건에 따른 반환 부분이다. 우변의 첫 번째 항을 기대값 형태로 다시 표현하면

$$\pi_a (IA)^1_{x\,:\,\overline{20|}} = \pi_a \cdot E\big[\lceil T \rceil \cdot v^{\lceil T \rceil} \cdot I(T \le 20) \big]$$

이라고 할 수 있다. 따라서 (a)문제에서 원하는 π_a는 아래와 같다.

$$\therefore \ \pi_a = \frac{5{,}000 \cdot A^1_{x\,:\,\overline{20|}}}{\ddot{a}_{x\,:\,\overline{20|}} - (IA)^1_{x\,:\,\overline{20|}}}$$

위에서 보험료 반환 부분은 보험금이 매년 증가하는 변동보험 형태로 표현된 것에 유의하기 바란다.

다음으로 (b)의 경우를 알아보자. 사망보험금은

$$\pi_b \cdot \ddot{s}_{\overline{\lceil T \rceil|}} + 5{,}000$$

이므로 여기에 기대값을 취해 보험료를 구하는 식을 만들면 다음과 같다.

$$\pi_b \cdot \ddot{a}_{x\,:\,\overline{20|}} = \pi_b \cdot E\big(v^{\lceil T \rceil} \cdot \ddot{s}_{\overline{\lceil T \rceil|}} \cdot I(T \le 20) \big) + 5{,}000 \cdot A^1_{x\,:\,\overline{20|}}$$

위 식의 기대값 부분에서, $\ddot{s}_{\overline{\lceil T \rceil|}}$는 다음과 같다.

$$\ddot{s}_{\overline{\lceil T \rceil|}} = \frac{(1+i)^{\lceil T \rceil} - 1}{d}$$

이것을 이용하면 $v^{\lceil T \rceil} \cdot \ddot{s}_{\overline{\lceil T \rceil|}}$는

$$v^{\lceil T \rceil} \cdot \ddot{s}_{\overline{\lceil T \rceil|}} = \frac{1 - v^{\lceil T \rceil}}{d}$$

와 같이 됨을 알 수 있으며, 이것을 이용하여 기대값을 풀어주면 다음과 같다.

$$E\big[v^{\lceil T \rceil} \cdot \ddot{s}_{\overline{\lceil T \rceil|}} \cdot I(T \le 20) \big] = E\left[\frac{1 - v^{\lceil T \rceil}}{d} I(T \le 20) \right] = \frac{{}_{20}q_x - A^1_{x\,:\,\overline{20|}}}{d}$$

기대값을 계산 시 지시함수를 잊지 않도록 하자. 따라서 π_b는 다음과 같다.

$$\pi_b = \frac{5{,}000 \cdot A^1_{x\,:\,\overline{20|}}}{\ddot{a}_{x\,:\,\overline{20|}} - \dfrac{{}_{n}q_x - A^1_{x\,:\,\overline{20|}}}{d}}$$

(참고) 보험금이 매년 증가하는 변동보험의 APV

$$(IA)^1_{x\,:\,\overline{n|}} = \sum_{k=0}^{n-1} {}_{k}E_x \cdot A^1_{x+k\,:\,\overline{n-k|}}$$

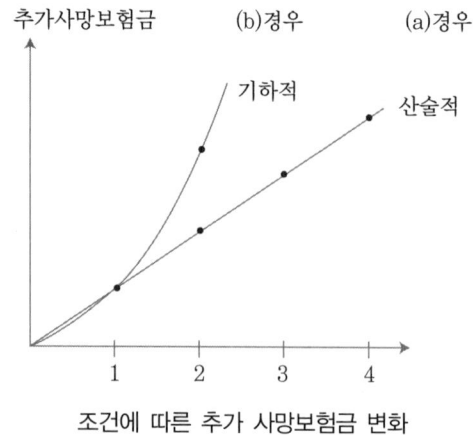

조건에 따른 추가 사망보험금 변화

Ⅶ 백분위 보험료 산출 방식

1. 백분위 보험료

Ⅵ절까지 살펴보았던 것은 가입 시점 기준으로 손실의 기대값을 0으로 하는 수지상등의 원칙에 의한 보험료 산출 방식이었다. 백분위 보험료(percentile premium) 산출 방식이란 한 보험계약에 대하여 가입 시점 기준으로 손실이 발생할 확률이 $\alpha(0 < \alpha < 1)$보다 작거나 같도록 하는 최소 보험료를 구하는 방법이다. 즉, 백분위 보험료는 $\Pr(L > 0) \leq \alpha$를 만족하는 최소한의 보험료를 구하는 것이다.

먼저 연속납, 즉시급 종신보험에 대하여 손실 발생 확률이 α보다 작게 하는 보험료를 구해보도록 하자. 연속납, 즉시급 종신보험에 대한 손실 확률변수는 식 (4.2)에서

$$L = v^T - \overline{P} \cdot \bar{a}_{\overline{T}|}$$

라고 정의하였다. 따라서 백분위 보험료는 다음을 만족하는 최소 보험료를 말한다.

$$\Pr(L > 0) \le \alpha \Leftrightarrow \Pr\left(v^T - \overline{P} \cdot \bar{a}_{\overline{T}|} > 0\right) \le \alpha \tag{4.46}$$

식 (4.46)에서 확률변수 T만 부등식의 좌변에 남겨두고 정리하면 다음과 같다.

$$\Pr(L > 0) = \Pr\left(T < -\ln\left(\frac{\overline{P}}{\delta + \overline{P}}\right)/\delta\right) \le \alpha \tag{4.47}$$

여기서 확률변수 T의 α 백분위(α-percentile)를 t_α라 하자. 즉,

$$F_T(t_\alpha) = \Pr\left[T \le t_\alpha\right] = \alpha \tag{4.48}$$

이다. 그러면, 식 (4.47)는 다음을 만족하는 확률이 α보다 작다고 할 수 있다.

$$-\frac{\ln\left(\frac{\overline{P}}{\delta + \overline{P}}\right)}{\delta} \le t_\alpha \tag{4.49}$$

식 (4.49)의 부등식을 정리하면 다음과 같은 결론을 얻는다.

$$\overline{P} \ge \frac{1}{s_{\overline{t_\alpha}|}} \tag{4.50}$$

따라서 앞에서 설명한 연속납, 즉시급 종신보험의 백분위 보험료는 $1/s_{\overline{t_\alpha}|}$ 이면 된다. 예제를 통해서 백분위 보험료 산출 방법을 연습해 보도록 하자.

예제 4.15

50세인 피보험자가 사망 시 보험금 1원을 즉시 지급하는 연속납, 즉시급 종신보험에 가입하였다. 보험회사는 장래의 손실이 양수가 될 확률이 5%가 되도록 보험료를 정한다고 할 때, 아래의 조건을 사용하여 보험료 $\overline{P}$를 구하시오.
(i) $\delta = 0.06$ (ii) $\omega = 120$인 De Moivre 법칙 가정

해설 손실 현가확률변수 L을 다음과 같이 나타낼 수 있다.
$$L = v^T - \overline{P} \cdot \bar{a}_{\overline{T}|}, \ 0 \le T(50) \le 70$$
$\Pr[L > 0] = 0.05$을 만족하는 보험료를 구하면 된다.
$$\Pr[L > 0] = \Pr\left[v^T - \overline{P} \cdot \bar{a}_{\overline{T}|} > 0\right]$$

$$= \Pr\left[v^T - \overline{P} \cdot \frac{1-v^T}{\delta} > 0\right]$$

$$= \Pr\left[v^T\left(1 + \frac{\overline{P}}{\delta}\right) - \frac{\overline{P}}{\delta} > 0\right]$$

$$= \Pr\left[T < \frac{\ln\left(\dfrac{\overline{P}/\delta}{1 + \overline{P}/\delta}\right)}{\ln v} = t^*\right]$$

$$= {}_{t^*}q_{50} = 0.05$$

가입자의 장래생존기간이 De Moivre 사망법칙을 따르므로 t^*는 다음과 같이 구할 수 있다.

$$_{t^*}q_{50} = \frac{t^*}{120 - 50} = 0.05 \Rightarrow \therefore t^* = 3.5$$

따라서 $L = v^{3.5} - \overline{P} \cdot a_{\overline{3.5|}} = 0$을 만족하는 $\overline{P}$를 구하면 된다.

$$\overline{P} = \frac{v^{3.5}}{a_{\overline{3.5|}}} = \frac{e^{-0.06 \times 3.5}}{(1 - e^{-0.06 \times 3.5})/0.06} = 0.2568$$

예제 4.16

x세인 사람이 보험금 1원인 연속형(fully continuous) 종신보험에 가입하였다. 장래생존기간 확률변수 $T(x)$는 기대값이 $1/\mu$인 지수분포를 따른다.

(a) 손실 확률변수 L의 확률밀도함수(pdf)를 구하시오.

(b) $E[L] = \dfrac{\mu - \overline{P}}{\mu + \delta}$ 임을 보이시오.

해설 (a) 손실 확률변수 L은

$$L = v^T - \overline{P} \cdot a_{\overline{T|}}$$

임을 알 수 있다. 먼저 L의 분포함수를 구하고 이를 미분하여 확률밀도함수(pdf)를 구하면 된다. L의 분포함수는

$$F_L(u) = \Pr(L \le u) = \Pr\left(v^T - \overline{P} \cdot \frac{1-v^T}{\delta} \le u\right)$$

$$= \Pr\left(v^T \cdot \left(1 + \frac{\overline{P}}{\delta}\right) \le u + \frac{\overline{P}}{\delta}\right)$$

이 된다. 여기서 v^T, 정확히는 T에만 주목하자. 나머지 부분은 고정된 상수이고 오직 T만 확률변수이기 때문이다. 따라서 v^T만 빼고 나머지를 우변으로 이항하면

$$F_L(u) = \Pr\left(v^T \le \frac{u + \dfrac{\overline{P}}{\delta}}{1 + \dfrac{\overline{P}}{\delta}}\right) = \Pr\left(-\delta \cdot T \le \ln\left(\frac{u + \dfrac{\overline{P}}{\delta}}{1 + \dfrac{\overline{P}}{\delta}}\right)\right)$$

$$(\because v^T = e^{-\delta T})$$

와 같이 된다. 그리고 이것을 T에 관해서 정리하면 다음과 같다.

$$F_L(u) = \Pr\left(T \ge -\frac{1}{\delta} ln\left(\frac{u + \dfrac{\overline{P}}{\delta}}{1 + \dfrac{\overline{P}}{\delta}}\right)\right)$$

위의 식은 복잡해 보이지만 앞으로 똑같은 식이 반복되므로 어려 워할 필요는 없다. 정리하면 위 식은 L에 관한 분포를 유도한 것 이다. 그리고 실제로 L에서 확률변수는 T만 존재하기 때문에 T 에 관하여 정리를 한 것이다. 여기서 T가 지수분포를 따른다는 것 을 적용해 보겠다.

$$T(x) \sim \text{Exp}(\mu)$$

$${}_tp_x = \Pr(T(x) > t) = e^{-\mu t}$$

$$\Rightarrow f_T(t) = {}_tP_x \cdot \mu_x(t) = e^{-\mu t} \cdot \mu$$

위에서 전개했던 $F_L(\mu)$ 식에 지수분포라는 사실을 이용해서 정리 하면,

$$F_L(u) = \exp\left(-\mu\left(-\frac{1}{\delta} ln\left(\frac{u + \dfrac{\overline{P}}{\delta}}{1 + \dfrac{\overline{P}}{\delta}}\right)\right)\right) = \left[\frac{u + \dfrac{\overline{P}}{\delta}}{1 + \dfrac{\overline{P}}{\delta}}\right]^{\frac{\mu}{\delta}}$$

와 같이 표현된다. 위의 우변에서 μ를 제외한 나머지는 상수임에 유념하자. 그리고 보험료 $\overline{P}$에 대해서도 특별한 조건을 달지 않았 다. 문제에서 요구하는 것은 확률밀도함수이므로 분포함수를 u에 대해서 미분하면 된다.

$$\frac{dF_L(u)}{du} = f_L(u) \ : \ p.d.f$$

$$= \frac{\mu}{\delta}\left[\frac{u + \dfrac{\overline{P}}{\delta}}{1 + \dfrac{\overline{P}}{\delta}}\right]^{\frac{\mu}{\delta} - 1} \cdot \frac{1}{1 + \dfrac{\overline{P}}{\delta}}$$

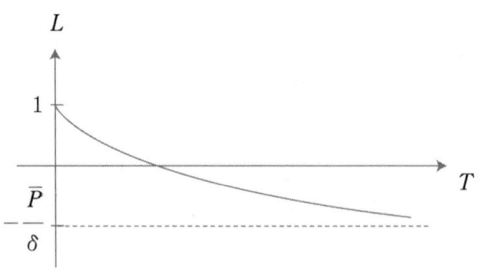

Fact) $e^{c \cdot \ln b} = b^c$

$(f(x))^n \xrightarrow{\text{미분}} n \cdot [f(x)]^{n-1} f'(x)$

(b) 손실함수의 정의를 이용해 기대값을 나타내면,

$$E(L) = E(v^T - \overline{P} \cdot \bar{a}_{\overline{T}|})$$

이 된다. 그리고 $\bar{a}_{\overline{T}|} = \dfrac{1 - v^T}{\delta}$ 을 이용하여 $\bar{a}_{\overline{T}|}$ 를 풀어주고 정리하면

$$E(L) = E\left(v^T \cdot \left(1 + \frac{\overline{P}}{\delta}\right) - \frac{\overline{P}}{\delta}\right) = E(v^T) \cdot \left(1 + \frac{\overline{P}}{\delta}\right) - \frac{\overline{P}}{\delta}$$

위 식의 두 번째 등호 뒤의 $E(v^T)$는 종신보험의 APV를 의미한다. 그리고 이 문제에서는 사력과 이력을 모두 상수로 가정하였으므로

$$E(v^T) = \overline{A}_x = \frac{\mu}{\mu + \delta}$$

를 $E(v^T)$에 대입하면 다음과 같다.

$$E(L) = \frac{\mu}{\mu + \delta}\left(1 + \frac{\overline{P}}{\delta}\right) - \frac{\overline{P}}{\delta}$$

$$= \frac{\mu - \overline{P}}{\mu + \delta}$$

이 문제에서도 $\overline{P}$에 대해서 어떤 특별한 가정을 하지 않았다. 만약 수지상등의 원칙에 의해 $\overline{P}$를 결정하였다면, $E[L]$은 0이 된다. 왜냐하면 이 경우 $\overline{P}$는 μ가 되기 때문이다. 위 식에서 알 수 있듯 $\overline{P}$가 μ보다 크면 $E[L] < 0$, 즉 이익을 기대할 수 있고, $\overline{P}$가 μ보다 작으면 $E[L] > 0$으로 손실이 예상된다.

📖 예제 4.17

보험금 1원인 연속형 종신보험을 가정한다. $\mu = 0.03$이고, $\delta = 0.06$일 때, 다음의 물음에 답하시오.

(a) 보험료 $\overline{P} = \overline{P}(\overline{A}_x)$는 수지상등의 원칙에 의해서 산출된 것일 때, $\Pr(L \leq 0)$를 구하시오.

(b) $\Pr(L > 0) = 0.5$를 만족하는 $\overline{P}$를 구하시오.

해설 (a) 사력이 상수이므로 수지상등의 원칙에 의한 보험료는

$$\overline{P} = \overline{P}(\overline{A}_x) = \mu$$

이다. 손실 확률변수가 음수가 되는 확률은 손실 확률변수의 분포함수를 이용하여 쉽게 구할 수 있다. (예제 4.12 풀이참고)

$$\Pr[L \leq 0] = F_L(0) = \left[\frac{0 + \dfrac{\overline{P}}{\delta}}{1 + \dfrac{\overline{P}}{\delta}}\right]^{\frac{\mu}{\delta}} \underset{\overline{P} = \mu}{=} \left(\frac{\dfrac{\mu}{\delta}}{1 + \dfrac{\mu}{\delta}}\right)^{\frac{\mu}{\delta}} = \left(\frac{0.5}{1 + 0.5}\right)^{0.5}$$

$$= 0.57735$$

(b) 이 문제는 결국 $\Pr(L > 0) = 0.5 = \Pr(L \leq 0)$와 같이 쓸 수 있으므로 이것을 이용하면 다음과 같다.

$$\Pr(L > 0) = \Pr(L \leq 0) = \left(\frac{0 + \overline{P}/\delta}{1 + \overline{P}/\delta}\right)^{\frac{\mu}{\delta}} = \left(\frac{\overline{P}}{0.06 + \overline{P}}\right)^{0.5} = 0.5$$

위 식을 $\overline{P}$에 관하여 정리하면,

$$\frac{\overline{P}}{0.06 + \overline{P}} = \frac{1}{4}$$

$$\overline{P} = 0.015 + \frac{1}{4} \cdot \overline{P} \Rightarrow \frac{3}{4} \cdot \overline{P} = 0.015$$

$$\therefore \ \overline{P} = 0.015 \times \frac{4}{3} = 0.02$$

두 문제를 정리해 보면 (a)에서는 수지상등의 원칙에 따라 $\overline{P}(\overline{A}_x)$를 계산하였고 그 크기가 $\overline{P}(\overline{A}_x) = \mu = 0.03$이었다. 그러나 (b)에서는 손실이 발생할 확률이 50%가 되는 백분위 보험료 $\overline{P}$를 계산하였고 그 크기가 0.02이었다.

$$\overline{P} = 0.02 \quad \neq \quad \overline{P}(\overline{A}_x) = \mu = 0.03$$

백분위 보험료가 수지상등에 의한 보험료보다 작다는 것을 알 수 있다. 이 문제를 통해 다양한 방법으로 보험료를 산출하는 방법을 배웠고 방법에 따라 보험료의 크기가 다를 수 있다는 것을 살펴보았다. 따라서 앞으로는 문제에서 주어진 특정한 조건에 맞추어 보

험료를 계산하면 된다.

📖예제 4.18

30세의 피보험자는 사망 시 해당 연도 말에 10,000원을 지급하는 종신 보험에 가입하였다. 조건이 아래와 같을 때 보험회사의 손실이 발생할 확률이 50% 보다 작도록 하는 최소한의 π를 구하시오.

(i) π는 연납보험료이며 $L(\pi)$는 가입시점에서의 손실 현가 확률변수를 의미한다.

(ii) 사망률은 부록의 ILT(생명표)를 따른다.

(iii) $i = 0.06$

🔍해설 π에 대한 손실 현가 확률변수가 0보다 클 확률이 0.5보다 작게 하는 π를 구하는 문제이다. 먼저 그림으로 나타내면 다음과 같다.

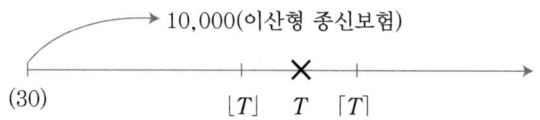

손실 현가 확률변수를 정의하면 다음과 같다.
$$L(\pi) = 10,000 \cdot v^{\lceil T \rceil} - \pi \cdot \ddot{a}_{\overline{\lceil T \rceil}|}$$
그리고
$$\Pr[L(\pi) > 0] < 0.5 \Leftrightarrow \Pr[T < m] < 0.5 \Leftrightarrow \Pr[T \geq m] > 0.5$$
를 만족해야 하고, 여기서 m은 $L(\pi) = 0$일 때 T값이라 가정한다. 먼저 m을 계산하기 위해 생명표에서 l_x을 이용하면 다음과 같음을 알 수 있다.
$$\begin{pmatrix} _{47}p_{30} = 0.50816 \\ _{48}p_{30} = 0.47681 \end{pmatrix}$$
$$m = 47.\times\times\times\times$$
따라서, $\lceil T \rceil \leq 48$일 때 $\Pr[L(\pi) > 0] < 0.5$를 만족한다고 볼 수 있다.
$$L(\pi) = 10,000 \cdot v^{\lceil T \rceil} - \pi \cdot \ddot{a}_{\overline{\lceil T \rceil}|} = 0 \Leftrightarrow \pi = \frac{10,000 \cdot v^{\lceil T \rceil}}{\ddot{a}_{\overline{\lceil T \rceil}|}}$$
위 식에 $\lceil T \rceil = 48$를 대입하면, 문제에서 요구하는 π를 구할 수 있다.
$$\pi = \frac{10,000 \cdot v^{48}}{\ddot{a}_{\overline{48}|}} = 36.77$$

2. 포트폴리오 백분위 보험료

이번에는 포트폴리오 백분위 보험료(portfolio percentile premium) 방식을 알아보자. 보험회사는 포트폴리오에 대한 총손실이 발생할 확률을 적절한 수준으로 낮추길 원할 경우가 있다. 이 때 포트폴리오의 총손실이 양의 값을 가질 확률이 $\alpha(0 < \alpha < 1)$보다 작거나 같도록 하는 방식으로 최소 보험료를 구할 수 있다. 예를 들어 포트폴리오는 n개의 보험계약으로 이뤄진다고 생각해보자. i번째 피보험자의 0시점 손실 현가 확률변수를 L_i라 하고, 각 피보험자별 L_i는 동일한 분포(identically distributed)를 따르고 독립관계(independent)라고 가정하자. 따라서 포트폴리오의 총손실 현가 확률변수 S는 다음과 같이 정의할 수 있다.

$$S = L_1 + L_2 + \cdots + L_{n-1} + L_n \tag{4.51}$$

총손실 현가 확률변수의 기댓값은

$$E[S] = E[L_1 + L_2 + \cdots + L_{n-1} + L_n] = \sum_{i=1}^{n} E[L_i] \tag{4.52}$$

이다. 앞에서 개별 손실 현가 확률변수들이 모두 동일 분포를 따른다고 가정하였으므로 기대값들이 모두 동일하다. 따라서 식 (4.52)은 다음과 같이 나타낼 수 있다.

$$E[S] = nE[L_i] \tag{4.53}$$

이번에는 총손실 현가 확률변수에 대하여 분산을 구해보도록 하자.

$$Var[S] = \sum_{i=1}^{n} Var[L_i] \tag{4.54}$$

이는 개별 손실 현가 확률변수들이 독립이라 가정하였으므로 개별 손실의 분산들을 단순히 합하면 되기 때문이다. 그리고 동일 분포 가정에 의해 개별 손실의 분산도 모두 동일하므로 다음의 식이 성립한다.

$$Var[S] = n \cdot Var[L_i] \tag{4.55}$$

그러면 이제 포트폴리오 백분위 보험료는 주어진 확률 α에 대해

$$\Pr[S > 0] \le \alpha \tag{4.56}$$

를 만족하는 보험료를 구하는 것이다. 포트폴리오의 계약 건수가 충분히 많다고 가정하면 S는 근사적으로 정규분포를 따르게 된다. 따라서 식 (4.56)을 다음과 같이 표준정규분포를 이용하여 나타낼 수 있다.

$$\Pr\left[\frac{S - E[S]}{\sqrt{Var[S]}} > \frac{0 - E[S]}{\sqrt{Var[S]}}\right] = \Pr\left[Z > \frac{0 - E[S]}{\sqrt{Var[S]}}\right] \le \alpha \tag{4.57}$$

식 (4.57)의 마지막 부등식은 다음과 같이 표준정규분포의 분포값을 이용할 수 있다.

$$\Pr\left[Z > \frac{0 - E[S]}{\sqrt{Var[S]}}\right] = \alpha \Leftrightarrow \Pr[Z > z_{1-\alpha}] = \alpha$$

$$(cf.\ \Pr[Z \le z_{1-\alpha}] = 1 - \alpha)$$

$$z_{1-\alpha} \le \frac{0 - E[S]}{\sqrt{Var[S]}} \tag{4.58}$$

예를 들어 연속납, 즉시급 종신보험 계약이 총 n개 있다고 가정하자. 또한 상수 사력의 사망법칙을 가정한다. 이 경우

$$E[L_i] = \overline{A}_x - \overline{P} \cdot \bar{a}_x$$

$$Var[L_i] = \left(1 + \frac{\overline{P}}{\delta}\right)^2 \cdot \left[{}^2\overline{A}_x - (\overline{A}_x)^2\right]$$

이고 이를 식 (4.53)과 식 (4.55)에 대입하면 총손실의 기대값은

$$E[S] = nE[L_i] = n\left(\overline{A}_x - \overline{P} \cdot \bar{a}_x\right) = n\left(\overline{A}_x - \overline{P} \cdot \frac{1 - \overline{A}_x}{\delta}\right)$$

$$= n\left[\left(1 + \frac{\overline{P}}{\delta}\right)\overline{A}_x - \frac{\overline{P}}{\delta}\right] \tag{4.59}$$

이고, 총손실의 분산은

$$Var[S] = n\,Var(L_i) = n\left(1 + \frac{\overline{P}}{\delta}\right)^2 \cdot \left[{}^2\overline{A}_x - (\overline{A}_x)^2\right] \tag{4.60}$$

임을 알 수 있다. 마지막으로 식 (4.59)와 식 (4.60)을 식 (4.58)에 대입한다.

그러면 다음과 같이 $\overline{P}$ 에 대한 1차 부등식으로 정리된다.

$$\frac{0-E[S]}{\sqrt{Var[S]}} = \frac{-n\left[\left(1+\dfrac{\overline{P}}{\delta}\right)\overline{A}_x - \dfrac{\overline{P}}{\delta}\right]}{\sqrt{n \cdot \left(1+\dfrac{\overline{P}}{\delta}\right)^2 \left[{}^2\overline{A}_x - (\overline{A}_x)^2\right]}} \geq z_{1-\alpha} \tag{4.61}$$

그리고 부등식의 좌변에 보험료 $\overline{P}$ 만 남도록 정리해보면 다음과 같다.

$$\Rightarrow -\sqrt{n}\left[\overline{A}_x - \frac{\overline{P}}{P+\delta}\right] \geq z_{1-\alpha} \times \sqrt{{}^2\overline{A}_x - (\overline{A}_x)^2}$$

$$\Rightarrow \left[\frac{\overline{P}}{P+\delta}\right] \geq z_{1-\alpha} \times \frac{1}{\sqrt{n}} \times \sqrt{{}^2\overline{A}_x - (\overline{A}_x)^2} + \overline{A}_x \tag{4.62}$$

따라서 위 부등식을 $\overline{P}$ 에 대하여 풀면 포트폴리오 백분위 보험료를 최종적으로 구할 수 있다.

$$\overline{P} \geq \frac{\overline{A}_x + z_{1-\alpha} \cdot \dfrac{1}{\sqrt{n}}\sqrt{{}^2\overline{A}_x - (\overline{A}_x)^2}}{\overline{a}_x - z_{1-\alpha} \cdot \dfrac{1}{\sqrt{n}} \times \dfrac{1}{\delta}\sqrt{{}^2\overline{A}_x - (\overline{A}_x)^2}} \tag{4.63}$$

$$E[v^T] = \overline{A}_x, \quad Var[v^T] = {}^2\overline{A}_x - (\overline{A}_x)^2 \tag{4.64}$$

$$E\left[\overline{a}_{\overline{T|}}\right] = \overline{a}_x, \quad Var\left[\overline{a}_{\overline{T|}}\right] = \frac{{}^2\overline{A}_x - (\overline{A}_x)^2}{\delta^2} \tag{4.65}$$

식 (4.63)에서 주목할 만한 점은 크게 두 가지가 있다. 우선 식 (4.63)의 분모와 분자에 있는 값들 살펴보자. 분자의 경우 포트폴리오 백분위 보험료 산출을 위해 가정했던 보험상품인 종신보험의 지출 현가에 대한 기대값과 표준편차가 나타난다(식 (4.64)). 그리고 분모의 경우 종신보험에 대하여 동일한 기간 동안 보험료 납입을 가정하였기 때문에 종신연금의 지출 현가에 대한 기대값과 표준편차가 나오고 있다(식 (4.65)). 다음으로 식 (4.63)의 또 다른 주목할 만한 점은 계약 건수가 무한대로 증가할 때 포트폴리오 백분위 보험료가 결국 수지상등의 원칙에 의한 보험료 값에 가까워진다는 것이다. 즉, 식 (4.63)의 우변 식에서 $n \to \infty$ 이면, 분모와 분자의 두 번째 항들의 값이 모두 0으로 수렴하며 다음과 같은 결과가 유도된다.

$$\overline{P} \xrightarrow{n \to \infty} \frac{\overline{A}_x}{\overline{a}_x} = \overline{P}\left(\overline{A}_x\right)$$

예제를 통해 백분위 보험료와 포트폴리오 백분위 보험료를 구해보도록 하자.

예제 4.19

보험회사는 40세 1,000명으로 구성된 연속납, 보험금 1원 즉시급 종신 보험의 포트폴리오에 대해 다음의 방식으로 보험료를 산출하고자 한다.

(i) 1,000명 피보험자들은 모두 동일한 시점에 가입했다 가정한다.

(ii) L_i은 i번째 피보험자의 0시점에서 평가한 손실 현가 확률변수이고, 계약별 L_i은 독립이며 동일한 분포를 따른다.

(iii) 총손실 S는 L_i의 합을 의미한다.

(iv) $\mu = \delta = 0.05$

(v) $\Pr[Z \geq 1.645] = 0.05$

정규 근사법을 이용하여 총손실이 양수일 확률이 5%가 되게 하는 연속납 보험료($\overline{P}$)를 구하시오.

해설 문제에서 총손실은 $S = \displaystyle\sum_{i=1}^{1,000} L_i$이라 정의하였고, 보험료 산출 방식으로 포트폴리오 백분위 보험료 방식을 제시하였다. 다시 말하면,

$$\Pr[S > 0] = 0.05$$

를 만족하는 연속납 보험료($\overline{P}$)를 구하는 문제이다. 정규 근사법을 사용하면

$$\Pr[S > 0] = \Pr\left[Z > \frac{0 - E[S]}{\sqrt{Var[S]}}\right] = 0.05$$

을 만족해야 한다.

이미 이론에서 설명한 식을 이용하여 문제를 풀어보도록 하겠다. 식 (4.63)에 의해

$$\overline{P} = \frac{\overline{A}_x + 1.645 \times \dfrac{1}{\sqrt{1,000}} \sqrt{{}^2\overline{A}_x - (\overline{A}_x)^2}}{\overline{a}_x - 1.645 \times \dfrac{1}{\sqrt{1,000}} \times \dfrac{1}{0.05} \sqrt{{}^2\overline{A}_x - (\overline{A}_x)^2}} \quad \cdots (*)$$

를 만족하는 보험료를 구하면 된다. 상수인 사력을 가정하였으므로

$$\overline{A}_x = \frac{\mu}{\mu + \delta} = \frac{0.05}{0.05 + 0.05} = 0.5$$

$${}^2\overline{A}_x = \frac{\mu}{\mu + 2\delta} = \frac{0.05}{0.05 + 0.05 \times 2} = \frac{1}{3}$$

$$\bar{a}_x = \frac{1}{\mu+\delta} = \frac{1}{0.05+0.05} = 10$$

이고, 이 APV값들을 다시 식 (∗)에 대입하면 $\overline{P}=0.0530963$이다.

VIII 순보험료 관련 예제

1. x세인 사람이 보험금 1원을 사망 즉시 지급하는 종신보험에 가입하였다. 보험료는 생존해 있는 동안 연속적으로 납입한다.
   (i) 사력과 이력은 상수이다.
   (ii) $^2\overline{A}_x = 0.20$
   (iii) $\overline{P}(\overline{A}_x) = 0.03$
   (iv) L은 수지상등의 원칙에 의해 결정된 순보험료를 기초로 계산된 가입시점의 손실 현가 확률변수이다.
   $Var(L)$를 구하시오.

해설 연속납, 즉시급 종신보험의 0시점 손실 현가 확률변수는 다음과 같다.
$$L = v^T - \overline{P} \cdot \bar{a}_{\overline{T}|}, \ T>0$$

그리고 손실 현가 확률변수에 대한 분산은 다음과 같이 계산한다.
$$Var[L] = Var\left[v^T - \overline{P} \cdot \bar{a}_{\overline{T}|}\right] = Var\left[v^T - \overline{P} \cdot \frac{1-v^T}{\delta}\right]$$
$$= Var\left[\left(1+\frac{\overline{P}}{\delta}\right)v^T - \frac{\overline{P}}{\delta}\right] = \left(1+\frac{\overline{P}}{\delta}\right)^2 Var[v^T]$$
$$= \left(1+\frac{\overline{P}}{\delta}\right)^2 \left(^2\overline{A}_x - \overline{A}_x^2\right)$$

문제에서 주어진 순보험료($\overline{P}$)는 수입과 지출을 같게 하는 수지상등의 원칙을 이용하여 구할 수 있다. 그리고 이 문제에서 상수 사력을 가정하였으므로 순보험료의 크기가 사력과 같음을 앞의 예제들에서 이미 확인했었다.
$$\overline{P}(\overline{A}_x) \cdot \bar{a}_x = \overline{A}_x$$
$$\overline{P}(\overline{A}_x) = \frac{\overline{A}_x}{\bar{a}_x} = \frac{\mu/\mu+\delta}{1/\mu+\delta} = \mu = 0.03$$

또한 주어진 조건으로 이력을 구하면 다음과 같다.
$$^2\overline{A}_x = \frac{\mu}{\mu+2\delta} = 0.2 \implies \delta = 0.06$$

지금까지 구한 값을 통해 종신보험의 보험수리적 현가를 구하면

$$\overline{A}_x = \frac{\mu}{\mu + \delta} = \frac{1}{3}$$

이므로 분산을 손실 현가 확률변수를 이용하여 구하면

$$Var[L] = \left(1 + \frac{\overline{P}}{\delta}\right)^2 \cdot \left({}^2\overline{A}_x - \overline{A}_x^2\right) = 0.2$$

이다.

2. x세들로 이루어진 집단이 있다. 이들은 동일한 시점에 사망보험금 1 원의 이산형(fully discrete) 종신보험에 가입하였다.

(i) $i = 0.06$

(ii) $A_x = 0.24905$

(iii) ${}^2A_x = 0.09476$

(iv) $\pi = 0.025$

(v) 피보험자들의 장래생존기간은 독립이다.

(vi) 손실 현가 확률변수는 계약 시점에 평가한 것이고, 피보험자들의 손실 현가 확률변수들은 동일 분포를 따른다.

정규 근사법을 이용하여 총손실이 발생할 확률이 0.05보다 작거나 같게 하는 최소한의 피보험자 수를 구하시오.

총손실을 S라 할 때, $\Pr(S > 0) \le 0.05$을 만족하는 최소 계약건수 n을 구하는 문제이다. 먼저 개별 손실에 대한 확률변수를 정의하면 다음과 같다.

$$L = v^{\lceil T \rceil} - \pi \cdot \ddot{a}_{\overline{\lceil T \rceil|}}, \quad T \ge 0$$

계약 건수를 고려한 총손실 확률변수 S는 다음과 같이 나타낼 수 있다.

$$S = L_1 + L_2 + \cdots + L_n$$

문제에서 정규 근사법을 가정하고 있으므로 아래와 같다.

$$\Pr(S > 0) = \Pr\left(\frac{S - E(S)}{\sqrt{Var[S]}} > \frac{0 - E(S)}{\sqrt{Var[S]}}\right) \le 0.05$$

$$\Rightarrow 1 - \Phi\left(\frac{0 - E(S)}{\sqrt{Var[S]}}\right) \le 0.05 \Rightarrow \Phi\left(\frac{0 - E(S)}{\sqrt{Var[S]}}\right) \ge 0.95$$

$$\therefore \frac{0 - E[S]}{\sqrt{Var[S]}} \ge 1.645$$

따라서 위 부등식을 만족하는 최소 계약 건수를 구하면 된다.

개별 손실 확률변수 L은 상호 독립이고 동일분포를 따르기 때문에 $E[S]$와 $Var[S]$는 각각 개별 손실 확률변수 L에 관한 $E[L_i]$과

$Var[L_i]$을 이용해 표현할 수 있다.

$$E[S] = E[L_1] + E[L_2] + \cdots + E[L_n] = n \cdot E[L_i]$$

$$Var[S] = Var[L_1] + Var[L_2] + \cdots + Var[L_n] = n \cdot Var[L_i]$$

먼저 $E[L_i]$과 $Var[L_i]$를 계산해 보자. 개별 손실의 기댓값은

$$E[L_i] = A_x - \pi \cdot \ddot{a}_x = A_x - \pi\left(\frac{1-A_x}{d}\right) = -0.0826196$$

이고, 개별 손실의 분산은 다음과 같이 계산한다.

$$Var[L_i] = Var\left(v^{\lceil T \rceil} - \pi \cdot \ddot{a}_{\overline{\lceil T \rceil|}}\right) = Var\left(v^{\lceil T \rceil} - \pi \frac{1 - v^{\lceil T \rceil}}{d}\right)$$

$$= Var\left[\left(1 + \frac{\pi}{d}\right)v^{\lceil T \rceil} - \frac{\pi}{d}\right] = \left(1 + \frac{\pi}{d}\right)^2 Var\left[v^{\lceil T \rceil}\right]$$

이때 $Var\left[v^{\lceil T \rceil}\right]$는 이산형 종신보험의 보험금 현가에 대한 분산이므로

$$Var[L_i] = \left(1 + \frac{\pi}{d}\right)^2 (^2A_x - A_x^2) = 0.0680346$$

이다. 위에서 구한 $\dfrac{0 - E[S]}{\sqrt{Var[S]}} \geq 1.645$에 $E[S]$와 $Var[S]$ 각각을 대입하면 다음과 같다.

$$\frac{0 - E[S]}{\sqrt{Var[S]}} \geq 1.645 \Rightarrow -E[S] \geq 1.645\sqrt{Var[S]}$$

$$\Rightarrow -n \cdot E[L_i] \geq 1.645\sqrt{n \cdot Var[L_i]}$$

그리고 위 부등식에서 $E[L_i] = -0.0826196 < 0$이기 때문에 다음과 같다.

$$\Rightarrow \sqrt{n} \geq \frac{-1.645\sqrt{Var[L_i]}}{E[L_i]}$$

$$\Rightarrow n \geq 26.9709016$$

따라서 최소 계약 건수는

$$\therefore \ n = 27$$

임을 알 수 있다.

3. A보험사는 매년 초 12,000원을 지급하는 종신연금을 판매하고 있다. A보험사의 계리사는 종신연금 상품에 사망보장을 추가하는 것을 제안하였다. 사망 시 사망연도 말에 사망보험금을 지급한다면, 이 새로운 상품의 지출 현가의 분산을 최소로 하는 사망보험금의 크기는 얼마인가? 단, $d = 8\%$라 하자.

해설 문제에서 구하고자 하는 것은 이 상품에 대한 분산을 최소로 만드는 사망보험금 B를 구하는 것이다. 즉, 구하고자 하는 값은 B이고, 만족시켜야 할 조건은 분산을 최소로 만드는 것이다.

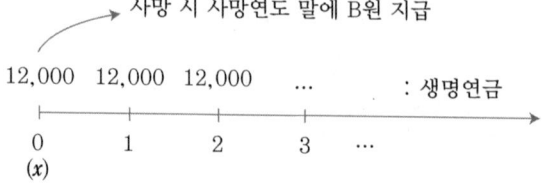

사망 시 사망연도 말에 B원 지급

문제의 상품은 생명연금과 생명보험이 섞인 형태이므로 이 새로운 상품의 지출 현가 확률변수를 X라고 하고, Z를 사망 보험금의 현가 확률변수, Y를 연금액의 현가 확률변수라고 한다면, 다음과 같이 정의 할 수 있다.

$$X: \text{새로운 상품에 대한 지출 현가 확률변수}$$
$$X = Z + Y$$
$$Z = B \cdot v^{\lceil T \rceil}, \ T \geq 0$$
$$Y = 12{,}000 \ddot{a}_{\overline{\lceil T \rceil}|}, \ T \geq 0$$

따라서 확률변수 X를 다시 정리해서 쓰면 다음과 같다.

$$X = B \cdot v^{\lceil T \rceil} + 12{,}000 \cdot \ddot{a}_{\overline{\lceil T \rceil}|} = B \cdot v^{\lceil T \rceil} + 12{,}000 \cdot \left(\frac{1 - v^{\lceil T \rceil}}{d} \right)$$
$$= \left(B - \frac{12{,}000}{d} \right) v^{\lceil T \rceil} + \frac{12{,}000}{d}$$

이를 이용하여 분산값을 구하기 위한 식을 세워보면 아래와 같다.

$$Var(X) = Var\left[\left(B - \frac{12{,}000}{d} \right) v^{\lceil T \rceil} + \frac{12{,}000}{d} \right] = \left(B - \frac{12{,}000}{d} \right)^2 Var\left(v^{\lceil T \rceil} \right)$$

그런데 분산을 최소로 하는 사망보험금을 구하라고 하였으므로 분산이 가질 수 있는 최소값은 0이기 때문에 아래와 같은 값을 구할 수 있다.

$$\left(B - \frac{12000}{d} \right)^2 Var\left(v^{\lceil T \rceil} \right) = 0$$
$$\therefore \ B = \frac{12000}{d} = 150000$$

4. 60세의 피보험자가 보험금 1,000원인 이산형(fully discrete) 종신보험에 가입하였다. 이 때 보험계약의 연납 보험료는 아래의 정보를 이용하여 산출되었다.

(i) $i = 0.06$

(ii) $q_{60} = 0.01376$

(iii) $1,000A_{60} = 369.33$

(iv) $1,000A_{61} = 383.00$

그러나 계약 직후 이 피보험자의 계약 첫 해의 사망률이 주어진 예정 사망률보다 10배 더 높게 적용되어야만 한다는 것을 알게 되었다. (이 피보험자는 기존의 예정사망률을 이용하여 산출된 보험료를 납입한 다.) 계약 첫 해를 제외한 나머지 보험기간의 사망률은 예정 사망률과 동일하다. 새로운 사망률을 바탕으로 한 손실 현가 확률변수의 기대 값을 구하여라.

해설 문제에서 주어진 보장형태를 그림으로 나타내면 다음과 같다.

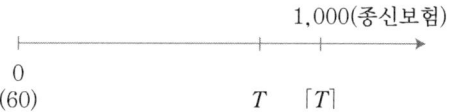

구해야 하는 것은 보험계약시점, 즉 그림상의 0시점에서의 기대 손실이다. 첫 번째 연도의 사망률이 원래 사망률의 10배임이 주어졌다. 그리고 주어진 조건을 식으로 표현하면 다음과 같다.

$$q'_{60} = 10q_{60} = 0.1376$$

0시점에서의 손실 현가 확률변수($_0L$)를 정의하면

$$L = 1,000 \cdot v^{\lceil T \rceil} - P_x \cdot \ddot{a}_{\overline{\lceil T \rceil}|}, \ \ T \geq 0$$

이고, 그 기대값은 아래와 같다.

$$E[L] = 1,000 \cdot A'_{60} - P \cdot \ddot{a}'_{60}$$

여기서 A'_{60}와 $\ddot{a}'_{60}$은 q'_{60}을 이용하여 계산된 APV이다. 보험료 P 와 A'_{60}, $\ddot{a}'_{60}$의 값을 구하면 원하는 결과를 얻을 수 있다. 우선 보험료 P는 사망률의 변화에 영향을 받지 않으므로 다음과 같이 계산한다.

$$P \cdot \ddot{a}_{60} = 1,000A_{60}$$

$$P = 1,000\left(\frac{A_{60}}{\ddot{a}_{60}}\right) = 1,000\left(\frac{dA_{60}}{1 - A_{60}}\right) = 33.14803574$$

그 다음으로는 A'_{60}값을 구해야 하는데, 이는 재귀식을 이용하면 된다.

$$A'_{60} = vq'_{60} + vp'_{60}A_{61} = 0.4414143396$$

((61)부터는 사망률이 동일하므로 주어진 조건 이용)

마지막으로 보험과 연금의 관계식을 이용하면 $\ddot{a}'_{60}$은

$$\ddot{a}'_{60} = \frac{1 - A'_{60}}{d} = 9.868346667$$

임을 알 수 있다. 모든 결과를 대입하여 계산하면

$$\therefore E[L] = 114$$

이다.

5. 35세의 피보험자가 종신보험에 가입하였다.

   (i) 매년 초 평준보험료(동일한 액수의 보험료)를 납부한다.

   (ii) 사망보험금은 1,000원에 사망 시까지 사망 시 해당 연도 말에 사망보험금 1,000원과 더불어 납입한 보험료를 이자 없이 추가 지급한다.

   (iii) $A_{35} = 0.42898$

   (iv) $(IA)_{35} = 6.16761$

   (v) $i = 0.05$

   종신보험의 연납 보험료를 구하시오.

해설 문제에 주어진 보험은 (35)가 매년 초 보험료를 납입하고, 사망 시 1,000원의 사망보험금과 사망시점까지 지급한 모든 보험료를 이자 없이 반환하는 종신보험이다. 이를 그림으로 나타내면 다음과 같다.

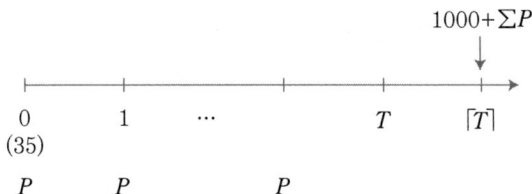

수지상등의 원칙에 의해 보험료를 계산하면, 다음과 같다.

$$P \cdot \ddot{a}_{35} = 1,000 \cdot A_{35} + P \cdot (IA)_{35}$$

좌변은 수입의 APV로 보험료 P를 매년 초 지급하는 것에 대한 것이다. 우변은 지출의 APV로 사망 시 1,000원을 보장하므로 $1,000A_{35}$이고, 사망시점까지의 보험료의 합은 매년 P씩 증가하는 종신보험으로 생각할 수 있으므로 $P \cdot (IA)_{35}$로 표현할 수 있다. P에 대해서 정리하면 아래와 같음을 알 수 있다.

$$P = \frac{1,000 \cdot A_{35}}{\ddot{a}_{35} - (IA)_{35}}$$

종신연금과 종신보험의 관계를 이용하면

$$\ddot{a}_{35} = \frac{1 - A_{35}}{d} = 11.99142$$

이므로 이를 대입하면

$$P = 73.66$$

임을 알 수 있다.

6. 80세의 피보험자가 종신보험에 가입하였다.

   (i) 보험료 π는 제1보험연도와 제3보험연도 초에 납입한다.

   (ii) 사망보험금은 사망연도 말에 지급한다.

   (iii) 80세인 사람이 제1보험연도 또는 제3보험연도에 사망하는 경우는 보험금 $1{,}000 + \dfrac{\pi}{2}$원을 지급하고 그 외 기간에 사망하는 경우는 보험금 1,000원을 지급한다.

   (iv) 사망률은 부록의 ILT(생명표)를 따른다

   (v) $i = 0.06$

   수지상등의 원칙을 이용하여 π를 구하시오.

해설 (80)가 종신보험에 가입했는데, 이 보험은 보험료를 1보험연도와 3보험연도 초에 두 번만 납입하고, 사망보험금은 1,000원을 종신토록 보장받으며, 추가적으로 1보험연도와 3보험연도 사망 시 $\dfrac{\pi}{2}$를 더 지급받도록 설정되어 있다. 문제의 종신보험을 그림으로 나타내면 다음과 같다.

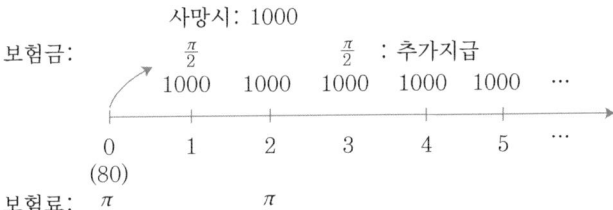

수입의 APV와 지출의 APV를 구해보면 다음과 같다.

수입의 APV: $\pi + \pi \cdot v^2{}_2p_{80} = \pi \cdot \left(1 + v^2{}_2p_{80}\right)$

지출의 APV: $1{,}000 \cdot A_{80} + \dfrac{\pi}{2} \cdot vq_{80} + \dfrac{\pi}{2} \cdot v^3{}_{2|}q_{80}$

$$= 1{,}000 \cdot A_{80} + \frac{\pi}{2} \cdot \left(vq_{80} + v^3{}_{2|}q_{80}\right)$$

따라서 수지 상등의 원칙에 의해 π를 계산하면 다음과 같다.

$$\pi \cdot \left(1 + v^2{}_2p_{80} - \frac{1}{2} \cdot \left(vq_{80} + v^3{}_{2|}q_{80}\right)\right) = 1,000 \cdot A_{80}$$

$$\therefore \ \pi = 397.41 \ \text{(부록의 생명표를 이용)}$$

7. 30세 피보험자가 종신보험에 가입했다. 보험료는 10년간 동일한 금액인 π를 납입한다. 아래의 조건을 이용하여 보험료 π를 계산하시오.

  (i) 사망 시 보험금 1,000원 이외에 피보험자가 납입한 보험료를 이자 없이 반환해준다.

  (ii) $A_{30} = 0.102$

  (iii) $_{10|}A_{30} = 0.088$

  (iv) $(IA)^1_{30 : \overline{10|}} = 0.078$

  (v) $\ddot{a}_{30 : \overline{10|}} = 7.747$

해설 문제에 주어진 보험은 (30)이 10년 동안 연초에 π씩 납부하고, 앞선 문제와 같이 사망보험금 1,000원과 사망 시까지 납입한 보험료를 이자 없이 반환하는 보험이다. 그림으로 나타내면 다음과 같다.

$T \leq 10$인 경우

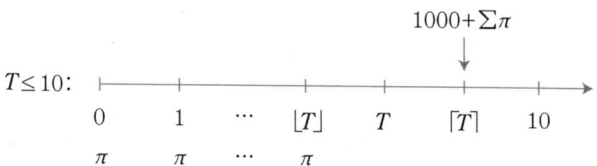

$T > 10$인 경우

수지 상등의 원칙에 의해 보험료를 계산하면 다음과 같다.

수입의 APV: $\pi \cdot \ddot{a}_{30 : \overline{10|}}$

지출의 APV: $1,000 \cdot A_{30} + \pi(IA)^1_{30 : \overline{10|}} + (10\pi) \cdot {}_{10|}A_{30}$

수입 부분은 10년 동안 π씩 연초에 납입하는 것을 표현한 것이다. 지출 부분은 1,000원을 종신토록 보장하고 보험료 반환부분, 즉 처음 10년 동안은 π씩 증가하는 정기보험과 10년 이후로는 10π를 보장하는 거치종신보험의 합으로 된다. 따라서 이를 π에 대해 정리하고 주어진 조건을 대입하여 풀면 최종 값을 구할 수 있다.

$$\therefore \ \pi = 15.0$$

8. x세의 피보험자가 3년 거치 기시급 종신연금에 가입했다. 아래의 조건을 이용하여 순보험료를 구하시오.

(i) $i = 0.04$

(ii) 거치기간 후 첫 해의 연금액은 1,000원이다.

(iii) 이후 연금액은 매년 4%씩 증가한다.

(iv) 거치기간 동안 사망 시 어떠한 보험금도 지급되지 않는다.

(v) 보험료는 거치기간 3년 동안 매년 초에 납입된다.

(vi) $e_x = 11.05$

(vii)

k	1	2	3
$_kp_x$	0.99	0.98	0.97

해설 (x)는 3년 거치종신연금에 가입했다. 첫 번째 연금 지급액은 1,000원이고 그 이후로는 4%씩 지급액이 증가한다. 3년 거치 기간 동안 사망 보장은 없고 보험료는 연초에 3년간 납입하는 보험이다. 이를 그림으로 나타내면 다음과 같다.

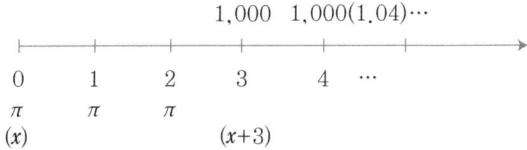

구하고자 하는 것은 위의 그림에서 나타내는 π이다. 수지상등의 원칙에 의해 구하면 다음과 같이 표현된다. ($v = \dfrac{1}{1.04}$ 이용)

수입의 APV: $\pi \cdot \ddot{a}_{x\,:\,\overline{3|}} = \pi \cdot \left(1 + vp_x + v^2 {}_2p_x\right)$

지출의 APV: $v^3 {}_3p_x \cdot \left(1{,}000 + 1{,}000 \cdot (1.04) \cdot vp_{x+3} +\right.$

$$1{,}000 \cdot (1.04)^2 v^2 \cdot {}_2p_{x+3} + \cdots)$$

$$= 1{,}000 \cdot {}_3E_x \cdot \left[1 + p_{x+3} + {}_2p_{x+3} + \cdots\right]$$

$$= 1{,}000 \cdot {}_3E_x \cdot \left[1 + e_{x+3}\right]$$

지출 부분의 첫 번째 등식에서 괄호 안은 $(x+3)$시점에서 평가한 것이고 그것을 0시점으로 할인하기 위해 $v^3 {}_3p_x$를 곱하였다. 지출의 APV에서 첫 번째 등호 이후의 식은 첫 번째 줄 식에서 1.04와 v,

$(1.04)^2$과 v^2 등이 각각 상쇄되어 1이 되므로 간단하게 식이 정리되었다. 그리고 첫 번째 등호 뒤 식에서 대괄호 안의 1을 제외한 나머지 확률들의 합은 앞에서 배웠던 $(x+3)$의 정수 기대여명이 된다.

e_{x+3}이 필요하지만 문제에서 e_x가 주어져 있으므로 이를 이용하여 계산한다.

$$e_x = p_x + {}_2p_x + {}_3p_x + {}_4p_x + \cdots = e_{x:\overline{3}|} + {}_3p_x \cdot e_{x+3}$$
$$= (p_x + {}_2p_x + {}_3p_x) + {}_3p_x \cdot e_{x+3}$$
$$\rightarrow 11.05 = (0.99 + 0.98 + 0.97) + 0.97 \cdot e_{x+3}$$
$$\therefore e_{x+3} = 8.360824742$$

위에서 구한 정수 기대여명을 지출의 APV의 식에 대입하여 수지상등의 원칙을 만족하는 등식을 풀어주면 π를 구할 수 있다.

$$\pi = 1,000 \cdot \left(\frac{v^3 \cdot {}_3p_x \cdot (1 + e_{x+3})}{1 + vp_x + v^2 {}_2p_x} \right) = 2,833.377436$$

9. 30세의 피보험자가 보험료를 35년 납입의 종신보험에 가입하였다.

   (i) 사망보험금은 보험계약 성립 시부터 최초 20년간은 1원, 이후는 5원이다.

   (ii) 보험계약 성립 시부터 최초 20년간은 매년 초마다 보험료 π를 납입하며, 그 이후 15년간은 매년 초마다 보험료 5π를 납입한다.

   (iii) 사망률은 부록의 ILT를 이용한다.

   (iv) $i = 0.06$

   (v) $A_{30:\overline{20}|} = 0.32307$

   (vi) $\ddot{a}_{30:\overline{35}|} = 14.835$

   π를 계산하여라.

   해설 (x)는 최초 20년 동안 사망보험금 1원을 보장받고, 그 이후부터는 5원을 보장받는다. 그리고 보험료 납입은 최초 20년 동안 π를 납입하고, 그 이후 15년 동안은 5π를 납입하는 35년납 종신보험이다. 이를 그림으로 나타내면 다음과 같다.

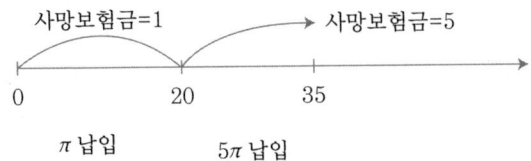

수지상등의 법칙에 의해 계산하면 다음과 같다.

$$\begin{pmatrix} \text{수입 } APV: (5\pi) \cdot \ddot{a}_{30:\overline{35|}} - (4\pi) \cdot \ddot{a}_{30:\overline{20|}} \\ \text{지출 } APV: 5 \cdot A_{30} - 4 \cdot A^{1}_{30:\overline{20|}} \end{pmatrix}$$

위 식을 보면, 수입부분은 35년 동안 계속적으로 5π씩 내는 것에서 최초 20년 동안은 π씩 내므로, 4π를 차감해 준 것이다. 그리고 지출부분은 종신토록 5원을 보장해주는 종신보험에서 최초 20년은 1원을 보장하므로 4원을 차감해 준 것이다.

"수입의 APV=지출의 APV"이므로, π에 대해 정리하면 다음과 같다.

$$\pi = \frac{5 \cdot A_{30} - 4 \cdot A^{1}_{30:\overline{20|}}}{5 \cdot \ddot{a}_{30:\overline{35|}} - 4 \cdot \ddot{a}_{30:\overline{20|}}}$$

$$\therefore \pi = 0.015 \ (\text{부록의 생명표 이용})$$

참고로 지출의 APV를 $A^{1}_{30:\overline{20|}} + {}_{20}E_{30} \cdot (5 \cdot A_{50})$로도 생각할 수 있다. 이는 최초 20년 동안은 1원을 보장하는 정기보험과 20년 뒤에 살아 있다는 조건하에 5원을 종신토록 지급하는 거치종신보험을 결합한 것으로 생각한 것이다.

10. x세의 피보험자가 연속납, 즉시급, 보험금 1원의 종신보험에 가입하였다.

(i) π는 평준 순보험료이다.

(ii) L은 가입시점에서의 평준 순보험료를 기준으로 한 손실 현가 확률변수를 의미한다.

(iii) L^{*}은 가입시점에서의 평준 순보험료의 1.25배를 기준으로 한 손실 현가 확률변수를 의미한다.

(iv) $\bar{a}_{x} = 5.0$

(v) $\delta = 0.08$

(vi) $Var(L) = 0.5625$

L^{*}의 기대값과 표준편차의 합을 구하시오.

해설 문제는 x세인 사람이 사망보험금 1원의 종신보험에 가입했고, $E(L^{*}) + \sqrt{Var(L^{*})}$ 가 얼마인지 구하는 것이다.

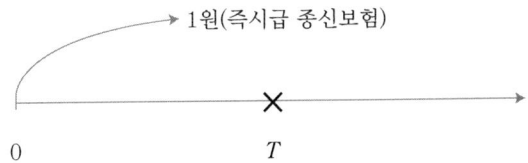

손실현가 확률변수를 정의하면 다음과 같다.

$$\left(\begin{array}{l} L = v^T - \pi \cdot \bar{a}_{\overline{T}|}, \ \ T \geq 0 \\ L^* = v^T - (1.25 \cdot \pi) \cdot \bar{a}_{\overline{T}|}, \ \ T \geq 0 \end{array} \right)$$

먼저 L과 L^*의 기대값을 구하면 다음과 같다.

$$E(L) = \bar{A}_x - \pi \cdot \bar{a}_x = 0 \Rightarrow \pi = \frac{\bar{A}_x}{\bar{a}_x} = \frac{1}{\bar{a}_x} - \delta = 0.12$$

$$E(L^*) = \bar{A}_x - (1.25\pi) \cdot \bar{a}_x \Rightarrow (1 - \delta \cdot \bar{a}_x) - (1.25)(0.12) \cdot \bar{a}_x$$
$$= -0.15$$

다음으로 L^*의 분산을 구하면 다음과 같다.

$$\begin{aligned} Var(L^*) &= Var\left[v^T - (1.25\pi) \cdot \bar{a}_{\overline{T}|} \right] \\ &= Var\left[v^T - 1.25\pi \cdot \frac{1 - v^T}{\delta} \right] \\ &= Var\left[\left(1 + \frac{1.25\pi}{\delta}\right) \cdot v^T - \frac{1.25\pi}{\delta} \right] \\ &= Var\left[\left(1 + \frac{1.25\pi}{\delta}\right) \cdot v^T \right] = \left(1 + \frac{1.25\pi}{\delta}\right)^2 Var[v^T] \end{aligned}$$

$Var(L)$을 이용하여 $Var(v^T)$를 구하면 다음과 같다.

$$Var(L) = \left(\frac{1 + \pi}{\delta}\right)^2 Var(v^T) = \left(1 + \frac{0.12}{0.08}\right)^2 Var(v^T) = 0.5625$$

$$\Rightarrow Var(v^T) = 0.09$$

$Var(v^T)$값을 $Var(L^*)$식에 대입하여 풀면 아래의 값을 얻을 수 있다.

$$Var(L^*) = \left(1 + \frac{1.25\pi}{\delta}\right)^2 Var[v^T] = \left(1 + \frac{1.25 \times 0.12}{0.08}\right)^2 \times 0.09$$
$$= 0.7439063$$

따라서 L^*의 기대값과 표준편차의 합은 다음과 같다.

$$\therefore \ E(L^*) + \sqrt{Var(L^*)} = -0.15 + \sqrt{0.7439063}$$
$$= 0.7125$$

| **IX** | **단원 요약표** |

• 연속납/즉시급 보험계약의 보험료

	손실현가확률변수	
종신보험	$v^T - \overline{P}\left(\overline{A}_x\right) \cdot \overline{a}_{\overline{T}\mid}$	$\overline{P}\left(\overline{A}_x\right) = \dfrac{\overline{A}_x}{\overline{a}_x}$
n년 정기보험	$v^T \cdot I(T \le n) - \overline{P}\left(\overline{A}_{x:\overline{n}\mid}^{1}\right) \cdot \overline{a}_{\overline{T \wedge n}\mid}$	$\overline{P}\left(\overline{A}_{x:\overline{n}\mid}^{1}\right) = \dfrac{\overline{A}_{x:\overline{n}\mid}^{1}}{\overline{a}_{x:\overline{n}\mid}}$
n년 생사혼합보험	$v^{T \wedge n} - \overline{P}\left(\overline{A}_{x:\overline{n}\mid}\right) \cdot \overline{a}_{\overline{T \wedge n}\mid}$	$\overline{P}\left(\overline{A}_{x:\overline{n}\mid}\right) = \dfrac{\overline{A}_{x:\overline{n}\mid}}{\overline{a}_{x:\overline{n}\mid}}$
n년 생존보험	$v^n \cdot I(T > n) - \overline{P}_{x:\overline{n}\mid}^{\;1} \cdot \overline{a}_{\overline{T \wedge n}\mid}$	$\overline{P}_{x:\overline{n}\mid}^{\;1} = \dfrac{A_{x:\overline{n}\mid}^{\;1}}{\overline{a}_{x:\overline{n}\mid}}$
h납입 종신보험	$v^T - {}_h\overline{P}\left(\overline{A}_x\right) \cdot \overline{a}_{\overline{T \wedge h}\mid}$	${}_h\overline{P}\left(\overline{A}_x\right) = \dfrac{\overline{A}_x}{\overline{a}_{x:\overline{h}\mid}}$
h납입 n년 생사혼합보험	$v^{T \wedge n} - {}_h\overline{P}\left(\overline{A}_{x:\overline{n}\mid}\right) \cdot \overline{a}_{\overline{T \wedge h}\mid}$	${}_h\overline{P}\left(\overline{A}_{x:\overline{n}\mid}\right) = \dfrac{\overline{A}_{x:\overline{n}\mid}}{\overline{a}_{x:\overline{h}\mid}}$
n년 거치 종신연금	$\left(\overline{a}_{\overline{T \vee n}\mid} - \overline{a}_{\overline{n}\mid}\right) - P\left({}_{n\mid}\overline{a}_x\right) \cdot \overline{a}_{\overline{T \wedge n}\mid}$	$\overline{P}\left({}_{n\mid}\overline{a}_x\right) = \dfrac{{}_nE_x \cdot \overline{a}_{x+n}}{\overline{a}_{x:\overline{n}\mid}}$

• 기시납/기말급 보험계약의 보험료

	손실현가확률변수	
종신보험	$v^{\lceil T \rceil} - P_x \cdot \ddot{a}_{\overline{\lceil T \rceil}\mid}$	$P_x = \dfrac{A_x}{\ddot{a}_x}$
n년 정기보험	$v^{\lceil T \rceil} \cdot I(T \le n) - P_{x:\overline{n}\mid}^{1} \cdot \ddot{a}_{\overline{\lceil T \wedge n \rceil}\mid}$	$P_{x:\overline{n}\mid}^{1} = \dfrac{A_{x:\overline{n}\mid}^{1}}{\ddot{a}_{x:\overline{n}\mid}}$
n년 생사혼합보험	$v^{\lceil T \wedge n \rceil} - P_{x:\overline{n}\mid} \cdot \ddot{a}_{\overline{\lceil T \wedge n \rceil}\mid}$	$P_{x:\overline{n}\mid} = \dfrac{A_{x:\overline{n}\mid}}{\ddot{a}_{x:\overline{n}\mid}}$

n년 생존보험	$v^n \cdot I(T > n) - P_{x:\overline{n}|}^{\ 1} \cdot \ddot{a}_{\overline{T \wedge n}|}$	$P_{x:\overline{n}|}^{\ 1} = \dfrac{A_{x:\overline{n}|}^{\ 1}}{\ddot{a}_{x:\overline{n}|}}$
h납입 종신보험	$v^{[T]} - {}_h P_x \cdot \ddot{a}_{\overline{T \wedge h}|}$	${}_h P_x = \dfrac{A_x}{\ddot{a}_{x:\overline{h}|}}$
h납입 n년 생사혼합보험	$v^{[T \wedge n]} - {}_h P_{x:\overline{n}|} \cdot \ddot{a}_{\overline{T \wedge h}|}$	${}_h P_{x:\overline{n}|} = \dfrac{A_{x:\overline{n}|}}{\ddot{a}_{x:\overline{h}|}}$
n년 거치 종신연금	${}_{n|}\ddot{a}_{\overline{([T]-n)_+}|} - P({}_{n|}\ddot{a}_x) \cdot \ddot{a}_{\overline{T \wedge n}|}$	$P({}_{n|}\ddot{a}_x) = \dfrac{{}_n E_x \cdot \ddot{a}_{x+n}}{\ddot{a}_{x:\overline{n}|}}$

• 보험과 연금을 이용한 보험료 공식

이산형		연속형	
$P_x = \dfrac{1}{\ddot{a}_x} - d$	$P_{x:\overline{n}|} = \dfrac{1}{\ddot{a}_{x:\overline{n}|}} - d$	$\overline{P}(\overline{A}_x) = \dfrac{1}{\overline{a}_x} - \delta$	$\overline{P}(\overline{A}_{x:\overline{n}|}) = \dfrac{1}{\overline{a}_{x:\overline{n}|}} - \delta$
$= \dfrac{1 - d \cdot \ddot{a}_x}{\ddot{a}_x}$	$= \dfrac{1 - d \cdot \ddot{a}_{x:\overline{n}|}}{\ddot{a}_{x:\overline{n}|}}$	$= \dfrac{1 - \delta \cdot \overline{a}_x}{\overline{a}_x}$	$= \dfrac{1 - \delta \cdot \overline{a}_{x:\overline{n}|}}{\overline{a}_{x:\overline{n}|}}$
$= \dfrac{d \cdot A_x}{1 - A_x}$	$= \dfrac{d \cdot A_{x:\overline{n}|}}{1 - A_{x:\overline{n}|}}$	$= \dfrac{\delta \overline{A}_x}{1 - \overline{A}_x}$	$= \dfrac{\delta \overline{A}_{x:\overline{n}|}}{1 - \overline{A}_{x:\overline{n}|}}$

1. $\omega = 100$인 De Moivre 사망법칙과 $\delta = 0.06$을 가정한다. 다음을 계산하시오.

  (i) $\overline{P}\left(\overline{A}_{45}\right)$

  (ii) $\overline{P}\left(\overline{A}^{1}_{45\,:\,\overline{20}|}\right)$

  (iii) $_{7}\overline{P}\left(\overline{A}_{45}\right)$

2. (x)세 250명으로 구성된 보험집단이 있다. 다음을 이용하여 물음에 답하시오.

  (i) 장래 생존기간은 독립이고 동일 분포를 따른다.

  (ii) 매년 초마다 생존해 있는 사람에게 각각 500원을 지급한다.

  (iii) $A_{x} = 0.369131$

  (iv) $^{2}A_{x} = 0.1774113$

  (v) $i = 0.06$

정규 근사법을 이용하여 95%의 확률로 위 연금을 지급하기에 충분한 기금의 규모를 계산하시오.

3. 30세인 피보험자가 사망 즉시 1원이 지급되는 종신보험에 가입하였다. 보험료는 사망 시까지 일정한 금액을 연속적으로 납입한다. 수지상등의 원칙을 이용하여 $\mu_{30+t} = 0.08$이고 $\delta = 0.05$일 때 순보험료의 연액을 구하시오.

4. 30세 100명으로 구성된 집단이 있다. 이들은 모두 동일한 시점에 사망할 경우 보험금 1원이 즉시 지급되는 종신보험에 가입하였다. 보험료는 전기간 연속 납입된다.

  (i) 계약자들의 잔존 생존기간에 대하여 iid를 가정한다.

  (ii) $\mu_{30}(t) = 0.08$

  (iii) $\delta = 0.05$

  (iv) S는 100명의 장래 손실 현가 확률변수의 총합이다.

$\Pr(S \geq F) \leq 0.05$를 만족하는 F를 구하시오.

5. 연속납, 보험금 1원 즉시급인 종신보험을 고려한다. $\mu_x(t) = \mu$ $(t > 0)$, 이력 δ (상수)일 때 0시점 손실 현가 확률변수 L의 분산이 다음과 같음을 증명하시오.

$$Var(L) = \frac{\mu}{\mu + 2\delta} = {}^2\overline{A}_x$$

6. (x)세의 피보험자가 사망시 보험금 1,000원을 즉시 지급하는 종신보험에 가입하였다. 다음과 같은 조건을 가정할 때

(i) $\delta_t = \begin{cases} 0.04, & 0 < t \leq 10 \\ 0.05, & t > 10 \end{cases}$

(ii) $\mu_{x+t} = \begin{cases} 0.06, & 0 < t \leq 10 \\ 0.07, & t > 10 \end{cases}$

(a) 일시납 순보험료를 계산하시오.

(b) 연속납 순보험료를 계산하시오.

7. (60)세의 피보험자 10,000명은 사망 시 보험금 100,000원을 지급하는 이산형(fully discrete) 종신보험에 가입하였다. 다음과 같은 조건을 이용하여 물음에 답하시오.

(i) 장래 생존기간은 독립이다.

(ii) 사망률은 부록의 ILT(생명표)를 따른다.

(iii) $i = 0.06$

(iv) 보험금 100,000원에 대한 개별 피보험자의 보험료를 π로 정의한다.

정규 근사법을 이용하여 보험회사의 손실발생확률이 1%가 되도록 하는 π를 계산하시오.

8. Z는 보험금이 b원인 연속형(fully continuous) 종신보험의 보험금 현가 확률변수이다.

(i) $\delta = 0.04$

    (ii) $\mu_{x+t} = 0.02$, $t \geq 0$

    (iii) 일시납 순보험료는 $Var(Z)$와 같다.

    보험금 b의 값을 구하여라.

9. 동일한 시점에 가입한 70세인 100명의 피보험자들로부터 각각 보험료 P를 받아 기금을 형성하였다. 형성된 기금으로 72세 전에 사망하는 피보험자에게 는 사망연도 말에 보험금 10을 지급하고 72세까지 생존하는 피보험자에게는 연도 말에 P를 지급한다. 수지상등의 원칙을 적용하여 보험료 P를 계산하시오. 주어진 조건은 아래와 같다.

    (i) 사망률은 부록의 ILT(생명표)를 따른다.

    (ii) $i = 0.08$

    (iii) 피보험자의 장래생존기간은 독립이고 동일분포를 따른다 가정한다.

10. (x)세의 피보험자가 3년 정기보험에 가입했다.

    (i) 사망보험금은 사망연도 말에 지급되고 금액은 다음과 같다.

$$b_{k+1} = \begin{cases} 0, & k = 0 \\ 1000(11-k), & k = 1, \ 2 \end{cases}$$

    (ii) $i = 0.06$

    (iii) $q_x = 0.2$, $q_{x+1} = 0.1$, $q_{x+2} = 0.097$

    수지상등의 원칙을 적용하여 연납보험료 P를 구하여라.

11. (60)세의 피보험자는 1,000원을 지급하는 20년 생사혼합보험에 가입하였다.

    (i) 사망률은 부록의 생명표(ILT)를 따르며, 소수연령에 대하여 UDD를 가정한다.

    (ii) 보험료는 매월 초에 납입된다.

    (iii) 사망보험금은 사망 즉시 지급된다.

    (iv) $i = 0.06$

    $1{,}000P^{(12)}\left(\overline{A}_{60:\overline{20|}}\right)$를 구하여라.

12. 보험금 1,000원 사망 즉시급의 종신보험에 대하여 매 분기 초마다 보험료를 납입한다고 가정한다.

   (i) 도영이는 소수 연령에 대하여 상수 사력을 가정한다. 보험료 산출시 $\mu = 0.02$를 사용한다.

   (ii) 선주는 소수연령에 대하여 UDD를 가정한다. 이 때, $\alpha(4) = 1.000195$, $\beta(4) = 0.382836$이다. 보험료 산출시 $\mu = 0.02$를 사용한다.

   $\delta = 0.05$일 때, 도영이와 선주가 산출한 분기별 보험료의 차이를 구하여라.

13. 다음의 조건을 이용하여 물음에 답하시오.

   (i) $A_{50}^{(2)} = 0.3$, $_{15}p_{35} = 0.9$

   (ii) $i = 0.08$

   (iii) 보험료 15년 단기납, 보험금 1원의 이산형(fully discrete) 종신보험의 연납 순보험료는 0.06이다.

   (iv) 소수 연령에 대하여 UDD를 가정한다.

   (v) $d^{(2)} = 0.075499$, $i/i^{(2)} = 1.019615$

35세 피보험자의 15년 생사혼합보험의 연납순보험료를 구하시오.

14. 20세의 피보험자가 10년 거치기간 이후 매년 초에 1,000원씩 지급받는 10년 거치 종신연금에 가입하였다.

   (i) 피보험자가 10년 내에 사망 시 납입한 보험료를 이자 없이 사망연도 말에 반환한다.

   (ii) $\omega = 100$인 De Moivre 사망법칙을 가정한다.

   (iii) $i = 0.05$

연납순보험료 P를 구하시오. (단, 보험료는 거치기간동안만 납입된다.)

15. 다음의 정보를 가정한다.

   (i) 25세 피보험자가 가입한 20년 단기납 이산형(fully discrete) 종신보험의 연납순보험료는 0.046원이다.

   (ii) 25세 피보험자가 가입한 20년 단기납 이산형(fully discrete) 생사혼합보험

의 연납순보험료는 0.064원이다.

(iii) 위의 보험 모두 보험금 1원을 가정한다.

(iv) $A_{45} = 0.64$

25세 피보험자가 20년 만기 정기보험에 가입할 때 이 보험의 연납순보험료 P를 구하시오.

16. (60)세의 사람이 사망연도 말에 100,000원이 지급되는 20년 정기보험에 가입하였다.

(i) L은 가입 시점의 손실 현가 확률변수이다.

(ii) 보험료는 10년간 매년 초에 1,600원씩 납입된다.

(iii) $i = 0.06$

사망률이 부록의 ILT(생명표)를 따를 때, L의 기대값을 구하시오.

17. (x)세의 피보험자가 연속납, 보험금 1원 즉시급의 종신보험에 가입하였다. 다음과 같은 조건을 이용하여 π를 구하시오.

(i) $\overline{A}_x = 1/3$

(ii) $\delta = 0.10$

(iii) L은 수지상등의 원칙으로 계산된 보험료를 적용한 가입 시점의 손실 현가 확률변수이다.

(iv) $Var(L) = 1/5$

(v) L'은 보험료 π를 이용한 가입 시점의 손실 현가 확률변수이다.

(vi) $Var(L') = 16/45$

18. (50)세 피보험자가 사망 시 1원을 즉시 지급하는 30년 정기보험에 가입하였다. 다음과 같은 조건을 이용하여 $\overline{P}$를 구하시오.

(i) $\delta = 0.05$

(ii) $\mu_{50+t} = 1/(70-t),\ 0 \le t \le 70$

(iii) $\overline{P}$는 보험회사의 손해 발생률이 최대 20%인 연속납 보험료이다.

19. (x)세의 피보험자가 사망 시 1원을 즉시 지급하는 종신보험에 가입하였다. 다음과 같은 조건을 이용하여 $E[L^2]$를 최소화 하는 보험료를 구하시오.

(i) $\overline{A}_x = 0.3$

(ii) $^2\overline{A}_x = 0.3$

(iii) $\delta = 0.06$

(iv) L은 가입 시점의 손실 현가 확률변수이다.

20. (x)세의 피보험자가 연속납, 보험금 1원 즉시급의 n년 정기보험에 가입하였다. 다음과 같은 조건을 이용하여 $Var(L)$를 구하시오.

(i) 보험료는 수지상등의 원칙에 의해 계산된다.

(ii) $\overline{A}^1_{x:\overline{n|}} = 0.30$, $^2\overline{A}^1_{x:\overline{n|}} = 0.25$

(iii) $\overline{A}_{x:\overline{n|}} = 0.60$, $^2\overline{A}_{x:\overline{n|}} = 0.40$

(iv) L은 가입 시점의 손실 현가 확률변수이다.

21. 45세인 사람이 이산형(fully discrete) 종신보험에 가입하였다.

(i) 사망보험금은 1,000원이며, 사망 시 사망연도 말에 지급된다.

(ii) 보험료는 30년 동안만 납입된다. 처음 15년간 $1,000 \cdot P_{45}$이며, 그 후 15년 간은 증액된 보험료 π를 납입한다.

(iii) $l_{45} = 9,164,051$, $l_{60} = 8,188,074$, $l_{75} = 5,396,081$

(iv) $A_{45} = 0.2012$, $A_{60} = 0.36913$, $A_{75} = 0.59149$

(v) $i = 0.06$

위의 조건을 만족하는 π를 구하여라.

CHAPTER

준비금

05

지금까지 4장에서는 보험료 산출 방법으로 보험료와 보험금의 보험수리적 현가(APV)를 일치시키는 방법과 손실 확률변수의 분포를 이용하는 방법에 대하여 살펴보았다. 이번 5장에서는 준비금을 어떻게 계산하는지 알아보겠다.

I 준비금의 개념

준비금의 보험수리적 정의 및 계산방법을 살펴보기에 앞서 준비금이 보험회사에 어떠한 의미를 지니고 있는지를 먼저 알아보도록 한다. 이를 위해 다음에 제시된 보험회사의 재무상태표(balance sheet)를 참고하도록 하자.

자산 Assets	부채 Liabilities
	자본 Equity

재무상태표는 매 회계기간마다 작성되는 것으로 기업의 평가지표로 사용된다. 보험회사의 경우 부채는 보험계약자(policyholders)의 몫으로, 그리고 자본은 주주(shareholders)의 몫으로 인식된다. 쉽게 표현하자면 보험회사가 보험계약자에게 빚을 지고 있다는 것이다. 이를 이해하는 데 있어 준비금의 개념

이 필요하다. 준비금은 부채에서 매우 큰 비중을 차지하고 있는 항목으로 간단한 예를 통해 준비금이 부채로 산정되는 이유를, 그리고 보험회사가 피보험자에게 빚을 지고 있는 이유를 살펴보도록 한다.

이산형 종신보험을 가정하자. 단, 보험료는 10년 동안만 납입된다고 하자. 10시점까지 이 보험계약이 유지되어 있다고 할 때 피보험자와 보험회사의 계약 의무는 다음과 같다. 보험계약자는 10년 동안 자신의 책임, 즉 보험료 납입을 끝마쳤다. 그러나 보험회사의 경우는 피보험자가 사망할 경우 보험금을 지급해야 할 책임이 여전히 남아 있다. 이 책임을 다하기 위해 10시점에 보험회사가 보험계약자를 위해 적립해야 하는 자금이 바로 준비금이다. 즉, 준비금은 보험회사가 피보험자에 대해 지니고 있는 '부채'인 것이다.

준비금은 보험회사의 손익계산서에도 큰 영향을 미친다. 회계기간 동안 보험회사의 수입은 보험료이다. 일반 기업의 매출에 해당하는 것이다. 보험금 지급은 보험회사의 지출로 이는 차감 항목이 된다. 뿐만 아니라 준비금의 증감 또한 손익계산서에 영향을 미친다. 만약 준비금이 증가하면 부채가 증가하게 되고 이에 따라 증가 부분만큼 손익계산서에서 차감시켜 주어야 하는 것이다. 이처럼 준비금은 보험회사의 재무 상태에 중요한 영향을 미치기 때문에 이의 계산과 관리에 지대한 관심을 기울이는 것이다.

이제 준비금의 보험수리적 정의와 계산에 대해 알아보도록 하자. 4장에서는 보험료를 결정하기 위해 보험계약이 이루어지는 시점에서 정의되는 손실 현가 확률변수 L을 이용하였다. 이와 유사하게 보험계약의 성립 후 k 기간이 지난 계약에 대해 k 시점을 기준으로 하는 손실 현가 확률변수를 생각해 볼 수 있다. 이 확률변수를 $_kL$로 나타내고 다음과 같이 정의된다.

$_kL$ = 지출 보험금의 k 시점에서의 현가 − k 시점을 기준으로 한 보험료 수입의 현가

준비금(benefit reserve)이란 바로 이 k 시점에서 정의된 손실 현가 확률변수의 기대값을 말하는 것으로 $_kV$로 표기한다.

$$_kV = E[_kL] \quad (k = 0, 1, 2, \cdots)$$

x세인 사람이 가입한 이산형(fully discrete) 종신보험을 예로 들어 보자. 보

험료는 수지상등의 원칙에 의해 결정되었다고 가정한다.

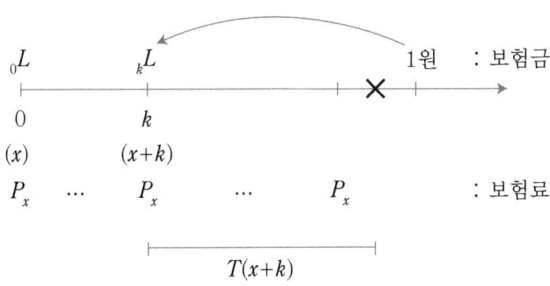

이 피보험자가 k 시점까지 생존해 있다면 $x+k$세가 된다. 이제 평가시점은 k이기에 그림에서 알 수 있듯 미래에 지급될 보험금의 현가는 $v^{\lceil T(x+k)\rceil}$로 나타낼 수 있다. 또한 k 시점 이후에 납입될 보험료의 현가는 $P_x \cdot \ddot{a}_{\overline{\lceil T(x+k)\rceil}|}$로 나타낼 수 있다. 따라서 이 경우 k 시점에서의 손실 현가 확률변수는 다음과 같이 정의된다.

$$_kL = v^{\lceil T(x+k)\rceil} - P_x \cdot \ddot{a}_{\overline{\lceil T(x+k)\rceil}|}$$

4장에서 정의된 $_0L$과 비교해 보았을 때 가장 큰 차이점은 x세의 장래생존기간이 아니라 $x+k$세의 장래생존기간으로 표현된다는 점이다. 즉, 이제 피보험자는 $x+k$세가 되었으므로 보험금과 보험료의 '현재'가치를 계산하기 위해서는 $T(x+k)$를 고려해야 한다는 것이다. 반면 보험료는 보험계약이 성립될 당시 결정된 P_x를 그대로 납입하게 되므로 이에 유의할 필요가 있다. 또한 $_kL$은 k 시점까지 유지되고 있는 계약을 전제로 하고 있다는 점을 잊어서는 안 된다. 만약 피보험자가 k 시점 이전에 사망한다면 보험금이 지급되고 계약이 이미 종료되었을 것이므로 고려하지 않는 것이다.

이 경우 준비금은 다음과 같다.

$$_kV = E[_kL] = E\left[v^{\lceil T(x+k)\rceil} - P_x \cdot \ddot{a}_{\overline{\lceil T(x+k)\rceil}|}\right] = A_{x+k} - P_x \cdot \ddot{a}_{x+k}$$

0시점에서의 준비금은 0임을 쉽게 알 수 있다. 왜냐하면 보험료는 0시점에서 정의된 손실 현가확률변수의 기대값이 0이 되도록 하는 수지상등의 원칙에 의해 결정된 것이기 때문이다.

$$_0 V = E[_0 L] = E\left[v^{\lceil T(x)\rceil} - P_x \cdot \ddot{a}_{\overline{\lceil T(x)\rceil}|}\right] = A_x - P_x \cdot \ddot{a}_x = 0$$

물론 위의 준비금 식에서 보험료 수입의 APV을 계산할 때 이 예에서와 같이 보험료가 반드시 수지상등의 원칙으로 결정된 것일 필요는 없다. 4장에서 소개하였던 백분위 보험료나 포트폴리오 백분위 보험료를 이용하여 준비금을 계산할 수도 있겠다.

다음 절에서부터 이산형 종신보험을 포함한 다양한 보험상품에 대한 준비금 계산을 구체적으로 살펴본다. 준비금에는 다양한 종류가 있지만 5장과 6장에서 소개할 준비금은 순보험료를 고려한 순보험료식 준비금(net premium reserve)이다. 이하에서 순보험료식 준비금은 간단히 '준비금'이라 부르기로 한다. 참고로 비용을 감안한 영업보험료를 보험회사의 수입으로, 그리고 보험금과 사업비용을 보험회사의 지출로 나타내어 계산한 준비금은 '영업보험료식 준비금' 또는 '사업비를 반영한 준비금'으로 이는 9장에서 구체적으로 소개할 것이다.

II ● 이산형 준비금

1. 연말 준비금과 연시 준비금

이 소절에서는 준비금의 특징을 알아본다. 보통 보험상품의 종류와 상관없이 준비금을

$_k V$: 연도 말 준비금(terminal reserve)

형태로 표현한다. 그리고 '준비금'이라는 용어는 연도 말 준비금을 의미한다. 4장까지 보험계약의 가입시점을 기준으로 논의가 전개되었던 반면 준비금은 평가 시점이 매우 중요하므로 V 좌측에 첨자로 평가시점을 꼭 쓰도록 한다. k 는 보험계약 이후 경과한 기간을 나타낸다. 따라서 계약마다 k 값은 다를 것이다. 예를 들어 평가시점을 기준으로 어떤 계약은 2년이 경과한 반면 다른 계

약은 10년이 경과했을 수 있다. 경과기간 k를 보다 자세히 보면 아래와 같다.

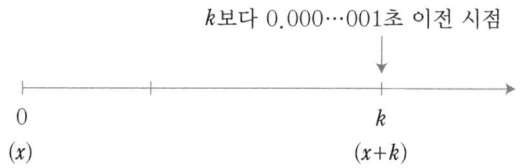

연초에 납입되는 보험료는 정확히 k시점에 납입된다. 이 때 준비금 평가시점은 보험료가 들어오기 바로 직전 시점이라고 생각하면 된다. 이 때문에 보험료를 받기 바로 직전의 준비금을 연도 말 준비금(terminal reserve)이라고 하고, 보험료를 받은 k시점에서의 준비금을 연시 준비금(initial reserve)이라 한다.

$$_kV+P: \text{연시 준비금(initial reserve)}$$

엄밀히 말하면 연도 말 준비금과 연시 준비금의 평가시점이 다른 것이다. 이 차이점을 알아두길 바란다.

보통 평가시점 k가 증가함에 따라 $_kV_x$도 증가하는 경향이 있다. 왜냐하면 위험 발생 확률이 점차 증가하기 때문이다. 예를 들어 평가시점 k의 증가에 따른 준비금의 증가를 앞 절에서 제시한 종신보험을 보며 직관적으로 생각해 보자. 가입 초기에는 사망률이 낮아 보험금의 APV는 작은 반면 생존율은 높기 때문에 보험료의 APV는 크다. 하지만 시간이 갈수록 사망률은 높아지기 때문에 보험금의 APV는 증가하고, 반대로 보험료의 APV는 줄어들어 준비금이 증가하게 된다.

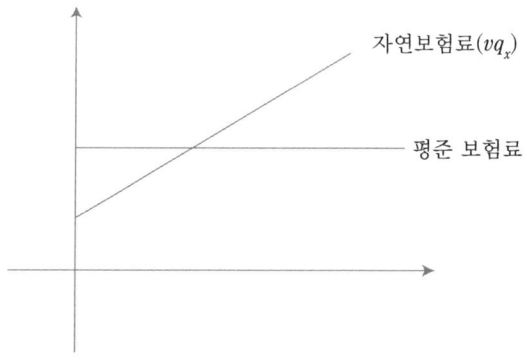

계약기간 동안 평준보험료를 받는다고 가정하자. 위의 그림처럼 가입 초기에는 자연보험료(1년 정기보험의 일시납 보험료)에 비해 실제 받고 있는 평준보험료가 더 크기 때문에 남는 보험료가 생긴다. 이 잉여분이 준비금으로 축적되므로 점차 준비금의 크기는 커지게 된다. 또한 남는 보험료를 투자하기 때문에 투자 수익 역시 준비금에 축적되어 준비금은 더욱 증가하게 된다. 종신보험의 경우 사망이 발생할 때까지 계약이 유지되므로 이 계약자의 보험금을 준비해 두어야 한다.

$$\lim_{k \to \infty} {_k}V_x = 1$$

만약 보험금이 1원이라고 하면 위 식과 같이 마지막 시점의 준비금은 1로 수렴한다.

2. 종신보험

준비금을 계산하는 방법은 아래와 같이 두 가지로 나누어 볼 수 있다.

준비금
$$\begin{cases} 1.\ k\text{시점 이전의 기대보험료}-\text{기대보험금: 과거법(retrospective method)} \\ 2.\ k\text{시점 이후의 기대보험금}-\text{기대보험료: 미래법(prospective method)} \end{cases}$$

앞서 종신보험의 예에서 소개한 방법은 이 중 미래법을 나타낸다. 먼저 미래법에 대하여 살펴보고, 과거법에 대한 설명은 다음 절에서 소개한다. 미래법은 평가시점 k를 기준으로 앞으로 장래에 부족할 금액이 얼마인지 계산하는 방법으로, 평가 시점 기준으로 산출한 평균 손실로 생각할 수 있다.

$$_kV_x = E\left[V^{\lceil T(x+k) \rceil} - P_x \cdot \ddot{a}_{\overline{\lceil T(x+k) \rceil|}} \right] = A_{x+k} - P_x \cdot \ddot{a}_{x+k} \tag{5.1}$$

준비금을 미래법으로 식 (5.1)과 같이 계산하는 것은 이미 앞에서 살펴보았다. 여기서 보험수리 기호에 대해 다시 설명하면 기호 $_kV_x$는 k시점 손실현가의 확률변수에 대한 기대값으로 k시점의 준비금을 표현한 것이다. 여기서 x는 가입 연령을 나타내고, k는 평가 시점을 나타낸다.

미래법 준비금 계산식인 식 (5.1)은 다양하게 나타낼 수 있다. 먼저 생명연금 기호를 사용하여 나타내 보자. 종신보험과 종신연금간의 관계식인

$$A_x = 1 - d \cdot \ddot{a}_x \tag{5.2}$$

와 평준순보험료와 생명연금의 관계식인

$$P_x = \frac{A_x}{\ddot{a}_x} = \frac{1 - d \cdot \ddot{a}_x}{\ddot{a}_x} = \frac{1}{\ddot{a}_x} - d \tag{5.3}$$

를 사용하여 식 (5.1)을 다음과 같이 생명연금의 보험수리 기호를 이용해서 나타낼 수 있다.

$$_kV_x = (1 - d \cdot \ddot{a}_{x+k}) - \left(\frac{1}{\ddot{a}_x} - d\right) \cdot \ddot{a}_{x+k}$$

$$= 1 - d \cdot \ddot{a}_{x+k} - \frac{\ddot{a}_{x+k}}{\ddot{a}_x} + d \cdot \ddot{a}_{x+k}$$

$$= 1 - \frac{\ddot{a}_{x+k}}{\ddot{a}_x} \tag{5.4}$$

식 (5.2)를 생명연금에 대해 정리하여 식 (5.4)에 대입하면

$$_kV_x = 1 - \frac{\ddot{a}_{x+k}}{\ddot{a}_x} \quad \left(\because \ \ddot{a}_x = \frac{1 - A_x}{d}, \ \ddot{a}_{x+k} = \frac{1 - A_{x+k}}{d}\right)$$

$$= 1 - \frac{\dfrac{1 - A_{x+k}}{d}}{\dfrac{1 - A_x}{d}} = \frac{A_{x+k} - A_x}{1 - A_x} \tag{5.5}$$

로 나타낼 수 있다.

식 (5.4)의 마지막 등식에서 분수는 분모가 분자보다 크기 때문에 다음의 관계가 성립한다는 것을 알 수 있다. 단, 여기서 우리는 보험금 1원을 가정하고 있다는 것을 잊지 말자.

$$1 - \frac{\ddot{a}_{x+k}}{\ddot{a}_x} < 1 \tag{5.6}$$

식 (5.4)로부터 알 수 있는 또 하나의 사실은 k가 증가함에 따라 준비금 또한 증가한다는 사실이다.

$$k \uparrow \Rightarrow {}_k V_x \uparrow$$

마지막으로 식 (5.4)에 식 (5.3)을 대입하면 다음과 같이 연납 평준 순보험료로 표현한 준비금의 공식도 유도할 수 있다.

$$_k V_x = 1 - \frac{\ddot{a}_{x+k}}{\ddot{a}_x} = \frac{P_{x+k} - P_x}{P_{x+k} + d} \tag{5.7}$$

미래법을 이용하여 식 (5.4), 식 (5.5) 그리고 식 (5.7)과 같이 다양한 공식을 유도할 수 있었다. 이러한 공식은 보험과 연금간의 관계식을 이용했기에 가능하다는 것을 상기하면 차후 소개될 양로보험에 대해서도 이와 유사한 준비금 공식을 유도해 볼 수 있을 것이다.

추가적으로 미래법 식이었던 식 (5.1)을 이용하여 또다른 준비금 공식을 유도해 보도록 한다.

$$_k V_x = A_{x+k} - P_x \cdot \ddot{a}_{x+k}$$
$$= \left(1 - P_x \cdot \frac{\ddot{a}_{x+k}}{A_{x+k}} \right) A_{x+k} \tag{5.8}$$

식 (5.8)의 괄호 안에 보험료 P_x 옆에 곱해지고 있는 분수도 역시 순보험료 보험수리 기호를 이용하여 표현할 수 있다. 이 순보험료는 준비금을 평가하고 있는 시점의 연령인 $(x+k)$세 기준으로 잔존계약기간에 대해 새로 보험에 가입한다면 납입해야 하는 연납 순보험료이다. 따라서 식 (5.8)은 다음과 같이 정리할 수 있다.

$$_k V_x = \left(1 - \frac{P_x}{P_{x+k}} \right) A_{x+k} \tag{5.9}$$

식 (5.9)의 괄호 안에 순보험료의 비율로 표현된 분수는 1보다 작다는 점에 주목해 보자. 연납 순보험료 P_x는 (x)세부터 사망할 때까지 보험료를 받을 거라 예상하고 계산한 값이지만, P_{x+k}는 $(x+k)$세부터 사망할 때까지 보험료를 받을 거라 예상하고 계산한 값으로 P_x보다는 납입기간이 짧다. 따라서 $P_x < P_{x+k}$의 관계가 성립한다는 것을 직관적으로 알 수 있다. 식 (5.9)는 '감액완납 보험의 공식(paid-up insurance formula)'이라고도 하는데 그 자세한 이유는 6장 계약변경부분에서 살펴보겠지만 여기서 먼저 간단하게 소개한다.

평가시점 k에 피보험자가 계약변경을 요청하였다고 가정하자. 앞으로 더 이상 보험료를 내지 않는 대신 보험금의 크기를 줄이겠다는 것이다. 이 경우 보험회사는 앞으로 남은 계약 기간 동안 보장을 하기 위해 수입이 필요한 것인데 여기서는 평가시점 k의 준비금을 수입으로 볼 수 있다. Ⅰ절에서 준비금은 피보험자의 몫이라 설명한 것을 상기해 보기 바란다. 이제 보험회사는 이 피보험자의 몫을 마치 일시납 보험료를 받은 것으로 생각할 수 있다는 것이다. 그러면 다음과 같이 이 일시납 보험료에 상응하는 새로운 보험금의 크기를 계산할 수 있다.

$$\text{수입의 } APV = \text{지출의 } APV$$
$$_kV_x \qquad = \text{보험금}^* \times A_{x+k} \tag{5.10}$$

위 식을 만족하는 계약변경 후 새로운 보험금의 크기는

$$\text{보험금}^* = \frac{_kV_x}{A_{x+k}} = \frac{A_{x+k} - P_x \cdot \ddot{a}_{x+k}}{A_{x+k}} = 1 - \frac{P_x}{P_{x+k}} \tag{5.11}$$

이고, 식 (5.11)을 다시 식 (5.10)에 대입하면 식 (5.9)이 유도되는 것이다. 참고로 '감액완납'에서 '감액'은 보험금을 감소시킨다는 의미이고, '완납'은 보험료를 더 이상 납입하지 않는다는 의미로 이해하면 된다.

다음으로 식 (5.1)을 이용하여 다음과 같은 식을 유도할 수 있다.

$$\begin{aligned}
_kV_x &= A_{x+k} - P_x \cdot \ddot{a}_{x+k} \\
&= \left(\frac{A_{x+k}}{\ddot{a}_{x+k}} - P_x \right) \ddot{a}_{x+k} \\
&= (P_{x+k} - P_x) \ddot{a}_{x+k} \tag{5.12}
\end{aligned}$$

식 (5.9)를 유도하면서 보험료의 대소관계가 $P_x < P_{x+k}$임을 설명하였다. 식 (5.12)의 의미는 다음과 같다. k에서 남은 계약기간만 보았을 때 k시점에 새로 가입한다면 동일한 기간 동안 보장해 주기 위해 P_{x+k}의 보험료를 받아야 한다. 하지만 (x)세 때 이루어진 보험계약에 의해 연납평준보험료인 P_x가 평가시점 k 이후에서도 계속 납입될 것이기 때문에 보험료 차액 $P_{x+k} - P_x$만큼 매년 적립해서 준비해 둔다면 본래 보장해 주기로 한 보험금을 지급해 줄 수 있다는 것이다.

　　지금까지 매우 다양한 준비금의 공식들을 유도해 보았다. 다른 상품에 대해서도 위에서 설명한 것과 같이 미래법 준비금 식을 이용하여 새로운 식들을 유도해 볼 수 있으니 연습해 보길 바란다.

　　이제 예제를 통해 준비금 공식을 좀 더 활용해 보자.

예제 5.1

　　$_{10}V_x = 0.5$이고 $_{20}V_{x+10} = 0.8$일 때 $_{30}V_x$를 구하시오.

　　해설 식 (5.4)를 이용하여 준비금을 다음과 같이 종신연금의 보험수리적 현가의 비로 나타낼 수 있다.

$$_{10}V_x = 0.5 = 1 - \frac{\ddot{a}_{x+10}}{\ddot{a}_x} \qquad \therefore \ \frac{\ddot{a}_{x+10}}{\ddot{a}_x} = 0.5$$

$$_{20}V_{x+10} = 0.8 = 1 - \frac{\ddot{a}_{x+30}}{\ddot{a}_{x+10}} \qquad \therefore \ \frac{\ddot{a}_{x+30}}{\ddot{a}_{x+10}} = 0.2$$

문제에서 요구하는 것은 $_{30}V_x$이므로 다음과 같이 계산할 수 있다.

$$_{30}V_x = 1 - \frac{\ddot{a}_{x+30}}{\ddot{a}_x} = 1 - \frac{\ddot{a}_{x+10}}{\ddot{a}_x} \cdot \frac{\ddot{a}_{x+30}}{\ddot{a}_{x+10}} = 1 - (0.5)(0.2) = 0.9$$

위와 같이 연금기호를 응용하면 쉽게 답을 얻을 수 있다는 것을 알아두자.

예제 5.2

　　다음 정보를 이용하여 $_tV_x$를 구하시오

(i) $d = 0.06$

(ii) $P_{x+t} = 0.08$

(iii) $\ddot{a}_x = 10$

　　해설 식 (5.3)와 식 (5.7)을 이용하여 다음과 같이 준비금을 구할 수 있다.

$$P_x = \frac{1}{\ddot{a}_x} - d = \frac{1}{10} - 0.06 = 0.04$$

$$_tV_x = \frac{P_{x+t} - P_x}{P_{x+t} + d} = \frac{0.08 - 0.04}{0.08 + 0.06} = \frac{0.04}{0.14} = \frac{2}{7}$$

3. n년 양로보험

이제 n년 양로보험(생사혼합보험)의 준비금 계산 방법을 살펴보자.

$$_kV_{x:\overline{n}|} = A_{x+k:\overline{n-k}|} - P_{x:\overline{n}|} \cdot \ddot{a}_{x+k:\overline{n-k}|} \tag{5.13}$$

식 (5.13)는 준비금의 미래법 식이다. 이 식에서 순보험료 $P_{x:\overline{n}|}$는

$$P_{x:\overline{n}|} = \frac{A_{x:\overline{n}|}}{\ddot{a}_{x:\overline{n}|}}$$

이고, 이것은 4장에서 배운 방법대로 준비금 계산 전에 먼저 그 값을 계산해야 한다. 산출한 순보험료의 값을 상수로 생각하고 손실 현가 확률변수 $_kL$을 정의하면 다음과 같다.

$$_kL = v^{\lceil T(x+k) \wedge (n-k) \rceil} - P_{x:\overline{n}|} \cdot \ddot{a}_{\overline{\lceil T(x+k) \wedge (n-k) \rceil}|} \tag{5.14}$$

이때 평가시점 k를 기준으로 볼 때 남은 계약 기간은 $(n-k)$인 것을 알 수 있다.

식 (5.14)에 확정연금의 공식을 대입하여 손실 현가 확률변수를 다시 정리하면 다음과 같다.

$$\begin{aligned}
_kL &= v^{\lceil T(x+k) \wedge (n-k) \rceil} - P_{x:\overline{n}|} \cdot \frac{1 - v^{\lceil T(x+k) \wedge (n-k) \rceil}}{d} \\
&= \left(1 + \frac{P_{x:\overline{n}|}}{d}\right) v^{\lceil T(x+k) \wedge (n-k) \rceil} - \frac{P_{x:\overline{n}|}}{d}
\end{aligned} \tag{5.15}$$

식 (5.15)에서 마지막 식의 괄호 안에 1은 보험금 1원을 의미하며, 만약 양로보험의 보험금 크기가 B원이면 1 대신 B를 넣으면 된다. 물론 이 경우 $P_{x:\overline{n}|}$ 대신 B에 대응하는 보험료를 대입해야 할 것이다. $_kL$을 이처럼 정리하면 특히 분산을 구할 때 편리하다.

양로보험의 준비금은 식 (5.14)와 식 (5.15)에 기대값을 취하면 서로 다른 공식을 유도 할 수 있다. 식 (5.16)의 첫 번째 식은 식 (5.14)에서 정의한 확률변수를 이용한 결과이고, 식 (5.16)의 두 번째 식은 식 (5.15)에서 정의한 확률변수를 이용한 결과이다.

$$_kV_{x:\overline{n}|} = A_{x+k:\overline{n-k}|} - P_{x:\overline{n}|} \cdot \ddot{a}_{x+k:\overline{n-k}|} \quad (0 \le k \le n)$$

$$= \left(1 + \frac{P_{x:\overline{n}|}}{d}\right) A_{x+k:\overline{n-k}|} - \frac{P_{x:\overline{n}|}}{d} \tag{5.16}$$

k시점에서 평가하고 있으므로 계약자의 나이도 k만큼 증가해야 한다. 평가 시점 k가 계약기간보다 작거나 같으면 준비금의 미래법 식은 식 (5.16)과 같다. 주목할 만한 점은 $k=0$일 때와 $k=n$일 때의 준비금의 크기이다. 0시점의 준비금은 수지상등의 원칙에 의한 보험료 $P_{x:\overline{n}|}$이 사용된다면 $_0V_{x:\overline{n}|} = 0$이 되는 것을 이미 설명하였다. 그리고 준비금을 평가한다는 것은 해당 계약이 유지되고 있다는 것을 전제로 하므로, 만기 시점인 n시점의 준비금은 생존시 지급해야 하는 생존보험금이 된다. 여기서는 생존보험금 1원을 가정하고 있으므로 $_nV_{x:\overline{n}|} = 1$임에 주목하자.

다음으로 손실 현가 확률변수에 대해 분산을 구하는 방법에 대해 알아보자. 분산을 구하는 방법은 크게 두 가지로 나누어 볼 수 있는데 하나는 분산의 정의 그대로 계산하는 방법이다.

$$Var[_kL] = E\left[(_kL)^2\right] - (E[_kL])^2 \tag{5.17}$$

또 다른 방법은 식 (5.15)의 확률변수에 분산을 취해 주는 방법으로 다음과 같은 공식이 유도된다.

$$Var[_kL] = Var\left[\left(1 + \frac{P_{x:\overline{n}|}}{d}\right)v^{\lceil T(x+k) \wedge (n-k)\rceil} - \frac{P_{x:\overline{n}|}}{d}\right]$$

$$= Var\left[\left(1 + \frac{P_{x:\overline{n}|}}{d}\right)v^{\lceil T(x+k) \wedge (n-k)\rceil}\right]$$

$$= \left(1 + \frac{P_{x:\overline{n}|}}{d}\right)^2 \cdot Var\left[v^{\lceil T(x+k) \wedge (n-k)\rceil}\right]$$

$$= \left(1 + \frac{P_{x:\overline{n}|}}{d}\right)^2 \times \left[{}^2A_{x+k:\overline{n-k}|} - A_{x+k:\overline{n-k}|}^2\right] \tag{5.18}$$

위 식은 4장에서 살펴본 계약시점을 기준으로 한 손실 현가 확률변수의 분산을 계산하는 방법과 유사하다. 차이점은 식 (5.18) 마지막 등식에서 양로보험의 보험금 현가에 대한 분산 값만이 다르게 나타난다는 점이다. 식 (5.18)의 $_kL$은 $(x+k)$세를 기준으로 남은 계약에 대하여 고려하는 것이기 때문에 양로보험의 계약기간이 $n-k$년인 것으로 보아야 한다.

종신보험의 준비금 식을 다양하게 나타낼 수 있었던 것처럼 양로보험의 경우 역시 이와 유사한 결과를 유도할 수 있다. 먼저 생명연금을 이용하여 나타내면 다음과 같다.

$$_kV_{x:\overline{n|}} = 1 - \frac{\ddot{a}_{x+k:\overline{n-k|}}}{\ddot{a}_{x:\overline{n|}}} \tag{5.19}$$

또한 양로보험의 APV를 이용하면

$$_kV_{x:\overline{n|}} = \frac{A_{x+k:\overline{n-k|}} - A_{x:\overline{n|}}}{1 - A_{x:\overline{n|}}} \tag{5.20}$$

과 같고 순보험료를 이용하면

$$_kV_{x:\overline{n|}} = \frac{P_{x+k:\overline{n-k|}} - P_{x:\overline{n|}}}{P_{x+k:\overline{n-k|}} + d} \tag{5.21}$$

로 나타낼 수 있다. 감액완납 방식으로도 나타낼 수 있다.

$$_kV_{x:\overline{n|}} = A_{x+k:\overline{n-k|}}\left(1 - \frac{P_{x:\overline{n|}}}{P_{x+k:\overline{n-k|}}}\right) \tag{5.22}$$

보험료 차액을 이용하면 다음과 같다.

$$_kV_{x:\overline{n|}} = \ddot{a}_{x+k:\overline{n-k|}}(P_{x+k:\overline{n-k|}} - P_{x:\overline{n|}}) \tag{5.23}$$

유도과정은 종신보험과 유사하니 직접 확인해보기 바란다.

예제를 통해 양로보험의 준비금을 평가하는 방법에 대해 익혀보자.

예제 5.3

다음 정보를 이용하여 $_{15}V_{20:\overline{50|}}$를 구하시오.

(i) $A_{20:\overline{50|}} = 0.11$

(ii) $A_{35:\overline{35|}} = 0.23$

해설 식 (5.20)을 이용하여 다음과 같이 간단하게 준비금을 구할 수 있다.

$$_{15}V_{20:\overline{50|}} = \frac{A_{35:\overline{35|}} - A_{20:\overline{50|}}}{1 - A_{20:\overline{50|}}} = 0.13483$$

📖 **예제 5.4**

x세인 사람이 보험금이 1,000원인 3년 만기 이산형 양로보험에 보험료를 매년 초에 납입한다고 할 때, 물음에 답하시오.

(i) $_kL$은 k시점의 장래 손실 확률 변수이다.

(ii) $i = 0.10$

(iii) $\ddot{a}_{x:\overline{3|}} = 2.70182$

(iv) 보험료는 수지상등의 원칙을 따른다.

x세에 가입한 사람이 보험가입 후 두 번째 해에 사망할 경우 $_1L$를 구하시오.

🔍 **해설** 문제는 1시점과 2시점 사이에 사망한다는 조건 하에서의 1시점에서의 손실 현가를 계산하는 것이다.

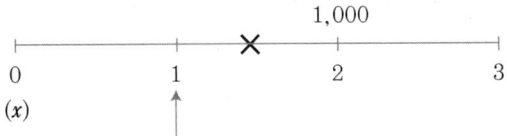

손실 현가는 다음과 같다.

$$_1L = 1,000 \cdot v - P \cdot \ddot{a}_{\overline{1|}}$$

보험료는

$$P = \frac{1,000 \cdot A_{x:\overline{3|}}}{\ddot{a}_{x:\overline{3|}}} = 1,000 \cdot \left(\frac{1}{\ddot{a}_{x:\overline{3|}}} - d \right) = 279.2117906$$

이므로 1시점의 손실 현가는 다음과 같다.

$$\therefore {}_1L = 1,000 \cdot v - P = 629.8791185$$

4. h년납 n년 양로보험

보험료는 h년 동안 납입되고, 보험 계약기간은 n년$(h < n)$인 양로보험과 같이 보험료 납입기간과 보험 계약기간이 다를 경우엔 평가시점이 언제인가에 따라 준비금의 공식이 달라진다. 평가시점을 3구간으로 나누어 고려해야 한다. 평가시점 k가 보험료 납입기간 이내일 경우, 보험료 납입기간 이후이지만 보험 계약기간 이내일 경우, 그리고 마지막으로 만기 시점 n년 이후인 경우로 구분해야 하는 것이다.

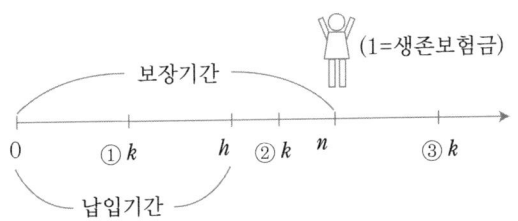

① $k \leq h$의 경우

보험료 납입기간이 계약기간과 다를 경우 준비금 보험수리 기호의 좌측 상단에 보험료 납입기간을 표기해 준다. 따라서 h년납 n년만기 양로보험의 경우 준비금은 다음과 같이 나타낼 수 있다.

$$_{k}^{h}V_{x:\overline{n}|} \tag{5.24}$$

준비금 계산을 위한 순보험료는 4장에서 설명하였듯이 다음과 같이 산출하면 된다.

$$_{h}P_{x:\overline{n}|} = \frac{A_{x:\overline{n}|}}{\ddot{a}_{x:\overline{h}|}}$$

따라서 준비금은 다음과 같다.

$$_{k}^{h}V_{x:\overline{n}|} = A_{x+k:\overline{n-k}|} - {}_{h}P_{x:\overline{n}|} \cdot \ddot{a}_{x+k:\overline{h-k}|} \tag{5.25}$$

② $h < k \leq n$의 경우

평가시점을 기준으로 보장내용은 $k \leq h$인 경우와 동일하다. 그러나 미래에 더 이상 보험료 수입이 없으므로 이 경우 준비금은 다음과 같다.

$$_{k}^{h}V_{x:\overline{n}|} = A_{x+k:\overline{n-k}|} \tag{5.26}$$

③ $k > n$의 경우

$$_{k}^{h}V_{x:\overline{n}|} = 0 \tag{5.27}$$

이 경우 계약기간 종료 후이기 때문에 생각할 필요가 없다.

이 경우보다 더 중요한 평가시점은 k가 n년일 경우인데,

$$k = n; \; {}_{k}V_{x:\overline{n}|} = 1 \tag{5.28}$$

　만기에 생존 보장이 있을 경우에는 앞 절에서 설명했듯이 만기 시점의 준비금이 존재한다는 것을 잊지 말자. 만기 시점에서 평가한 준비금의 크기가 1인 이유는 양로보험의 경우 만기 시점에 계약자가 생존해 있을 때 생존보험금을 지급해야 하기 때문이다. 참고로 정기보험의 경우 만기 시점에 계약이 유지되더라도 사망 보장만 포함된 상품이기 때문에 더 이상 준비할 것이 없다. 따라서 $_nV^1_{x:\overline{n}|}=0$인 것을 알아두도록 하자.

　손실 현가 확률변수를 이용하여도 앞에서 설명한 준비금 공식들을 유도할 수 있다. 평가 시점 k에서 손실 현가 확률변수는

$$_kL=\begin{cases} v^{\lceil T(x+k)\wedge (n-k)\rceil}-{}_hP_{x:\overline{n}|}\cdot \ddot{a}_{\overline{\lceil T(x+k)\wedge (h-k)\rceil|}}, & k\le h \\ v^{\lceil T(x+k)\wedge (n-k)\rceil}, & h<k<n \end{cases} \tag{5.29}$$

이다. 손실 현가 확률변수를 이용하여 기대값과 분산을 모두 구할 수 있다. 분산을 구하는 것은 예제를 통해 연습을 해보도록 하자.

📖 예제 5.5

　피보험자(35)세는 5년 만기 양로보험에 가입하였다. 사망보험금 1원은 사망 시 사망연도 말에 지급되고, 만기 시점에 생존 시 생존보험금 1원이 지급된다. 그리고 보험료는 가입 시점부터 3년 동안 피보험자가 사망할 때까지 매년 초에 납입된다. 다음의 조건을 이용하여 2시점에서 정의된 손실 현가 확률변수의 분산을 구하시오.

(i) $_kq_{35}=0.01k, \qquad k=0,\ 1,\ 2,\ \cdots,\ 100$

(ii) $v=0.95$

　🔍해설 준비금을 구할 때는 먼저 보험료를 계산해 놓아야 한다. 수지상등의 원칙에 의해 순보험료를 계산해 보자.

$$A_{35:\overline{5}|}=P\cdot \ddot{a}_{35:\overline{3}|}$$

이므로

$$P=\frac{vq_{35}+v^2\cdot {}_{1|}q_{35}+v^3\cdot {}_{2|}q_{35}+v^4\cdot {}_{3|}q_{35}+v^5\cdot {}_{4|}q_{35}+v^5\cdot {}_5p_{35}}{1+vp_{35}+v^2\cdot {}_2p_{35}}$$

를 계산하면 된다.

이 때 사망률 정보를 이용해 보면 다음의 식이 성립함을 알 수 있다.

$$_{k|}q_{35}={}_{k+1}q_{35}-{}_kq_{35}=0.01(k+1)-0.01k=0.01,\ k=0,\ 1,\ 2,\ \cdots,\ 100$$

여기서 알 수 있는 점은 문제에서 주어진 사망률은 De Moivre사망법칙이라는 것이다. 즉, $\omega=135$인 De Moivre법칙을 이용하여

준비금과 보험료를 계산하면 된다.

따라서,

$$P = \frac{0.01(v+v^2+v^3+v^4+v^5)+v^5 \cdot (1-0.01\times5)}{1+v(1-0.01\times1)+v^2(1-0.01\times2)} = 0.2754291$$

이다.

$\lfloor T(37) \rfloor = k$	$_2L$	$(_2L)^2$	$\Pr\left[\lfloor T(37) \rfloor = k\right]$
0	$v-P=0.674571$	0.455046	$q_{37} = \dfrac{1}{135-37}$
1	$v^2-P=0.627071$	0.393218	$_{1\mid}q_{37} = \dfrac{1}{135-37}$
≥ 2	$v^3-P=0.581946$	0.338661	$1-q_{37}-{}_{1\mid}q_{37} = \dfrac{96}{98}$

$$\therefore\ Var[_2L] = E[(_2L)^2] - E[_2L]^2 = 0.340405 - (0.583352)^2 = 0.000105$$

5. n년 정기보험

사망 시 사망연도 말에 보험금 1원을 지급하는 n년 정기보험을 고려해 보자. 전기납 보험료를 가정하여 평가시점 k에서 손실 현가 확률변수를 정의해 보면

$$_kL = v^{\lceil T(x+k) \rceil} \cdot I(T(x+k) \leq n-k) - P^1_{x:\overline{n}\mid} \cdot \ddot{a}_{\overline{\lceil T(x+k) \wedge (n-k) \rceil}\mid} \tag{5.30}$$

이다. 만약 k가 만기 시점 이전이라면 손실 확률변수는 앞으로 $n-k$년 안에 사망 시 사망연도 말에 지급하는 보험금 1원의 현가에서 앞으로 $n-k$년 동안 피보험자가 생존 시 납입하게 될 보험료들의 현가를 빼서 계산하는 것이다.

이제 식 (5.30)의 확률변수를 이용하여 기대값과 분산을 구해보도록 하자. 손실 현가 확률변수의 기대값은 평가시점에서의 준비금으로

$$E[_kL] = E\left[v^{\lceil T(x+k) \rceil} \cdot I(T(x+k) \leq n-k) - P^1_{x:\overline{n}\mid} \cdot \ddot{a}_{\overline{\lceil T(x+k) \wedge (n-k) \rceil}\mid}\right]$$

$$= A^1_{x+k:\overline{n-k}\mid} - P^1_{x:\overline{n}\mid} \cdot \ddot{a}_{x+k:\overline{n-k}\mid} \tag{5.31}$$

이다. 그리고 만약 평가 시점이 만기 시점이라면, 만기 시점에 피보험자는 생존해 있는 상태이지만 정기보험은 사망만을 보장하기 때문에 보험금 현가는 0이 된다. 보험료 역시 만기 시점 이전에 완납되었으므로 더 이상 들어올 보

험료가 없기 때문에 수입의 현가 부분도 역시 0이 되어 준비금이 $_n V_{x\,:\,\overline{n|}}^{1} = 0$ 이 된다.

손실 현가 확률변수의 분산은 다음과 같이 식 (5.30)의 확률변수를 정리하여 계산하도록 한다.

$$
\begin{aligned}
_k L &= v^{\lceil T(x+k) \rceil} \cdot I(\,T(x+k) \le n-k) - P_{x\,:\,\overline{n|}}^{1} \cdot \ddot{a}_{\overline{\lceil T(x+k) \wedge (n-k) \rceil|}} \\
&= v^{\lceil T(x+k) \rceil} \cdot I(\,T(x+k) \le n-k) - P_{x\,:\,\overline{n|}}^{1} \cdot \frac{1 - v^{\lceil T(x+k) \wedge (n-k) \rceil}}{d} \\
&= v^{\lceil T(x+k) \rceil} \cdot I(\,T(x+k) \le n-k) + \frac{P_{x\,:\,\overline{n|}}^{1}}{d} \cdot v^{\lceil T(x+k) \wedge (n-k) \rceil} - \frac{P_{x\,:\,\overline{n|}}^{1}}{d}
\end{aligned}
$$

(5.32)

식 (5.32)의 첫 번째 항과 두 번째 항만이 확률변수를 포함하고 있고, 마지막 항은 상수이므로, 식 (5.32)에 분산을 취하면 첫 번째 항과 두 번째 항의 합에 대한 분산과 동일하다.

$$
\begin{aligned}
Var[_k L] &= Var\left[v^{\lceil T(x+k) \rceil} \cdot I(\,T(x+k) \le n-k) + \frac{P_{x\,:\,\overline{n|}}^{1}}{d} \cdot v^{\lceil T(x+k) \wedge (n-k) \rceil} \right] \\
&= Var\left[v^{\lceil T(x+k) \rceil} \cdot I(\,T(x+k) \le n-k) \right] + \left(\frac{P_{x\,:\,\overline{n|}}^{1}}{d} \right)^2 \cdot Var\left[v^{\lceil T(x+k) \wedge (n-k) \rceil} \right] \\
&\quad + 2\left(\frac{P_{x\,:\,\overline{n|}}^{1}}{d} \right) \cdot Cov\left[v^{\lceil T(x+k) \rceil} \cdot I(\,T(x+k) \le n-k),\; v^{\lceil T(x+k) \wedge (n-k) \rceil} \right]
\end{aligned}
$$

(5.33)

식 (5.33)의 두 번째 등호 뒤의 식은 4장에서 언급했던 두 확률변수 X와 Y의 합 또는 차에 대한 분산을 구하는 공식인 식 (4.14)를 이용한 것이다.

$$
Var(aX \pm bY) = a^2 Var(X) + b^2 Var(Y) \pm 2ab\,Cov(X,\;Y)
$$

식 (5.33)의 마지막 식에서 첫 번째 항과 두 번째 항의 분산을 각각 구해 보면

$$
Var\left[v^{\lceil T(x+k) \rceil} \cdot I(\,T(x+k) \le n-k) \right] = {}^{2}A_{x+k\,:\,\overline{n-k|}}^{1} - A_{x+k\,:\,\overline{n-k|}}^{1}{}^{2}
$$

(5.34)

과

$$Var\left[v^{\lceil T(x+k) \wedge (n-k)\rceil}\right] = {}^2A_{x+k:\overline{n-k|}} - A_{x+k:\overline{n-k|}}{}^2 \tag{5.35}$$

이다. 이번에는 식 (5.33)의 공분산을 구해보도록 하자. 식 (4.17)을 이용하도록 한다.

$$Cov(X, \ Y) = E(XY) - E(X)E(Y) \tag{4.17}$$

먼저 두 확률변수의 곱에 대한 기대값을 계산해 보면

$$E\left[\left(v^{\lceil T(x+k)\rceil} \cdot I(T(x+k) \le n-k)\right) \times \left(v^{\lceil T(x+k) \wedge (n-k)\rceil}\right)\right] = {}^2A^1_{x+k:\overline{n-k|}} \tag{5.36}$$

임을 알 수 있다. 왜냐하면, $T(x+k) \le n-k$일 때는 두 확률변수 $v^{\lceil T(x+k)\rceil}$ $\cdot I(T(x+k) \le n-k)$와 $v^{\lceil T(x+k) \wedge (n-k)\rceil}$의 값이 모두 $v^{\lceil T(x+k)\rceil}$이므로, 두 확률변수의 곱은 $\left(v^{\lceil T(x+k)\rceil}\right)^2$이다. 그리고 사망이 계약 만기 시점을 넘어서서 발생하면, 첫 번째 확률변수의 값은 0이고, 두 번째 확률변수의 값은 v^{n-k}이 므로 두 확률변수의 곱은 0이 된다. 따라서 결론적으로 식 (5.36)과 같이 $(x+k)$세가 가입한 $n-k$년 만기 정기보험의 2차적률로 나타난다. 그러므로 공분산을 정리해 보면

$$Cov\left[v^{T(x+k)} \cdot I(T(x+k) \le n-k), \ v^{\lceil T(x+k) \wedge (n-k)\rceil}\right] =$$
$${}^2A^1_{x+k:\overline{n-k|}} - A^1_{x+k:\overline{n-k|}} \cdot A_{x+k:\overline{n-k|}} \tag{5.37}$$

이다. 지금까지 계산한 값들을 모두 대입하면 손실 현가 확률변수의 분산을 다음과 같이 구할 수 있다.

$$Var\left[{}_kL\right] = \left[{}^2A^1_{x+k:\overline{n-k|}} - A^1_{x+k:\overline{n-k|}}{}^2\right] +$$
$$\left(\frac{P^1_{x:\overline{n|}}}{d}\right)^2 \cdot \left[{}^2A_{x+k:\overline{n-k|}} - A_{x+k:\overline{n-k|}}{}^2\right] +$$
$$2\left(\frac{P^1_{x:\overline{n|}}}{d}\right) \cdot \left[{}^2A^1_{x+k:\overline{n-k|}} - A^1_{x+k:\overline{n-k|}} \cdot A_{x+k:\overline{n-k|}}\right] \tag{5.38}$$

예제를 이용하여 지금까지의 내용을 다시 한 번 정리해 보자.

예제 5.6

다음 정보를 이용하여 $_kV^1_{x:\overline{n}|}$ 를 구하시오.

(i) $P^1_{x:\overline{n}|} = 0.1$

(ii) $P^1_{x+k:\overline{n-k}|} = 0.2$

(iii) $A^1_{x+k:\overline{n-k}|} = 0.5$

해설 문제에서 주어진 조건의 보험료가 두 가지이다. 따라서 이 보험료로 표현되는 준비금의 공식을 이용해 보도록 한다. 미래법 식을 정리하면 '감액완납보험 공식'을 유도하여 준비금을 구할 수 있다.

$$_kV^1_{x:\overline{n}|} = A^1_{x+k:\overline{n-k}|} - P^1_{x:\overline{n}|}\ddot{a}_{x+k:\overline{n-k}|}$$

$$= A^1_{x+k:\overline{n-k}|}\left[1 - P^1_{x:\overline{n}|}\frac{\ddot{a}_{x+k:\overline{n-k}|}}{A^1_{x+k:\overline{n-k}|}}\right]$$

$$= A^1_{x+k:\overline{n-k}|}\left[1 - \frac{P^1_{x:\overline{n}|}}{P^1_{x+k:\overline{n-k}|}}\right] = 0.5\left[1 - \frac{0.1}{0.2}\right] = 0.25$$

예제 5.7

x세인 사람이 만기가 2년이고, 사망 시 사망연도 말에 보험금 1원을 지급하는 정기보험에 가입하였다. 보험료를 매년 초 납입한다고 할 때, $Var(_1L)$을 구하시오.

(i) $q_x = 0.1$, $q_{x+1} = 0.2$

(ii) $v = 0.9$

해설 먼저 수지상등의 원칙에 의해 순보험료를 구해 보자.

$$P^1_{x:\overline{2}|}\ddot{a}_{x:\overline{2}|} = A^1_{x:\overline{2}|}$$

$$\Rightarrow P^1_{x:\overline{2}|} = \frac{A^1_{x:\overline{2}|}}{\ddot{a}_{x:\overline{2}|}} = \frac{1 \cdot v \cdot q_x + 1 \cdot v^2 \cdot p_x \cdot q_{x+1}}{1 + 1 \cdot v \cdot p_x}$$

$$= 0.1302762$$

$_1L$는 다음과 같은 확률변수로 생각할 수 있다.

$$_1L = \begin{cases} v - P^1_{x:\overline{2}|}, & 0 \le T(x+1) < 1 \\ -P^1_{x:\overline{2}|}, & T(x+1) \ge 1 \end{cases}$$

확률변수 $_1L$에 대한 기대값과 2차 적률을 구해 보면 다음과 같다.

$$E[_1L] = (v - P^1_{x:\overline{2}|}) \times q_{x+1} + (-P^1_{x:\overline{2}|}) \times (1 - q_{x+1}) = 0.0497238$$

$$E\left[(_1L)^2\right] = (v - P^1_{x:\overline{2}|})^2 \times q_{x+1} + (-P^1_{x:\overline{2}|})^2 \times (1 - q_{x+1}) = 0.1320725$$

따라서, 분산은 다음과 같다.

$$Var[_1L] = E[(_1L)^2] - E[_1L]^2 = 0.1296$$

📖 **예제 5.8**

x세인 사람이 10년 거치 종신연금에 가입하였다. 연금은 거치기간 이후 매월 초에 1만원씩 사망할 때까지 지급되고, 보험료는 거치기간 동안 매년 초에 납입된다. 이 상품의 준비금을 구하시오.

🔍 **해설** 이 문제에서는 준비금의 평가시점을 언급하지 않았으므로 평가시점을 여러 범위로 나누어 고려해야 한다. 평가시점은 두 구간으로 나누어 볼 수 있겠다.

(i) $k < 10$일 경우

첫 번째는 보험료 납입기간, 즉 거치기간 중 준비금을 계산하는 경우이다. 평가시점을 k라 하자. 미래법으로 준비금을 생각해보면, 지출은 평가시점부터 $10-k$년 동안 거치기간이 있고, 거치기간 이후에 매월 초 마다 지급되는 종신연금이 된다. 그리고 수입은 거치기간이 끝나는 10시점까지 납입되는 보험료이다. 따라서

$$_kV = 12만 \cdot _{10-k|}\ddot{a}_{x+k}^{(12)} - P \cdot \ddot{a}_{x+k:\overline{10-k|}}$$

이다. 이 때 P는 수지상등의 원칙에 의한 순보험료로

$$P = \frac{12만 \cdot _{10|}\ddot{a}_x^{(12)}}{\ddot{a}_{x:\overline{10|}}}$$ 이다.

(ii) $k \geq 10$일 경우

다음은 거치기간 이후 준비금을 평가할 때 이다. 거치기간이 끝났기 때문에 이미 보험료는 다 납입되었고, 앞으로는 매월 연금만 지급해 주면 된다. 따라서

$$_kV = 12만 \cdot \ddot{a}_{x+k}^{(12)}$$

이다.

이 문제와 같이 평가시점이 문제 내에 언급되지 않았을 경우에는 보험료 납입기간과 보험 계약기간 등을 모두 고려하여 평가시점을 반드시 구간으로 나누어 준비금 식을 나타내야 함을 유념하자.

사망보험에 관한 준비금부터 양로보험, 그리고 보험료 납입 기간이 다른 준비금까지 알아보았다. 앞으로 준비금은 더 복잡해지므로 보험상품이 무엇이고 어떻게 그 가치를 평가해야 하는지 정확히 생각하여 기호로 표현하고 정리를 하면 준비금 계산을 좀 더 쉽게 할 수 있다. 맹목적으로 암기하려 한

다면 복잡한 경우를 다루는 데 어려움이 따르게 되니 이해하여 스스로 준비
금을 나타내 보도록 하자.

6. 준비금의 관계식

과거법은 미래법과 반대의 관점으로 살펴보는 것이다. 평가시점 k를 기준
으로 k시점 이전의 기대수입(보험료)에서 k시점 이전의 기대지출(보험금 및 비
용)을 빼는 방법으로 계산한다. 과거법의 공식을 소개하기에 앞서 우선 이산
형(fully discrete) 종신보험의 계약시점에서의 준비금을 나타낸 식 (5.39)를 살
펴보자.

$$0 = {}_0V_x = E({}_0L) = A_x - P_x \cdot \ddot{a}_x \tag{5.39}$$

식 (5.39)에서 특정한 시점 k를 기준으로 종신보험(연금)을 정기보험(연금)
과 거치보험(연금)의 합으로 나타내보자. 이것이 미래법과 과거법 식을 구하
는 핵심적인 아이디어이다.

$$\begin{aligned}
{}_0V_x = 0 &= \left(A^1_{x:\overline{k|}} + {}_kE_x \cdot A_{x+k} \right) - P_x \left(\ddot{a}_{x:\overline{k|}} + {}_kE_x \cdot \ddot{a}_{x+k} \right) \\
&= \left[A^1_{x:\overline{k|}} - P_x \cdot \ddot{a}_{x:\overline{k|}} \right] + {}_kE_x \cdot \underbrace{\left[A_{x+k} - P_x \cdot \ddot{a}_{x+k} \right]}_{\longrightarrow {}_kV_x(\text{미래법})}
\end{aligned} \tag{5.40}$$

식 (5.40) 마지막 등호의 두 번째 항에서 $A_{x+k} - P_x \cdot \ddot{a}_{x+k}$은 k시점 준비
금($_kV_x$)을 미래법으로 표현한 식이다. 이것을 $_kV_x$로 바꾸어 나머지를 정리하
면 다음과 같이 나타낼 수 있다.

$$_kV_x = P_x \cdot \underbrace{\frac{\ddot{a}_{x:\overline{k|}}}{{}_kE_x}}_{\ddot{s}_{x:\overline{k|}}} - \underbrace{\frac{A^1_{x:\overline{k|}}}{{}_kE_x}}_{{}_kk_x} \tag{5.41}$$

식 (5.41)을 과거법에 의한 준비금이라고 한다. 과거법 준비금은 다음과 같이
해석된다.

매년 초 보험회사는 P_x를 보험료로 받는데 매해에 사망보장을 위해 보험
회사가 지니고 있어야 하는 평균금액은 자연보험료로 생각할 수 있다. 보험회

사는 보험료 P_x에서 자연보험료를 차감한 나머지 금액을 적립하게 된다. 이를 나타낸 것이 식 (5.41)이다.

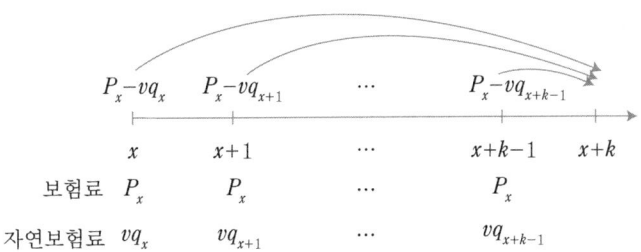

과거법 준비금의 공식 (5.41)에 나오는 $\ddot{s}_{x\,:\,\overline{k}|}$, $_kk_x$ 기호에 대해 간단히 살펴보고 넘어가자.

$$\ddot{s}_{x\,:\,\overline{k}|} = \frac{\ddot{a}_{x\,:\,\overline{k}|}}{_kE_x}, \ _kk_x = \frac{A^1_{x\,:\,\overline{k}|}}{_kE_x} \tag{5.42}$$

식 (5.42)의 분자들을 보면 정기연금의 보험수리적 현가($\ddot{a}_{x\,:\,\overline{k}|}$)와 정기보험의 보험수리적 현가($A^1_{x\,:\,\overline{k}|}$)가 나오고 있다. 보험수리적 현가($APV$)란 평가시점을 기준으로 현금흐름의 현재가치에 대한 기대값을 의미한다. 준비금을 과거법으로 산출할 때 0시점에서 APV를 먼저 구하고 이를 평가시점 k에서의 가치로 전환하기 위해 $_kE_x$로 나눠서 처리하게 된다. 이때, 나눈 결과들을 각각 $\ddot{s}_{x\,:\,\overline{k}|}$와 $_kk_x$라는 하나의 기호로도 표현할 수 있는 것이다. 이는 마치 확정연금의 현가 $\ddot{a}_{\overline{n}|}$에 $(1+i)^n$을 곱해 미래가치 $\ddot{s}_{\overline{n}|}$를 구하는 것과 유사하다.

이제부터는 준비금의 과거법을 이용한 관계식에 대해 알아보도록 하겠다. $_kV_x$와 $_kV_{x\,:\,\overline{n}|}$의 식을 이용하여 관계식을 유도해 보도록 하자. 두 경우는 모두 이산형(fully discrete) 조건이지만, $_kV_x$는 종신보험(whole life)의 준비금이고 $_kV_{x\,:\,\overline{n}|}$는 양로보험(endowment)의 준비금을 나타낸다. 상품의 종류가 다른데도 불구하고 보장 내용에서의 공통점을 찾아보자면 0시점부터 n시점까지는 사망 시에 두 상품 모두 1원을 지급한다. 이러한 공통점을 이용해서 두 준비금 사이의 관계를 찾아낼 수 있게 된다.

준비금의 정의를 응용하자면 $k < n$일 때

$$_0V_x = 0 = A^1_{x:\overline{k}|} - P_x \cdot \ddot{a}_{x:\overline{k}|} + {}_kE_x \cdot {}_kV_x \quad \cdots\cdots\cdots\cdots \text{①}$$

$$_0V_{x:\overline{n}|} = 0 = A^1_{x:\overline{k}|} - P_{x:\overline{n}|} \cdot \ddot{a}_{x:\overline{k}|} + {}_kE_x \cdot {}_kV_{x:\overline{n}|} \quad \cdots \text{②}$$

참고로 식 ①과 ②에서 마지막 항의 ${}_kV_x$와 ${}_kV_{x:\overline{n}|}$는 미래법 식 대신 대입한 것이다. 여기서 식 ①에서 식 ②를 빼면

$$0 = (P_{x:\overline{n}|} - P_x)\ddot{a}_{x:\overline{k}|} + {}_kE_x({}_kV_x - {}_kV_{x:\overline{n}|})$$

이고, 이를 정리하면 다음과 같다.

$$(P_x - P_{x:\overline{n}|})\ddot{a}_{x:\overline{k}|} = {}_kE_x({}_kV_x - {}_kV_{x:\overline{n}|})$$

따라서, 좌변에 보험료 차액만 남겨두고 정리하면 아래와 같다.

$$\therefore \ P_x - P_{x:\overline{n}|} = ({}_kV_x - {}_kV_{x:\overline{n}|})P^{\ 1}_{x:\overline{k}|} \tag{5.43}$$

식 (5.43)을 통해서 알 수 있는 것은 평가시점 k까지 보장 내용은 같고, 보험료만 다른 상품이 있다면 종신보험, 양로보험뿐만 아니라 이 조건을 만족하는 어떤 보험 상품이라도 순보험료의 차이와 준비금 차이 사이에 식 (5.43)과 유사한 관계를 찾을 수 있다는 것이다. 즉, ①번이라는 보험상품과 ②번이라는 보험상품이 있는 경우, 다음 식이 항상 성립한다는 사실을 알아두자.

$$P_① - P_② = ({}_kV_① - {}_kV_②)P^{\ 1}_{x:\overline{k}|} \ \Rightarrow \ {}_kV_① - {}_kV_② = (P_① - P_②)\frac{1}{P^{\ 1}_{x:\overline{k}|}}$$

$$\Rightarrow \ {}_kV_① - {}_kV_② = (P_① - P_②)\frac{\ddot{a}_{x:\overline{k}|}}{{}_kE_x} \tag{5.44}$$

위에서 유도한 식을 사용하여 다음의 예제들을 풀어보자.

예1) $\left(P_x - P^1_{x:\overline{n}|}\right)\ddot{a}_{x:\overline{k}|} = \left({}_kV_x - {}_kV^1_{x:\overline{n}|}\right){}_kE_x$ 일 때

$k = n$이면 ${}_nV^1_{x:\overline{n}|} = 0$이므로 $\left(P_x - P^1_{x:\overline{n}|}\right)\ddot{a}_{x:\overline{n}|} = {}_nV_x \cdot {}_nE_x$

$$\therefore \ {}_nV_x = \frac{\left(P_x - P^1_{x:\overline{n}|}\right)\ddot{a}_{x:\overline{n}|}}{{}_nE_x}$$

$$= \frac{\left(P_x - P^1_{x:\overline{n}|}\right)}{P^{\ 1}_{x:\overline{n}|}}$$

예2) $P_x - P_{x:\overline{n}|} = \left(_kV_x - {}_kV_{x:\overline{n}|}\right)P_{x:\frac{1}{k}|}$ 일 때 $k = n$ 이면 $_nV_{x:\overline{n}|} = 1$ 이므로

$\therefore\ P_x - P_{x:\overline{n}|} = \left(_nV_x - 1\right)P_{x:\frac{1}{n}|}$

$\Rightarrow P_x = P_{x:\overline{n}|} - P_{x:\frac{1}{n}|} + P_{x:\frac{1}{n}|} \cdot {}_nV_x = P^1_{x:\overline{n}|} + P_{x:\frac{1}{n}|} \cdot {}_nV_x$

📖 예제 5.9

$_nV_x = 0.08$, $P_x = 0.024$, 그리고 $P_{x:\frac{1}{n}|} = 0.2$ 일 때 $P^1_{x:\overline{n}|}$ 를 구하시오.

✏️**해설** $P_① - P_② = \left(_kV_① - {}_kV_②\right)P_{x:\frac{1}{k}|}$ 를 이용하면

$P_x - P^1_{x:\overline{n}|} = \left(_nV_x - {}_nV^1_{x:\overline{n}|}\right)P_{x:\frac{1}{n}|}$ 이다.

그리고 $_nV^1_{x:\overline{n}|} = 0$ 를 대입하면 $\Rightarrow P_x - P^1_{x:\overline{n}|} = \left(_nV_x - 0\right)P_{x:\frac{1}{n}|}$ 이다.

따라서 문제에서 주어진 조건들을 대입하면 $P^1_{x:\overline{n}|} = 0.008$ 임을 알 수 있다.

📖 예제 5.10

x 세인 사람이 만기가 3년인 양로보험에 가입하였다. 이 보험은 가입자가 사망하면, 사망연도 말에 보험금 1원이 지급되며, 보험료는 매년 초에 납입된다. 다음의 정보를 이용하여 $_2V_{x:\overline{3}|} - {}_1V_{x:\overline{3}|}$ 을 구하시오.

(i) $q_x = q_{x+1} = 0.1$

(ii) $i = 0.05$

(iii) $P_{x:\overline{3}|} = 0.3382$

✏️**해설** 2시점의 준비금을 미래법으로 계산하면 다음과 같다.

$$_2V_{x:\overline{3}|} = A_{x+2:\overline{1}|} - P_{x:\overline{3}|}\ddot{a}_{x+2:\overline{1}|}$$

$$= vq_{x+2} + vp_{x+2} - P_{x:\overline{3}|} \times 1 = v - P_{x:\overline{3}|}$$

$$= 1.05^{-1} - 0.3382 = 0.6142$$

이번에는 1시점의 준비금을 과거법으로 계산해 보자.

$$_1V_{x:\overline{3}|} = P_{x:\overline{3}|}\ddot{s}_{x:\overline{1}|} - {}_1k_x = \frac{P_{x:\overline{3}|}}{vp_x} - \frac{vq_x}{vp_x}$$

$$= 0.3382 \times \frac{1}{1.05^{-1} \times 0.9} - \frac{1.05^{-1} \times 0.1}{1.05^{-1} \times 0.9} = 0.2835$$

따라서 2시점과 1시점의 준비금 차이는 다음과 같다.

$$\therefore\ {}_2V_{x:\overline{3}|} - {}_1V_{x:\overline{3}|} = 0.3307$$

Ⅲ 연속형 준비금

1. 종신보험

5.2절에서는 이산형(discrete)인 보험상품의 준비금(reserve)에 대해 살펴보았다. 이제부터 보험료는 연속납이며 보험금은 즉시급인 연속형(fully continuous) 보험의 경우를 생각해 보자. 먼저 종신보험(whole life insurance)을 살펴본다.

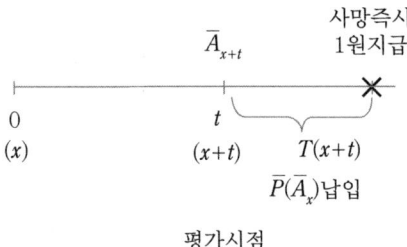

이와 같은 경우의 보험수리 기호를 살펴보면 다음과 같다.

$$_t\overline{V}\left(\overline{A}_x\right) = E\left(v^{T(x+t)} - \overline{P}\left(\overline{A}_x\right) \cdot \overline{a}_{\overline{T(x+t)|}}\right) \tag{5.45}$$

여기서 $_t\overline{V}$ 는 보험료 납입이 연속적인 경우의 준비금을 뜻하며, 그 기호의 우측에 산출해 보고자 하는 보험상품의 보험수리 기호($\overline{A}_x$)를 작성한다. 위 식 (5.45)을 전개하면

$$_t\overline{V}\left(\overline{A}_x\right) = \overline{A}_{x+t} - \overline{P}\left(\overline{A}_x\right) \cdot \overline{a}_{x+t} \tag{5.46}$$

이고, 식 (5.46)는 미래법 준비금을 의미한다. 이제 보험과 연금 간의 관계식을 이용하면 다음과 같이 나타낼 수도 있다.

$$_t\overline{V}\left(\overline{A}_x\right) = 1 - \frac{\overline{a}_{x+t}}{\overline{a}_x} \tag{5.47}$$

지금까지의 과정을 보면 이산형(fully discrete) 보험의 준비금 공식과 연속형(fully continuous) 보험의 준비금 공식이 모양만 약간 다를 뿐이지 그 의미는 같다는 것을 쉽게 알 수 있다.

마지막으로 준비금에 대해서 조금 더 정리를 해 보면 준비금은 기대값의 한 종류로써 다음과 같이 평가 시점을 기준으로 한 손실 현가의 확률변수를 이용하여 계산한다.

$$_t\overline{V}(\overline{A}_x) = \overline{A}_{x+t} - \overline{P} \cdot \overline{a}_{x+t}$$

예제 5.11

$\mu(x)$가 상수일 때, $_t\overline{V}(\overline{A}_x)$를 나타내시오.

해설 $\mu(x)$가 상수라는 것은 확률변수 $T(x)$가 지수분포를 따른다는 의미이며, 앞장에서 살펴보았던 다음 공식이 성립한다는 사실을 염두에 두자.

$$\left.\begin{array}{l}\overline{A}_x = \overline{A}_{x+t} = \dfrac{\mu}{\mu+\delta} \\[2mm] \overline{a}_x = \overline{a}_{x+t} = \dfrac{1}{\mu+\delta} \\[2mm] \overline{P}_x = \dfrac{\overline{A}_x}{\overline{a}_x} = \mu\end{array}\right\} \text{연령 } x\text{에 의존하지 않음}$$

$$\therefore {}_t\overline{V}(\overline{A}_x) = \overline{A}_{x+t} - \overline{P}(\overline{A}_x) \cdot \overline{a}_{x+t}$$
$$= \frac{\mu}{\mu+\delta} - \mu \cdot \frac{1}{\mu+\delta} = 0$$

위 예제를 통해 $T(x)$가 지수분포를 따르면 보험회사는 준비금을 적립할 필요가 없다는 사실을 알 수 있다.

예제 5.12

30세인 사람이 사망 즉시 1원을 지급받는 종신보험에 가입했다.

$\delta = 0.05$, $s(x) = 1 - \dfrac{x}{105}$, $0 \leq x \leq 105$일 때, 보험가입후 10차년도 말의 준비금을 구하시오.

해설 문제에서는 De Moivre 법칙을 가정하여 준비금을 구하도록 하였다. De Moivre 법칙을 가정할 경우 생명보험의 APV를 계산하는 것이 쉽기 때문에 준비금 공식 중 생명보험의 APV만으로 계산할 수 있는 식을 이용하도록 한다.

$$\overline{A}_{30} = \frac{\overline{a}_{\overline{75|}}}{75} = \left(\frac{1-v^{75}}{\delta}\right)/75 = 0.26040$$

$$\overline{A}_{40} = \frac{\overline{a}_{\overline{65|}}}{65} = \left(\frac{1-v^{65}}{\delta}\right)/65 = 0.29576$$

$$_{10}\overline{V}(\overline{A})_{30} = \frac{\overline{A}_{40} - \overline{A}_{30}}{1 - \overline{A}_{30}} = 0.04781$$

2. n년 양로보험

연속형 양로보험에 대한 준비금 계산 방법을 알아보자. n년 만기 즉시급 양로보험에 대하여, 보험료도 동일 기간 동안 피보험자가 생존해 있다면 연속 납입한다고 생각하자. 이 경우 t시점의 손실 현가 확률변수를 정의해 보면

$$_{t}L = v^{T(x+t) \wedge (n-t)} - \overline{P}\left(\overline{A}_{x:\overline{n|}}\right) \cdot \overline{a}_{\overline{T(x+t) \wedge (n-t)|}} \tag{5.48}$$

이다. 평가 시점 t에서 피보험자의 연령은 $(x+t)$세라는 점에 유의하자. 식 에서 정의한 확률변수는 평가시점 t에 $(x+t)$세가 생존해 있고, 또한 계약이 유지되고 있다는 전제하에 정의될 수 있다. 따라서 남은 계약기간은 $n-t$이 고, 그 기간 안에 사망 시 사망보험금 1원을 즉시 지급하고, 만기 시점에 여전 히 생존해 있다면 생존보험금 1원을 지급하게 된다. 보험료 역시 현재 평가시 점 $(x+t)$세부터 시작해서 앞으로 $n-t$년 동안 생존해 있다면 연속적으로 납입하게 되는 것이다.

식 (5.48)의 기대값이 평가시점 t에서의 준비금이 된다. 준비금의 보험수 리 기호는

$$_{t}\overline{V}\left(\overline{A}_{x:\overline{n|}}\right) \tag{5.49}$$

이고, 여기서 V 위의 '–'(bar) 표시는 보험료가 연속적으로 납입된다는 것을 의미하며, $\overline{V}$의 우측에는 즉시급 양로보험이기 때문에 괄호 안에 양로보험의 보험수리 기호를 작성해 둔 것이다.

식 (5.48)의 기대값을 구하면 미래법으로 평가한 준비금 공식이 유도된다.

$$_{t}\overline{V}\left(\overline{A}_{x:\overline{n|}}\right) = E[_{t}L] = E\left[v^{T(x+t) \wedge (n-t)} - \overline{P}\left(\overline{A}_{x:\overline{n|}}\right) \cdot \overline{a}_{\overline{T(x+t) \wedge (n-t)|}}\right]$$

$$= \overline{A}_{x+t:\overline{n-t}|} - \overline{P}\left(\overline{A}_{x:\overline{n}|}\right) \cdot \overline{a}_{x+t:\overline{n-t}|} \tag{5.50}$$

종신보험과 양로보험의 경우 즉시급이든 기말급이든 보험과 연금 간의 관계식이 존재하기 때문에 그 관계식을 식 (5.50)에 대입하면 다양한 준비금 공식들을 유도해 볼 수 있다. 이미 이산형 양로보험에서 미래법 준비금을 이용하여 유도한 준비금 공식을 보였으니 유도과정을 참고해 보길 바란다.

연금을 이용하여 $_t\overline{V}\left(\overline{A}_{x:\overline{n}|}\right)$를

$$_t\overline{V}\left(\overline{A}_{x:\overline{n}|}\right) = 1 - \frac{\overline{a}_{x+t:\overline{n-t}|}}{\overline{a}_{x:\overline{n}|}} \tag{5.51}$$

로 나타낼 수 있고, 보험을 이용하면

$$_t\overline{V}\left(\overline{A}_{x:\overline{n}|}\right) = \frac{\overline{A}_{x+t:\overline{n-t}|} - \overline{A}_{x:\overline{n}|}}{1 - \overline{A}_{x:\overline{n}|}} \tag{5.52}$$

이 된다. 또한 순보험료를 이용하여 다음과 같이 표현할 수도 있다.

$$_t\overline{V}\left(\overline{A}_{x:\overline{n}|}\right) = \frac{\overline{P}\left(\overline{A}_{x+t:\overline{n-t}|}\right) - \overline{P}\left(\overline{A}_{x:\overline{n}|}\right)}{\overline{P}\left(\overline{A}_{x+t:\overline{n-t}|}\right) + \delta} \tag{5.53}$$

감액완납 공식은

$$_t\overline{V}\left(\overline{A}_{x:\overline{n}|}\right) = \left(1 - \frac{\overline{P}\left(\overline{A}_{x:\overline{n}|}\right)}{\overline{P}\left(\overline{A}_{x+t:\overline{n-t}|}\right)}\right)\overline{A}_{x+t:\overline{n-t}|} \tag{5.54}$$

이며, 보험료 차액으로 표현하면 아래와 같다.

$$_t\overline{V}\left(\overline{A}_{x:\overline{n}|}\right) = \left(\overline{P}\left(\overline{A}_{x+t:\overline{n-t}|}\right) - \overline{P}\left(\overline{A}_{x:\overline{n}|}\right)\right)\overline{a}_{x+t:\overline{n-t}|} \tag{5.55}$$

📖예제 5.13

35세인 사람이 5년 만기 양로보험에 가입하였다. 이 보험은 가입자가 사망할 경우 즉시 보험금 1원을 지급하며, 보험료는 사망 시까지 연속적으로 납부한다고 한다. 다음의 조건을 이용하여 $_4\overline{V}\left(\overline{A}_{35:\overline{5}|}\right)$를 구하시오.

(i) $\overline{A}_{35:\overline{5}|} = 0.8389$

(ii) $\delta = 0.04$

(iii) $\mu_{35+t} = 0.05$

해설 다음의 준비금 공식을 이용해 보도록 하겠다.

$$_4\overline{V}\left(\overline{A}_{35:\overline{5}|}\right) = \frac{\overline{A}_{35+4:\overline{5-4}|} - \overline{A}_{35:\overline{5}|}}{1 - \overline{A}_{35:\overline{5}|}}$$

문제에서 사력이 상수인 사망법칙을 가정하고 있으므로 양로보험의 APV를 다음과 같이 계산한다.

$$\overline{A}_{39:\overline{1}|} = \overline{A}_{39:\overline{1}|}^{1} + A_{39:\overline{1}|}^{\frac{1}{1}} = \int_0^1 v^t {}_tp_{39}\mu_{39+t}dt + v \cdot p_{39}$$

$$= \int_0^1 e^{-0.04t}e^{-0.05t}0.05dt + e^{-0.04}e^{-0.05}$$

$$= 0.05\left[\frac{e^{-0.09t}}{-0.09}\right]_0^1 + e^{-0.09} = 0.9617$$

따라서

$$\therefore \ _4\overline{V}\left(\overline{A}_{35:\overline{5}|}\right) = \frac{\overline{A}_{39:\overline{1}|} - \overline{A}_{35:\overline{5}|}}{1 - \overline{A}_{35:\overline{5}|}} = \frac{0.9617 - 0.8389}{1 - 0.8389} = 0.7623$$

예제 5.14

30세인 사람이 사망 즉시 1원을 지급하는 10년 만기 양로보험에 가입했다. $\delta = 0.06$, $s(x) = 1 - \dfrac{x}{105}(0 \le x \le 105)$일 때, 보험가입 후 5차년도 말의 준비금을 구하시오.

해설 이번에는 다음의 식을 이용하여 준비금을 계산해 보겠다.

$$_5\overline{V}\left(\overline{A}_{30:\overline{10}|}\right) = 1 - \frac{\overline{a}_{30+5:\overline{10-5}|}}{\overline{a}_{30:\overline{10}|}}$$

문제에서 De Moivre 법칙을 가정하고 있으므로 정기연금의 APV는 다음과 같이 양로보험의 APV를 이용하여 구하도록 한다.

$$\overline{A}_{30:\overline{10}|} = \frac{\overline{a}_{\overline{10}|}}{75} + {}_{10}E_{30} = \frac{(1-v^{10})/\delta}{75} + \frac{65}{75}v^{10} = 0.57590$$

$$\overline{A}_{35:\overline{5}|} = \frac{\overline{a}_{\overline{5}|}}{70} + {}_5E_{35} = \frac{(1-v^5)/\delta}{70} + \frac{65}{70}v^5 = 0.74961$$

$$\overline{a}_{30:\overline{10}|} = \frac{1 - \overline{A}_{30:\overline{10}|}}{\delta} = 7.06833, \quad \overline{a}_{35:\overline{5}|} = \frac{1 - \overline{A}_{35:\overline{5}|}}{\delta} = 4.17317$$

따라서

$$\therefore \ _5\overline{V}\left(\overline{A}_{30\,:\,\overline{10|}}\right) = 1 - \frac{\overline{a}_{35\,:\,\overline{5|}}}{\overline{a}_{30\,:\,\overline{10|}}} = 0.40960$$

종신보험과 양로보험 이외에도 구해볼 수 있다. Ⅱ절과 Ⅲ절을 참고해서 스스로 학습하도록 하자.

3. n년 정기보험

연속형 상품의 마지막 예로 정기보험의 준비금 공식을 살펴보자. n년 만기 전에 사망 시 즉시 보험금 1원을 지급하는 정기보험에 대하여 보험료는 h년 단기납, 연속납입된다고 생각해 보자. 전기납에 대한 준비금 계산 방법은 이산형 정기보험에 대한 공식과 거의 유사하므로 스스로 학습해 보길 바란다.

평가시점 t에서의 손실 현가 확률변수를 정의해 보면

$$_tL = v^{T(x+t)} \cdot I\left(T(x+t) \le n-t\right) - {}_h\overline{P}(\overline{A}_{x\,:\,\overline{n|}}^{\,1}) \cdot \overline{a}_{\overline{T(x+t)\wedge(h-t)|}} \tag{5.56}$$

이다. 식 (5.56)의 기대값은 t시점의 준비금이 된다.

$$_t^h\overline{V}\left(\overline{A}_{x\,:\,\overline{n|}}^{\,1}\right) = E[_tL] = \begin{cases} \overline{A}_{x+t\,:\,\overline{n-t|}}^{\,1} - {}_h\overline{P}\left(\overline{A}_{x\,:\,\overline{n|}}^{\,1}\right) \cdot \overline{a}_{x+t\,:\,\overline{h-t|}}, & t < h \\ \overline{A}_{x+t\,:\,\overline{n-t|}}^{\,1}, & t \ge h \end{cases} \tag{5.57}$$

식 (5.57)와 같이 평가시점이 보험료 납입기간 중인지, 또는 보험료 납입기간 이후인지에 따라서 준비금이 다르게 나타난다. 그 이유는 보험료 납입기간 h를 지난 시점에서 준비금을 평가한다면 미래법으로 봤을 때 더 이상 보험료 납입은 없으므로 장래 지출에 대한 보험수리적 현가만이 준비금 식에 남게 된다. 준비금 관련 문제를 풀 때 주의할 점은 평가시점이 언제인지 문제에서 주어지지 않은 채 준비금 공식을 유도하라고 할 경우에는 반드시 보험료 납입기간과 보험 계약기간 중 어느 시점에서 평가하는지 구분하여 준비금 공식을 다양하게 보여줘야만 한다.

피보험자(40세)는 50년 정기보험에 가입하였다. 사망보험금은 사망 즉시 지급되지만, 처음 25년 동안은 사망보험금이 1,000원이고 그 이후 25년 동안은 사망보험금이 2,000원이라고 한다. 보험료는 전기납, 연속납이지만 계약 후 25년 동안은 $1{,}000\overline{P}\left(\overline{A}_{40}\right)$이고, 그 이후 25년동안은 π라고 한다. 계약 후 10시점에서의 준비금을 구하시오. 단, 부록의 생명표(ILT)를 이용한다. ($i=0.06$) 그리고 소수연령에 대하여 UDD를 가정한다.

해설 이 문제는 보험료와 보험금의 크기가 계약기간 동안 일정하지 않다. 따라서, 10시점에서 준비금을 평가할 때 미래법으로 계산을 하고자 한다면 구해야 하는 것들이 많다. 이와 같이 미래법으로 준비금을 구하는 것이 복잡하고 어려울 경우에는 과거법을 고려할 수 있다.

10시점을 기준으로 그 이전을 보았을 때는 보험료의 크기가 $1{,}000\overline{P}\left(\overline{A}_{40}\right)$이고 보험금의 크기가 1,000원이다. 이것을 이용해 과거법으로 준비금을 나타내면 다음과 같다.

$$_{10}\overline{V}=1{,}000\overline{P}\left(\overline{A}_{40}\right)\cdot\overline{s}_{40:\overline{10|}}-1{,}000\cdot{}_{10}\overline{k}_{40} \tag{1}$$

식 (1)을 이용해서도 문제에서 원하는 준비금을 구할 수 있지만, 여기서는 한 번 더 식 (1)을 활용하여 다른 계산 방법을 고려해 보자. 식 (1)의 우변만 보자. 우변만 봤을 때는 (40)세 피보험자가 보험금 1,000원의 연속납, 즉시급 종신보험에 가입하였을 때 10시점에서 과거법으로 준비금을 평가한 것이다. 식 (1)의 우변에서 보험료 $1{,}000\overline{P}\left(\overline{A}_{40}\right)$는 수지상등의 원칙에 의한 보험료이기 때문에 미래법과 과거법의 결과는 동일할 수 밖에 없다. 따라서 식 (1)의 우변은 다음과 같이 미래법으로 새롭게 쓸 수 있다.

$$1{,}000\overline{P}\left(\overline{A}_{40}\right)\cdot\overline{s}_{40:\overline{10|}}-1{,}000\cdot{}_{10}\overline{k}_{40}=$$
$$1{,}000\overline{A}_{40+10}-1{,}000\overline{P}\left(\overline{A}_{40}\right)\cdot\overline{a}_{40+10} \tag{2}$$

식 (1)과 식 (2)는 같기 때문에 결론적으로 문제에서 주어진 상품의 10시점 준비금은 식 (2)의 우변에 있는 식으로 계산할 수 있는 것이다.

$$_{10}\overline{V}=1{,}000\overline{A}_{40+10}-1{,}000\overline{P}\left(\overline{A}_{40}\right)\cdot\overline{a}_{40+10} \tag{3}$$

그리고 식 (3)은 이미 앞에서 연속형 종신보험에 대한 준비금 공식에서 유도한 식 (5.47)을 이용하면 보험료를 구하지 않고도 쉽게 문제의 답을 구할 수 있다.

$$_{10}\overline{V} = 1,000\left(1 - \frac{\overline{a}_{40+10}}{\overline{a}_{40}}\right) = 1,000\left(\frac{\overline{A}_{40+10} - \overline{A}_{40}}{1 - \overline{A}_{40}}\right) \tag{4}$$

이제 소수연령에 대하여 UDD를 가정하여 계산하면 다음과 같다.

$$_{10}\overline{V} = 1,000\left(\frac{\dfrac{i}{\delta}A_{50} - \dfrac{i}{\delta}A_{40}}{1 - \dfrac{i}{\delta}A_{40}}\right) \tag{5}$$

$$= 1,000\left(\frac{\dfrac{0.06}{\ln(1.06)} \times 0.24905 - \dfrac{0.06}{\ln(1.06)} \times 0.16132}{1 - \dfrac{0.06}{\ln(1.06)} \times 0.16132}\right) = 108.331583$$

Ⅳ 혼합형 준비금

1. 종신보험

Ⅲ절에서는 연속형(fully-continuous) 보험의 준비금을 계산하는 방법과 사력이 상수인 경우에 준비금이 0이 나온다는 사실에 대해서 살펴보았다. 이제부터는 보험료 기시납, 보험금 즉시급(semi-continuous cases)인 혼합형 보험의 준비금 계산 방법을 알아보자.

보험료 기시납, 보험금 즉시급 보험(semi-continuous)이라는 것은 보험금 지급은 사망 즉시 이루어지지만, 보험료 납부는 이산형(매 기간 초 납입)인 경우를 말한다. 먼저 종신보험을 살펴보자. 앞 절에서 계속 언급했던 것처럼 준비금은 손실 현가 확률변수의 기대값이다. 따라서 혼합형 종신보험의 준비금은 다음과 같이 표현된다.

$$_{k}V(\overline{A}_x) = E[_{k}L] = E\left[v^{T(x+k)} - P(\overline{A}_x) \cdot \ddot{a}_{\overline{T(x+k)|}}\right] \tag{5.58}$$

그리고 식 (5.58)을 보험수리 기호로 나타내면 다음과 같이 표현할 수 있다.

$$_{k}V(\overline{A}_x) = \overline{A}_{x+k} - P(\overline{A}_x) \cdot \ddot{a}_{x+k} \tag{5.59}$$

여기서 $P(\overline{A}_x) = \dfrac{\overline{A}_x}{\ddot{a}_x}$ 임을 알아두자. 그리고 준비금의 보험수리 기호를 보면 V 위에 '–'(bar) 표시가 없다. 이것은 보험료가 이산적으로 납입된다는 의미이다.

손실 현가 확률변수 $_kL$에 대한 분산은 식 (5.58)의 괄호 안에 있는 확률변수에 분산을 취해 계산할 수 있지만, 이 경우 확률변수 $v^{T(x+k)}$와 $v^{\lceil T(x+k) \rceil}$의 분산과 공분산을 고려해야 하므로 복잡하다. 따라서 이때는 분산 본래의 정의대로 다음과 같이 계산하는 방법이 훨씬 간단하다.

$$Var[_kL] = E[_kL^2] - E[_kL]^2 \tag{5.60}$$

즉시급 보험의 보험수리적 현가를 구하는 것이 힘들 경우가 있다. 그럴 때는 기말급 보험의 보험수리적 현가를 이용하여 근사적으로 구할 수 있는데 이에 관한 설명은 이미 2장에서 살펴보았다. 소수연령에 대하여 UDD를 가정한다면

$$\overline{A}_x = \frac{i}{\delta} A_x$$

이 성립한다. 이를 식 (5.59)의 미래법 식에 대입하면 다음과 같은 근사적인 결과를 얻을 수 있다.

$$\begin{aligned}
_kV(\overline{A}_x) &= \overline{A}_{x+k} - P(\overline{A}_x) \cdot \ddot{a}_{x+k} \\
&= \overline{A}_{x+k} - \frac{\overline{A}_x}{\ddot{a}_x} \cdot \ddot{a}_{x+k} \\
&= \frac{i}{\delta} A_{x+k} - \frac{i}{\delta} \cdot \frac{A_x}{\ddot{a}_x} \cdot \ddot{a}_{x+k}
\end{aligned} \tag{5.61}$$

위 식에서 $\dfrac{A_x}{\ddot{a}_x} = P_x$ 이므로 우변을 다음과 같이 정리할 수 있다.

$$\frac{i}{\delta} A_{x+k} - \frac{i}{\delta} \cdot P_x \cdot \ddot{a}_{x+k} \tag{5.62}$$

그리고 식 (5.62)에서 $\dfrac{i}{\delta}$로 인수분해를 하면

$$\frac{i}{\delta}\left(A_{x+k} - P_x \cdot \ddot{a}_{x+k}\right) \tag{5.63}$$

이고 여기서 괄호 안은 이산형 종신보험의 준비금임을 알 수 있다. 따라서, 소수연령에 대해 UDD를 가정하면 혼합형 보험의 준비금은 다음과 같이 이산형 보험의 준비금을 이용하여 나타낼 수 있다.

$$_kV\left(\overline{A}_x\right) = \frac{i}{\delta} \cdot \,_kV_x \tag{5.64}$$

예제 5.16

피보험자(40세)는 보험금 1원, 사망 즉시급 종신보험에 가입하였다. 보험료는 보험계약기간 동안 피보험자가 사망할 때까지 매년 초에 납입한다고 한다. 수지상등의 원칙을 이용한 보험료를 적용하여 20시점의 준비금의 크기를 구하시오. 단, 소수연령에 대하여 UDD를 가정하고, $\ddot{a}_{40} = 15$, $\ddot{a}_{60} = 11$, $i = 0.04$라고 한다.

해설 문제에서 원하는 것은 $_{20}V\left(\overline{A}_{40}\right)$인데 여기서 소수연령에 대하여 UDD를 가정하고 있으므로 식 (5.64)을 이용하면 된다.

$$_{20}V\left(\overline{A}_{40}\right) = \frac{i}{\delta} \cdot \,_{20}V_{40}$$

문제에서 주어진 생명연금의 보험수리적 현가를 이용하여 $_{20}V_{40}$를 구할 수 있다.

$$_{20}V_{40} = 1 - \frac{\ddot{a}_{60}}{\ddot{a}_{40}} = 1 - \frac{11}{15} = 0.2666667$$

따라서,

$$_{20}V\left(\overline{A}_{40}\right) = \frac{0.04}{\ln 1.04} \times 0.2666667 = 0.2719652$$

이다.

2. n년 양로보험

만기 n년 안에 사망한 경우 즉시 1원을 지급하고, 만기 시점에 생존 시 생존보험금 1원을 지급하는 양로보험을 고려해 보자. 보험료는 전기납, 기시납이라 한다면 보험료는

$$P\left(\overline{A}_{x:\overline{n}|}\right) = \frac{\overline{A}_{x:\overline{n}|}}{\ddot{a}_{x:\overline{n}|}} \tag{5.65}$$

이다. 평가시점 t에서 손실 현가 확률변수를 정의하면

$$_tL = v^{T(x+t)\wedge(n-t)} - P\left(\overline{A}_{x:\overline{n}|}\right) \cdot \ddot{a}_{\overline{\lceil T(x+t)\wedge(n-t)\rceil|}} \tag{5.66}$$

이다. 따라서 식 (5.66)의 기대값인 준비금은 다음과 같다.

$$_tV\left(\overline{A}_{x:\overline{n}|}\right) = E[_tL] = E\left[v^{T(x+t)\wedge(n-t)} - P\left(\overline{A}_{x:\overline{n}|}\right) \cdot \ddot{a}_{\overline{\lceil T(x+t)\wedge(n-t)\rceil|}}\right]$$

$$= \overline{A}_{x+t:\overline{n-t}|} - P\left(\overline{A}_{x:\overline{n}|}\right) \cdot \ddot{a}_{x+t:\overline{n-t}|} \tag{5.67}$$

이번에는 과거법 식에 대해 알아보자. 과거법 식을 유도할 때는 우선 가입시점을 기준으로 수입과 지출의 보험수리적 현가를 구한다. 이후 수입과 지출의 APV를 모두 평가시점에서의 가치로 바꿔주기 위해 $_tE_x$로 나누면 된다.

$$_tV\left(\overline{A}_{x:\overline{n}|}\right) = \frac{P\left(\overline{A}_{x:\overline{n}|}\right) \cdot \ddot{a}_{x:\overline{t}|}}{_tE_x} - \frac{\overline{A}^1_{x:\overline{t}|}}{_tE_x} = P\left(\overline{A}_{x:\overline{n}|}\right) \cdot \ddot{s}_{x:\overline{t}|} - _t\overline{k}_x \tag{5.68}$$

평가시점 t에서 수입은 계약 시점부터 평가시점까지 t년 동안 매년 초에 납입된 보험료들을 평가시점 t에서의 가치로 부리시켜 주면 된다. 그리고 지출은 계약 시점부터 평가시점까지 t년 동안 사망 시 사망보험금 1원을 즉시 지급하는 정기보험에 대한 것이므로 이것 역시 평가시점 t에서의 가치로 부리시켜 주면 되는 것이다. 양로보험이 아니라 정기보험이라는 점에 유의해야 한다.

앞서 UDD 가정을 이용하여 이산형 종신보험의 준비금으로부터 혼합형 종신보험의 준비금의 근사값을 구하는 방법에 대해 살펴보았다. 그러나 양로보험의 경우 소수연령에 대하여 UDD를 가정해도 식 (5.64)와 유사한 공식이 유도되지는 않는다는 것에 주의해야 한다. 왜냐하면 생존보험은 만기시점에 피보험자가 생존해 있을 경우에만 보험금을 지급하는 보험이므로 즉시급이 아닌 이산형 보험으로 이해해야 하기 때문이다. 4장에서 양로보험의 보험료가 정기보험, 생존보험의 보험료의 합으로 이뤄진다는 것을 언급했었다. 즉, 다음의 공식이 성립한다는 것이다.

$$P\left(\overline{A}_{x:\overline{n}|}\right)= \frac{\overline{A}_{x:\overline{n}|}}{\ddot{a}_{x:\overline{n}|}} = \frac{\overline{A}^{1}_{x:\overline{n}|}+A_{x:\overline{n}|}^{\;\;1}}{\ddot{a}_{x:\overline{n}|}} = P\left(\overline{A}^{1}_{x:\overline{n}|}\right)+P_{x:\overline{n}|}^{\;\;1} \tag{5.69}$$

준비금 간의 관계식도 이와 유사하게 유도할 수 있다.

$$
\begin{aligned}
{}_{k}V\left(\overline{A}_{x:\overline{n}|}\right) &= \overline{A}_{x+k:\overline{n-k}|} - P\left(\overline{A}_{x:\overline{n}|}\right)\ddot{a}_{x+k:\overline{n-k}|}\\
&= \left(\overline{A}^{1}_{x+k:\overline{n-k}|}+A_{x+k:\overline{n-k}|}^{\;\;1}\right) - \left(P\left(\overline{A}^{1}_{x:\overline{n}|}\right)+P_{x:\overline{n}|}^{\;\;1}\right)\ddot{a}_{x+k:\overline{n-k}|}
\end{aligned} \tag{5.70}
$$

양로보험을 정기보험과 생존보험으로 나누고, 보험료도 역시 식 (5.69)를 이용하여 나누어 대입하면 위 식 (5.70)와 같이 되고, 지출의 보험수리적 현가에서 수입의 보험수리적 현가를 빼는 식들끼리 다시 한 번 묶어 정리하면 다음의 결과를 얻을 수 있다.

$$
\begin{aligned}
{}_{k}V\left(\overline{A}_{x:\overline{n}|}\right) &= \left(\overline{A}^{1}_{x+k:\overline{n-k}|} - P\left(\overline{A}^{1}_{x:\overline{n}|}\right)\cdot\ddot{a}_{x+k:\overline{n-k}|}\right)+\\
&\quad \left(A_{x+k:\overline{n-k}|}^{\;\;1} - P_{x:\overline{n}|}^{\;\;1}\cdot\ddot{a}_{x+k:\overline{n-k}|}\right)\\
{}_{k}V\left(\overline{A}_{x:\overline{n}|}\right) &= {}_{k}V\left(\overline{A}^{1}_{x:\overline{n}|}\right)+{}_{k}V_{x:\overline{n}|}^{\;\;1}
\end{aligned} \tag{5.71}
$$

식 (5.71)에 소수연령 가정 UDD를 이용해 보면

$${}_{k}V\left(\overline{A}_{x:\overline{n}|}\right)= \frac{i}{\delta}\,{}_{k}V^{1}_{x:\overline{n}|} + {}_{k}V_{x:\overline{n}|}^{\;\;1} \tag{5.72}$$

인데, 여기서 식 (5.71)의 우변의 첫 번째 항은 정기보험이 즉시급이기 때문에 UDD를 가정하면 기말급 정기보험의 준비금에 $\frac{i}{\delta}$ 를 곱해서 근사값을 구할 수 있지만, 두 번째 항은 생존보험으로 원래의 준비금을 그대로 사용해야 한다. 따라서 혼합형 양로보험의 경우 식 (5.64)처럼 단순히 이산형 양로보험의 준비금에 $\frac{i}{\delta}$ 를 곱해서 준비금을 근사적으로 구할 수 없음에 주의해야 한다.

$${}_{k}V\left(\overline{A}_{x:\overline{n}|}\right)\neq \frac{i}{\delta}\,{}_{k}V_{x:\overline{n}|} \tag{5.73}$$

예제 5.17

피보험자(50세)는 10년 안에 사망하면 사망 즉시 1,000원을 지급하고, 만기 시점에 생존해 있으면 1,000원을 지급하는 양로보험에 가입하였다. 보험료는 매년 초에 납입될 때 4시점에서 평가한 손실 현가 확률변수의 기대값을 구하시오. 단, 모든 연령에 대하여 $\mu = \delta = 0.04$를 가정한다.

해설 먼저 보험료를 구해보자.

$$1,000 P\left(\overline{A}_{50:\overline{10|}}\right) = \frac{1,000 \overline{A}_{50:\overline{10|}}}{\ddot{a}_{50:\overline{10|}}}$$

분자의 양로보험의 APV를 계산하면

$$\overline{A}_{50:\overline{10|}} = \int_0^{10} e^{-\delta t} {}_t p_{50} \mu_{50+t} dt + e^{-10\delta} {}_{10}p_{50} = \int_0^{10} e^{-(\mu+\delta)t} \mu dt + e^{-(\mu+\delta)10}$$

$$= \frac{\mu}{\mu+\delta}\left(1 - e^{-(\mu+\delta)10}\right) + e^{-(\mu+\delta)10} = 0.7246645$$

이다. 분모의 정기연금의 APV를 계산하면

$$\ddot{a}_{50:\overline{10|}} = \sum_{k=0}^{9} v^k {}_k p_{50} = \sum_{k=0}^{9} e^{-k(\mu+\delta)} = \frac{1 - e^{-10(\mu+\delta)}}{1 - e^{-(\mu+\delta)}} = 7.1623942$$

이다. 그러므로 보험료의 크기는 다음과 같다.

$$1,000 P\left(\overline{A}_{50:\overline{10|}}\right) = 101.1762938$$

4시점의 손실 현가 확률변수의 기대값이란 4시점의 준비금을 의미한다. 따라서 미래법을 이용하여 구할 수 있다.

$${}_4 V\left(\overline{A}_{50:\overline{10|}}\right) = 1,000 \overline{A}_{54:\overline{6|}} - 1,000 P\left(\overline{A}_{50:\overline{10|}}\right) \cdot \ddot{a}_{54:\overline{6|}}$$

6년 만기 양로보험의 APV를 먼저 계산하면

$$\overline{A}_{54:\overline{6|}} = \int_0^6 e^{-\delta t} {}_t p_{54} \mu_{54+t} dt + e^{-\delta 6} {}_6 p_{54} = \int_0^6 e^{-(\mu+\delta)t} \mu dt + e^{-(\mu+\delta)6}$$

$$= \frac{\mu}{\mu+\delta}\left(1 - e^{-(\mu+\delta)6}\right) + e^{-(\mu+\delta)6} = 0.8093917$$

이고, 6년 만기 정기연금의 APV를 계산하면

$$\ddot{a}_{54:\overline{6|}} = \sum_{k=0}^{5} v^k {}_k p_{54} = \sum_{k=0}^{5} e^{-k(\mu+\delta)} = \frac{1 - e^{-6(\mu+\delta)}}{1 - e^{-(\mu+\delta)}} = 4.9583571$$

이다. 따라서 준비금은 ${}_4 V\left(\overline{A}_{50:\overline{10|}}\right) = 307.723505$이다.

3. n년 정기보험

보험계약 기간 n년 안에 사망 시 보험금 1원을 즉시 지급하는 정기보험에 대한 준비금 산출 방법에 대해 알아보자. 여기서는 보험료를 1년에 m회 납입하는 경우에 대해 살펴보도록 하겠다.

평가시점 t에서의 손실 현가 확률변수를 정의해 보자. 이 때 평가시점인 t는 정수 값만을 고려하도록 한다.

$$_tL = v^{T(x+t)} \cdot I(T(x+t) \leq n-t) - P^{(m)}\left(\overline{A}^1_{x:\overline{n}|}\right) \cdot \ddot{a}^{(m)}_{\overline{[T(x+t)\wedge(n-t)]|}}$$

$$(5.74)$$

식 (5.74)에서 보험료의 보험수리 기호를 보면 P의 우측 상단에 (m)이 있는데 이것은 1년에 보험료를 m회 납입한다는 의미이다. 따라서, 식 (5.74)에 대한 기댓값은

$$_tV^{(m)}\left(\overline{A}^1_{x:\overline{n}|}\right) = E[_tL] = \overline{A}^1_{x+t:\overline{n-t}|} - P^{(m)}\left(\overline{A}^1_{x:\overline{n}|}\right) \cdot \ddot{a}^{(m)}_{x+t:\overline{n-t}|} \qquad (5.75)$$

이다. 소수연령에 대한 가정을 이용한다면 식 (5.75)의 준비금의 근사값을 구할 수 있다. 예를 들어 UDD를 가정한다면,

$$\overline{A}^1_{x:\overline{n}|} = \frac{i}{\delta} A^1_{x:\overline{n}|}$$

이고

$$\ddot{a}^{(m)}_{x:\overline{n}|} = \alpha(m)\ddot{a}_{x:\overline{n}|} - \beta(m)[1 - {_nE_x}]$$

이므로 준비금을 계산할 수 있다.

예제 5.18

사망보험금 100원이 사망 즉시 지급되는 3년 만기 정기보험이 있다. 보험료는 2년동안 6개월마다 한 번씩 납입된다. $\mu = 0.04$이고 $\delta = 0.06$일 때 1시점에서의 준비금을 구하시오. 단, 수지상등의 원칙에 의한 6개월 납 보험료는 2.789라고 한다.

해설 미래법보다 과거법으로 접근하는 것이 계산상 더 편리하다.

$$100_1V^{(2)}\left(\overline{A}^1_{x:\overline{3}|}\right) = \frac{P^{(2)}\left(\overline{A}^1_{x:\overline{3}|}\right) \cdot \ddot{a}^{(2)}_{x:\overline{1}|} - 100\overline{A}^1_{x:\overline{1}|}}{{}_1E_x} \quad (*)$$

6개월납 보험료가 2.789이므로, 1년동안 납입하는 총 보험료는 $P^{(2)}\left(\overline{A}^1_{x:\overline{3}|}\right) = 2.789 \times 2 = 5.578$이다. 그리고

$$\ddot{a}^{(2)}_{x:\overline{1}|} = \frac{1}{2}(1 + v^{0.5}{}_{0.5}p_x) = \frac{1}{2}(1 + e^{-0.5(\mu+\delta)}) = 0.975614712$$

이고,

$$\overline{A}^1_{x:\overline{1}|} = \int_0^1 v^t{}_tp_x\mu_{x+t}dt = \int_0^1 e^{-(\mu+\delta)t}\mu dt = \frac{\mu}{\mu+\delta}\left(1 - e^{-(\mu+\delta)}\right)$$

$$= 0.038065$$

이며 마지막으로 생존보험의 APV는 ${}_1E_x = e^{-(\mu+\delta)} = 0.9048374$이다. 따라서 식 (*)에 계산한 APV 값들을 모두 대입하면 준비금의 크기는 약 1.80748원임을 알 수 있다.

📖 예제 5.19

정미는 만기가 20년이고, 보험금이 100,000원인 정기보험에 가입하였다.
(i) 사망보험금은 사망즉시 지급한다.
(ii) 보험료는 10년동안 매년 초 1,600원을 납입한다.
(iii) $i = 0.05$
(iv) L은 가입시점의 손실 확률 변수이다.
L은 정미의 생존기간인 $T(x)$의 함수이다. 손실 확률 변수의 정의를 이용하여 L의 최소값을 구하여라.

해설 보험료는 10년 동안 납입되고, 사망보험금은 100,000원인 20년 정기보험이다. 사망보험금은 사망 즉시 지급하고 매년 초 1,600원씩 10년 동안 납입하게 된다.

이 문제는 손실 현가 확률변수 L의 최소값을 구하는 것이다. L을 시점에 따라 나눠서 정의하면 아래와 같다.

$$L = \begin{cases} 100,000 \cdot v^T - 1,600 \cdot \ddot{a}_{\overline{[T]|}}, & 0 < T < 10 \\ 100,000 \cdot v^T - 1,600 \cdot \ddot{a}_{\overline{10}|}, & 10 \le T < 20 \\ 0 - 1,600 \cdot \ddot{a}_{\overline{10}|}, & T \ge 20 \end{cases}$$

L이 최소가 되는 값은 보장이 끝난 시점인 $T \ge 20$일 때이다.

$$\therefore L\text{의 최소값} = -1,600 \cdot \ddot{a}_{\overline{10}|} = -1,600 \cdot \left(\frac{1-v^{10}}{d}\right) = -12,972.51468$$

V ╺ 손실 확률변수의 분산

Ⅳ절까지 0시점에 생존해 있던 사람이 t시점까지도 여전히 생존해 있는 경우 미래에 발생할 손실에 대하여 기대값과 분산을 구하는 방법을 간단히 소개하였다. 여기서는 보험수리에서 주로 사용하는 두 가지 사망법칙을 이용하여 분산을 계산하는 방법에 대해 알아보고자 한다. 여기서 주의할 점은 특정한 시점 t에 손실 확률변수의 평균과 분산을 구할 때 그 평가시점에 해당 계약자가 생존해 있다는 것을 전제로 한다는 점이다. 따라서 $_tL$는 x세의 장래생존기간 $T(x)$가 아닌 $x+t$세의 장래생존기간 $T(x+t)$의 함수라는 것에 유념하자.

연속형 종신보험에 대하여 $_tL$를 이용한 분산은 다음과 같다.

$$\begin{aligned}
Var(_tL) &= Var\left(v^{T(x+t)} - \overline{P} \cdot \overline{a}_{\overline{T(x+t)}|}\right) = Var\left(v^{T(x+t)} - \overline{P} \cdot \frac{1-v^{T(x+t)}}{\delta}\right) \\
&= Var\left(v^{T(x+t)} \cdot \left(1+\frac{\overline{P}}{\delta}\right) - \frac{\overline{P}}{\delta}\right) = \left(1+\frac{\overline{P}}{\delta}\right)^2 \cdot Var\left(v^{T(x+t)}\right) \\
&= \left(1+\frac{\overline{P}}{\delta}\right)^2 \cdot \left[^2\overline{A}_{x+t} - \left(\overline{A}_{x+t}\right)^2\right]
\end{aligned}$$

0시점을 기준으로 한 손실 현가 확률변수와 비교해 볼 때 기준 시점이 평가시점인 t로 바뀌었다는 것만 다르다는 것을 명심하기 바란다. 계속해서 생존기간을 나타내는 확률변수 T의 확률분포에 따른 준비금의 특성에 대해서 살펴보자.

1. 종신보험, 양로보험

이미 앞 절에서 다양한 상품에 대하여 손실 현가 확률변수를 정의하고 분산을 계산하는 방법에 대해 살펴보았다. 여기서는 쉽게 분산 계산하는 방법에 대해 다시 살펴보도록 하겠다.

손실 현가 확률변수는 다음과 같이 정의된다.

$$손실 = 지출의 \ 현가 - 수입의 \ 현가$$

종신보험과 n년 만기 양로보험을 다시 한 번 살펴보자. 즉시급 상품에 대하여 보험금을 1원, 보험료를 P라 하고, $x+t$세의 장래생존기간을 T로 나타내어 평가시점 t에서의 손실 현가 확률변수를 정의해 보자. 먼저 종신보험의 경우

$$_tL = 1 \cdot v^T - P \cdot \bar{a}_{\overline{T}|} \tag{5.76}$$

이고, 양로보험의 경우

$$_tL = 1 \cdot v^{T \wedge (n-t)} - P \cdot \bar{a}_{\overline{T \wedge (n-t)}|} \tag{5.77}$$

이다. 두 식 모두 확정연금의 공식을 대입하여 다시 정리하면 종신보험은

$$_tL = 1 \cdot v^T - P \cdot \frac{1 - v^T}{\delta} = \left(1 + \frac{P}{\delta}\right)v^T - \frac{P}{\delta} \tag{5.78}$$

이고, 양로보험은

$$_tL = 1 \cdot v^{T \wedge (n-t)} - P \cdot \frac{1 - v^{T \wedge (n-t)}}{\delta} = \left(1 + \frac{P}{\delta}\right)v^{T \wedge (n-t)} - \frac{P}{\delta} \tag{5.79}$$

으로 나타낼 수 있다. 따라서 식 (5.78)와 식 (5.79)의 손실 현가 확률변수에 분산을 취하면 보험금 현가의 분산을 이용하여 나타낼 수 있다. 종신보험의 경우 분산은

$$Var[_tL] = \left(1 + \frac{P}{\delta}\right)^2 \cdot Var[v^T] \tag{5.80}$$

이고, 양로보험의 경우 분산은

$$Var[_tL] = \left(1 + \frac{P}{\delta}\right)^2 \cdot Var[v^{T \wedge (n-t)}] \tag{5.81}$$

이다. 식 (5.80)과 식 (5.81)에서 우변의 분산은 각각 평가시점 t 기준으로 남은 계약기간 동안의 보험금 현가에 대한 것이다. 따라서, 식 (5.80)는 다음과 같이 유도되고

$$Var[_tL] = \left(1 + \frac{P}{\delta}\right)^2 \cdot \left[{}^2\overline{A}_{x+t} - \overline{A}_{x+t}{}^2\right] \tag{5.82}$$

식 (5.81)은 다음과 같이 유도된다.

$$Var[_tL] = \left(1 + \frac{P}{\delta}\right)^2 \cdot \left[{}^2\overline{A}_{x+t:\overline{n-t}|} - \overline{A}_{x+t:\overline{n-t}|}{}^2\right] \tag{5.83}$$

식 (5.82)와 식 (5.83)과 같이 분산의 공식을 유도할 수 있었던 이유는 지출의 현가와 수입의 현가에서 양쪽 모두 동일한 '보험금 현가' 확률변수 $\left(v^T,\ v^{T \wedge (n-t)}\right)$로 정의할 수 있었기 때문이다. 보험금이 1원이 아닌 경우에는 위의 분산에 지급 보험금의 제곱을 곱해주면 된다. 따라서 종신보험과 양로보험의 손실의 분산은 다음과 같다.

$$Var[_tL] = 보험금^2\left(1 + \frac{보험료}{\delta}\right)^2 \cdot Var[보험금\ 현가] \tag{5.84}$$

위 식에서 보험금 현가는 평가시점 기준으로 남은 계약기간 동안만을 고려한 확률변수이고, 등호 뒤 괄호 안의 이력 δ는 상품이 이산형일 경우 d로 바꾸어 주면 된다.

식 (5.84)의 공식에 보험수리에서 가장 빈번히 사용되는 De Moivre 법칙과 상수 사력의 사망법칙을 이용하여 각각의 분산 공식을 구해보도록 하자.

i) $T(x)$가 평균이 $\frac{1}{\mu}$인 지수분포를 따를 경우(상수 사력의 사망법칙)

보험금 1원 연속납, 즉시급의 종신보험에 대하여 평가시점 t에서의 손실 현가 확률변수의 분산은 식 (5.82)를 이용하면 된다. 참고로 상수 사력의 사망법칙을 이용한 종신보험의 보험금 현가의 분산은 이미 살펴보았다.

$$Var(_tL) = \left(1 + \frac{\overline{P}\left(\overline{A}_x\right)}{\delta}\right)^2 \cdot \left[{}^2\overline{A}_{x+t} - \overline{A}_{x+t}{}^2\right]$$
$$= \left(1 + \frac{\mu}{\delta}\right)^2 \cdot \left[\frac{\mu}{\mu+2\delta} - \left(\frac{\mu}{\mu+\delta}\right)^2\right] \tag{5.85}$$

식 (5.85)에서 알 수 있듯 사력이 상수인 경우 손실 현가 확률변수의 분산이 평가 시점 t에 관계없는 일정한 상수 값으로 산출된다. 따라서 이 가정을 적용할 경우 평가시점과는 무관하게 언제나 동일한 값을 갖는 위험이 존재한다고 볼 수 있다.

　다음으로 연속납, 즉시급의 양로보험에 대하여 손실현가 확률변수의 분산은 식 (5.83)을 이용하면 된다.

$$Var(_tL) = \left(1 + \frac{\overline{P}\left(\overline{A}_{x:\overline{n}|}\right)}{\delta}\right)^2 \cdot \left[^2\overline{A}_{x+t:\overline{n-t}|} - \overline{A}_{x+t:\overline{n-t}|}^{\,2}\right] \tag{5.86}$$

여기서 보험료와 양로보험의 기대값 및 2차 적률은 다음과 같다.

$$\overline{P}\left(\overline{A}_{x:\overline{n}|}\right) = \frac{1}{\overline{a}_{x:\overline{n}|}} - \delta = \frac{1}{\int_0^n e^{-\delta t}\,_tp_x\,dt} - \delta = \frac{1}{\int_0^n e^{-\delta t}e^{-\mu t}dt} - \delta$$

$$= \frac{\mu + \delta}{1 - e^{-n(\mu+\delta)}} - \delta \tag{5.87}$$

$$\overline{A}_{x+t:\overline{n-t}|} = 1 - \delta \cdot \overline{a}_{x+t:\overline{n-t}|} = 1 - \delta \cdot \frac{1 - e^{(n-t)(\mu+\delta)}}{\mu + \delta} \tag{5.88}$$

$$^2\overline{A}_{x+t:\overline{n-t}|} = 1 - 2\delta \cdot {}^2\overline{a}_{x+t:\overline{n-t}|} = 1 - 2\delta \cdot \frac{1 - e^{-(n-t)(\mu+2\delta)}}{\mu + 2\delta} \tag{5.89}$$

　식 (5.89)에서 $^2\overline{a}_{x+t:\overline{n-t}|}$는 $^2\overline{A}_x$ 등의 경우와 마찬가지로 δ 대신 2δ를 사용하여 계산한 연금의 APV를 나타낸다.

　ii) $T(x)$가 $(0, 100-x)$에서 균등분포를 따를 경우(De Moivre 법칙)

　이번엔 균등분포를 가정하자. 연속납, 즉시급인 종신보험의 손실 현가 확률변수의 분산을 계산하기 위해 $\overline{A}_{x+t}$와 $^2\overline{A}_{x+t}$를 다음과 같이 구할 수 있다.

$$\overline{A}_{x+t} = \int_0^{100-(x+t)} v^z \cdot \frac{1}{100-(x+t)}\,dz$$

$$= \frac{1}{100-(x+t)}\int_0^{100-(x+t)} v^z\,dz$$

$$= \frac{1}{100-(x+t)} \cdot \frac{v^{100-(x+t)} - 1}{\ln v} = \frac{1}{100-(x+t)} \cdot \frac{1 - v^{100-(x+t)}}{\delta} \tag{5.90}$$

참고로 $\dfrac{1 - v^{100-(x+t)}}{\delta}$ 는 다음과 같이 연속지급 확정연금으로 나타낼 수도 있다.

$$\frac{1-v^{100-(x+t)}}{\delta} = \bar{a}_{\overline{100-(x+t)|}}$$

따라서 균등분포의 경우

$$\overline{A}_{x+t} = \frac{1}{\omega-(x+t)} \cdot \bar{a}_{\overline{\omega-(x+t)|}}$$

로 표현된다. 또한 $^{2}\overline{A}_{x+t}$는 $\overline{A}_{x+t}$의 값에서 δ 대신 2δ를 대입하면 되므로

$$^{2}\overline{A}_{x+t} = \frac{1}{100-(x+t)} \cdot \frac{1-v^{(100-(x+t))\times 2}}{2\delta} = \frac{\bar{a}_{\overline{100-(x+t)|}2\delta}}{100-(x+t)} \tag{5.91}$$

이다. $\bar{a}_{\overline{100-(x+t)|}2\delta}$는 δ 대신 2δ를 이용해 계산한 연속형 확정연금의 현가를 의미한다. 식 (5.90)과 식 (5.91)을 이용해서 다음과 같이 분산을 구할 수 있다.

$$Var[_{t}L] = \left(1 + \frac{\overline{P}\left(\overline{A}_{x}\right)}{\delta}\right)^{2} \cdot \left[^{2}\overline{A}_{x+t} - \overline{A}_{x+t}^{2}\right] \tag{5.92}$$

보다 구체적인 분산의 계산은 직접 시도해 보길 바란다. 그러나 잊지 말아야 할 것은 계산과정보다 분산이 t에 대한 감소함수라는 점이다. 이를 그림으로 그려보면 다음과 같다.

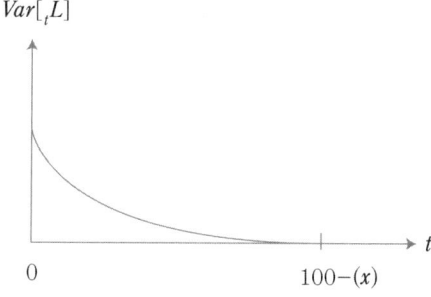

연속납, 즉시급인 n년 만기 양로보험의 경우도 유사한 방법으로 계산하면 된다. 분산을 계산하기 위해 $\overline{A}_{x+t:\overline{n-t|}}$와 $^{2}\overline{A}_{x+t:\overline{n-t|}}$를 다음과 같이 구할 수 있다.

$$\overline{A}_{x+t:\overline{n-t}|} = \int_0^{n-t} v^z \cdot \frac{1}{100-(x+t)} dz + v^{n-t} {}_{n-t}p_{x+t}$$

$$= \frac{\overline{a}_{\overline{n-t}|\delta}}{100-(x+t)} + e^{-\delta(n-t)} {}_{n-t}p_{x+t} \tag{5.93}$$

$${}^2\overline{A}_{x+t:\overline{n-t}|} = \int_0^{n-t} v^{2z} \cdot \frac{1}{100-(x+t)} dz + v^{2(n-t)} {}_{n-t}p_{x+t}$$

$$= \frac{\overline{a}_{\overline{n-t}|2\delta}}{100-(x+t)} + e^{-2\delta(n-t)} {}_{n-t}p_{x+t} \tag{5.94}$$

식 (5.93)과 식 (5.94)를 이용하면 다음과 같이 분산을 구할 수 있다.

$$Var[{}_tL] = \left(1 + \frac{\overline{P}\left(\overline{A}_{x:\overline{n}|}\right)}{\delta}\right)^2 \cdot \left[{}^2\overline{A}_{x+t:\overline{n-t}|} - \overline{A}_{x+t:\overline{n-t}|}{}^2\right] \tag{5.95}$$

지금까지 장래생존기간에 대하여 지수분포와 균등분포를 가정하여 종신보험과 양로보험의 손실에 대한 분산을 식 (5.84)를 이용하여 계산하였다. 종신보험과 양로보험은 식 (5.84)를 잘 익혀두면 두 분포 이외에도 다양한 분포를 가정하여 스스로 계산할 수 있으니 식 (5.84)를 꼭 기억해 두길 바란다.

예제 5.20

피보험자(50세)는 보험금 1원을 사망 시 사망연도 말에 지급하는 종신보험에 가입하였다. 보험료는 매년 초 마다 사망할 때까지 납입한다. $\omega = 120$인 De Moivre 법칙을 가정하여 계약 후 10년이 지난 시점에서 손실 현가 확률변수를 정의해 보고, 그것의 분산을 구하시오. 단, 이자율은 4%이다.

해설 10시점에서의 손실 현가 확률변수를 먼저 정의해 보면

$$_{10}L = v^{\lceil T(60) \rceil} - P_{50} \cdot \ddot{a}_{\overline{\lceil T(60) \rceil}|} = v^{\lceil T(60) \rceil} - P_{50} \cdot \frac{1 - v^{\lceil T(60) \rceil}}{d}$$

$$= \left(1 + \frac{P_{50}}{d}\right) v^{\lceil T(60) \rceil} - \frac{P_{50}}{d}$$

이다. 먼저 연납 순보험료를 구해보자.

$$P_{50} = \frac{A_{50}}{\ddot{a}_{50}} = \frac{d \cdot A_{50}}{1 - A_{50}} = \frac{d \cdot \dfrac{a_{\overline{120-50}|}}{120-50}}{1 - \dfrac{a_{\overline{120-50}|}}{120-50}} = 0.0193065$$

이제 손실 현가 확률변수에 분산을 취하면

$$Var[_{10}L] = \left(1 + \frac{P_{50}}{d}\right)^2 \cdot Var\left[v^{\lceil T(60)\rceil}\right] = \left(1 + \frac{P_{50}}{d}\right)^2 \cdot \left[{}^2A_{60} - A_{60}{}^2\right]$$

이다. 여기서 필요한 값들을 계산해 보자.

$$A_{60} = \frac{a_{\overline{120-60}|}}{120-60} = 0.3770582,$$

$$^2A_{60} = \frac{a_{\overline{120-60}|2\delta}}{120-60} = 0.2024027$$

따라서 손실의 분산은 다음과 같다.

$$Var[_{10}L] = \left(1 + \frac{P_{50}}{d}\right)^2 \cdot \left[{}^2A_{60} - A_{60}{}^2\right] = 0.1358731$$

2. 정기보험, 생존보험

앞 절에서는 종신보험과 양로보험의 분산 계산 방법에 대해 살펴보았다. 이번 절에서는 두 상품 이외의 보험상품에 대하여 손실의 분산을 계산하는 방법에 대해 살펴보고자 한다. 간단히 연속형 n년 만기 정기보험과 n년 만기 생존보험에 대해서 계산해 보자. 보험금의 크기를 1원이라고 한다면 평가시점 t에서 손실 현가 확률변수는 정기보험의 경우

$$_tL = v^{T(x+t)} \cdot I(T(x+t) \le n-t) - \overline{P}\left(\overline{A}_{x:\overline{n}|}^1\right) \cdot \overline{a}_{\overline{T(x+t)\wedge(n-t)}|} \tag{5.96}$$

식 (5.96)에서 식 마지막에 있는 확정연금에 공식을 대입하여 다시 정리를 해보면 다음과 같다.

$$_tL = v^{T(x+t)} \cdot I(T(x+t) \le n-t) - \overline{P}\left(\overline{A}_{x:\overline{n}|}^1\right) \cdot \frac{1 - v^{T(x+t)\wedge(n-t)}}{\delta}$$

$$= v^{T(x+t)} \cdot I(T(x+t) \le n-t) + \frac{\overline{P}\left(\overline{A}_{x:\overline{n}|}^1\right)}{\delta} \cdot v^{T(x+t)\wedge(n-t)} -$$

$$\frac{\overline{P}\left(\overline{A}_{x:\overline{n}|}^1\right)}{\delta} \tag{5.97}$$

종신보험과 양로보험의 손실 현가 확률변수인 식 (5.78), 식 (5.79)과 식 (5.97)을 비교해보면, 식 (5.97)은 확률변수가 한 개로 정리되지 않고 정기보험의 보험금 현가 $v^{T(x+t)} \cdot I(T(x+t) \le n-t)$와 양로보험의 보험금 현가

$v^{T(x+t) \wedge (n-t)}$ 두 개의 확률변수로 정의되고 있다. 따라서 만약 식 (5.97)에 분산을 취하면 두 확률변수의 공분산을 고려해야만 한다.

$$Var[_tL] = Var\left[v^{T(x+t)} \cdot I(T(x+t) \le n-t) + \frac{\overline{P}\left(\overline{A}^1_{x:\overline{n}|}\right)}{\delta} \cdot v^{T(x+t) \wedge (n-t)} \right.$$
$$\left. - \frac{\overline{P}\left(\overline{A}^1_{x:\overline{n}|}\right)}{\delta}\right] \tag{5.98}$$

$$= Var\left[v^{T(x+t)} \cdot I(T(x+t) \le n-t) + \frac{\overline{P}\left(\overline{A}^1_{x:\overline{n}|}\right)}{\delta} \cdot v^{T(x+t) \wedge (n-t)}\right] \tag{5.99}$$

첫 번째 등호 뒤 괄호 안에서 맨 마지막 항은 상수이므로 두 확률변수의 합에 대해서만 분산을 계산하면 된다. 그리고 두 확률변수의 합에 대한 분산은 각각의 분산의 합에 추가적으로 두 확률변수의 공분산을 고려해야 하므로 다음과 같다.

$$Var[_tL] = Var\left[v^{T(x+t)} \cdot I(T(x+t) \le n-t)\right] + \left(\frac{\overline{P}\left(\overline{A}^1_{x:\overline{n}|}\right)}{\delta}\right)^2 \cdot$$
$$Var\left[v^{T(x+t) \wedge (n-t)}\right] + 2\left(\frac{\overline{P}\left(\overline{A}^1_{x:\overline{n}|}\right)}{\delta}\right) \cdot$$
$$Cov\left[v^{T(x+t)} \cdot I(T(x+t) \le n-t), \ v^{T(x+t) \wedge (n-t)}\right] \tag{5.100}$$

식 (5.100)의 첫 번째 항은

$$Var\left[v^{T(x+t)} \cdot I(T(x+t) \le n-t)\right] = {}^2\overline{A}^1_{x+t:\overline{n-t}|} - \overline{A}^{1\ \ 2}_{x+t:\overline{n-t}|} \tag{5.101}$$

이고, 두 번째 항은

$$Var\left[v^{T(x+t) \wedge (n-t)}\right] = {}^2\overline{A}_{x+t:\overline{n-t}|} - \overline{A}^{\ \ 2}_{x+t:\overline{n-t}|} \tag{5.102}$$

이다. 그리고 식 (5.100)의 마지막 항에 있는 공분산은 다음과 같이 계산할 수 있다.

$$Cov\left[v^{T(x+t)} \cdot I(T(x+t) \le n-t), \ v^{T(x+t) \wedge (n-t)}\right] \tag{5.103}$$

$$= E\left[\left(v^{T(x+t)} \cdot I(T(x+t) \le n-t)\right) \times v^{T(x+t) \wedge (n-t)}\right] -$$

$$E\left[v^{T(x+t)} \cdot I(T(x+t) \leq n-t)\right] E\left[v^{T(x+t) \wedge (n-t)}\right]$$

식 (5.103)에서 등호 뒤 첫 번째 항에서 괄호 안의 확률변수를 먼저 살펴보자.

$$\left(v^{T(x+t)} \cdot I(T(x+t) \leq n-t)\right) \times v^{T(x+t) \wedge (n-t)}$$

$$= \begin{cases} v^{T(x+t)} \times v^{T(x+t)}, & T(x+t) \leq n-t \\ 0 \times v^{n-t}, & T(x+t) > n-t \end{cases}$$

$$= v^{2T(x+t)} \cdot I(T(x+t) \leq n-t) \tag{5.104}$$

식 (5.104)에 대한 기대값은 결국 만기 $n-t$년 정기보험의 보험금 현가에 대한 2차 적률이다. 그리고 식 (5.103)에서 마지막 항은

$$E\left[v^{T(x+t)} \cdot I(T(x+t) \leq n-t)\right] = \overline{A}^{\,1}_{x+t:\overline{n-t}|},$$

$$E\left[v^{T(x+t) \wedge (n-t)}\right] = \overline{A}_{x+t:\overline{n-t}|} \tag{5.105}$$

이다. 식 (5.101)와 식 (5.102) 그리고 공분산의 결과를 식 (5.100)에 대입하면 손실의 분산을 구할 수 있다.

$$Var[_tL] = \left[{}^2\overline{A}^{\,1}_{x+t:\overline{n-t}|} - \overline{A}^{\,1\;\;2}_{x+t:\overline{n-t}|}\right] + \left(\frac{\overline{P}\left(\overline{A}^{\,1}_{x:\overline{n}|}\right)}{\delta}\right)^2 \cdot \left[{}^2\overline{A}^{\,1}_{x+t:\overline{n-t}|} - \overline{A}^{\,1\;\;2}_{x+t:\overline{n-t}|}\right]$$

$$+ 2\left(\frac{\overline{P}\left(\overline{A}^{\,1}_{x:\overline{n}|}\right)}{\delta}\right) \cdot \left[{}^2\overline{A}^{\,1}_{x+t:\overline{n-t}|} - \overline{A}^{\,1}_{x+t:\overline{n-t}|}\overline{A}_{x+t:\overline{n-t}|}\right] \tag{5.106}$$

이와 같이 손실 현가 확률변수를 하나의 보험금 현가 확률변수만으로 나타낼 수 없는 경우 계산이 매우 복잡해 진다.

이번에는 생존보험을 살펴보자. n년 만기생존보험에 대하여 t시점에서 평가한 손실 현가 확률변수는 다음과 같이 두 개의 확률변수를 이용하여 정의할 수 있다.

$$_tL = v^{n-t} \cdot I(T(x+t) > n-t) - \overline{P}^{\,1}_{x:\overline{n}|} \cdot \overline{a}_{\overline{T(x+t) \wedge (n-t)}|}$$

$$= v^{n-t} \cdot I(T(x+t) > n-t) - \overline{P}^{\,1}_{x:\overline{n}|} \cdot \frac{1 - v^{T(x+t) \wedge (n-t)}}{\delta}$$

$$= v^{n-t} \cdot I(T(x+t) > n-t) + \frac{\overline{P}^{\,1}_{x:\overline{n}|}}{\delta} \cdot v^{T(x+t) \wedge (n-t)} - \frac{\overline{P}^{\,1}_{x:\overline{n}|}}{\delta}$$

$$\tag{5.107}$$

식 (5.107)에서 알 수 있듯이 생존보험도 정기보험과 같이 두 확률변수의 공분산까지 고려해야지만 손실 현가 확률변수의 분산을 구할 수 있다. 여기서 두 확률변수는 보험금 지출 현가 확률변수와 보험료 납입과 관련한 수입 현가 확률변수이다. 수입 현가 확률변수는 종신납입일 경우에는 종신보험의 보험금 현가로, 납입기간이 정해져 있는 경우에는 양로보험의 보험금 현가로 나타낼 수 있다는 점을 기억해 두자.

식 (5.107)을 이용하여 분산을 유도해 보자.

$$
Var[_tL] = Var\left[v^{n-t} \cdot I(\,T(x+t) > n-t) + \frac{\overline{P}_{x\,:\,\overline{n|}}^{\,1}}{\delta} \cdot v^{T(x+t)\wedge(n-t)} - \right.
$$

$$
\left. \frac{\overline{P}_{x\,:\,\overline{n|}}^{\,1}}{\delta}\right]
$$

$$
= Var\left[v^{n-t} \cdot I(\,T(x+t) > n-t) + \frac{\overline{P}_{x\,:\,\overline{n|}}^{\,1}}{\delta} \cdot v^{T(x+t)\wedge(n-t)}\right]
$$

$$\tag{5.108}$$

여기서도 두 확률변수의 합에 대한 분산은 각각의 분산의 합에 두 확률변수의 공분산까지 고려해서 더해주면 구할 수 있다.

$$
Var[_tL] = Var\left[v^{n-t} \cdot I(\,T(x+t) > n-t)\right] + \left(\frac{\overline{P}_{x\,:\,\overline{n|}}^{\,1}}{\delta}\right)^2 \cdot Var\left[v^{T(x+t)\wedge(n-t)}\right]
$$

$$
+ 2\left(\frac{\overline{P}_{x\,:\,\overline{n|}}^{\,1}}{\delta}\right) \cdot Cov\left[v^{n-t} \cdot I(\,T(x+t) > n-t),\ v^{T(x+t)\wedge(n-t)}\right]
$$

$$\tag{5.109}$$

식 (5.109)에서 먼저 첫 번째, 두 번째 항을 구해보면

$$
Var\left[v^{n-t} \cdot I(\,T(x+t) > n-t)\right] = {}^2\!A_{x+t\,:\,\overline{n-t|}}^{\ \ 1} - A_{x+t\,:\,\overline{n-t|}}^{\ \ 1}{}^2 \tag{5.110}
$$

$$
Var\left[v^{T(x+t)\wedge(n-t)}\right] = {}^2\overline{A}_{x+t\,:\,\overline{n-t|}} - \overline{A}_{x+t\,:\,\overline{n-t|}}{}^2 \tag{5.111}
$$

이다. 그리고 식 (5.109)에서 공분산을 계산하기 위해서 두 확률변수 곱에 대해 생각해보자.

$$
\left(v^{n-t} \cdot I(\,T(x+t) > n-t)\right) \times v^{T(x+t)\wedge(n-t)}
$$

$$= \begin{cases} 0 \times v^{T(x+t)}, & T(x+t) \leq n-t \\ v^{n-t} \times v^{n-t}, & T(x+t) > n-t \end{cases}$$

$$= v^{2(n-t)} \cdot I(T(x+t) > n-t) \tag{5.112}$$

식 (5.112)에 대한 기대값은 따라서 만기 $n-t$년 생존보험의 보험금 현가에 대한 2차적률이다. 그러므로 공분산은

$$Cov\left[v^{n-t} \cdot I(T(x+t) > n-t),\ v^{T(x+t) \wedge (n-t)}\right]$$

$$= E\left[\left(v^{n-t} \cdot I(T(x+t) > n-t)\right) \times v^{T(x+t) \wedge (n-t)}\right] -$$

$$\quad E\left[v^{n-t} \cdot I(T(x+t) > n-t)\right] E\left[v^{T(x+t) \wedge (n-t)}\right]$$

$$= {}^{2}A_{x+t:\frac{1}{n-t|}} - A_{x+t:\frac{1}{n-t|}} \overline{A}_{x+t:\overline{n-t|}} \tag{5.113}$$

이다. 이제 최종적으로 식 (5.109)을 이용하여 생존보험의 손실에 대한 분산을 계산해 보면 다음과 같다.

$$Var[{}_{t}L] = \left[{}^{2}A_{x+t:\frac{1}{n-t|}} - A_{x+t:\frac{1}{n-t|}}{}^{2}\right] + \left(\frac{\overline{P}_{x:\frac{1}{n|}}}{\delta}\right)^{2} \times$$

$$\left[{}^{2}\overline{A}_{x+t:\overline{n-t|}} - \overline{A}_{x+t:\overline{n-t|}}{}^{2}\right] + 2\left(\frac{\overline{P}_{x:\frac{1}{n|}}}{\delta}\right) \times$$

$$\left[{}^{2}A_{x+t:\frac{1}{n-t|}} - A_{x+t:\frac{1}{n-t|}}\overline{A}_{x+t:\overline{n-t|}}\right] \tag{5.114}$$

종신보험과 양로보험의 손실에 대한 분산 공식을 제외하고는 다른 보험상품에 대한 공식들은 매우 복잡하다. 하지만 손실 현가 확률변수를 정의할 때 평가시점을 기준으로 미래에 발생될 수입과 지출의 현가를 생명보험의 보험금 현가로만 잘 정리한다면 앞서 설명한 정기보험이나 생존보험의 경우와 유사하게 두 확률변수들의 합이나 차에 대한 분산을 구하는 방법을 이용하여 손실 현가 확률변수의 분산을 구할 수 있다. 주의할 점은 손실 현가 확률변수 자체를 평가시점의 연령 $(x+t)$세부터 남은 계약기간만을 고려해서 정의해야 한다는 것이다. 또한 연속형, 이산형을 잘 구분하여 그에 맞는 보험수리 기호를 사용하고 이에 따라 δ 또는 d로 잘 구분해서 사용해야 한다는 점을 잊지 말자.

📖 **예제 5.21**

30세인 사람은 5년 정기보험에 가입하였다. 보험금 1원은 사망 즉시 지

급되고, 보험료는 연속적으로 납입된다고 할 때, $Var(_0L)$을 구하시오.

(i) $\overline{A}_{30:\overline{5}|}=0.6$, $^2\overline{A}_{30:\overline{5}|}=0.4$, $\overline{A}^1_{30:\overline{5}|}=0.3$, $^2\overline{A}^1_{30:\overline{5}|}=0.1$

(ii) $\delta=0.02$

(iii) $\overline{P}\left(\overline{A}^1_{30:\overline{5}|}\right)=0.1$

해설 $_0L=\begin{cases} v^T-\pi\overline{a}_{\overline{T}|}, & 0\le T<5 \\ 0-\pi\overline{a}_{\overline{5}|}, & T\ge 5 \end{cases}$

$_0L$은 위와 같은 확률변수이며, 이것을 정기보험과 양로보험의 확률변수로 나타내면 다음과 같다.

$$_0L=Z^{정기}-\pi\left(\frac{1-Z^{양로}}{\delta}\right),\quad T\ge 0$$

여기서 정기보험과 양로보험의 보험금 현가를 나타내는 확률변수를 다음과 같이 가정하자.

$$Z^{정기}=v^T\cdot I(0\le T<5)$$
$$Z^{양로}=v^{T\wedge 5}$$
$$Z^{정기}\cdot Z^{양로}=v^{2T}\cdot I(0\le T<5)$$

따라서 $_0L$에 분산을 취해보면 다음과 같이 계산할 수 있다.

$$Var(_0L)=Var\left(Z^{정기}-\pi\left(\frac{1-Z^{양로}}{\delta}\right)\right)$$

$$=Var(Z^{정기})+\left(\frac{\pi}{\delta}\right)^2Var(Z^{양로})+2\frac{\pi}{\delta}Cov(Z^{정기},\ Z^{양로})$$

$$=Var(Z^{정기})+\left(\frac{\pi}{\delta}\right)^2Var(Z^{양로})+2\frac{\pi}{\delta}\left[E(Z^{정기}\ Z^{양로})-\right.$$
$$\left.E(Z^{정기})E(Z^{양로})\right]$$

$$=\left(^2\overline{A}^1_{30:\overline{5}|}-\left(\overline{A}^1_{30:\overline{5}|}\right)^2\right)+\left(\frac{\overline{P}\left(\overline{A}^1_{30:\overline{5}|}\right)}{\delta}\right)^2\left(^2\overline{A}_{30:\overline{5}|}-\left(\overline{A}_{30:\overline{5}|}\right)^2\right)+$$

$$2\left(\frac{\overline{P}\left(\overline{A}^1_{30:\overline{5}|}\right)}{\delta}\right)\left(^2\overline{A}^1_{30:\overline{5}|}-\overline{A}^1_{30:\overline{5}|}\overline{A}_{30:\overline{5}|}\right)$$

$$=(0.1-0.3^2)+\left(\frac{0.1}{0.02}\right)^2(0.4-0.6^2)+2\left(\frac{0.1}{0.02}\right)(0.1-0.3\cdot 0.6)=0.21$$

VI · 단원 요약표

이산형(fully discrete)		
종신 보험	손실현가확률변수($_kL$)	$v^{\lceil T(x+k)\rceil} - P_x \cdot \ddot{a}_{\overline{\lceil T(x+k)\rceil}}$
	$E(_kL)$	$_kV_x = A_{x+k} - P_x \cdot \ddot{a}_{x+k}$
	$Var(_kL)$	$\left(1+\dfrac{P_x}{d}\right)^2 (^2A_{x+k} - (A_{x+k})^2)$
n년 정기 보험	손실현가확률변수($_kL$)	$v^{\lceil T(x+k)\rceil} \cdot I(T(x+t) \le n-k) - P^1_{x:\overline{n}|} \cdot \ddot{a}_{\overline{\lceil T(x+k)\wedge(n-k)\rceil}|}$
	$E(_kL)$	$_kV^1_{x:\overline{n}|} = A^1_{x+k:\overline{n-k}|} - P(A^1_{x:\overline{n}|}) \cdot \ddot{a}_{x+k:\overline{n-k}|}$
n년 생존 보험	손실현가확률변수($_kL$)	$v^{n-k} \cdot I(T(x+k) \ge n-k) - P_{x:\overline{n}|}^{1} \cdot \ddot{a}_{\overline{\lceil T(x+k)\wedge(n-k)\rceil}|}$
	$E(_kL)$	$_kV_{x:\overline{n}|}^{1} = A_{x+k:\overline{n-k}|}^{1} - P_{x:\overline{n}|}^{1} \cdot \ddot{a}_{x+k:\overline{n-k}|}$
n년 양로 보험	손실현가확률변수($_kL$)	$v^{\lceil T(x+k)\wedge(n-k)\rceil} - P_{x:\overline{n}|} \cdot \ddot{a}_{\overline{\lceil T(x+k)\wedge(n-k)\rceil}|} \ (0 \le k \le n)$
	$E(_kL)$	$_kV_{x:\overline{n}|} = A_{x+k:\overline{n-k}|} - P_{x:\overline{n}|} \cdot \ddot{a}_{x+k:\overline{n-k}|}$
	$Var(_kL)$	$\left(1+\dfrac{P_{x:\overline{n}|}}{d}\right)^2 (^2A_{x+k:\overline{n-k}|} - (A_{x+k:\overline{n-k}|})^2)$
h납입 종신 보험	손실현가확률변수($_kL$)	$\begin{cases} v^{\lceil T(x+k)\rceil} - {_hP_x} \cdot \ddot{a}_{\overline{\lceil T(x+k)\wedge(h-k)\rceil}|}, & k \le h \\ v^{\lceil T(x+k)\rceil}, & k > h \end{cases}$
	$E(_kL)$	$_k^hV_x = \begin{cases} A_{x+k} - {_hP_x} \cdot \ddot{a}_{x+k:\overline{h-k}|}, & k \le h \\ A_{x+k}, & k > h \end{cases}$
h납입 n년 양로 보험	손실현가확률변수($_kL$)	$\begin{cases} v^{\lceil T(x+k)\wedge(n-k)\rceil} - {_hP_{x:\overline{n}|}} \cdot \ddot{a}_{\overline{\lceil T(x+k)\wedge(h-k)\rceil}|}, & k \le h < n \\ v^{\lceil T(x+k)\wedge(n-k)\rceil}, & h < k \le n \end{cases}$
	$E(_kL)$	$_k^hV_{x:\overline{n}|} = \begin{cases} A_{x+k:\overline{n-k}|} - {_hP_{x:\overline{n}|}} \cdot \ddot{a}_{x+k:\overline{h-k}|}, & k \le h < n \\ A_{x+k:\overline{n-k}|}, & h < k \le n \end{cases}$
연속형(fully continuous)		
종신 보험	손실현가확률변수($_tL$)	$v^{T(x+t)} - \overline{P}(\overline{A}_x) \cdot \overline{a}_{\overline{T(x+t)}|}$
	$E(_tL)$	$_t\overline{V}(\overline{A}_x) = \overline{A}_{x+t} - \overline{P}(\overline{A}_x) \cdot \overline{a}_{x+t}$
	$Var(_tL)$	$\left(1+\dfrac{\overline{P}(\overline{A}_x)}{\delta}\right)^2 (^2\overline{A}_{x+t} - (\overline{A}_{x+t})^2)$

n년 정기 보험	손실현가확률변수$(_tL)$	$v^{T(x+t)} \cdot I(T(x+t) \leq n-t) - \overline{P}\left(\overline{A}^{\,1}_{x\,:\,\overline{n}|}\right) \cdot \overline{a}_{\overline{T(x+t) \wedge (n-t)}|}$
	$E(_tL)$	$_t\overline{V}\left(\overline{A}^{\,1}_{x\,:\,\overline{n}|}\right) = \overline{A}^{\,1}_{x+t\,:\,\overline{n-t}|} - \overline{P}\left(\overline{A}^{\,1}_{x\,:\,\overline{n}|}\right) \cdot \overline{a}_{x+t\,:\,\overline{n-t}|}$
n년 생존 보험	손실현가확률변수$(_tL)$	$v^{n-t} \cdot I(T(x+t) \geq n-t) - \overline{P}_{x\,:\,\overline{n}|}^{\ 1} \cdot \overline{a}_{\overline{T(x+t) \wedge (n-t)}|}$
	$E(_tL)$	$_t\overline{V}_{x\,:\,\overline{n}|}^{\ 1} = A_{x+t\,:\,\overline{n-t}|}^{\ 1} - \overline{P}_{x\,:\,\overline{n}|}^{\ 1} \cdot \overline{a}_{x+t\,:\,\overline{n-t}|}$
n년 양로 보험	손실현가확률변수$(_tL)$	$v^{T(x+t) \wedge (n-t)} - \overline{P}\left(\overline{A}_{x\,:\,\overline{n}|}\right) \cdot \overline{a}_{\overline{T(x+t) \wedge (n-t)}|} \quad (0 \leq t \leq n)$
	$E(_tL)$	$_k\overline{V}\left(\overline{A}_{x\,:\,\overline{n}|}\right) = \overline{A}_{x+t\,:\,\overline{n-t}|} - \overline{P}\left(\overline{A}_{x\,:\,\overline{n}|}\right) \cdot \overline{a}_{x+t\,:\,\overline{n-t}|}$
	$Var(_tL)$	$\left(1 + \dfrac{\overline{P}\left(\overline{A}_{x\,:\,\overline{n}|}\right)}{\delta}\right)^2 \left({}^2\overline{A}_{x+t\,:\,\overline{n-t}|} - (\overline{A}_{x+t\,:\,\overline{n-t}|})^2\right)$
h납입 종신 보험	손실현가확률변수$(_tL)$	$\begin{cases} v^{T(x+t)} - {}_h\overline{P}\left(\overline{A}_x\right) \cdot \overline{a}_{\overline{T(x+t) \wedge (h-t)}|}, & t \leq h \\ v^{T(x+t)} & , t > h \end{cases}$
	$E(_tL)$	$_t^h\overline{V}\left(\overline{A}_x\right) = \begin{cases} \overline{A}_{x+t} - {}_h\overline{P}\left(\overline{A}_x\right) \cdot \overline{a}_{x+t\,:\,\overline{h-t}|}, & t \leq h \\ \overline{A}_{x+t} & , t > h \end{cases}$
h납입 n년 양로 보험	손실현가확률변수$(_tL)$	$\begin{cases} v^{T(x+t) \wedge (n-t)} - {}_h\overline{P}\left(\overline{A}_{x\,:\,\overline{n}|}\right) \cdot \overline{a}_{\overline{T(x+t) \wedge (h-t)}|}, & t \leq h < n \\ v^{T(x+t) \wedge (n-t)} & , h < t \leq n \end{cases}$
	$E(_tL)$	$_t^h\overline{V}\left(\overline{A}_{x\,:\,\overline{n}|}\right) = \begin{cases} \overline{A}_{x+t\,:\,\overline{n-t}|} - {}_h\overline{P}\left(\overline{A}_{x\,:\,\overline{n}|}\right) \cdot \overline{a}_{x+t\,:\,\overline{h-t}|}, & t \leq h < n \\ \overline{A}_{x+t\,:\,\overline{n-t}|} & , h \leq t \leq n \end{cases}$

혼합형(semi-continuous)

	손실현가확률변수$(_kL)$	$E(_kL)$
종신 보험	$v^{T(x+k)} - P\left(\overline{A}_x\right) \cdot \ddot{a}_{\overline{[T(x+k)]}|}$	$_kV\left(\overline{A}_x\right) = \overline{A}_{x+k} - P\left(\overline{A}_x\right) \cdot \ddot{a}_{x+k}$
n년 양로 보험	$v^{T(x+k) \wedge (n-k)} - P\left(\overline{A}_{x\,:\,\overline{n}|}\right) \cdot \ddot{a}_{\overline{[T(x+k) \wedge (n-k)]}|}$ $(0 \leq k \leq n)$	$_kV\left(\overline{A}_{x\,:\,\overline{n}|}\right) = \overline{A}_{x+k\,:\,\overline{n-k}|} - P\left(\overline{A}_{x\,:\,\overline{n}|}\right) \cdot$ $\ddot{a}_{x+k\,:\,\overline{n-k}|}$

준비금 공식

$$_tV_{x\,:\,\overline{n}|} = A_{x+t\,:\,\overline{n-t}|} - P_{x\,:\,\overline{n}|} \cdot \ddot{a}_{x+t\,:\,\overline{n-t}|}$$

$$= 1 - \frac{\ddot{a}_{x+t\,:\,\overline{n-t}|}}{\ddot{a}_{x\,:\,\overline{n}|}}$$

$$= \frac{A_{x+t\,:\,\overline{n-t}|} - A_{x\,:\,\overline{n}|}}{1 - A_{x\,:\,\overline{n}|}}$$

$$= \frac{P_{x+t\,:\,\overline{n-t}|} - P_{x\,:\,\overline{n}|}}{P_{x+t\,:\,\overline{n-t}|} + d}$$

$$= (P_{x+t\,:\,\overline{n-t}|} - P_{x\,:\,\overline{n}|}) \cdot \ddot{a}_{x+t\,:\,\overline{n-t}|}$$

$$= A_{x+t\,:\,\overline{n-t}|} \cdot \left(1 - \frac{P_{x\,:\,\overline{n}|}}{P_{x+t\,:\,\overline{n-t}|}}\right)$$

$$_tV_{x\,:\,\overline{n}|} = P_{x\,:\,\overline{n}|} \cdot \ddot{s}_{x\,:\,\overline{t}|} - {}_tk_x$$

$$= \frac{P_{x\,:\,\overline{n}|} - P_{x\,:\,\overline{t}|}^{\,1}}{P_{x\,:\,\overline{n}|}^{\ 1}}$$

$$\begin{cases} P_{(1)} - P_{(2)} = \left({}_kV_{(1)} - {}_kV_{(2)}\right)P_{x\,:\,\overline{k}|}^{\ 1} \\ \left(P_{(1)} - P_{(2)}\right)\ddot{s}_{x\,:\,\overline{n}|} = {}_kV_{(1)} - {}_kV_{(2)} \end{cases}$$

연습문제

1. 45세인 사람이 보험금 10,000원인 20년 만기 이산형 양로보험에 가입하였다. 현재 만기 20년 중 15년간 보험계약이 유지되고 있을 때, 아래의 조건을 이용하여 물음에 답하시오.

(i) $A_{45} = 0.20120$, $A_{60} = 0.36913$, $A_{65} = 0.43980$, $_5E_{60} = 0.68756$, $_{20}E_{45} = 0.25634$

(ii) $i = 0.06$

(iii) 보험료는 보험 계약기간 동안 매년 초에 납입한다.

(iv) 피보험자가 15년 시점부터 보험료를 더 이상 내지 않기로 하였다. 이 때, 사망보험금은 10,000원으로 유지하는 대신, 생존보험금의 크기는 조정하기로 하였다.

(v) 60세에 계산한 장래 손실의 기대값에 변화가 없도록 생존보험금을 감소시켰다.

위 조건을 만족하는 새로운 생존보험금을 구하시오.

2. 45세 피보험자에 대하여 $\delta = 0.06$이고 $\omega = 100$인 De Moivre 법칙을 가정할 때, $_{10}\overline{V}\left(\overline{A}_{45:\overline{20|}}\right)$을 구하시오.

3. 30세의 사람이 보험금이 1,000원인 35년 만기 이산형 양로보험에 가입하였다. $d = 0.06$일 때, 주어진 조건을 이용하여 제10보험연도 말 준비금($_{10}V$)을 계산하시오.

n	$\ddot{a}_{30:\overline{n|}}$	$\ddot{a}_{40:\overline{n|}}$
10	7.75	7.7
20	11.96	11.76
25	13.25	12.95
35	14.84	14.27

4. 45세의 피보험자가 다음의 종신보험에 가입하였다. 피보험자가 사망 시 보험금은 사망연도 말에 지급되고, 보험료는 사망하기 전까지 매년 초 납입된다고 할 때 다음 주어진 조건을 이용하여 $_{21}V$를 구하시오.

   (i) 처음 20년 안에 사망 시 보험금 1,000원을 지급하고, 그 후 5년 안에 사망 시 보험금 5,000원을 지급하며, 이후 사망 시 보험금 1,000원을 지급한다.

   (ii) 처음 20년 동안은 매년 초 $1,000 P_{45}$씩 납입하고, 그 후 5년 동안은 매년 초 $5,000 P_{45}$씩 납입하며, 그 후로는 매년 초 P씩 납입한다.

   (iii) $i = 0.06$

   (iv) $\ddot{a}_{45} = 14.8166$, $\ddot{a}_{65} = 11.1454$, $q_{65} = 0.01376$

5. 성균주식회사는 25년 된 기계가 고장 날 것에 대비하여 5년 정기보험에 가입하였다. 다음의 조건으로 제 3보험연도 말 준비금을 구하시오.

   (i) 연납평준순보험료는 6,643원이며 매년 초에 납입된다.

   (ii) 고장 즉시 보험금 500,000원이 지급된다.

   (iii) 기계의 고장률은 $l_x = 100 - x$인 De Moivre 법칙을 따른다.

   (iv) $i = 0.06$

6. 40세인 사람이 사망 즉시 1원을 지급받는 종신보험에 가입하였을 때, 다음 조건을 이용하여 제 10보험연도 말 준비금을 구하시오.

   (i) $\omega = 100$인 De Moivre 법칙을 따른다.

   (ii) $i = 0.06$

   (iii) $\bar{a}_{\overline{40|}} = 17.58$, $\bar{a}_{\overline{50|}} = 18.71$, $\bar{a}_{\overline{60|}} = 19.40$

7. 50세인 사람이 사망연도 말에 1,000원을 지급하는 종신보험에 가입하였을 때, 다음 조건을 이용하여 $1,000 \,_{10}V_{50}$을 구하시오.

   (i) $1,000 P_{50} = 25$

   (ii) $1,000 A_{61} = 440$

   (iii) $1,000 q_{60} = 20$

(iv) $i = 0.06$

8. x세인 사람이 3년 정기보험에 가입하였을 때, 다음 조건을 이용하여 제 2보
   험연도의 연시 준비금(initial reserve)을 구하시오.
   (i) 연납평준순보험료는 매년 초에 납입된다.
   (ii) $i = 0.06$
   (iii)

k	보험금 b_{k+1}	q_{x+k}
0	200,000원	0.03
1	150,000원	0.06
2	100,000원	0.09

9. $_hV^1_{x:\overline{n}|} = \dfrac{(1 - {}_nE_x)\ddot{a}_{x:\overline{n}|} - (1 - {}_hE_x)\ddot{a}_{x:\overline{n}|}}{{}_hE_x\ddot{a}_{x:\overline{n}|}}$ 임을 보이시오.

10. 아래에 사용된 각 함수는 국제계리기호(international actuarial
    notations)에 의해 정의된 것이다. 다음 물음에 답하시오. (31회 2번 기출)
    (1) 보험계약 경과기간(h)에 대하여 다음 관계식이 성립함을 증명하시오.

$$_hV_{x:\overline{m+n}|} - {}_hV^1_{x:\overline{m}|} = {}_hV_{x:\overline{m}|}^{\ 1}\, V_{x:\overline{m+n}|}$$

단, $0 < h \le m$; m, n은 양의 정수

11. 피보험자(x)가 자신의 아파트를 담보로 하여 종신생명연금을 수령하고자 한
    다. 2005년 현재 아파트가격은 1원이지만, 생명보험회사는 현재 아파트 가격
    의 80%만 인정하여 피보험자(x)가 생존 시에는 가입과 동시에 매년 B만큼
    의 종신생명연금을 지급한다. 사망 시에는 2005년 아파트 가격에서 사망 당
    시까지 수령한 연금 합계액을 차감한 잔액을 사망보험금으로 하여 사망즉시
    지급한다(단, 예정이율 i, 예정사망률 q, 사망보험금은 가입 후 10년 이내 사
    망에 한하여 지급함). (28회 6번 기출)

(1) x세 피보험자의 연금액(B)을 구하시오.

(2) 가입 후 경과기간 t년시점의 준비금을 구하시오(단, t는 양의 정수).

12. x세 피보험자가 이산형(fully discrete) 종신보험에 가입하였다.

(i) 첫 해에는 사망보험금이 0원이고 그 이후 사망보험금은 5,000원이다.

(ii) 보험료는 생존기간 동안 동일하게 납입한다.

(iii) $q_x = 0.05$

(iv) $v = 0.90$

(v) $\ddot{a}_x = 5.00$

(vi) x세를 피보험자로 하는 보험금이 1원인 이산형 종신보험의 제10보험연도 말의 준비금은 0.20원이다.

(vii) $_{10}V$는 문제의 이산형 종신보험의 제 10보험연도 말의 준비금이다.

$_{10}V$를 구하시오.

13. 65세 피보험자가 연속형(fully continuous) 종신보험에 가입하였다.

(i) t시점의 사망보험금은 $b_t = 1,000e^{0.04t}, t \geq 0$

(ii) 생존기간 동안 평준보험료를 납입한다.

(iii) $\mu_{65+t} = 0.02, t \geq 0$

(iv) $\delta = 0.04$

제2보험연도 말의 준비금을 구하시오.

14. 30세인 피보험자가 보험금 1원인 연속형 종신보험에 가입하였다. 다음의 조건이 주어져 있을 때, 이 보험의 제10보험연도의 책임준비금을 구하시오.

(i) 처음 10년 동안의 사력은 0.05이고 그 이후는 0.08이다.

(ii) $\delta = 0.08$

15. 25세인 피보험자가 보험금이 25,000원인 이산형 종신보험에 가입하였다. 다음의 조건이 주어졌을 때, 제10보험연도 말의 책임준비금을 구하시오.

(i) $P_{25} = 0.01128$

(ii) $P_{25:\overline{10|}}^{1} = 0.05107$

(iii) $P_{25:\overline{10|}} = 0.05332$

16. x세 피보험자가 보험금이 1,000원인 3년 만기 이산형 양로보험(a fully discrete 3-year endowment insurance)에 가입하였다.

(i) $i = 0.05$

(ii) $p_x = p_{x+1} = 0.7$

위의 조건을 이용하여 제 2보험연도말 준비금을 구하시오.

17. 35세 피보험자가 25년 만기 15년납, 보험금이 1,000원인 연속형 양로보험에 가입하였다. 다음의 조건을 이용하여 제 5보험연도말 준비금을 구하여라.

(i) $\mu_{35+t} = 0.03, t \geq 0$

(ii) $\delta = 0.05$

(iii) $1,000\overline{A}_{35:\overline{25|}}^{1} = 324.25$

(iv) $\overline{a}_{35:\overline{15|}} = 8.7351$

18. 40세 피보험자가 연속형 종신보험에 가입하였다. 다음 조건을 이용하여 제 10보험연도 말의 준비금을 구하시오.

(i) 연납평준순보험료는 66원이고 가입 후 첫 20년 동안 납입한다.

(ii) 사망보험금은 처음 20년간은 2,000원이고 그 이후는 1,000원이다.

(iii) $\delta = 0.06$

(iv) $1,000\overline{A}_{50} = 333.33, 1,000\overline{A}_{50:\overline{10|}}^{1} = 197.81, 1,000_{10}E_{50} = 406.57$

19. 40세 피보험자가 20년 만기 이산형 양로보험(fully discrete endowment insurance)에 가입하였다. 다음의 조건을 이용하여 제10보험연도말의 준비금을 구하시오.

  (i) 사망보험금은 첫 10년 동안은 1,000원이고 그 이후는 2,000원이다. 생존보험금은 2,000원이다.

  (ii) 연납순보험료는 첫 10년 동안은 40원이고 그 이후는 100원이다.

  (iii) $q_{40+k} = 0.001k + 0.001, k = 8, 9, ..., 13$

  (iv) $i = 0.05$

  (v) $\ddot{a}_{51:\overline{9|}} = 7.1$

20. n년 만기 이산형 양로보험이 있다. 다음의 조건을 이용하여 제 (n-1)보험연도말의 준비금을 구하시오.

  (i) $A_{x:\overline{n|}} = 0.20$

  (ii) $d = 0.08$

21. 42세 피보험자가 보험금이 1,000원인 이산형 종신보험에 가입하였다. 다음의 조건을 이용하여 $E[_3L \,|\, K_{42} \geq 3]$ 을 구하시오.

  (i) 처음 4년간의 총 보험료는 40세 피보험자가 보험금이 1,000원인 이산형 종신보험에 가입하여 납입하는 평준순보험료와 동일하다. 그 이후의 총 보험료는 42세 피보험자가 보험금이 1,000원인 이산형 종신보험에 가입하여 납입하는 평준순보험료와 동일하다.

  (ii) 사망률은 ILT를 따른다.

  (iii) $_3L$은 3시점의 미래손실을 나타내는 확률변수이다.

  (iv) $i = 0.06$

  (v) K_{42} 는 42세의 미래생존기간의 정수부분이다.

22. x세 피보험자가 보험금이 1,000원인 3년 만기 이산형 양로보험에 가입하였다. 다음의 조건을 이용하여 x세 피보험자가 가입 후 두 번째 해에 사망했을

경우의 $_1L$을 구하시오.

(i) $_kL$은 k시점의 미래손실(prospective loss)을 나타내는 확률변수이다.

(ii) 보험료는 수지상등원칙에 의해 산정되었다.

(iii) $\ddot{a}_{x:\overline{3}|} = 2.70182$

(iv) $i = 0.10$

준비금의 분석

지금까지 준비금을 계산하는 방법에 대해서 살펴보았다. 이 장에서는 준비금을 어떻게 분석하는지에 대해 알아볼 것이다. 준비금을 분석하는 것이 계산하는 것보다 쉬울 수 있으므로 개념을 잘 파악하는 것이 중요하다.

I 이산형(fully discrete) 보험의 준비금 점화식

먼저 보험금의 지급과 보험료의 납입이 모두 이산형(fully discrete)인 보험상품의 경우, 특정 보험연도의 준비금이 어떻게 변하는지 그 관계를 살펴보도록 한다. 우선 기호를 소개하면 다음과 같다. h보험연도 말 준비금은 $_hV$라고 표현하며, 보험상품의 종류가 어떤 것인지에 상관없이 한해 동안의 준비금의 변화를 일반적인 식으로 나타내기 위해서 V 뒤쪽에는 별도의 표시를 하지 않는다. 그리고 $h+1$ 보험연도 초에 납입되는 보험료를 π_h라고 표시하는데, 이는 납입보험료가 평준보험료(level premium)가 아니라 시점마다 보험료의 크기가 다를 수 있으므로 이를 일반화해서 표현하기 위해 아래 첨자로 보험료 납입 시점을 나타낸 것이다.

h 시점을 기준으로 $h+1$ 보험연도에 사망하거나 생존하는 경우에 대해서 그림으로 나타내보면 다음과 같다.

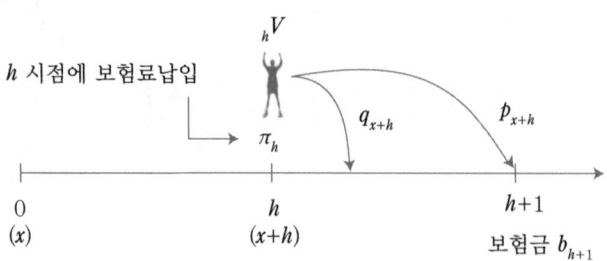

보험금 지급과 보험료 납입이 모두 이산형(fully discrete)인 보험상품에 대해서 생각하는 것이므로 계약자가 사망하는 경우(q_{x+h})의 보험금(b_{h+1})지급은 연말에 이루어지게 된다. 한 해 동안의 지출 발생을 고려하지 않고 h 시점과 $h+1$ 시점에서의 준비금의 관계를 비교해보면 다음과 같이 나타낼 수 있다.

h 시점	$h+1$ 시점
$_hV+\pi_h$	$(_hV+\pi_h)(1+i)$

즉, 보험료가 포함된 연시 준비금을 1년간 적립하게 되면 그 누적된 금액을 연말에 보유하게 된다는 것이다. 여기서 $h+1$ 시점의 준비금은 두 가지 용도로 구분되는데, 해당 연도에 사망한 사람들에게 지급하는 보험금과 생존한 사람들을 위해서 보유해야 하는 준비금이 바로 그것이다. 이를 수식으로 나타내보면

$$(_hV+\pi_h)(1+i) = b_{h+1} \cdot q_{x+h} + {}_{h+1}V \cdot p_{x+h} \tag{6.1}$$

와 같다.

식 (6.1)은 자주 사용되므로 반드시 명심해야 하며, $h+1$ 시점을 기준으로 표현된 것임을 알 수 있다. 식 (6.1)의 양변을 $(1+i)$로 나누면 h 시점을 기준으로 다음과 같은 관계식을 만들 수 있다.

$$_hV+\pi_h = b_{h+1} \cdot v \cdot q_{x+h} + {}_{h+1}V \cdot v \cdot p_{x+h} \tag{6.2}$$

식 (6.1)과 식 (6.2)는 동일한 식으로, 이를 '준비금 점화식' 또는 '준비금

재귀식'이라고 한다. 쉽게 말해 $_hV$와 $_{h+1}V$의 관계를 보여주는 공식이라고 할 수 있다.

이러한 관계식은 보험상품에서뿐만 아니라 은행상품에서도 사용될 수 있다. 예금의 경우에는 사망사고가 발생했을 때 지급하는 사망보험금이 없기 때문에 사망하는 경우에 대해서 아무런 처리를 할 필요가 없는 것처럼 보일 수 있다. 그러나 실제로는 사망 후에도 유가족 등 다른 사람이 그 예금을 인출할 수 있으므로 생사 여부에 관계없이 그 이전까지 보유하고 있는 준비금을 무조건 적립해 놓아야 한다. 이를 식으로 나타내보면 다음과 같다.

- 은행(예금)에서의 준비금 점화식
$$(_hV + \pi_h)(1+i) = {}_{h+1}V \cdot q_{x+h} + {}_{h+1}V \cdot p_{x+h} = {}_{h+1}V \tag{6.3}$$

쉽게 이해하자면 여기에서의 $_hV$는 그 시점에서의 잔액이고 π_h는 그 시점에서 입금되는 예금이라고 생각하면 된다. h 시점에서의 잔액과 예금을 합하여 이자가 부리되면 $h+1$ 시점에서의 새로운 잔액이 되는 것이 은행의 원리이다. 그러므로 준비금 점화식이라는 것은 보험 이외에도 은행에서도 공통적으로 적용되는 식이라 볼 수 있다. 또한 은행에서 본인의 예금 잔액만큼을 자유롭게 인출할 수 있듯이 보험의 경우에도 고객은 준비금만큼을 보험회사에 요청할 수 있다는 것을 알아두도록 하자. 반면 보험의 준비금과 은행의 잔액과의 차이점은 은행의 잔액은 생사여부와 관계없이 항상 고정된 금액이지만 보험의 준비금은 미래에 발생할 불확실한 현상에 대한 기대값으로써 계산된 값이라는 점이다.

📚 **예제 6.1**

x세의 사람이 보험금이 1,000원이고 만기가 3년인 생사혼합보험에 가입하였다. 다음의 조건을 사용하여 $1,000(_2V_{x:\overline{3|}} - {}_1V_{x:\overline{3|}})$을 구하시오.

(i) $q_x = q_{x+1} = 0.20$

(ii) $i = 0.06$

(iii) $1,000 \cdot P_{x:\overline{3|}} = 373.63$

✏️**해설** 문제에서 구하고자 하는 것은 평가시점에 따른 준비금의 차이로 준비금의 계약 자체는 동일하다. 이와 같이 평가시점의 차이가 크

지 않은 준비금들에 대한 문제는 점화식을 이용하면 쉽게 문제를 풀 수 있다. 먼저 준비금 점화식을 다시 살펴보자.

$$({}_0V+\pi)(1+0.06)=1,000\cdot q_x+p_x\cdot{}_1V$$
$$({}_1V+\pi)(1+0.06)=1,000\cdot q_{x+1}+p_{x+1}\cdot{}_2V$$

여기서 ${}_kV_{x:\overline{3}|}$는 보험금이 1원인 경우의 준비금을 나타낸다. 위 문제는 보험금이 1,000원이므로 먼저 1원에 대해 계산을 하고, 나중에 1,000을 곱해주면 된다. 또는 위 문제와 같이 1,000원을 기준으로 조건이 제시된 경우는 처음부터 조건을 그대로 사용해도 좋다. 따라서 위 두 식에서 π는 $1,000\cdot P_{x:\overline{3}|}=373.63$이므로 이것을 대입하고, 문제 조건에서 주어진 보험료와 사망확률, 그리고 ${}_0V=0$을 대입하면 문제를 쉽게 풀 수 있다.

$$1,000({}_2V_{x:\overline{3}|}-{}_1V_{x:\overline{3}|})={}_2V-{}_1V=324.7049$$

예제 6.2

A는 x세인 사람이 사망시 사망연도 말에 1,000원을 지급하는 10년 단기납 종신보험을 의미하고, B는 x세인 사람이 사망시 사망연도 말에 1,000원을 지급하는 전기납 종신보험을 나타낸다. 이때, 다음 조건을 이용하여 ${}_{11}V^A-{}_{11}V^B$를 구하시오.

(i) $q_{x+10}=0.004$

(ii) B 보험의 연납평준순보험료는 8.36원이다.

(iii) ${}_{10}V^A-{}_{10}V^B=101.35$

(iv) $i=0.06$

해설 위에서 첫 번째 계약은 보험료 납입기간이 정해져 있다. 그러나 두번째 계약은 보험료가 종신까지 납입된다. 문제에서 주어진 보험금은 1,000원이기 때문에 보험료의 크기가 8.36 정도로 높게 나온 것이다. 이제 문제를 풀어보자.

$${}_{10}V^A-{}_{10}V^B=101.35 \qquad i=0.06$$

위와 같은 조건이 있으므로 앞의 예제처럼 점화식을 이용한다. 문제에는 계약 A에 관한 보험료 정보가 없고, 계약 B에 관한 보험료 정보만 주어져 있다. 하지만 주어진 정보만으로 문제를 충분히 풀 수 있다.

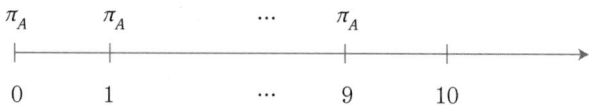

위 그림에서와 같이 계약 A의 경우 10시점부터는 보험료 납입 의무가 없고, 평가시점은 10시점과 11시점이므로 계약 A의 보험료 π_A를 몰라도 되는 것이다. 각 계약에 대해 준비금의 점화식을 적어보면

① $_{10}V^A(1.06) = 0.004 \times 1,000 + 0.996 \times {_{11}}V^A$

② $(_{10}V^B + 8.36)(1.06) = 0.004 \times 1,000 + 0.996 \times {_{11}}V^B$

인 것을 알 수 있다. 위에서 ①식에서 ②식을 차감하여 정리하면

$$(_{10}V^A - {_{10}}V^B - 8.36) \times 1.06 = 0.996(_{11}V^A - {_{11}}V^B)$$

이 되므로 $_{11}V^A - {_{11}}V^B$를 쉽게 구할 수 있다. 이처럼 준비금 문제는 복잡해 보여도 쉽게 풀 수 있게 하는 장점이 있으므로 점화식을 잘 알고 기억해 두길 바란다.

$$_{11}V^A - {_{11}}V^B = 98.9652$$

📖 예제 6.3

(Sample Q23) 현재 45세인 길동은 기시납, 기말급 종신보험에 가입하였다. 길동이 64세일 때만 표준사망률보다 더 높은 사망률을 나타낼 것으로 예상된다.

(ⅰ) 64세의 사망률의 증가로 인해 제20보험연도의 순보험료만 평소의 순보험료보다 증가하고, 나머지 보험연도에서는 동일한 크기의 순보험료를 납입한다.

(ⅱ) 제20보험연도의 순보험료 π_{19}는 P_{45}보다 0.01만큼 더 크다.

(ⅲ) 제20보험연도에 변경된 사망률과 보험료를 이용한 준비금은 표준 위험률로부터 산출한 평준보험료로 계산된 준비금과 그 크기가 같다.

(ⅳ) $i = 0.03$

(ⅴ) $_{20}V_{45} = 0.427$

길동의 q_{64}가 표준위험률의 q_{64}를 얼마나 초과하는지 계산하시오.

해설 45세인 길동이는 보험금 1원인 종신보험에 가입했는데 64세 때의 사망확률은 표준사망확률보다 더 높을 것으로 예상하고 있다. 따라서 보험료는 평준 보험료(level premium)가 아니고 19시점의 π_{19}는 연납평준순보험료에 리스크를 감안한 $P_{45} + 0.01$이라고 한다. 그리고 준비금은 표준사망률과 이를 기반한 평준보험료로 계산했을 때

와 동일하다고 한다. 이를 그림으로 표현하면 다음과 같다.

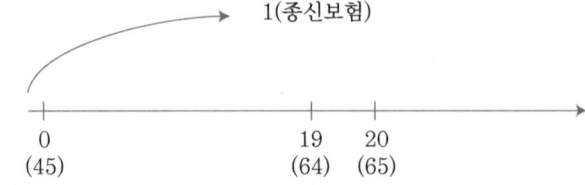

(64)세 이외의 사망률은 모두 동일하고, 준비금도 역시 모든 연령에 대해 동일하므로 준비금의 점화식을 적용하여 풀면 된다. 증가된 사망률은 q'_{64}로 나타내기로 하자.

기본식: $(_t V + P) \cdot (1+i) - B_{x+t} \cdot q_{x+t} = p_{x+t} \cdot {}_{t+1}V$

$(_{19}V_{45} + P_{45}) \cdot (1 + 0.03) - 1 \cdot q_{64} = p_{64} \cdot {}_{20}V_{45}$ ···표준위험률 ··· (1)

$(_{19}V_{45} + \pi_{19}) \cdot (1 + 0.03) - 1 \cdot q'_{64} = p'_{64} \cdot {}_{20}V_{45}$ ··· new ··· (2)

(2)-(1)을 하면 다음의 식을 유도할 수 있다.

$$(\pi_{19} - P_{45})(1.03) - (q'_{64} - q_{64}) = (p'_{64} - p_{64}) \cdot {}_{20}V_{45}$$

따라서 $q'_{64} - q_{64}$에 관한 식으로 정리하면 바로 구할 수 있다.

$$(P_{45} + 0.01 - P_{45})(1.03) - (q'_{64} - q_{64}) = (q_{64} - q'_{64})(0.427)$$

$$\Rightarrow 0.0103 = (q_{64} - q'_{64}) \cdot 0.427 + (q'_{64} - q_{64})$$

$$\Rightarrow 0.0103 = 0.573 \cdot (q'_{64} - q_{64})$$

$$\therefore (q'_{64} - q_{64}) = 0.017956$$

II 사망 보험금에 준비금이 포함된 보험

지금까지 보험금의 크기가 정액으로 정해져 있는 경우의 보험료 및 준비금 산출 방법에 대하여 알아보았다. 이번 절에서는 보험금에 준비금이 포함된 경우의 보험료와 준비금 산출 방법을 소개한다. 예를 들어 거치 생명연금 (deferred annuity(living benefit))에서 거치기간 내에 사망 할 경우 사망보험금 (death benefit)을 지급하는 상품을 생각해 보자. n년 이후에 생존 시에는 매년 초에 1원씩을 지급하고, n년 이전에 사망 시에는 그 동안 적립했던 준비금을 지급한다고 가정하자.

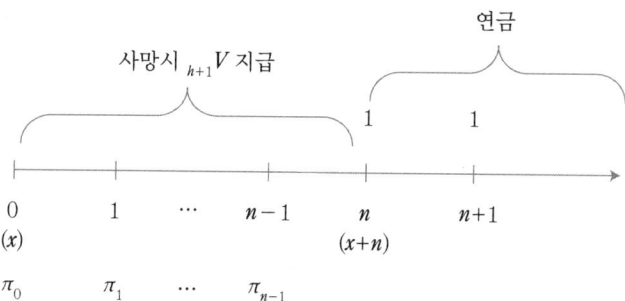

준비금 점화식을 활용하면 각 시점에서의 준비금을 계산할 수 있는데, 아래와 같이 여러 가지 경우로 나누어서 생각해야 한다.

i) 평가시점 $k < n$일 때

$$_h V + \pi_h = v \cdot q_{x+h} \cdot b_{h+1} + v \cdot p_{x+h} \cdot {}_{h+1} V$$
$$= v \cdot q_{x+h} \cdot {}_{h+1} V + v \cdot p_{x+h} \cdot {}_{h+1} V$$
$$= v \cdot {}_{h+1} V \qquad (6.4)$$

이는 은행에서의 예금과 같은 구조를 가지게 된다는 점에 주목할 필요가 있다. 다음과 같이 식 (6.4)의 양변에 v^h를 곱하고,

$$v^h \cdot {}_h V + v^h \cdot \pi_h = v^{h+1} \cdot {}_{h+1} V$$

그 다음에 $h = 0, h = 1, \cdots, h = k-1$을 대입한 후 모두 더하면 아래와 같다.

$$h = 0; \qquad v^0 \cdot {}_0 V + v^0 \cdot \pi_0 = v^1 \cdot {}_1 V$$
$$h = 1; \qquad v^1 \cdot {}_1 V + v^1 \cdot \pi_1 = v^2 \cdot {}_2 V$$
$$\vdots \qquad\qquad \vdots$$
$$h = k-1; \;\; + \big) \;\; v^{k-1} \cdot {}_{k-1} V + v^{k-1} \cdot \pi_{k-1} = v^k \cdot {}_k V$$

$$\overline{\qquad\qquad\qquad\qquad\qquad\qquad\qquad\qquad}$$

$$v^0 \cdot {}_0 V + \sum_{j=0}^{k-1} v^j \cdot \pi_j = v^k \cdot {}_k V$$

$${}_0 V = 0 \text{이므로} \;\; \sum_{j=0}^{k-1} v^j \cdot \pi_j = v^k \cdot {}_k V$$

$$\Rightarrow \;\; {}_k V = \sum_{j=0}^{k-1} (1+i)^{k-j} \cdot \pi_j \qquad (6.5)$$

만약 매년 납부하는 보험료가 동일한 평준보험료(level premium)라면 $\pi_j = \pi$라고 할 수 있으므로 준비금을 다음과 같이 나타낼 수 있다.

$$_kV = \pi \cdot \ddot{s}_{\overline{k}|}, \ k \leq n \text{(등호도 성립함)} \tag{6.6}$$

ii) $k = n$일 때

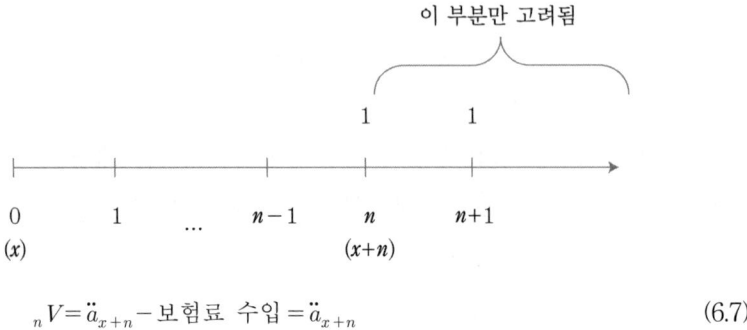

$$_nV = \ddot{a}_{x+n} - \text{보험료 수입} = \ddot{a}_{x+n} \tag{6.7}$$

한편 연납평준보험료 π를 구하고자 한다면 식 (6.6)과 (6.7)로부터

$$\pi \cdot \ddot{s}_{\overline{n}|} = \ddot{a}_{x+n} \ \Rightarrow \ \pi = \frac{\ddot{a}_{x+n}}{\ddot{s}_{\overline{n}|}}$$

임을 알 수 있다.

iii) $k > n$일 때

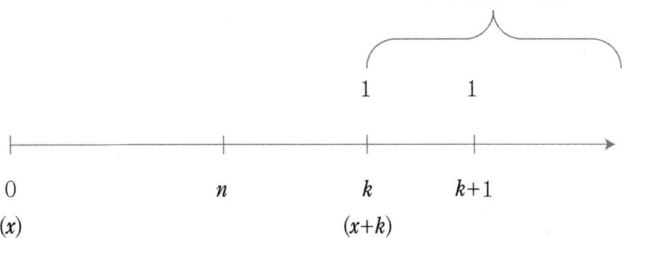

$$_kV = \ddot{a}_{x+k} - \text{보험료수입} = \ddot{a}_{x+k} \tag{6.8}$$

그러므로 위 내용들을 정리하면 아래와 같다.

$$_kV = \begin{cases} \pi \cdot \ddot{s}_{\overline{k}|} = \dfrac{\ddot{s}_{\overline{k}|}}{\ddot{s}_{\overline{n}|}} \cdot \ddot{a}_{x+n}, & k < n \\ \ddot{a}_{x+n}, & k = n \\ \ddot{a}_{x+k}, & k > n \end{cases} \tag{6.9}$$

이번에는 생사혼합보험(endowment)을 고려해 보자. 사망보험금에 준비금이 포함된 경우를 가정한다. 즉, 보험금은 다음과 같다.

$$\begin{cases} \text{생존보험금} = 1 \\ \text{사망보험금} = 1 + {}_{h+1}V \end{cases}$$

만약 평준보험료 π를 납입한다면 준비금은 점화식을 이용하여 다음과 같이 계산할 수 있다.

$$\begin{aligned}
{}_hV + \pi &= v \cdot q_{x+h} \cdot b_{h+1} + v \cdot p_{x+h} \cdot {}_{h+1}V \\
&= v \cdot q_{x+h} \cdot (1 + {}_{h+1}V) + v \cdot p_{x+h} \cdot {}_{h+1}V \\
&= v \cdot (q_{x+h} + p_{x+h})_{h+1}V + v \cdot q_{x+h} \\
&= v \cdot {}_{h+1}V + v \cdot q_{x+h}
\end{aligned}$$

양변에 v^h를 곱하면

$$v^h \cdot {}_hV + v^h \cdot \pi = v^{h+1} \cdot {}_{h+1}V + v^{h+1} \cdot q_{x+h}$$

이고 앞서 설명했던 예와 마찬가지로 $h = 0, \cdots, h = k-1$을 대입한 후 모두 더하면 식 (6.10)을 얻을 수 있다.

$$\begin{aligned}
h = 0; \qquad & v^0 \cdot {}_0V + v^0 \cdot \pi = v^1 \!\!\!\!\diagup_1V + v^1 \cdot q_x \\
h = 1; \qquad & v^1 \!\!\!\!\diagup_1V + v^1 \cdot \pi = v^2 \,{}_2V + v^2 \cdot q_{x+1} \\
& \qquad\qquad \vdots \qquad \vdots \qquad \vdots \\
h = k-1; \quad +\Big) \;\; & v^{k-1} \!\!\!\!\diagup_{k-1}V + v^{k-1} \cdot \pi = v^k \cdot {}_kV + v^k \cdot q_{x+k-1} \\
\hline
& v^0 \cdot {}_0V + \pi(v^0 + \cdots + v^{k-1}) = \sum_{j=0}^{k-1} v^{j+1} \cdot q_{x+j} + v^k \cdot {}_kV
\end{aligned}$$

$$\Rightarrow \; \pi \cdot \ddot{a}_{\overline{k}|} = \sum_{j=0}^{k-1} v^{j+1} \cdot q_{x+j} + v^k \cdot {}_kV \tag{6.10}$$

연납보험료 π를 구하기 위해 $k = n$인 경우를 계산해보면 아래와 같다.

$$\pi \cdot \ddot{a}_{\overline{n}|} = \sum_{j=0}^{n-1} v^{j+1} \cdot q_{x+j} + v^n \cdot {}_nV \tag{6.11}$$

여기서 n시점에서 적립되어 있어야 하는 준비금은 생존자들에게 지급해야 하는 생존보험금 1원이므로 ${}_nV = 1$이라는 것을 알 수 있다. 따라서 연납

보험료 π는 다음과 같다.

$$\pi = \frac{\sum_{j=0}^{n-1} v^{j+1} \cdot q_{x+j} + v^n}{\ddot{a}_{\overline{n}|}} \tag{6.12}$$

이제 준비금을 구하기 위해 $\pi \cdot \ddot{a}_{\overline{k}|} = \sum_{j=0}^{k-1} v^{j+1} \cdot q_{x+j} + v^k \cdot {}_kV$를 정리해 보면

$$v^k \cdot {}_kV = \pi \cdot \ddot{a}_{\overline{k}|} - \sum_{j=0}^{k-1} v^{j+1} \cdot q_{x+j}$$

$$\therefore \quad {}_kV = \pi \cdot \ddot{s}_{\overline{k}|} - \sum_{j=1}^{k} (1+i)^{k-j} \cdot q_{x+j-1} \tag{6.13}$$

이고 식 (6.13)에 식 (6.12)에서 구한 π를 대입하면 준비금을 계산할 수 있다.

지금까지 두 가지 예를 이용하여 준비금이 보험금으로 지급되는 경우를 살펴보았다. 이 외의 상품에도 보험금에 준비금이 포함될 수 있으니 준비금의 점화식을 이용하여 보험료와 준비금을 산출하는 방법을 잘 알아두도록 하자.

예제 6.4

x세인 사람이 만기가 2년인 이산형(fully discrete) 생사혼합보험에 가입하였다.

(i) 생존보험금은 2,000원이다.

(ii) k년도의 사망보험금은 (1,000k)와 함께 k년도 말($k=1,2$) 준비금을 추가로 지급한다.

(iii) π는 연납평준순보험료이다.

(iv) $i = 0.08$

(v) $p_{x+k-1} = 0.9, \ k = 1, 2$

위의 조건을 이용하여 π를 구하시오.

해설 위 문제의 조건을 보면 보험금이 정액이 아니다. 가입자가 2년을 생존했을 경우 생존보험금은 2,000원이고 만약 그 이전에 사망을 하면 사망시점에 따라 보험금의 크기가 달라진다.

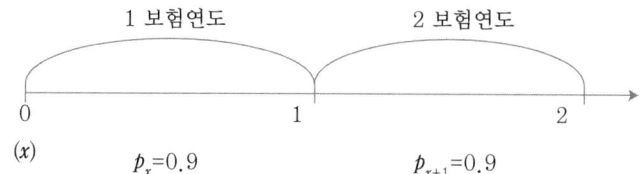

$$p_x = 0.9 \qquad p_{x+1} = 0.9$$

제 1 보험연도와 제 2 보험연도의 보험금의 크기는 다음과 같다.

$$1보험연도: 사망보험금 = 1,000 \times 1 + {}_1V$$

$$2보험연도: 사망보험금 = 1,000 \times 2 + {}_2V$$

위의 정보를 이용하여 점화식을 전개하면,

$$1 \ 보험연도: \ ({}_0V + \pi)(1.08) = 0.1 \times (1,000 + {}_1V) + 0.9 \cdot {}_1V$$

$$2 \ 보험연도: \ ({}_1V + \pi)(1.08) = 0.1 \times (2,000 + {}_2V) + 0.9 \cdot {}_2V$$

이 된다. ${}_2V$는 생존한 경우에만 지급되므로 이것이 생존보험금 2,000원이 되고, ${}_0V = 0$ 이므로 두 식을 이용하여 연립방정식을 풀면 π를 구할 수 있다.

$$(0 + \pi)(1.08) = 0.1(1,000 + {}_1V) + 0.9\,{}_1V$$

$$1.08\pi = 100 + {}_1V$$

$$\quad {}_1V = 1.08\pi - 100 \qquad\qquad (*)$$

$$({}_1V + \pi)(1.08) = 0.1(2,000 + 2,000) + 0.9(2,000)$$

$$= 2,200 \qquad\qquad (**)$$

(*)를 식 (**)에 대입하면

$$(1.08\pi - 100 + \pi)(1.08) = 2,200$$

$$\pi = 1,027.421652$$

예제 6.5

$b_{h+1} = {}_{h+1}V$, ${}_0V = 0$, 그리고 $\pi_h = \pi$일 때, ${}_kV$를 구하시오.

해설 문제에서 주어진 $b_{h+1} = {}_{h+1}V$의 의미는 사망보험금이 곧 준비금이므로 은행예금이라고 생각하면 된다. 즉 적립한 준비금을 사망시 지급하겠다는 의미이다. 문제에서 구하고자 하는 것은 ${}_kV$이므로 간단히 생각하면

$$_kV = \pi \cdot \ddot{s}_{\overline{k|}}$$

임을 알 수 있다.

예제 6.6

40세인 사람이 이산형(fully discrete)인 만기 10년 생사혼합보험에 가입하였다. 사망 시 해당 연도 말에 1원 및 준비금이 지급되고 10년 생존 시에는 1원이 지급된다.

(i) $\mu = 0.05$, $d = 0.04$

(ii) $\begin{bmatrix} \text{사망보험금} = 1 + {}_kV \\ \text{생존보험금} = \qquad 1 \end{bmatrix}$

평준보험료 π를 구하시오.

해설 위 문제 조건에서 사력이 상수로 주어져 있으므로 q_x는 $1 - e^{-\mu \cdot 1}$ $= 1 - e^{-0.05}$임을 알 수 있고 x와 무관하게 일정하다는 것을 알 수 있다. 문제의 조건을 점화식 공식에 적용해 보면

$$({}_hV + \pi)(1 + i) = q_{x+h} \cdot (1 + {}_{h+1}V) + p_{x+h} \cdot {}_{h+1}V = q_{x+h} + {}_{h+1}V$$

$$_hV + \pi = v \cdot q_{x+h} + v \cdot {}_{h+1}V$$

이 된다. 여기에서 양변에 v^h을 곱하면 다음 식을 얻을 수 있다.

$$v^h \cdot {}_hV + v^h \cdot \pi = v^{h+1} \cdot q_{x+h} + v^{h+1} \cdot {}_{h+1}V$$

h에 0부터 대입해 보면,

$$h = 0; \qquad {}_0V + \pi = v \cdot q_x + v \cdot {}_1V$$

$$h = 1; \qquad v \cdot {}_1V + v \cdot \pi = v^2 \cdot q_{x+1} + v^2 \cdot {}_2V$$

$$h = 2; \qquad v^2 \cdot {}_2V + v^2 \cdot \pi = v^3 \cdot q_{x+2} + v^3 \cdot {}_3V$$

$$\vdots$$

$$h = 9; \qquad v^9 \cdot {}_9V + v^9 \cdot \pi = v^{10} \cdot q_{x+9} + v^{10} \cdot {}_{10}V$$

와 같이 시점에 따른 점화식이 나온다. 주의해야 할 점은 ${}_0V$는 0이고 10시점에 ${}_{10}V = 1$이라는 것이다. 여기서 문제 조건에 따라 $q_x = \cdots = q_{x+9} = 1 - e^{-0.05}$인 것을 알고 있으므로

$$_0V + \pi \cdot (1 + v + \cdots v^9) = (v + v^2 + \cdots + v^{10}) \cdot q_x + v^{10} \cdot {}_{10}V$$

$$_0V + \pi \cdot \ddot{a}_{\overline{10|}} = a_{\overline{10|}} \cdot q_x + v^{10} \cdot {}_{10}V$$

와 같은 식이 나온다. 이를 π에 관하여 정리하면

$$\pi \cdot \ddot{a}_{\overline{10|}} = q_x \cdot a_{\overline{10|}} + v^{10} \cdot 1$$

$$\therefore \pi = \frac{(1 - e^{-0.05}) \cdot a_{\overline{10|}} + v^{10}}{\ddot{a}_{\overline{10|}}} = 0.126163$$

이 됨을 알 수 있다. 복잡해 보일 수도 있겠지만, 점화식을 이용하여 합하기만 하면 문제를 쉽게 풀 수 있다.

Ⅲ · 소수기간의 준비금 (interim reserve)

Ⅱ절까지는 주로 연초 또는 연말 시점에 준비금을 평가하는 방법에 대하여 살펴보았다. 그러나 보험연도와 회계연도의 차이로 인해 연중에 준비금을 평가해야 하는 경우도 종종 발생한다. 앞 절까지 사용했던 준비금의 점화식을 보면 1년 동안의 사망률 또는 생존율이 사용되었다. 그러나 예를 들어 2013년 10월 1일에 준비금을 평가한다면 연말까지 $\frac{1}{4}$년 동안 피보험자가 사망할 확률 또는 생존할 확률이 필요하다. 따라서 연중에 준비금을 평가하기 위해서는 소수연령에 대한 가정을 적용해야 한다.

이번 절에서는 연중에 준비금을 평가하는 방법에 대해서 두 가지를 소개한다. 첫 번째는 직선보간법(linear interpolation)을 이용하여 연초와 연말의 준비금으로부터 연중 시점에 준비금을 평가하는 방법이다. 그리고 두 번째 방법은 소수연령 가정을 이용하여 평가하는 방법이다. 먼저 첫 번째 방법에 대해 살펴보자.

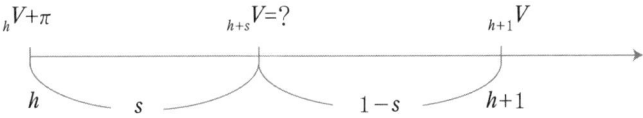

$h+1$ 보험연도의 연시 준비금 $_hV+\pi$와 연도말 준비금 $_{h+1}V$ 사이에 $_{h+s}V$가 존재한다. 직선보간법을 이용하여 $_{h+s}V$의 근사값을 구하면 다음과 같다.

$$_{h+s}V \simeq (1-s)(_hV+\pi)+s \cdot {}_{h+1}V$$
$$= (1-s) \cdot {}_hV+s \cdot {}_{h+1}V+\underbrace{(1-s) \cdot \pi}_{\text{미경과보험료}} \qquad (6.14)$$

이번에는 정확하게 계산하는 두 번째 방법에 대해 생각해 보자.

사망보험금: b_{h+1}, 생존보험금: $_{h+1}V$

$$_{h+s}V = {}_{1-s}q_{x+h+s} \cdot v^{1-s} \cdot b_{h+1} + {}_{1-s}p_{x+h+s} \cdot v^{1-s} \cdot {}_{h+1}V \tag{6.15}$$

식 (6.15)를 h 시점을 기준으로 다시 정리하기 위해 양변에 $_s p_{x+h} \cdot v^s$를 곱한다.

$$_s p_{x+h} \cdot v^s \cdot {}_{h+s}V = {}_s p_{x+h} \cdot {}_{1-s}q_{x+h+s} \cdot v \cdot b_{h+1} + {}_s p_{x+h} \cdot {}_{1-s}p_{x+h+s} \cdot v \cdot {}_{h+1}V$$

$$= {}_{s|1-s}q_{x+h} \cdot v \cdot b_{h+1} + p_{x+h} \cdot v \cdot {}_{h+1}V \tag{6.16}$$

그리고 $h+1$ 보험연도의 점화식을 이용하여 $v \cdot b_{h+1}$에 대해 정리해 보면

$$v \cdot b_{h+1} = \frac{_h V + \pi - v \cdot p_{x+h} \cdot {}_{h+1}V}{q_{x+h}} \tag{6.17}$$

이고 식 (6.17)을 식 (6.16)에 대입하여 다시 정리하면

$$_s p_{x+h} \cdot v^s \cdot {}_{h+s}V = \left({}_h V + \pi - v \cdot p_{x+h} \cdot {}_{h+1}V \right) \cdot \frac{_{s|1-s}q_{x+h}}{q_{x+h}} + p_{x+h} \cdot v \cdot {}_{h+1}V$$

$$= \left({}_h V + \pi \right) \cdot \frac{_{s|1-s}q_{x+h}}{q_{x+h}} + p_{x+h} \cdot v \cdot {}_{h+1}V \cdot \left(1 - \frac{_{s|1-s}q_{x+h}}{q_{x+h}} \right) \tag{6.18}$$

식 (6.18)의 두 번째 등식에서 우변의 마지막 괄호는 그림을 참고해 보면 다음과 같다.

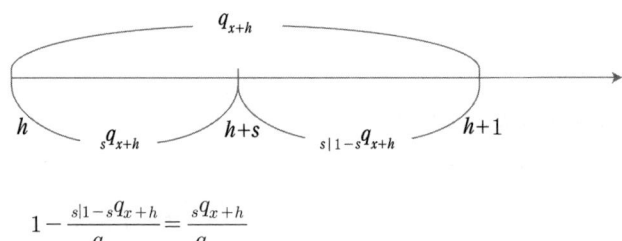

$$1 - \frac{_{s|1-s}q_{x+h}}{q_{x+h}} = \frac{_s q_{x+h}}{q_{x+h}}$$

위 식에 UDD가정인 $_s q_{x+h} = s \cdot q_{x+h}$를 대입하면 다음 식을 얻게 된다.

$$1 - \frac{s|1-s q_{x+h}}{q_{x+h}} = s , \quad \frac{s|1-s q_{x+h}}{q_{x+h}} = 1 - s$$

따라서, 식 (6.18)을 최종적으로 정리하면

$$_s p_{x+h} \cdot v^s \cdot {}_{h+s} V^{UDD} \underset{=}{} ({}_h V + \pi) \cdot (1-s) + (v \cdot {}_{h+1} V \cdot p_{x+h}) \cdot s \qquad (6.19)$$

가 된다.

그러나 실무에서는 일반적으로 식 (6.14)에서 소개한 아래 식을 사용하고 있다.

$$\Rightarrow {}_{h+s} V \simeq ({}_h V + \pi) \cdot (1-s) + {}_{h+1} V \cdot s$$

예제 6.7

80세의 피보험자, 보험금 100,000원인 이산형 종신보험에서 UDD가정을 이용하여 ${}_{10.5} V$를 구하시오. (단, $i = 6\%$인 ILT를 따른다.)

해설 $i = 6\%$인 ILT로부터

$$_{10} V_{80} = 1 - \frac{\ddot{a}_{90}}{\ddot{a}_{80}} = 0.382084$$

$$_{11} V_{80} = 1 - \frac{\ddot{a}_{91}}{\ddot{a}_{80}} = 0.413873$$

$$q_{90} = 0.188738$$

임을 알 수 있다.

위의 이산형 종신보험의 보험료는,

$$100{,}000 P_{80} = 100{,}000 \frac{A_{80}}{\ddot{a}_{80}} = 11{,}274 \text{이다.}$$

UDD가정하에서는, ${}_{0.5} p_{90} = 1 - 0.5 \times q_{90} = 0.906131$이며,

소수기간의 준비금의 식 (6.19)를 이용하면

$$v^{0.5} \cdot {}_{0.5} p_{90} \cdot {}_{10.5} V = ({}_{10} V + \pi_{10})(1 - \frac{1}{2}) + ({}_{11} V \cdot v \cdot p_{90}) \frac{1}{2}$$

이므로,

$$_{10.5} V = \frac{(38{,}208.4 + 11{,}274.3)0.5 + (41{,}387.3 \times \frac{0.8112262}{1.06})0.5}{\left\{ \frac{0.906131}{(1.06)^{0.5}} \right\}}$$

$$= 46{,}102$$

Ⅳ ▸ 연속형(fully continuous) 보험의 미분방정식

앞 절까지 이산형 보험의 준비금 점화식에 대해 살펴보았다. 연속형 보험
의 경우 이에 대응되는 것으로 준비금의 미분방정식을 고려해 볼 수 있다. 평
가시점이 t일 때 연속형 보험의 준비금은 미래법을 사용하여

$$_t\overline{V} = \int_0^\infty b_{t+u}v^u\,_up_{x+t}\mu_x(t+u)du - \int_0^\infty \pi_{t+u}v^u\,_up_{x+t}du \qquad (6.20)$$

로 나타낼 수 있다. 여기서 b_{t+u}는 $t+u$ 시점에 사망할 경우 지급되는 보험
금액을 의미한다. 그리고 π_{t+u}는 $t+u$ 시점에 적용되는 납입보험료 연액을
나타낸다. 식 (6.20)을 t에 대해 미분하면 연속형 보험에 대한 준비금의 미분
방정식을 얻을 수 있다.

미분의 편의를 위해 식 (6.20)에서 다음과 같이 변수변환을 하도록 한다.

$$u + t = s$$
$$\Rightarrow du = ds$$

따라서 식 (6.20)을 다음과 같이 변수 s에 대한 적분식으로 나타낼 수 있다.

$$\begin{aligned}
_t\overline{V} &= \int_t^\infty b_s v^{s-t}\frac{_sp_x}{_tp_x}\mu_x(s)ds - \int_t^\infty \pi_s v^{s-t}\frac{_sp_x}{_tp_x}ds \\
&= \int_t^\infty (b_s\mu_x(s) - \pi_s)v^{s-t}\frac{_sp_x}{_tp_x}ds \\
&= \frac{\displaystyle\int_t^\infty (b_s\mu_x(s) - \pi_s)v^s\,_sp_x\,ds}{v^t\,_tp_x}
\end{aligned} \qquad (6.21)$$

식 (6.21)의 두 번째 등식에서 변수는 s이므로 v^{-t}와 $_tp_x$는 상수가 되어
식 (6.21)의 마지막 등식이 유도된다. 이처럼 변수변환을 통해 식 (6.21)과 같
이 표현한 이유는 t에 대한 미분이 훨씬 수월하기 때문이다.

분수함수의 미분법과 미적분학의 기본정리(fundamental theorem of calculus)

를 이용하여 식 (6.21)을 다음과 같이 미분할 수 있다.

$$\frac{d_t \overline{V}}{dt} = \frac{v^t \,_t p_x}{(v^t \,_t p_x)^2} \frac{d}{dt} \int_t^\infty (b_s \mu_x(s) - \pi_s) v^s \,_s p_x \, ds$$

$$- \frac{\int_t^\infty (b_s \mu_x(s) - \pi_s) v^s \,_s p_x \, ds}{(v^t \,_t p_x)^2} \frac{d}{dt}(v^t \,_t p_x)$$

$$= -(b_t \mu_x(t) - \pi_t) + (\mu_x(t) + \delta) \frac{\int_t^\infty (b_s \mu_x(s) - \pi_s) v^s \,_s p_x \, ds}{v^t \,_t p_x} \quad (6.22)$$

식 (6.22)의 두 번째 등식의 우변에서 분수로 표현된 부분은 t 시점의 준비금 $_t \overline{V}$ 이다. 분자는 t 시점 이후의 손실의 기대값을 0 시점에서 평가한 것을 나타낸다. 이를 다시 t 시점에서의 가치로 전환시키기 위해 분모인 $v^t \,_t p_x$, 즉 $_t E_x$로 나누어 준 것이다. 따라서 이는 t 시점 이후의 장래손실의 기대값을 t 시점에서 평가한 것을 의미한다. 다시 말해 t 시점에서의 준비금인 것이다. 수리적으로는 분자에 나타나는 적분식에서

$$s - t = u$$

로 변수변환을 한 후 정리하면 분수부분이 식 (6.20)과 동일하게 나타남을 알 수 있다. 직접 시도해 보기를 바란다. 결국 식 (6.22)는 다음과 같이 간단히 표현할 수 있다.

$$\frac{d_t \overline{V}}{dt} = \pi_t - b_t \mu_x(t) + (\mu_x(t) + \delta)_t \overline{V} \quad (6.23)$$

준비금의 미분방정식이 지니고 있는 의미를 쉽게 해석할 수 있도록 식 (6.23)를 다음과 같이 변형하여 살펴보도록 하자.

$$d_t \overline{V} = \pi_t \, dt + (\mu_x(t) + \delta)_t \overline{V} \, dt - b_t \mu_x(t) \, dt \quad (6.24)$$

식 (6.24)의 좌변은 t와 $t + dt$라는 아주 짧은 시간 동안의 준비금의 변화를 의미한다. 우변은 이러한 준비금의 변화가 어떠한 요인에 의해 발생하는지를 설명해 주고 있다. 먼저 우변의 첫 번째 항과 두 번째 항은 준비금의 증가 요인을 나타낸다. 즉, $\pi_t \, dt$는 이 짧은 시간 동안 납입되는 보험료 수입을 나

타내고 두 번째 항은 준비금이 이자와 사망률에 의해 부리됨을 알려주고 있
다. 반면 마지막 항은 이 시간 동안 사망에 의한 보험금 지급을 나타내는 부
분으로 준비금의 감소 요인을 보여주고 있다.

예제 6.8

$\dfrac{d}{dt}(v^t\,{}_tp_x\,{}_t\overline{V}(\overline{A}_x))$를 간단히 나타내시오.

해설 주어진 식은 t에 관한 함수의 곱이므로 다음과 같이 미분할 수 있다.

$$\frac{d}{dt}(v^t\,{}_tp_x\,{}_t\overline{V}(\overline{A}_x)) = \left(\frac{d}{dt}v^t\,{}_tp_x\right)({}_t\overline{V}(\overline{A}_x)) + (v^t\,{}_tp_x)\left(\frac{d}{dt}\,{}_t\overline{V}(\overline{A}_x)\right) \quad (*)$$

우변의 첫 번째 항에서 $v^t\,{}_tp_x$ 역시 t에 관한 함수의 곱이므로 이를
미분하면 다음과 같다.

$$\frac{d}{dt}v^t\,{}_tp_x = \left(\frac{d}{dt}v^t\right){}_tp_x + v^t\left(\frac{d}{dt}\,{}_tp_x\right)$$

$$= \ln(v)v^t\,{}_tp_x - v^t\,{}_tp_x\,\mu_x(t)$$

$$= -v^t\,{}_tp_x(\delta + \mu_x(t))$$

그리고 우변의 두 번째 항에서 준비금의 미분은 식 (6.23)을 이용
하여 다음과 같음을 알 수 있다.

$$\frac{d}{dt}\,{}_t\overline{V}(\overline{A}_x) = \overline{P}(\overline{A}_x) - 1\mu_x(t) + (\mu_x(t) + \delta)\,{}_t\overline{V}(\overline{A}_x)$$

이 결과들을 위의 식 (*)에 대입하여 정리하면

$$\frac{d}{dt}(v^t\,{}_tp_x\,{}_t\overline{V}(\overline{A}_x)) = -v^t\,{}_tp_x(\delta + \mu_x(t))({}_t\overline{V}(\overline{A}_x)) + (v^t\,{}_tp_x)$$

$$\left[\overline{P}(\overline{A}_x) - \mu_x(t) + (\mu_x(t) + \delta)\,{}_t\overline{V}(\overline{A}_x)\right]$$

$$= v^t\,{}_tp_x\left(\overline{P}(\overline{A}_x) - \mu_x(t)\right)$$

$$= {}_tE_x\left(\overline{P}(\overline{A}_x) - \mu_x(t)\right)$$

와 같이 간단히 나타낼 수 있다.

지금까지 이산형 및 연속형 보험의 준비금에 대해 살펴보았는데, 이는 공
식처럼 암기해야 하는 사항이 절대 아니다. 다만, 준비금 점화식의 개념을 알
고 접근하여 스스로 유도할 수 있어야 한다는 사실을 강조하고자 한다.

Ⅴ 점화식을 이용한 보험료 분해

이번에는 준비금의 점화식을 이용하여 순보험료를 분해해 보도록 하자.

$$_hV + \pi_h = b_{h+1}vq_{x+h} + {}_{h+1}Vvp_{x+h} \tag{6.25}$$

위 점화식에서 좌변에 연시 준비금 중 보험료만 남기고 새로 정리해 보면 다음과 같다.

$$\pi_h = b_{h+1}vq_{x+h} + ({}_{h+1}Vvp_{x+h} - {}_hV) \tag{6.26}$$

이 때 사망률만을 이용하여 식 (6.26)의 우변을 새로 정리하면 아래와 같고,

$$\pi_h = \underbrace{(b_{h+1} - {}_{h+1}V)vq_{x+h}}_{\text{위험 보험료}} + \underbrace{(v_{h+1}V - {}_hV)}_{\text{저축보험료}} \tag{6.27}$$

좌변의 순보험료는 우변의 두 항목으로 분해가 된다.

식 (6.27)에서 먼저 우변의 첫 항 $(b_{h+1} - {}_{h+1}V)vq_{x+h}$은 $(x+h)$세인 사람이 1년 안에 사망하였을 때 보험금 $(b_{h+1} - {}_{h+1}V)$을 지급하는 정기보험의 일시납 보험료이다. 이 때 $(b_{h+1} - {}_{h+1}V)vq_{x+h}$을 위험보험료라고 하며, 위험보험료는 연초에 납입된 순보험료 중 보험계약 상의 위험 보장을 위한 것이다. 그리고 $(b_{h+1} - {}_{h+1}V)$를 위험보험금(net amount at risk)이라 하며, 보험금 지급 시점에서 계약자 몫으로 준비된 준비금과 사망 보험금의 차이라 볼 수 있다. 위 식의 두 번째 항은 연말에 $_{h+1}V$을 적립하기 위해 연 초에 가지고 있어야 하는 금액 $(v_{h+1}V - {}_hV)$으로 계약자 몫으로 준비해야 하는 금액을 쌓기 위한 재원인 저축보험료라고 한다.

이렇듯 준비금의 점화식은 준비금과 관련하여 다양한 분석 도구로 활용될 수 있으므로 어떠한 보험상품이든 준비금 점화식을 작성할 줄 알아야 한다.

VI 점화식을 이용한 이원분석

준비금의 재귀식에 따르면 보험료가 수지상등의 원칙으로 결정되었을 때 t와 $t+1$ 기간 동안 보험금의 지급 및 보험료 납입 등 현금흐름의 발생이 "예상"한 것과 같다면 $t+1$ 시점에 보험회사는 이익도 손실도 발생하지 않게 된다. 아래의 식에서와 같이 보험료 P는 사망보험금과 준비금의 적립에 "예상"한 바와 정확히 일치하게 사용되는 것이다.

$$({}_tV+P)(1+i) = b_{t+1}q_{x+t} + {}_{t+1}V\ p_{x+t} \tag{6.28}$$

그러나 만약 위의 식에서 보험료 P가 어느 정도의 이익을 반영하여 수지 상등의 원칙으로 계산된 것보다 높게 산정된 보험료 P^{profit}라면, 그리고 t와 $t+1$ 기간 동안의 실제 이자율과 사망률이 예상한 것과 정확히 일치한다면 보험회사는 보험료로부터 기대한 이익을 얻게 된다.

$$({}_tV+P^{profit})(1+i) > b_{t+1}q_{x+t} + {}_{t+1}V\ p_{x+t} \tag{6.29}$$

그러나 이 기간 동안 실제 이자율과 사망률이 '예정'한 것과 일치하게 되는 경우는 거의 발생하지 않을 것이다. 따라서 보험회사는 이 차이에 의해 손실 혹은 이익이 발생할 수 있다. 즉, 예정률(이자율 및 사망률)과 실제 경험치(실제 이자율 및 실제 사망률)의 불일치에 의해 이익 또는 손실이 발생하는 것이다. 이처럼 매 회기 기간 말 해당 연도의 이익과 손실을 계산하고 이 손익의 근원을 분석하는 것을 이원분석(analysis of surplus)이라고 한다. 즉, 전체 손익이 어떻게 되는지, 그리고 이 손익 중 예정 이자율과 실제 이자율의 차이에 의한 것은 얼마나 되는지, 또 예정 사망률과 실제 사망률의 차이에 의한 것은 어떻게 되는지를 분석하는 것이다.

해당 기간의 손익(surplus 또는 gain) 계산부터 소개하도록 한다. 이를 위해 먼저 예상 이익(expected profit)과 실제 이익(actual profit)을 구분할 필요가 있다. 예상 이익은 다음과 같이 정의된다.

$$\text{예상 이익} = (_tV + P)(1+i) - b_{t+1}q_{x+t} - _{t+1}V\,p_{x+t} \tag{6.30}$$

식 (6.30)에서 이자율과 사망률 및 생존률은 예정률을 사용한다. 식 (6.28)에서의 소개에서 간단히 언급하였듯 만약 식 (6.30)에서 보험료 P가 수지상등의 원칙으로 결정된 것이라면 예상 이익은 항상 0이 된다. 그렇지 않을 경우 식 (6.29)에서 알 수 있듯 예상 이익은 0보다 큰 상수가 나오게 될 것이다.

실제 이익은 식 (6.30)에서 예정 이자율 및 예정 사망률 대신 해당 기간의 실제 이자율과 실제 사망률을 대입하여 계산한 이익을 말한다. 예정률과 구분하기 위해 $'$(prime) 기호를 첨부하여 나타내도록 하겠다. 이에 따르면 실제 이익은 다음과 같이 표현된다.

$$\text{실제 이익} = (_tV + P)(1+i') - b_{t+1}q'_{x+t} - _{t+1}V\,p'_{x+t} \tag{6.31}$$

예상 이익과 비교해 보았을 때 오직 이자율과 사망률만 바뀌었을 뿐, 나머지 보험금 및 보험료 등은 동일하다는 것에 유의할 필요가 있다. 보험계약에 의해 보험금과 보험료는 이미 정해져 있는 상수로 변경할 수 없는 것이기 때문이다.

t와 $t+1$ 기간 동안 보험회사의 손익은 실제 이익에서 예상 이익을 차감한 것으로 정의된다. 따라서 다음의 식이 성립한다.

$$\begin{aligned}
\text{손익} &= \text{실제 이익} - \text{예상 이익} \\
&= \left[(_tV + P)(1+i') - b_{t+1}q'_{x+t} - _{t+1}V\,p'_{x+t} \right] \\
&\quad - \left[(_tV + P)(1+i) - b_{t+1}q_{x+t} - _{t+1}V\,p_{x+t} \right]
\end{aligned} \tag{6.32}$$

해당 기간의 손익은 이자율의 차이에 의한 이차손익과 사망률의 차이에 의한 사차손익으로 나누어 볼 수 있다. 먼저 이차손익을 계산해 보도록 하자. 이자율의 차이에 의한 손익 부분만을 구해야 하므로 이자율을 제외한 다른 예정률, 즉 사망률은 예정 사망률을 사용한다. 따라서 이차손익은 식 (6.32)를 이용하여 다음과 같이 구할 수 있다.

$$\begin{aligned}
\text{이차손익} &= \left[(_tV + P)(1+i') - b_{t+1}q_{x+t} - _{t+1}V\,p_{x+t} \right] \\
&\quad - \left[(_tV + P)(1+i) - b_{t+1}q_{x+t} - _{t+1}V\,p_{x+t} \right] \\
&= (_tV + P)(i' - i)
\end{aligned} \tag{6.33}$$

식 (6.33)의 첫 번째 등식에서 실제 이익을 계산할 때 이자율만 실제 이자율을 사용하였다는 점에 주의해야 한다. 이와 유사한 방법으로 사차손익을 계산할 수 있다.

$$
\begin{aligned}
\text{사차손익} &= \left[(_t V + P)(1+i') - b_{t+1} q'_{x+t} - {}_{t+1}V\, p'_{x+t} \right] - \\
&\quad \left[(_t V + P)(1+i') - b_{t+1} q_{x+t} - {}_{t+1}V\, p_{x+t} \right] \\
&= b_{t+1}(q_{x+t} - q'_{x+t}) - {}_{t+1}V(1 - q'_{x+t} - 1 + q_{x+t}) \\
&= (b_{t+1} - {}_{t+1}V)(q_{x+t} - q'_{x+t})
\end{aligned}
\tag{6.34}
$$

주의해야 할 점은 앞서 이차손익을 먼저 계산하였으므로 실제 이익과 예상 이익 모두 실제 이자율을 사용한다는 것이다. 그리고 실제 이익의 경우 실제 사망률을, 그리고 예상 이익에는 예정 사망률을 대입하여 사망률의 차이에 의한 손익을 계산하게 되는 것이다. 이차손익과 사차손익의 합은 전체 손익과 같아야 하므로 각 원인별 손익을 계산한 후 그 합이 전체 손익과 같은지를 확인하는 것은 좋은 검토 방법이 될 수 있겠다.

지금까지 이차손익과 사차손익을 순차적으로 구하는 방법을 제시하였다. 순서를 바꾸어 사차손익을 먼저 계산하고 이후 이차손익을 계산할 수도 있다. 이 경우 사차손익을 구할 때 실제 이익 부분에서 사망률만 실제 사망률을 사용하고 이자율은 예정 이자율을 사용한다. 즉,

$$
\begin{aligned}
\text{사차손익} &= \left[(_t V + P)(1+i) - b_{t+1} q'_{x+t} - {}_{t+1}V\, p'_{x+t} \right] \\
&\quad - \left[(_t V + P)(1+i) - b_{t+1} q_{x+t} - {}_{t+1}V\, p_{x+t} \right]
\end{aligned}
$$

으로 나타난다. 이후 이차손익을 계산할 때 사망률의 차이에 의한 손익 부분은 이미 고려하였으므로 사망률은 실제 이익과 예상 이익 모두 실제 사망률을 대입하게 된다. 따라서 이차손익은 다음과 같다.

$$
\begin{aligned}
\text{이차손익} &= \left[(_t V + P)(1+i') - b_{t+1} q'_{x+t} - {}_{t+1}V\, p'_{x+t} \right] \\
&\quad - \left[(_t V + P)(1+i) - b_{t+1} q'_{x+t} - {}_{t+1}V\, p'_{x+t} \right]
\end{aligned}
$$

사차손익을 먼저 구하고 이차손익을 나중에 계산하여도 앞서 이차손익과 사차손익 순서로 계산한 결과와 동일한 것을 알 수 있다. 또는 개별 손익의 순서와 상관없이 직접 식 (6.32)를 정리하여 손익을 이차손익과 사차손익의 합으로 나타낼 수도 있다.

$$손익 = \left[({}_t V + P)(1+i') - b_{t+1} q'_{x+t} - {}_{t+1} V \, p'_{x+t} \right]$$
$$- \left[({}_t V + P)(1+i) - b_{t+1} q_{x+t} - {}_{t+1} V \, p_{x+t} \right]$$
$$= \underbrace{({}_t V + P)(i' - i)}_{\text{이차손익}} + \underbrace{(b_{t+1} - {}_{t+1} V)(q_{x+t} - q'_{x+t})}_{\text{사차손익}}$$

그러나 이러한 결과는 비용을 고려하지 않은 모형에서만 성립하는 특수한 결과이다. 이후 9장에서 비용을 고려한 모형을 살펴보게 되는데 이 경우 이원 분석에 있어 손익을 계산하는 순서에 따라 개별 손익이 다르게 나타난다. 실제 이익에서 예상 이익을 차감한 전체 손익은 개별 손익을 계산하는 순서와 상관없이 동일하지만 개별 손익은 어느 것을 먼저 계산하는지에 따라 다르게 나타나는 것이다. 비용을 고려한 경우를 다루기 위해 앞서 다소 복잡해 보일 수 있는 개별 손익 계산방법을 제시한 것이다.

참고로 비용을 감안한 경우를 간단히 소개하도록 한다. 이해하기 쉽지 않겠지만 이를 통해 개별 손익을 계산하는 '순서'가 중요하다는 것만 살펴보도록 하자. 차후 비용을 추가한 모형을 설명하고 있는 9장을 살펴본 후 다시 이 부분을 복습하기 바란다. t 시점에 비용 C_t가 발생한다고 하자. 그리고 $t+1$ 시점에 보험금 b_{t+1}을 지급할 때 역시 다른 비용 E_{t+1}이 발생한다고 가정한다. 이 비용 역시 이자율과 사망률과 마찬가지로 예상 비용이다. 실제 발생하는 비용은 이 예상비용과 다를 수 있다. 이 경우 예상 이익과 실제 이익을 다음과 같이 나타낼 수 있다.

$$\text{예상 이익} = ({}_t V + P - C_t)(1+i) - (b_{t+1} + E_{t+1}) q_{x+t} - {}_{t+1} V \, p_{x+t} \quad (6.35)$$
$$\text{실제 이익} = ({}_t V + P - C'_t)(1+i') - (b_{t+1} + E'_{t+1}) q'_{x+t} - {}_{t+1} V \, p'_{x+t}$$
$$(6.36)$$

비용을 고려하지 않은 모형에서와 마찬가지로 해당 기간의 손익은 실제 이익에서 예상 이익을 차감한 것으로 정의된다. 따라서 전체 손익은 다음과 같다.

$$손익 = \text{실제 이익} - \text{예상 이익}$$
$$= \left[({}_t V + P - C'_t)(1+i') - (b_{t+1} + E'_{t+1}) q'_{x+t} - {}_{t+1} V \, p'_{x+t} \right]$$
$$- \left[({}_t V + P - C_t)(1+i) - (b_{t+1} + E_{t+1}) q_{x+t} - {}_{t+1} V \, p_{x+t} \right] \quad (6.37)$$

이를 이원별로 분석하기 위해서는 비용을 고려하지 않은 모형과 달리 '순서'가 중요하다. 예를 들어 이자율의 차이에 의한 손익만을 계산하고자 할 때 이자율과 비용이 곱해지는 항이 나오게 된다. 즉, 실제 이익 부분에서 실제 비용 C'_t와 실제 이자율 i'이 곱해지고 또한 예상 이익 부분에서 예정 비용 C_t와 예정 이자율 i가 곱해지게 되어 이자율의 차이만으로 표현할 수 없게 되는 것이다. 따라서 비용을 고려한 경우 개별 손익을 계산할 때에는 먼저 순서를 고려하게 된다.

예를 들어 이차손익, 사차손익 그리고 비용의 차이에 따른 손익, 즉 비차손익을 계산한다고 하자. 앞서 비용을 고려하지 않을 경우의 개별 손익을 구하는 방법을 그대로 적용하면 된다. 즉, 먼저 이차손익을 계산하기 위해 실제 이익 부분에서 이자율을 제외한 모든 것은 예정률을 사용한다. 비용과 사망률 모두 예정률을 사용하여 이차손익을 계산하는 것이다. 따라서 이 경우 이차손익은 다음과 같이 나타난다.

$$\text{이차손익} = [({}_tV + P - C_t)(1+i') - (b_{t+1} + E_{t+1})q_{x+t} - {}_{t+1}V\, p_{x+t}]$$
$$- [({}_tV + P - C_t)(1+i) - (b_{t+1} + E_{t+1})q_{x+t} - {}_{t+1}V\, p_{x+t}]$$

$$(6.38)$$

다음으로 사차손익을 계산할 때 이자율에 대한 것은 이미 고려하였으므로 실제 이익과 예상 이익 부분 모두에서 이자율은 실제 이자율을 사용한다. 아직 고려하지 않은 비용은 예정률을 사용한다. 즉, 사차손익은 다음과 같이 계산된다.

$$\text{사차손익} = [({}_tV + P - C_t)(1+i') - (b_{t+1} + E_{t+1})q'_{x+t} - {}_{t+1}V\, p'_{x+t}]$$
$$- [({}_tV + P - C_t)(1+i') - (b_{t+1} + E_{t+1})q_{x+t} - {}_{t+1}V\, p_{x+t}]$$

$$(6.39)$$

마지막으로 비차손익의 경우 이미 이자율과 사망률은 다 살펴보았으므로 실제 이익과 예상 이익 부분 모두 실제 경험치를 대입하면 된다.

$$\text{비차손익} = [({}_tV + P - C'_t)(1+i') - (b_{t+1} + E'_{t+1})q'_{x+t} - {}_{t+1}Vp'_{x+t}]$$
$$- [({}_tV + P - C_t)(1+i') - (b_{t+1} + E_{t+1})q'_{x+t} - {}_{t+1}V\, p'_{x+t}]$$

$$(6.40)$$

만약 손익 계산의 순서를 바꾸어 사망률, 비용, 이자율의 순서로 개별 손익을 계산한다면 앞서 계산한 개별 손익과는 다른 결과를 얻게 된다는 것에 주의해야 한다. 그러나 개별 손익을 다 더하였을 경우 전체 손익은 개별 손익의 계산 순서와 상관없이 동일해야 한다.

📖 예제 6.9

x세인 사람이 사망한 해의 연말에 보험금 1,000원이 지급되는 종신보험에 가입하였다.

(ⅰ) 보험료는 10년 동안 매년 초 35원을 납입한다. 35원은 보험회사의 이윤을 감안하여 산정된 보험료이다.

(ⅱ) $A_{x+10} = 0.4$

(ⅲ) 예정률은 다음과 같다: $i = 4\%$, $q_{x+9} = 0.01$

(ⅳ) 제10보험연도 실제 경험치는 다음과 같다: $i' = 5\%$, $q'_{x+9} = 0.0098$

제10보험연도의 사차손익을 구하시오.

해설 비용을 감안하지 않은 모형이기 때문에 간단히 사차손익을 계산할 수 있으나 전체 손익부터 하나씩 차근차근 접근해 보도록 하자. 먼저 실제 이익과 예상 이익을 구하도록 한다.

실제 이익 $= ({}_9V + 35)(1 + i') - 1,000 q'_{x+9} - {}_{10}V(1 - q'_{x+9})$

$\qquad = ({}_9V + 35)(1 + 0.05) - 1,000(0.0098) - {}_{10}V(1 - 0.0098)$

예상 이익 $= ({}_9V + 35)(1 + i) - 1,000 q_{x+9} - {}_{10}V(1 - q_{x+9})$

$\qquad = ({}_9V + 35)(1 + 0.04) - 1,000(0.01) - {}_{10}V(1 - 0.01)$

따라서 제10보험연도의 손익은

손익 = 실제 이익 − 예상 이익

$\qquad = ({}_9V + 35)(i' - i) - (1,000 - {}_{10}V)(q_{x+9} - q'_{x+9})$

이다. 손익을 구하기 위해서는 먼저 ${}_9V$와 ${}_{10}V$를 계산해야 한다. 미래법에 따르면 ${}_{10}V$는 다음과 같이 계산할 수 있다.

$$ {}_{10}V = 1,000 A_{x+10} = 400 $$

보험료 납입은 10년 동안만 이루어지므로 $x+10$ 시점을 기준으로 볼 때 장래 보험료 수입은 0이기 때문이다. 손익을 구하기 위해서는 ${}_9V$를 알아야 한다. 주의해야 할 점은 앞서 계산한 ${}_{10}V$와 준비금의 재귀식을 이용하여 ${}_9V$를 계산할 수 없다는 것이다. 왜냐하면 문제에서 주어진 보험료 35원은 이윤을 감안한 보험료이므로

$$ ({}_9V + 35)(1 + i) > 1,000 q_{x+9} + {}_{10}V \, p_{x+9} $$

이기 때문이다.

그러나 문제에서 요구하는 것은 사차손익으로 이는 $_9V$의 값이 주어지지 않아도 계산할 수 있다. 비용을 고려하지 않으므로 개별 손익을 구하는 순서에 상관없이

$$\text{사차손익} = (1{,}000 - _{10}V)(q_{x+9} - q'_{x+9})$$
$$= (1{,}000 - 400)(0.01 - 0.0098)$$
$$= 0.12$$

이다. 예상 사망률보다 실제 사망률이 낮으므로 보험회사는 이 차이에 의해 이익을 보게 된 것이다.

Ⅶ 수정준비금(modified reserves)

연령별 사망률 등 위험률의 차이에 따라 연도별로 납입하여야 할 보험료가 상이함에도 보험료 계산 및 납입의 편리 등을 위해 매년 동일한 액수의 평준 보험료를 부과하고 있다. 따라서 계약초기에는 받은 순보험료가 지급할 보험금보다 많고 계약후기에는 반대로 부족하게 된다. 계약초기의 잉여분을 적립하여 계약후기에 보험금 지급 등의 재원으로 사용토록 할 필요가 있다.

준비금 적립방식에는 순보험료식, Zillmer식, 해약환급금식, 영업보험료식, 초년도 정기식 등이 있으나 현재 우리나라에서는 순보험료식 방식으로 준비금을 계산하되 미상각 신계약비를 이연자산으로 처리하도록 하고 있다. 비용에 관한 자세한 내용은 차후 9장에서 제시하므로 여기서는 신계약비와 관련한 몇 가지 용어를 소개한다. 왜냐하면 수정준비금은 신계약비로 인한 부담을 완화하기 위해 등장한 준비금 계약방식이기 때문이다.

(1) 신계약비 이연가능액

보험사가 실제 집행한 신계약비 중에서 이연대상이 되는 비용을 신계약비 이연가능액이라 한다. 신계약비 이연가능액은 실제 집행한 신계약비중 일시납계약의 신계약비는 제외되는 등 실제 집행한 신계약비와 차이가 있을 수 있다.

(2) 이연신계약비

보험회사가 실제 집행한 비용(신계약비) 중에서 장래의 수입에 대응하는 금액을 장래의 비용으로 처리하기 위하여 이연하는 금액을 의미한다. 이연신계약비는 사업비에서 차감하는 형식으로 손익계산서에 표시된다.

(3) 상각기간 조정

이연신계약비의 경우 상각기간은 보험료 납입기간으로 하고 최장 7년으로 한정하고 있다. 따라서 계약변경으로 인해 보험계약의 납입기간을 단축하는 경우 이연신계약비의 상각기간의 조정이 필요하게 되는데 이를 상각기간 조정이라 한다.

(4) 미상각 신계약비

매월(또는 매년, 매분기) 산출되는 신계약비 이연액의 누계에서 신계약비 상각액을 차감한 잔액으로, 보험회사의 대차대조표의 비운용자산 항목에 계상된다.

(5) 이연신계약비 누계액

신계약비의 이연은 통상 매월 수행하고 있는데 각 계약별로 이연된 신계약비의 누적 집계액을 이연신계약비 누계액이라 한다. 이러한 이연신계약비 누계액은 당해 계약(주계약 및 특약)의 예정신계약비 총액을 초과할 수 없다.

1. Zillmer식 준비금 방법

지금까지의 모든 논의는 순보험료를 바탕으로 이루어져 왔다. 순보험료는 보험금을 감당하기 위해 받는 보험료로 실제 보험회사의 운영과 관련하여 발생하는 비용을 감안한 보험료가 아니다. 사업비를 충당하기 위해 보험회사가 부과하는 보험료를 부가보험료라고 한다. 수입 보험료 중 사업비 지출의 재원이 되는 부가보험료는 전 보험료 납입기간 동안 동일하게 부과되어 있으나, 신계약비 수요가 보험계약 초기에 집중되어 있다. 따라서 첫 보험연도에 부가 보험료보다 많은 금액을 지출하게 되므로 계약초기에 평준 순보험료의 일부를 신계약비를 위한 재원으로 사용할 수 있도록 하고, 그 후에 수입되는 부가보험료에서 신계약비에 대한 부분을 평준 순보험료에 추가적으로 충당하는 방법이다. 간단히 말하자면 순보험료의 일부를 빌려 신계약비를 감당하고 이후 부가보험료의 일부로 갚아 나가는 것이다. 그러므로 초년도의 순보험료는 평준 순보험료보다는 작고, 초년도 이후의 순보험료는 평준 순보험료의 크기보다 커진다. 이에 따라 준비금도 달라지게 되는데 이를 Zillmer 식 준비금이라 한다. Zillmer식 준비금은 다음과 같이 두 가지로 산출방법을 나눠 볼 수 있다. 신계약비를 보험료 납입기간 동안 상각 처리하는 방법을 '전기 Zillmer식 준비금'이라 하고, 보험료 납입기간보다 짧은 k년 동안 상각 처리하는 방법을 'k년 단기 Zillmer식 준비금'이라 한다.

(1) 전기 Zillmer식 준비금

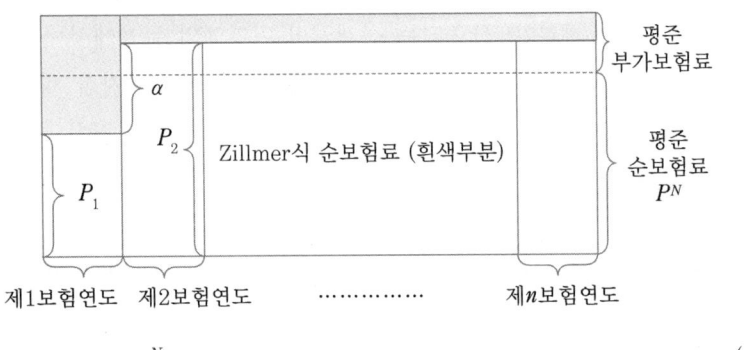

$$P_1 < P^N < P_2, \ P_2 - P_1 = \alpha \tag{6.41}$$

준비금을 산출하기 위하여 먼저 순보험료를 구하도록 하자. 예를 들어 보험료를 전기 납입하는 n년 이산형 양로보험을 고려해 보자. 보험료를 수지상등의 원칙에 의해 산출하면

$$P_1 + P_2 \cdot {}_{1|}\ddot{a}_{x:\overline{n-1|}} = A_{x:\overline{n|}} \tag{6.42}$$

이고, $P_1 = P_2 - \alpha$을 식 (6.42)에 대입하면

$$(P_2 - \alpha) + P_2(\ddot{a}_{x:\overline{n|}} - 1) = A_{x:\overline{n|}}$$

$$\Leftrightarrow P_2 = \frac{A_{x:\overline{n|}}}{\ddot{a}_{x:\overline{n|}}} + \frac{\alpha}{\ddot{a}_{x:\overline{n|}}} = P_{x:\overline{n|}} + \frac{\alpha}{\ddot{a}_{x:\overline{n|}}} \tag{6.43}$$

이다. 식 (6.43)을 다시 식 (6.41)의 두 번째 식에 대입하면 초년도의 순보험료를 구할 수 있다.

$$P_1 = P_2 - \alpha = P_{x:\overline{n}|} - \left(\alpha - \frac{\alpha}{\ddot{a}_{x:\overline{n}|}}\right) \tag{6.44}$$

순보험료를 모두 구하였으니 마지막으로 준비금을 계산하도록 하자. 평준 순보험료를 이용하여 산출한 순보험료식 준비금을 $_tV_{x:\overline{n}|}^N$이라 하고, 전기 Zillmer식 준비금을 $_tV_{x:\overline{n}|}^Z$라 표시하기로 한다. 장래법 방법으로 준비금을 구하면 다음과 같고,

$$_tV_{x:\overline{n}|}^Z = A_{x+t:\overline{n-t}|} - P_2 \cdot \ddot{a}_{x+t:\overline{n-t}|} \tag{6.45}$$

P_2에 식 (6.43)을 대입하면

$$_tV_{x:\overline{n}|}^Z = A_{x+t:\overline{n-t}|} - \left(P_{x:\overline{n}|} + \frac{\alpha}{\ddot{a}_{x:\overline{n}|}}\right) \cdot \ddot{a}_{x+t:\overline{n-t}|}$$

$$= (A_{x+t:\overline{n-t}|} - P_{x:\overline{n}|} \cdot \ddot{a}_{x+t:n-t}) - \frac{\alpha}{\ddot{a}_{x:\overline{n}|}} \cdot \ddot{a}_{x+t:\overline{n-t}|} \tag{6.46}$$

이다. 식 (6.46) 두 번째 등호 뒤에 있는 괄호는 순보험료식 준비금임을 알 수 있다. 따라서 Zillmer식 준비금 공식은 다음과 같이 순보험료식 준비금에서 보험료 납입기간 동안 부가된 신계약비 중 평가시점 이후에 확보될 보험료 중의 예정신계약비를 공제하여 산출하게 된다.

$$_tV_{x:\overline{n}|}^Z = _tV_{x:\overline{n}|}^N - \frac{\alpha}{\ddot{a}_{x:\overline{n}|}} \cdot \ddot{a}_{x+t:\overline{n-t}|} \tag{6.47}$$

(2) (k년) 단기 Zillmer식 준비금

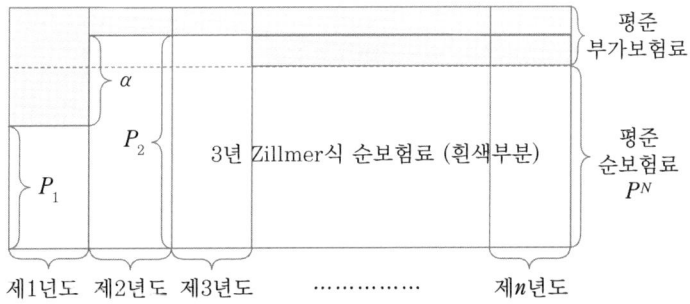

$$P_1 < P^N < P_2, \ P_2 - P_1 = \alpha \tag{6.48}$$

단기 Zillmer식 준비금에서와 마찬가지로 먼저 순보험료의 크기를 구하도록 하자. 보험료를 전기 납입하는 n년 이산형 양로보험을 고려한다. 단, 신계약비 상각처리 기간으로 보험료 납입기간보다 짧은 3년으로 가정하자. 보험료를 수지상등의 원칙에 의해 산출하면

$$P_1 + P_2 \cdot {}_{1|}\ddot{a}_{x:\overline{2|}} + P_{x:\overline{n|}} \cdot {}_{3|}\ddot{a}_{x:\overline{n-3|}} = A_{x:\overline{n|}} \tag{6.49}$$

이고, $P_1 = P_2 - \alpha$을 식 (6.49)에 대입하면

$$(P_2 - \alpha) + P_2(\ddot{a}_{x:\overline{3|}} - 1) + P_{x:\overline{n|}}(\ddot{a}_{x:\overline{n|}} - \ddot{a}_{x:\overline{3|}}) = A_{x:\overline{n|}} \tag{6.50}$$

이다. 식 (6.50)의 좌변에서 $P_{x:\overline{n|}} \cdot \ddot{a}_{x:\overline{n|}} = A_{x:\overline{n|}}$이므로 식 (6.50)을 다음과 같이 간단히 나타낼 수 있다.

$$(P_2 - \alpha) + P_2(\ddot{a}_{x:\overline{3|}} - 1) = P_{x:\overline{n|}} \cdot \ddot{a}_{x:\overline{3|}}$$

$$\Rightarrow P_2 = P_{x:\overline{n|}} + \frac{\alpha}{\ddot{a}_{x:\overline{3|}}} \tag{6.51}$$

이다. 식 (6.51)을 다시 식 (6.48)의 두 번째 식에 대입하면 초년도의 순보험료 크기를 구할 수 있다. 보다 일반적인 경우를 나타내기 위해서는 위의 식에서 3 대신 신계약비를 상각하는 기간인 $k(k<$보험료납입기간$)$를 대입하여 식을 작성하면 된다.

이제 준비금을 구해보도록 하자. 단기 Zillmer식 준비금을 ${}_tV^{3Z}_{x:\overline{n|}}$라 표시하기로 한다. 장래법 방법으로 준비금을 구하면 다음과 같다.

$$
{}_tV^{3Z}_{x:\overline{n|}} = \begin{cases} A_{x+t:\overline{n-t|}} - P_2 \cdot \ddot{a}_{x+t:\overline{3-t|}} - P_{x:\overline{n|}} \cdot (\ddot{a}_{x+t:\overline{n-t|}} - \ddot{a}_{x+t:\overline{3-t|}}), \ t < 3 \\ A_{x+t:\overline{n-t|}} - P_{x:\overline{n|}} \cdot \ddot{a}_{x+t:\overline{n-t|}}, \ t \geq 3 \end{cases}
$$

$$\tag{6.52}$$

P_2 대신 식 (6.51)을 식 (6.52)에 대입하면 $t < 3$인 경우

$$
{}_tV^{3Z}_{x:\overline{n|}} = A_{x+t:\overline{n-t|}} - \left(P_{x:\overline{n|}} + \frac{\alpha}{\ddot{a}_{x:\overline{3|}}}\right) \cdot \ddot{a}_{x+t:\overline{3-t|}} - P_{x:\overline{n|}} \cdot \left(\ddot{a}_{x+t:\overline{n-t|}} - \ddot{a}_{x+t:\overline{3-t|}}\right)
$$

$$
= \left(A_{x+t:\overline{n-t|}} - P_{x:\overline{n|}} \cdot \ddot{a}_{x+t:\overline{n-t|}}\right) - \frac{\alpha}{\ddot{a}_{x:\overline{3|}}} \cdot \ddot{a}_{x+t:\overline{3-t|}}
$$

$$= {}_t V_{x:\overline{n}|} - \frac{\alpha}{\ddot{a}_{x:\overline{3}|}} \cdot \ddot{a}_{x+t:\overline{3-t}|}, \ t < 3 \tag{6.53}$$

이다. 그리고 식 (6.52)에서 $t \geq 3$일 때 단기 Zillmer식 준비금은 신계약비 상각처리기간이 지난 후에 준비금을 평가하게 되므로 장래에 확보될 순보험료는 평준 순보험료로만 나타내게 된다. 따라서 $t \geq 3$일 때 단기 Zillmer식 준비금은 다음과 같이 순보험료식 준비금과 동일한 값을 갖게 된다.

$$ {}_t V^Z_{x:\overline{n}|} = V_{x:\overline{n}|}, \ t \geq 3 \tag{6.54}$$

이를 다시 일반적인 공식으로 정리하면 다음과 같다.

$$ {}_t V^{kZ}_{x:\overline{n}|} = \begin{cases} {}_t V^N_{x:\overline{n}|} - \dfrac{\alpha}{\ddot{a}_{x:\overline{k}|}} \cdot \ddot{a}_{x+t:\overline{k-t}|}, \ t < k \\ {}_t V^N_{x:\overline{n}|}, \ t \geq k \end{cases} \tag{6.55}$$

예제를 통해 Zillmer식 준비금 산출 방법을 연습해 보도록 하자.

예제 6.10

전기납 종신보험에서 계약 이후 3년이 지났을 때의 단기 Zillmer식 책임준비금의 근사값은? ($\alpha = 0.03$, Zillmer기간 5년, $\ddot{a}_x = 11.9477$, $\ddot{a}_{x+3} = 11.5317$, $\ddot{a}_{x+5} = 11.253$, ${}_2E_{x+3} = 0.8537$, ${}_5E_x = 0.6783$)

문제에서 주어진 책임준비금은

$$ {}_3 V^{5Z}_x = A_{x+3} - P_2 \cdot \ddot{a}_{x+3:\overline{2}|} - P_x \cdot {}_2|\ddot{a}_{x+3} \cdots\cdots\cdots (*)$$

로 표현할 수 있다. 여기서 먼저 P_2를 계산해 보겠다. 5년 동안 납입되는 순보험료의 APV는 동일해야 하므로 다음의 식이 성립한다.

$$P_x \cdot \ddot{a}_{x:\overline{5}|} = P_1 + P_2 \cdot {}_1|\ddot{a}_{x:\overline{4}|}$$
$$= P_2 - \alpha + P_2 \cdot {}_1|\ddot{a}_{x:\overline{4}|} \ (\because P_1 = P_2 - \alpha)$$
$$= P_2 \cdot \ddot{a}_{x:\overline{5}|} - \alpha$$
$$\therefore \ P_2 = \frac{P_x \cdot \ddot{a}_{x:\overline{5}|} + \alpha}{\ddot{a}_{x:\overline{5}|}} = P_x + \frac{\alpha}{\ddot{a}_{x:\overline{5}|}}$$

P_2를 (*)에 대입을 하면 다음과 같다.

$$ {}_3 V^{5Z}_x = A_{x+3} - \left(P_x + \frac{\alpha}{\ddot{a}_{x:\overline{5}|}} \right) \cdot \ddot{a}_{x+3:\overline{2}|} - P_x \cdot {}_2|\ddot{a}_{x+3}$$
$$= A_{x+3} - P_x \big(\ddot{a}_{x+3:\overline{2}|} + {}_2|\ddot{a}_{x+3} \big) - \frac{\alpha}{a_{x:\overline{5}|}} \cdot \ddot{a}_{x+3:\overline{2}|}$$

$$= A_{x+3} - P_x \cdot \ddot{a}_{x+3} - \frac{\alpha}{\ddot{a}_{x:\overline{5|}}} \cdot \ddot{a}_{x+3:\overline{2|}}$$

$$= {}_3V_x - \frac{\alpha}{\ddot{a}_{x:\overline{5|}}} \cdot \ddot{a}_{x+3:\overline{2|}}$$

여기서 $\alpha = 0.03$로 주어졌으므로 ${}_3V_x$, $\ddot{a}_{x:\overline{5|}}$, $\ddot{a}_{x+3:\overline{2|}}$을 구하면 된다. 먼저 ${}_3V_x$는 다음과 같이 연금에 관한 식으로 나타낼 수 있고 조건에서 $\ddot{a}_x$과 $\ddot{a}_{x+3}$이 주어졌으므로

$$_3V_x = 1 - \frac{\ddot{a}_{x+3}}{\ddot{a}_x} = 0.0348$$

구할 수 있고, $\ddot{a}_{x:\overline{5|}}$와 $\ddot{a}_{x+3:\overline{2|}}$은

$$\ddot{a}_{x:\overline{n|}} = \ddot{a}_x - {}_nE_x \cdot \ddot{a}_{x+n}$$

을 이용하여 다음과 같이 구할 수 있다.

$$\ddot{a}_{x:\overline{5|}} = \ddot{a}_x - {}_5E_x \cdot \ddot{a}_{x+5} = 4.3139$$

$$\ddot{a}_{x+3:\overline{2|}} = \ddot{a}_{x+3} - {}_2E_{x+3} \cdot \ddot{a}_{x+5} = 1.9239$$

구한 값들을 식에 대입해 보면

$$_3V_x^{5Z} = 0.0348 - \frac{0.03}{4.3139} \times 1.9239 = 0.0214$$

이다.

2. 해약환급금식 준비금

이번에는 해약환급금식 준비금 산출 방법에 대하여 알아보자. 보험계약자가 보험계약의 해약을 청구하였을 때 지급할 금액을 순보험료식 준비금으로 적립한다. 해약환급금으로 순보험료식 준비금에서 일부를 공제하고 지급하게 되는데 이때 공제하는 금액을 '해약공제'라 한다. 해약공제액은 보험 상품마다 달라질 수 있지만 해약환급금식 준비금은 해약공제액을 미상각 신계약비로 처리하는 산출 방식이다. 계약의 초기에 발생하는 신계약비를 보험료 납입기간(단, 7년 이상은 7년 적용)에 걸쳐 균등 배분하여 준비금을 평가하는 시점에서 미경과된 신계약비를 순보험료식 준비금에서 공제하여 산출하도록 한다. 평가시점 t에서 순보험료식 준비금을 $_tV$라 하고, 해약환급금식 준비금을 $_tW$, 신계약비를 α라 할 때

$$_tW = {_tV} - \frac{\min[\text{보험료납입기간, } 7] - t}{\min[\text{보험료납입기간, } 7]} \cdot \alpha, \ t < \min[\text{보험료납입기간, } 7]$$

(6.56)

이다. 식에서도 알 수 있듯이 평가 시점이 min[보험료납입기간, 7] 이후일 때
는 순보험료식 준비금과 해약환급금식 준비금이 일치하게 된다. 해약환급금
식 준비금은 실무에서 저축보험료를 계산할 때와 계약변경 시 보험금 및 보
험료를 계산할 때도 고려되므로 잘 알아두길 바란다.

📖 예제 6.11

30세의 피보험자가 이산형(fully discrete)인 10년 전기납 양로보험에
가입하였다.

(ⅰ) 사망연도 말에 지급되는 사망보험금과 생존보험금은 각각 1원이다.

(ⅱ) $\ddot{a}_{30:\overline{10|}} = 7.75$, $\ddot{a}_{35:\overline{5|}} = 4.45$, $\ddot{a}_{38:\overline{2|}} = 3.20$

(ⅲ) 해약시 해약공제는 미상각 신계약비로 하고 신계약비는 7년동안 상
각한다고 가정한다.

(ⅳ) $\alpha = 0.04$

5시점과 8시점의 해약환급금식 준비금을 구하시오.

🔍 해설 미상각 신계약비의 상각기간이 7년이므로 5시점의 해약환급금식
준비금은 다음과 같다.

$$_5W = {_5V} - \frac{7-5}{7} \cdot \alpha \qquad (*)$$

먼저 5시점의 순보험료식 책임준비금은 주어진 조건을 이용하여
구할 수 있다.

$$_5V = 1 - \frac{\ddot{a}_{35:\overline{5|}}}{\ddot{a}_{30:\overline{10|}}} = 1 - \frac{4.45}{7.75} = 0.42581$$

따라서 위에서 구한 5시점의 순보험료식 책임준비금을 (*)식에 대
입하면 5시점의 해약환급금식 준비금을 구할 수 있다

$$_5W = 0.42581 - \frac{2}{7} \cdot 0.03 = 0.41724$$

미상각 신계약비의 상각기간이 7년이므로 평가시점이 7년 이후인
8시점의 해약환급금식 준비금은 순보험료식 준비금과 일치한다.
또한 8시점에서의 순보험료식 책임준비금은 주어진 조건을 이용하
여 구할 수 있다.

$$_8W = {_8V}$$

$$= 1 - \frac{\ddot{a}_{38:\overline{2}|}}{\ddot{a}_{30:\overline{10}|}}$$

$$= 1 - \frac{3.20}{7.75} = 0.58710$$

3. 초년도정기식 준비금(full preliminary term reserve)

초년도 비용(신계약비)을 고려한다면, $P_1 < P$(순보험료)이므로, 이론적으로 음수의 준비금이 나올 수 있다. 따라서 P_1을 적절하게 규정하여 신계약비의 남용을 막으면서, 음수의 준비금이 나오지 않게 하기 위해 사용되는 방법이 초년도 정기식 준비금이다.

제1보험연도말의 준비금이 음수가 되는 것을 피하기 위해 $_1V \geq 0$를 만족하도록 순보험료의 크기를 조정한다. 과거법 준비금 공식을 이용하면 초년도에 적용되는 순보험료의 크기를 구할 수 있다. 제1보험연도말 준비금의 크기가 0이 되도록 하는 최소 순보험료는 첫 해 동안의 보험금 지급을 위한 일시납 보험료와 같다. 예를 들어 보험금 1원의 이산형 종신보험을 가정해보자.

$$_1V = P_1 \ddot{s}_{x:\overline{1}|} - {}_1k_x = 0$$

위 식을 만족하는 첫 해의 순보험료 크기를 구해 보면 다음과 같이 1년 정기보험의 일시납보험료가 나온다.

$$P_1 = \frac{_1k_x}{\ddot{s}_{x:\overline{1}|}} = \frac{A^1_{x:\overline{1}|}/{}_1E_x}{\ddot{a}_{x:\overline{1}|}/{}_1E_x} = \frac{A^1_{x:\overline{1}|}}{\ddot{a}_{x:\overline{1}|}} = A^1_{x:\overline{1}|}$$

그리고 두 번째 보험연도부터 적용되는 순보험료는 수지상등의 원칙에 의하여 구할 수 있다.

$$P_1 + P_2({}_{1|}\ddot{a}_x) = A_x$$

따라서 두 번째 보험연도부터 적용되는 순보험료는

$$P_2 = \frac{_{1|}A_x}{_{1|}\ddot{a}_x} = \frac{A_{x+1}}{\ddot{a}_{x+1}} = P_{x+1}$$

가입한 지 1년 후에 남은 계약기간 동안 동일한 보장을 받기 위해 새로

보험에 가입할 경우 납입하게 될 평준 순보험료의 크기와 동일하다. 따라서, P_2 순보험료를 이용하면 1시점 이후의 초년도 정기식 준비금은 다음과 같이 나타낼 수 있다.

$$\begin{cases} {}_tV_x = {}_1V_x = 0, & t=1 \\ {}_tV_x = A_{x+t} - P_2\ddot{a}_{x+t} = A_{x+t} - P_{x+1}\ddot{a}_{x+t} = {}_{t-1}V_{x+1}, & t>1 \end{cases}$$

1시점 이후의 평가 시점 기준의 초년도 정기식 준비금은 위 식에서도 알 수 있듯이 실제 보험에 가입했던 (x)세 기준으로 1년 후 $(x+1)$세에 기존 보험계약 기간 보다 1년 짧은 보험계약 기간 동안 보장을 받는 보험에 가입했을 때와 동일한 순보험료식 준비금을 갖게 된다. 이것은 첫 해의 순보험료가 첫 해 동안의 보험금 지급을 완벽하게 감당할 수 있도록 설정되었기 때문에 1년 후 시점에 마치 새로운 보험에 가입한 것과 같은 효과를 갖는 것이다.

예제를 통해 이번에는 종신보험이 아닌 다른 보험상품에 대한 초년도 정기식 준비금 산출 방법을 연습해 보도록 하자.

예제 6.12

(46)세의 피보험자는 3년 정기보험에 가입하였다.
(i) $q_{46} = 0.1$, $q_{47} = 0.12$, $q_{48} = 0.14$
(ii) $v = 0.94$
(iii) 연납보험료는 보험 계약기간 동안 매년 초에 납입된다.
(iv) 제$k+1$보험연도에 사망 시 사망연도 말에 사망보험금 $b_{k+1} = 100(k+1), k=0,1,2$를 지급한다.
이 상품의 초년도 정기식 준비금 산출 방법에 의한 순 보험료 P_2와 2시점에서의 책임준비금 ${}_2V^{FPT}$를 구하라.

해설 초년도 정기식 준비금 산출 방법의 정의에 의해 첫 보험연도의 순보험료는 1년 안에 사망 시 보험금 100원을 1시점에 지급하는 1년 정기보험의 일시납보험료와 같다.

$P_1 = 100vq_{46} = 9.4$이다. 다음으로 두 번째 보험연도부터 적용될 순보험료 P_2를 구해보면 수지상등의 원칙에 의해

$$P_2 \cdot \ddot{a}_{47:\overline{2|}} = 200vq_{47} + 300v^2 p_{47} \cdot q_{48}$$

$$= \frac{200 \times 0.94 \times 0.12 + 300 \times 0.94^2 \times 0.88 \times 0.14}{1 + 0.94 \times 0.88}$$

$$= 30.2199299$$

이다. 그리고 이 상품은 정기보험이기 때문에 마지막 만기 시점의 준비금 크기는 $_3V^{FPT}=0$이다. 이것을 이용하여 2시점의 준비금의 크기를 준비금 점화식을 이용하여 구할 수 있다.

$$_2V^{FPT}+P_2 = 300vq_{48}+vp_{48}\cdot {}_3V^{FPT}$$

$$\therefore {}_2V^{FPT} = 300\times 0.94\times 0.14-30.2199299 = 9.2600701$$

VIII 계약변경

　보험계약자의 계약변경 요청 시 보험료 및 보험금, 계약기간 등을 조정할 수 있다. 이때 수리적인 값을 계산하기 위한 기본 원리로 수지상등의 원칙을 기억하면 된다. 계약변경 시 수입으로 처리할 수 있는 것은 그 시점에 계약자를 위해 적립해 놓은 적립금과 장래에 수입될 보험료이다. 그리고 지출은 장래에 지급하게 될 보험금이며, 만약 과거에 보험계약약관대출을 받은 적이 있다면 계약변경 시점에 수입인 적립금에서 보험계약약관대출 중 남은 대출 잔액만큼을 제하고 수입으로 처리하게 된다. 계약변경은 이해하기 쉽게 마치 계약자가 해약을 요청하여 보험회사가 해약환급금을 계약자에게 돌려주고, 그 즉시 해약환급금을 보험회사에 일시납 보험료로 납입하여 새로운 보험에 가입한 것으로 생각하면 된다. 그렇게 가정하여 새로운 보험에 대한 계약기간이나, 보험금, 추가 보험료의 크기 등을 구하는 방법이 계약변경으로 인한 수리적인 값들의 변화를 쉽게 살펴볼 수 있는 방법이라 할 수 있다. 두 가지 계약변경을 살펴보자.

　첫 번째로 보험가입금액이 계약변경 요청 후 감액될 경우에 대해 생각해 보자. 계약자의 신청에 의해서 보험가입금액을 감액하는 대신 더 이상의 보험료 납입은 없도록 변경이 가능하다. 계약변경 당시의 준비금이나 해약환급금을 잔존보험계약기간에 대한 수입으로 충당하고, 감액된 보험가입금액을 수지상등의 원칙에 의해 새롭게 산출한다. 이것을 감액완납보험이라고도 한다. 예를 들어 (x)가 n년 양로보험에 가입한 후, t시점에 감액완납보험으로 변경 요청한다면, 다음과 같이 수입의 APV와 지출의 APV를 일치시키는 식을 설정할 수 있다.

$$_tV_{x:\overline{n|}} = (\text{새로운 보험가입금액}) \cdot A_{x+t:\overline{n-t|}} \tag{6.57}$$

식 (6.57)의 좌변의 수입의 APV는 위에서 언급했듯이 준비금 대신 해약환급금이 사용될 수도 있다. 해약환급금은 식 (6.56)을 이용하여 구하면 된다. 다시 식 (6.57)의 우변을 보면, 계약변경 이후 감액될 보험금의 크기가 미지수로 들어가 있다. 잔존계약기간 $n-t$년 동안 양로보험의 혜택을 받기 위해 정해진 수입으로 보장받을 수 있는 보험금의 크기를 구할 수 있다.

$$(\text{새로운 보험가입금액}) = \frac{V_{x:\overline{n|}}}{A_{x+t:\overline{n-t|}}} \tag{6.58}$$

두 번째로 보험계약기간이 변경될 경우의 새로운 보험료를 구해보도록 하자. 예를 들어 기존 보험이 n년 양로보험이었다고 하자. t년이 경과된 시점에 보험계약기간을 m년이 되도록 변경을 요청한다면, 이 m년 이라는 것은 기존 보험의 가입 시점 기준으로 m년을 말하는 것이다. $(m < n)$

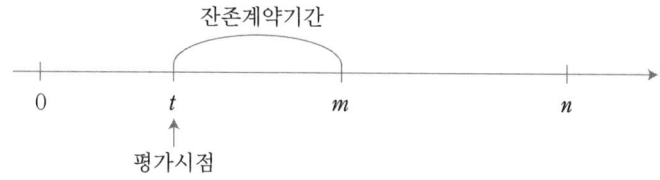

따라서 계약변경을 요청한 시점인 t시점에서 기존 보험의 잔존 보험계약기간이 $n-t$년 이었다면, 보험계약기간 변경으로 인하여 t시점부터의 잔존 보험계약기간은 $m-t$년이 된다. 이때 보험계약기간만 조정이 되고, 보험금은 기존 양로보험에서 보장해주기로 한 금액과 일치한다고 생각하자. t시점에 적립되어 있는 준비금인 $_tV_{x:\overline{n|}}$은 $_tV_{x:\overline{m|}}$보다 작다. 따라서 계약변경 후 잔존 계약기간인 $m-t$년 동안 기존 보험과 동일한 보험금을 보장한다면 $_tV_{x:\overline{n|}}$만으로는 부족하다. 따라서 t시점의 준비금이나 해약환급금에 추가적으로 잔존 보험계약기간인 ($m-t$년) 동안 새로운 보험료가 추가적으로 더 납입되어

야 한다. 이러한 수입원을 이용해 앞으로의 잔존 보험계약기간인 $m-t$년에 대해 기존 보험금과 동일하게 보장해 주게 된다. 따라서, 변경 요청 시점인 t 시점에서 수지상등의 원칙에 의해 식을 써보면 다음과 같다.

$$_tV_{x:\overline{n}|} + (\text{새로운 보험료}) \cdot \ddot{a}_{x+t:\overline{m-t}|} = A_{x+t:\overline{m-t}|} \tag{6.59}$$

그러므로 계약변경 요청 이후에 추가 납입될 보험료는 다음과 같다.

$$\text{새로운 보험료} = \frac{A_{x+t:\overline{m-t}|} - {_tV_{x:\overline{n}|}}}{\ddot{a}_{x+t:\overline{m-t}|}} = P_{x+t:\overline{m-t}|} - \frac{_tV_{x:\overline{n}|}}{\ddot{a}_{x+t:\overline{m-t}|}} \tag{6.60}$$

식 (6.60)의 마지막 등호 다음의 식은 잔존 계약기간에 대해 새로 보험에 가입한다면 납입하게 될 연납평준순보험료 $P_{x+t:\overline{m-t}|}$를 이용하여 새로운 보험료를 계산하고 있다. 계약자가 계약변경을 요청하게 된다면 t시점에 미리 적립해 두었던 적립금이 있으므로 매년 $P_{x+t:\overline{m-t}|}$씩 장래에 보험료를 계약자로부터 받을 필요가 없이 매년 $\dfrac{_tV_{x:\overline{n}|}}{\ddot{a}_{x+t:\overline{m-t}|}}$만큼 씩 덜 보험료를 받아도 된다. 또 다른 방법으로 장래에 추가적으로 계약자가 납입하게 될 새로운 연납보험료를 계산해 보면 다음과 같다.

$$\begin{aligned}_tV_{x:\overline{n}|} &= A_{x+t:\overline{m-t}|} - (\text{새로운 보험료}) \cdot \ddot{a}_{x+t:\overline{m-t}|} \\ &= (A_{x+t:\overline{m-t}|} - P_{x:\overline{m}|} \cdot \ddot{a}_{x+t:\overline{m-t}|}) + \\ &\quad \left(P_{x:\overline{m}|} \cdot \ddot{a}_{x+t:\overline{m-t}|} - (\text{새로운 보험료}) \cdot \ddot{a}_{x+t:\overline{m-t}|}\right) \\ &= {_tV_{x:\overline{m}|}} + \left(P_{x:\overline{m}|} \cdot \ddot{a}_{x+t:\overline{m-t}|} - (\text{새로운 보험료}) \cdot \ddot{a}_{x+t:\overline{m-t}|}\right)\end{aligned} \tag{6.61}$$

이므로

$$(\text{새로운 보험료}) = P_{x:\overline{m}|} + \frac{_tV_{x:\overline{m}|} - {_tV_{x:\overline{n}|}}}{\ddot{a}_{x+t:\overline{m-t}|}} \tag{6.62}$$

이다. 식 (6.62)에서 $P_{x:\overline{m}|}$는 원래 (x)세 가입자가 m년 양로보험에 가입했다면 납입했어야 하는 평준 순보험료이다. 그러나, 계약변경 요청 이후 $m-t$년

동안만 새롭게 고려하고 있는데 이 때 잔존 계약기간에 대한 평준 순보험료인 $P_{x+t\,:\,\overline{m-t}|}$에 비해 $P_{x\,:\,\overline{m}|}$는 작으므로 계약자는 매년 추가적으로 더 납입해야만 한다. 이때 추가분은 $P_{x\,:\,\overline{m}|}$로 준비금을 t시점까지 쌓았다면 $_tV_{x\,:\,\overline{m}|}$이 적립되어 있어야 하는데 실제로는 $_tV_{x\,:\,\overline{n}|}$ 밖에 적립이 안되어 있기 때문에 남은 기간 동안 매년 이 차이를 없애기 위해 $P_{x\,:\,\overline{m}|}$에 추가적으로

$$\frac{_tV_{x\,:\,\overline{m}|} - {_tV_{x\,:\,\overline{n}|}}}{\ddot{a}_{x+t\,:\,\overline{m-t}|}}$$ 만큼 더 납입해야만 한다는 것이다. 이외에도 다양한 계약

변경 방법이 있다. 어떠한 것이든 계약변경 요청 시점 기준으로 수지상등의 원칙을 만족하는 식만 잘 작성하면 미지수를 찾을 수 있을 것이다. 예제를 통해 위에서 설명한 계약변경에 대한 것을 좀 더 연습해 보자.

예제 6.13

(55)세의 피보험자는 사망연도 말 1,000원을 지급받는 종신보험에 가입하였다.

(ⅰ) 사력은 부록의 ILT을 이용하여 구한다.

(ⅱ) $i = 0.06$

(ⅲ) 보험 가입 후 30년도 말, 피보험자는 해당 보험계약을 100세 만기 양로보험으로 변경하길 원하며 보험금은 1,000원으로 종전과 동일하다.

계약변경에 대한 추가적인 비용이 없다고 할 때, 변화된 연납 보험료를 계산하시오.

해설 보험가입 후 30년도 말의 준비금은

$$_{30}V = 1,000\left(1 - \frac{\ddot{a}_{85}}{\ddot{a}_{55}}\right) = 1,000\left(1 - \frac{4.6980}{12.2758}\right) = 617.2958$$

위 준비금을 이용하여 변경된 계약에 대한 보험료 P를 구해야 하며 식은 다음과 같다.

$$617.296 + P\ddot{a}_{85\,:\,\overline{15}|} = 1,000 A_{85\,:\,\overline{15}|}$$

$$_{15}E_{85} = {_5E_{85}}\,{_{10}E_{90}} = (0.33540)(0.02113) = 0.007087$$

$$617.296 + P(4.6980 - 0.007087(2.1252)) =$$

$$734.07 - 0.007087(879.70) + 7.087 = 734.923$$

$$617.296 + 4.68294P = 734.923$$

$$P = \frac{117.627}{4.68294} = 25.12$$

기존의 연납보험료와 비교해보면,

$1,000(1/\ddot{a}_{55} - d) = 1,000(1/12.2758 - 0.06/1.06) = 24.86$으로 계약 변경에 의해 보험료가 다소 변화됨을 알 수 있다.

연습문제

1. x세인 사람이 보험금이 100,000원인 이산형(fully discrete) 종신보험에 가입하였다. 보험료는 10년동안 납입된다고 할 때 다음의 조건을 이용하여 $100,000A_{x+11}$를 구하여라.

(i) $i = 0.05$

(ii) $q_{x+9} = 0.011$

(iii) $q_{x+10} = 0.012$

(iv) $q_{x+11} = 0.014$

(v) 연납평준순보험료는 2,078원이다.

(vi) 제 9보험연도말의 준비금은 32,535원이다.

2. 20세인 피보험자가 이산형(fully discrete)인 보험금 1000원의 종신보험에 가입하였다.

(i) $1,000 P_{20} = 10$

(ii) $1,000 \, _{20}V_{20} = 490$

(iii) $1,000 \, _{21}V_{20} = 545$

(iv) $1,000 \, _{22}V_{20} = 605$

(v) $q_{40} = 0.022$

q_{41}를 구하시오.

3. 55세인 피보험자가 만기가 20년인 이산형(fully discrete) 생사혼합보험에 가입하였다.

(i) k 보험연도 말에 지급되는 사망보험금은 다음과 같다.

$b_k = (21-k), \ k = 1, 2, ..., 20$

(ii) 생존보험금은 1원이다.

(iii) 보험료는 연납평준순보험료이다.

(iv) $_kV$는 k연도말 준비금이다. ($k = 1, 2, ..., 20$).

(v) $_{10}V = 5.0$

(vi) $_{19}V = 0.6$

(vii) $q_{65} = 0.10$

(viii) $i = 0.02$

$_{11}V$를 구하시오.

4. x세인 피보험자가 보험금이 b원인 이산형(fully discrete) 종신보험에 가입
   하였다.

   (i) $q_{x+9} = 0.02904$

   (ii) $i = 0.03$

   (iii) 제10보험연도의 연시 준비금(initial reserve)은 343원이다.

   (iv) 제10보험연도의 위험보험금은(net amount at risk) 872원이다.

   (v) $\ddot{a}_x = 14.65976$

   제9보험연도 말의 준비금을 구하시오.

5. 40세인 피보험자가 만기가 20년인 이산형(fully discrete) 생사혼합보험에
   가입하였다.

   (i) 처음 10년 간의 사망보험금은 1,000원이고, 그 이후 사망보험금은 2,000원
      이다. 또한 만기 생존보험금은 2,000원이다.

   (ii) 수지상등의 원칙에 의해 산출된 연납순보험료는 처음 10년 간은 40원이고,
      그 이후로는 100원이다.

   (iii) $q_{40+k} = 0.001 \cdot k + 0.001, \ k = 8, 9, ..., 13$

   (iv) $i = 0.05$

   (v) $\ddot{a}_{51:\overline{9|}} = 7.1$

   제10보험연도 말 준비금을 구하여라.

6. 65세인 피보험자가 연속형(fully continuous)인 종신보험에 가입했다.

    (i) t시점의 사망보험금은 다음과 같다.

        $b_t = 1,000 \cdot e^{0.04t}, \ t \geq 0$

    (ii) 평준보험료는 피보험자가 생존하는 기간 동안 납입된다.

    (iii) $\mu_{65}(t) = 0.02, \quad t \geq 0$

    (iv) $\delta = 0.04$

    제2보험연도 말의 준비금 $_2\overline{V}$를 구하시오.

7. 성균 보험사는 25세인 피보험자에게 이산형(fully discrete) 종신보험을 판매하고 있다.

    (i) 사망연도 말에 사망자들 중 20%는 사망보험금 1,000원을 지급하고, 나머지 80%는 사망보험금을 지급하지 않는다.

    (ii) 가입시점부터 시작하여 매년 초 마다 생존해 있는 사람들 중 80%는 평준보험료(π)를 납입하고, 나머지 20%는 보험료를 납입하지 않는다.

    (iii) 사망률은 부록의 생명표(ILT)를 따른다.

    (iv) $i = 0.03$

    (v) π는 수지상등의 원칙을 따른다.

    제10보험연도 말의 준비금을 구하여라.

8. x세 피보험자가 이산형(fully discrete)인 보험금 1,000원의 20년 단기납 종신보험에 가입하였다.

    (i) $i = 0.02$

    (ii) $q_{x+19} = 0.01254$

    (iii) 연납평준순보험료는 13.72원이다.

    (iv) 제19보험연도 말 준비금은 342.03원이다.

    $(x+20)$세 시점의 연납평준순보험료 $1,000 \cdot P_{x+20}$를 구하시오.

9. 70세인 사람이 사망 시 사망연도 말에 보험금을 지급하는 종신보험에 가입
하였다. 사망보험금은 해마다 변한다. 이때, 다음 조건을 이용하여 제 11보험
연도 말 보험금의 액수를 구하시오.

(i) 연납평준순보험료는 P_{50}이다.

(ii) $q_{70+k} = q_{50+k} + 0.01, \ k = 0, 1, ..., 19$

(iii) $q_{60} = 0.01368$

(iv) $_kV = {_k}V_{50}, \ k = 0, 1, ..., 19$

(v) $_{11}V_{50} = 0.16637$

10. x세인 사람이 사망 시 사망연도 말에 보험금을 지급하는 보험에 가입하였다.
처음 n년 안에 사망 시 준비금과 K_t의 합을 보험금으로 지급한다.
$K_t = \dfrac{1}{q_{x+t-1}}, \ t = 1, 2, ..., n$이다. n번째 말의 준비금을 π와 확정연금기호를 이
용하여 나타내시오.

11. 다음 조건을 이용하여 준비금의 예상금액과 실제금액의 차이의 절대값을 구
하시오.

(i) $i = 1.03^2 - 1$

(ii) $q_{x+10} = 0.08$

(iii) $1000 \, {_{10}}V_x = 311.00$

(iv) $1000 P_x = 60.00$

(v) $1000 \, {_{11}}V_x = 340.86$

(vi) 소수연령에 대하여 UDD를 가정한다.

(vii) $1000 \, {_{10.5}}V_x$의 예상금액은 $500({_{10}}V_x + {_{11}}V_x + P_x)$이다.

※ 12~14. (x)세의 사람이 이산형(fully discrete)인 종신보험에 가입하였다.

(i) 소수연령에 대하여는 UDD를 가정한다.

(ii)

k보험연도	k보험연도 초 보험료	k보험연도 말 사망보험금	k보험연도 이자율	q_{x+k-1}	k보험연도 말 준비금
2	–	–	–	–	84
3	18	240	0.07	–	96
4	24	360	0.06	0.101	–

4보험연도 말의 준비금을 구하시오.

12. q_{x+2}를 구하여라.

13. 제4보험연도 말의 책임준비금을 구하여라.

14. 제3.5보험연도 말의 책임준비금을 구하여라.

15. 40세인 피보험자가 이산형(fully discrete) 종신보험(whole life insurance)에 가입하였다.

(i) 처음 20년간의 사망보험금은 1,000원이고, 그 다음 5년간의 사망보험금은 5,000원이고, 그 이후 사망보험금은 1,000원이다.

(ii) 연납순보험료(annual benefit premium)는 처음 20년간은 $1,000P_{40}$ 원이고, 그 다음 5년간은 $5,000P_{40}$ 원이고, 그 이후로는 π원이다.

(iii) 사망률은 부록의 생명표(ILT)를 따른다.

(iv) $i = 0.04$

제21보험연도 말의 준비금을 구하여라.

16. 45세인 피보험자 영우는 64세일 때만 표준 사망률(standard mortality)보다 높다고 예상된다. 영우는 보험금이 1원인 이산형(fully discrete) 종신보험(whole life insurance)에 가입하였다.

(i) 보험료는 일정하지 않다.

(ii) 20년간의 보험료 π_{19}는 P_{45}보다 0.010원만큼 크다.

(iii) 준비금은 45세 피보험자에 대해서 보험금이 1원이고 표준 사망률을 따르며 보험료가 일정한 이산형(fully discrete) 종신보험(whole life insurance)의 준비금과 동일하다.

(iv) $i = 0.03$

(v) (iii)의 종신보험에 대한 제 20보험연도말의 준비금은 표준 사망률과 이자율을 적용해서 구하면 0.427원이다.

영우의 q_{64}와 표준 q_{64}의 차이를 구하여라.

17. 75세 피보험자가 만기가 3년인 이산형(fully discrete) 생사혼합보험에 가입하였다.

(i) 생존보험금(mataurity value)은 1,000원이다.

(ii) 사망보험금은 1,000원에 사망연도말 준비금을 합한 금액이다. 제3보험연도말의 준비금은 생존보험금을 지급하기 전의 준비금이다.

(iii) 사망률은 부록의 생명표(ILT)를 따른다.

이 보험의 평준보험료(level benefit premium)를 구하시오.

(iv) $i = 0.06$

18. x세 피보험자가 2년 만기 이산형(fully discrete) 생사혼합보험에 가입하였다.

(i) 동일한 조건의 2년 만기 이산형 생존보험의 APV는 2,000원이다.

(ii) k보험연도의 사망보험금은 1,000k에 제 k보험연도 말의 준비금을 합한 금액이다. (k=1,2), k=2인 경우, 준비금은 만기금액이 지급되기 전의 금액이다.

(iii) π는 연납평준보험료(level annual benefit premium)이다.

(iv) $i = 0.03$

(v) $p_{x+k-1} = 0.9, k = 1, 2$

π를 구하시오.

19. 45세인 피보험자가 보험금 1,000원인 이산형 종신보험에 가입하였다, 다음의 조건이 주어져 있을 때, $1,000_{25}V$를 구하시오.

(i) $_kV$는 제k보험연도의 책임준비금이다.   k=1, 2, 3, ...

(ii)

k보험연도	$1,000_kV$	q_{45+k}
22	235	0.015
23	255	0.020
24	272	0.025

20. 25세의 피보험자가 사망 시 사망연도 말에 1,000원을 지급받는 종신보험에 가입하였을 때, q_{46}을 구하시오.

(i) $1,000P_{25} = 15$

(ii) $_{20}V = 500$, $_{21}V = 560$, $_{22}V = 610$

(iii) $q_{45} = 0.025$

21. 60세 피보험자가 5년 납 10년 만기 감소하는 이산형 정기보험에 가입하였다. 다음의 조건을 이용하여 제 2보험연도 말 준비금을 계산하시오.

(i) k+1연도의 사망보험금은 다음과 같다. $b_{k+1} = 1,000(10-k), k = 0, 1, 2, ..., 9$

(ii) 5년 동안 218.15원씩 순보험료를 납입한다.

(iii) $q_{60+k} = 0.02 + 0.001k, k = 0, 1, 2, ..., 9$

(iv) $i = 0.03$

22. 30세 피보험자가 10년 만기 이산형 양로보험에 가입하였다. 다음의 조건을 이용하여 제 3보험연도 말 준비금을 구하시오.

(i) 평준순보험료를 10년간 납입한다.

(ii) 사망보험금은 준비금에 1원을 더한 값이다.

(iii) 생존보험금은 1원이다.

(iv) $_kp_{30} = 0.98^k, k = 1, 2, ..., 10$

(v) $i = 0.02$

23. 피보험자 70세가 보험료를 한 번 납입하는 20년 만기 정기보험에 가입하였다. 다음의 조건을 활용하여 일시납 순보험료를 구하시오.

(i) 사망연도 말에 사망보험금으로 준비금에 1,000원을 더한 값을 지급한다.

(ii) $q_{70+t} = 0.03, t \geq 0$

(iii) $i = 0.04$

연 생

I 소 개

이전 단원까지는 보험계약의 대상(피보험자)이 한명인 경우, 주어진 생존함수를 바탕으로 생명보험과 연금의 보험료 및 책임준비금을 산출하는 과정에 대하여 논의하였다. 이를 바탕으로 이번 단원에서는 보험계약의 대상이 되는 개체가 두 명 이상으로 구성되는 경우의 상황으로 개념을 확장할 것이다. 예를 들어, 부부가 피보험대상이 되는 경우를 생각해 볼 수 있으며, 이러한 경우 생명보험 또는 연금 상품에 적용할 수 있는 수리적 모형의 설계에 대한 논의를 전개할 것이다. 이를 위하여, 확률변수가 두 개 이상인 경우 결합분포와 이를 이용하여 통계량을 계산할 수 있는 배경 지식이 필요하다.

II 연생보험의 개념과 생존모형

연생보험은 둘 이상의 생존여부에 따라 정해진 조건을 만족하는 경우 보험금이 지급되는 보험을 지칭한다. 논의의 전개를 위하여 두 명을 대상으로 하는 경우를 고려하며, 피보험자가 세 명 이상이 되는 경우에는 피보험자가 두 명인 경우를 확장할 수 있다.

1장에서 정의한 기호를 이용하여 두 생존자 (x), (y)의 미래 생존기간을 나타내는 확률변수를 각각 $T(x)$, $T(y)$라 하자. $T(x)$, $T(y)$가 연속확률변수임을 가정하여 두 생존 확률변수의 결합 확률밀도함수(joint density function)를 $f_{T(x),T(y)}(s,t)$라 표현하고, 결합 분포함수(joint distribution function) $F_{T(x),T(y)}(s,t)$를 다음과 같이 정의한다.

$$F_{T(x),T(y)}(s,t) = \Pr[T(x) \le s, T(y) \le t] \tag{7.1}$$

즉 $F_{T(x),T(y)}(s,t)$는 (x)가 앞으로 s 이내에 사망하고 (y)가 앞으로 t 이내에 사망하는 사건이 동시에 발생할 확률을 의미한다.

수식 (7.1)을 이용하여 $T(x)$, $T(y)$ 각각에 대한 생존분포와 이에 따른 관련 통계량을 계산할 수 있다. 우선, $f_{T(x),T(y)}(s,t)$와 $F_{T(x),T(y)}(s,t)$의 관계는 다음과 같다.

$$F_{T(x),T(y)}(s,t) = \int_0^t \int_0^s f_{T(x),T(y)}(u,v)\,du\,dv \tag{7.2a}$$

$$f_{T(x),T(y)}(s,t) = \frac{\partial}{\partial t \partial s} F_{T(x),T(y)}(s,t) \tag{7.2b}$$

그리고, $T(x)$, $T(y)$ 각각의 확률밀도함수(주변밀도함수, marginal density function)는 다음과 같이 계산할 수 있다.

$$f_{T(x)}(s) = \int_{T(y)} f_{T(x),T(y)}(s,t)\,dt \tag{7.3a}$$

$$f_{T(y)}(t) = \int_{T(x)} f_{T(x),T(y)}(s,t)\,ds \tag{7.3b}$$

또한, 분포함수의 정의에 따라,

$$F_{T(x)}(s) = F_{T(x),T(y)}(s,\infty), F_{T(y)}(t) = F_{T(x),T(y)}(\infty,t)$$

임을 알 수 있다.

예제 7.1

$(x),(y)$의 생존확률 변수를 각각 $T(x), T(y)$라 할 때, $T(x), T(y)$의 결합밀도함수가 다음과 같다.

$$f_{T(x),T(y)}(s,t) = s+t, 0 < s < 1, 0 < t < 1$$

이 때 다음 물음에 답하시오.

(1) $F_{T(x),T(y)}(s,t)$를 표현하시오.

(2) $f_{T(x)}(s), f_{T(y)}(t)$를 각각 표현하시오.

(3) $E[T(x)]$, $E[T(y)]$를 계산하시오.

(4) $Var[T(x)]$, $Var[T(y)]$를 계산하시오.

(5) $Cov[T(x),\ T(y)]$를 계산하시오.

(6) 상관계수 $\rho_{T(x),T(y)}$를 계산하시오.

해설 (1) 결합분포함수는

$$F_{T(x),T(y)}(s,t) = \int_0^t \int_0^s (u+v)dudv = \int_0^t \left(\frac{1}{2}s^2 + sv\right)dv$$

$$= \frac{1}{2}st(s+t), 0 < s < 1, 0 < t < 1$$

로 나타낼 수 있다.

(2) 결합밀도함수를 이용하면 다음과 같이 각 생존확률변수에 대한 밀도함수를 계산할 수 있다.

$$f_{T(x)}(s) = \int_0^1 f_{T(x),T(y)}(s,t)dt = \int_0^1 (s+t)dt = s + \frac{1}{2},\ 0 < s < 1$$

마찬가지로 계산하면,

$$f_{T(y)}(t) = \int_0^1 f_{T(x),T(y)}(s,t)ds = t + \frac{1}{2},\ 0 < t < 1$$를 얻는다.

(3) 두 생존확률변수의 밀도함수가 동일하므로, 평균값도 동일하며, 기대값의 정의에 따라

$$E[T(x)] = E[T(y)] = \int_0^1 s \cdot (s + \frac{1}{2})ds = \frac{7}{12}$$ 이다.

(4) 평균과 마찬가지로 분산도 동일하며, $Var[T(x)] = E[T(x)^2] - E[T(x)]^2$에서 $E[T(x)^2] = \int_0^1 s^2 \cdot (s + \frac{1}{2})ds = \frac{5}{12}$ 이므로,

$$Var[T(x)] = Var[T(y)] = \frac{5}{12} - (\frac{7}{12})^2 = \frac{11}{144}$$ 을 얻는다.

(5) 공분산을 구하는 식
$Cov[T(x),T(y)] = E[T(x)\,T(y)] - E[T(x)]E[T(y)]$을 이용하면,

$$E[T(x)\,T(y)] = \int_0^1 \int_0^1 st(s+t)dsdt = \int_0^1 \left(\frac{1}{3}t + \frac{1}{2}t^2\right)dt = \frac{1}{3}$$

에서 $Cov[T(x),T(y)] = \frac{1}{3} - (\frac{7}{12})^2 = -\frac{1}{144}$ 이다.

(6) 상관계수의 식을 이용하여 상관계수는

$$\rho_{T(x),T(y)} = \frac{Cov[T(x),T(y)]}{\sqrt{Var[T(x)]}\sqrt{Var[T(y)]}} = \frac{-1/144}{11/144} = -\frac{1}{11} \text{ 이다.}$$

📖 예제 7.2

현재 연령이 각각 80세, 75세인 부부의 미래생존기간 $T(80), T(75)$의 결합분포 함수가 다음과 같이 주어져 있다.

$$F_{T(80),T(75)}(x,y) = \frac{1}{27500}xy\left(\frac{3}{2}x+y\right), \ 0 < x < 20, 0 < y < 25$$

다음 물음에 답하시오.

(1) $T(80), T(75)$의 결합 확률밀도함수를 도출하시오.

(2) 80세인 배우자가 먼저 사망하게 될 확률을 계산하시오.

(3) 80세인 배우자가 75세인 배우자보다 3년 이상 더 오래 생존하게 될 확률을 계산하시오.

해설 (1) 수식 (7.2b)를 이용하면,

$$f_{T(80),T(75)}(x,y) = \frac{\partial}{\partial y \partial x}F_{T(80),T(75)}(x,y) = \frac{1}{27500}(3x+2y),$$

$0 < x < 20, 0 < y < 25$를 얻는다.

(2) 해당 확률은 $\Pr[T(80) < T(75)]$이므로 (1)에서 구한 결합확률밀도 함수를 이용하여

$$\Pr[T(80) < T(75)] = \int_0^{20}\int_x^{25}\frac{1}{27500}(3x+2y)dydx = 0.6121 \text{ 이}$$

다.

(3) 해당 확률은 $\Pr[T(80) \geq T(75)+3]$이므로, (2)와 마찬가지의 방법으로

$$\Pr[T(80) \geq T(75)+3] = \int_0^{17}\int_{y+3}^{20}\frac{1}{27500}(3x+2y)dxdy = 0.2855$$

이다.

1장에서 다룬 생존함수의 개념을 확장하기 위하여, 결합생존함수(joint survival function)를 다음과 같이 정의하자.

$$S_{T(x),T(y)}(s,t) = \Pr[T(x) > s, T(y) > t] \tag{7.4}$$

즉, $S_{T(x),T(y)}(s,t)$는 (x)가 앞으로 s가 지난 시점에서 생존해 있고 동시에 (y)가 t가 지난 시점에서 생존해 있을 확률을 의미한다. 결합생존함수는 결합확률밀도함수를 이용하여 다음과 같이 표현할 수 있다.

$$S_{T(x),T(y)}(s,t) = \int_t^\infty \int_s^\infty f_{T(x),T(y)}(u,v)dudv \qquad (7.5)$$

$$f_{T(x),T(y)}(s,t) = \frac{\partial}{\partial t \partial s} S_{T(x),T(y)}(s,t) \qquad (7.6)$$

수식 (7.5)는 (그림 7-1)에서의 빗금 친 영역에 해당하는 확률을 의미한다.

그림 7-1 생존함수가 나타내는 영역

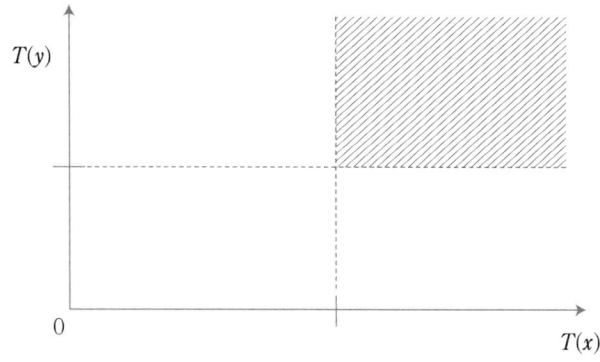

1장에서 다룬 생존함수와는 달리 $S_{T(x),T(y)}(s,t) = 1 - F_{T(x),T(y)}(s,t)$가 성립하지 않음에 유의하자.

예제 7.3

(예제 7.1)의 결합밀도 함수를 이용하여 $S_{T(x),T(y)}(s,t)$를 표현하시오.

해설 결합생존함수의 정의에 따라서

$$S_{T(x),T(y)}(s,t) = \int_t^1 \int_s^1 f_{T(x),T(y)}(u,v)dudv$$
$$= \int_t^1 \int_s^1 (u+v)dudv$$
$$= \int_t^1 \left\{ \frac{1}{2}(1-s^2) + (1-s)v \right\} dv$$
$$= \frac{1}{2}(1-s)(1-t)(2+s+t), \quad 0 < s < 1, 0 < t < 1$$

로 표현할 수 있다.

두 생존자 $(x), (y)$의 미래 생존기간 $T(x), T(y)$가 서로 독립(independent) 인 경우에는 정의에 따라

$$f_{T(x),\,T(y)}(s,t) = f_{T(x)}(s) \cdot f_{T(y)}(t) \tag{7.7}$$

를 이용하여 결합 확률밀도함수를 도출할 수 있고, 두 생존기간에 대한 결합 분포함수와 결합생존함수도 마찬가지로 $T(x), T(y)$에 관한 두 사건 A, B가 동시에 발생할 확률 $P(A \cap B)$이 각 사건이 발생할 확률 $P(A)$와 $P(B)$의 곱 으로 표현된다는 점을 이용하면, 다음의 관계식이 성립한다.

$$F_{T(x),\,T(y)}(s,t) = F_{T(x)}(s) \cdot F_{T(y)}(t) \tag{7.8}$$

$$S_{T(x),\,T(y)}(s,t) = S_{T(x)}(s) \cdot S_{T(y)}(t) \tag{7.9}$$

예제 7.4

$T(x), T(y)$가 서로 독립이고 각 확률변수는 다음의 확률밀도함수를 따른다고 한다.

$$f(t) = 2(1-t),\ 0 < t < 1$$

(1) $S_{T(x),\,T(y)}(s,t)$를 표현하시오.

(2) (1)의 결과를 이용하여 $F_{T(x),\,T(y)}(0.3,\ 0.5)$를 계산하시오.

해설 (1) $T(x), T(y)$가 서로 독립이므로 결합생존함수는 각 확률변수의 생존함수의 곱으로 표현된다. 즉,

$$S_{T(x),\,T(y)}(s,t) = \Pr[T(x) > s, T(y) > t]$$
$$= \Pr[T(x) > s]\Pr[T(y) > t] = S_{T(x)}(s)S_{T(y)}(t)$$

$T(x)$의 생존함수 $S_{T(x)}(s)$는

$$S_{T(x)}(s) = \int_s^1 2(1-u)du = (1-s)^2,\ 0 < s < 1$$

이고 마찬가지로 $T(y)$의 생존함수 $S_{T(y)}(t)$도

$$S_{T(y)}(t) = (1-t)^2,\ 0 < t < 1$$

로 표현할 수 있다. 따라서, 결합생존함수는

$$S_{T(x),\,T(y)}(s,t) = (1-s)^2(1-t)^2,\ 0 < s < 1,\ 0 < t < 1$$

와 같이 표현된다.

(2) $F_{T(x),\,T(y)}(0.3,\ 0.5)$
$$= \Pr[T(x) < 0.3,\ T(y) < 0.5]$$
$$= 1 - \Pr[T(x) > 0.3] - \Pr[T(y) > 0.5] + \Pr[T(x) > 0.3,\ T(y) > 0.5]$$

$$= 1 - S_{T(x)}(0.3) - S_{T(y)}(0.5) + S_{T(x), T(y)}(0.3, \ 0.5)$$

가 성립하므로,

$$F_{T(x), T(y)}(0.3, \ 0.5) = 1 - (0.7)^2 - (0.5)^2 + (0.7)^2 (0.5)^2 = 0.3825$$

를 얻을 수 있다.

📖✏️ **예제 7.5**

두 생존자 $(x), (y)$의 미래 생존기간 $T(x), T(y)$는 서로 독립이고, 모두 사력이 0.03으로 일정한 생존모형을 따른다고 한다.

(1) (x)가 앞으로 10년 이내에 사망하고, (y)는 앞으로 5년 후와 10년 후 시점 사이에 사망하 될 확률을 계산하시오.

(2) $(x), (y)$ 모두 20년 이상 생존할 확률을 구하시오.

🔍해설 (1) 두 생존자의 미래 생존기간은 서로 독립이므로 구하는 확률은 문제에서 주어진 두 사건의 확률의 곱과 같다. 즉,

$$\Pr[T(x) \le 10, 5 \le T(y) \le 10] = \Pr[T(x) \le 10] \cdot \Pr[5 \le T(y) \\ \le 10]$$이고,

$$\Pr[T(x) \le 10] = {}_{10}q_x = 1 - e^{-0.03 \times 10} = 0.2592$$

$$\Pr[5 \le T(y) \le 10] = {}_{5|5}q_y = e^{-0.03 \times 5} - e^{-0.03 \times 10} = 0.1199$$

이므로 구하는 확률은 0.0311을 얻는다.

(2) (1)의 문제와 마찬가지로 구하는 확률은 두 사람이 각각 20년 이상 생존할 확률의 곱이므로 ${}_{20}p_x \cdot {}_{20}p_y = (e^{-0.03 \times 20})^2 = 0.3012$ 이다.

📖✏️ **예제 7.6**

연령이 각각 50세와 40세인 두 사람의 미래 생존기간이 서로 독립이고, 각각 다음의 균일분포를 따른다고 한다.

$$f_{T(50)}(s) = \frac{1}{50}, 0 \le s \le 50, \ f_{T(40)}(t) = \frac{1}{70}, 0 \le t \le 70$$

(1) 두 사람의 결합분포함수를 표현하시오.

(2) 50세인 사람이 40세인 사람보다 더 오래 생존할 확률을 구하시오.

🔍해설 (1) 두 사람의 미래 생존기간이 서로 독립이므로, 수식 (7.8)에 의하여

$$F_{T(50), T(40)}(s,t) = F_{T(50)}(s) \cdot F_{T(40)}(t) = \frac{s}{50} \cdot \frac{t}{70} = \frac{st}{3500},$$

$$0 \le s \le 50, 0 \le t \le 70$$

(2) 두 사람의 미래 생존기간에 대한 결합 확률밀도함수는 수식 (7.7)에 의하여

$$f_{T(50),T(40)}(s,t) = f_{T(50)}(s) \cdot f_{T(40)}(t) = \frac{1}{50} \cdot \frac{1}{70} = \frac{1}{3500},$$

$0 \le s \le 50, 0 \le t \le 70$이므로 구하는 확률은

$$\Pr[T(50) > T(40)] = \int_0^{50} \int_t^{50} \frac{1}{3500} ds dt = \frac{1}{3500} \times (조건을\ 만$$

족하는 영역의 넓이)$=0.3571$을 얻는다.

Ⅲ 결합생존 상태와 최후생존자 상태

연생을 대상으로 하는 보험의 경우에는 두 명 이상의 생존여부에 따라 정해진 조건을 만족하는 경우 보험금 지급이 결정되므로, 생존의 개념을 재정의할 필요가 있으며 두 명 이상의 생사여부를 기준으로 생존을 정의하는 방법에 따라 결합생존 상태와 최후생존자 상태를 다음과 같이 각각 정의한다.

1. 결합생존 상태

우선, 연령이 각각 x, y세인 피보험자 (x), (y) 두 사람 모두 생존해 있는 경우를 생존으로 정의하는 경우를 결합생존상태(joint life status)라고 한다. 따라서, 두 사람 중 한 사람이 사망하는 경우 보험금 지급(연금의 경우 중단) 사유가 된다. 결합생존상태를 (xy)라 나타내고, 결합생존상태의 미래 생존 기간을 $T(xy)$, 미래 만 생존 기간을 $K(xy)$로 나타낸다. x, y는 숫자로 표현되므로 x, y 중간에 구분기호로 콜론(:)을 이용한다. $T(xy)$는 수리적으로

$$T(xy) = \min[T(x), T(y)]$$

로 표현할 수 있다. 두 피보험자 (x), (y)의 미래 생존기간은 확률적으로 서로 독립이라고 가정하고, 각 피보험자의 생존함수를 이용하여 결합생존상태의 확률분포를 표현해 보도록 하자. 우선, 결합생존상태 (xy)가 앞으로 t 이내에 종료되는 확률을 $F_{T(xy)}(t)$ 또는 ${}_tq_{xy}$라 표시하고, 이를 나타내보면

$$
\begin{aligned}
F_{T(xy)}(t) &= \Pr[T(xy) \le t] \\
&= \Pr[\min[T(x), T(y)] \le t] \\
&= 1 - \Pr[\min[T(x),\ T(y)] > t] \\
&= 1 - \Pr[T(x) > t,\ T(y) > t] \\
&= 1 - S_{T(x), T(y)}(t,t) & \text{(7.10a)} \\
&= 1 - S_{T(x)}(t) S_{T(y)}(t) & \text{(7.10b)} \\
&= 1 - {}_tp_x\ {}_tp_y & \text{(7.10c)} \\
&= {}_tq_x + {}_tq_y - {}_tq_x\ {}_tq_y & \text{(7.10d)}
\end{aligned}
$$

수식 (7.10b), (7.10c), (7.10d)는 두 피보험자 (x), (y)의 미래 생존기간은 확률적으로 서로 독립이라고 가정한 결과임에 유의하자.

또한, 결합생존상태 (xy)가 t 이상 생존할 확률을 $S_{T(xy)}(t)$ 또는 ${}_tp_{xy}$라 표시하면,

$$
\begin{aligned}
S_{T(xy)}(t) &= 1 - F_{T(xy)}(t) \\
&= S_{T(x), T(y)}(t,t) & \text{(7.11)}
\end{aligned}
$$

가 성립하고, $T(x)$, $T(y)$가 독립인 경우에는 ${}_tp_{xy} = {}_tp_x \cdot {}_tp_y$가 성립한다.

📖 **예제 7.7**

(x), (y)의 생존확률 변수를 각각 $T(x)$, $T(y)$라 할 때, $T(x)$, $T(y)$의 결합밀도함수가 다음과 같다.

$$
f_{T(x), T(y)}(s,t) = (s+t),\ 0 < s < 1,\ 0 < t < 1
$$

이 때 다음 물음에 답하시오.

(1) 결합생존상태 $T(xy)$의 생존함수 $S_{T(xy)}(t)$를 표현하시오.

(2) 결합생존상태의 기대여명 $E[T(xy)]$를 계산하시오.

✏️**해설** (1) 예제 7.1 (5)의 결과로부터 생존확률변수 $T(x)$, $T(y)$가 독립이 아니므로 생존함수 $S_{T(xy)}(t)$를 표현하면 결합생존상태의 정의와 예제 7.3의 결과로부터

$$
\begin{aligned}
S_{T(xy)}(t) &= \Pr[T(x) > t,\ T(y) > t] \\
&= S_{T(x), T(y)}(t,t) \\
&= (1-t)^2(1+t),\ 0 < t < 1
\end{aligned}
$$

를 얻을 수 있다.

(2) 1장에서 도출한 것과 같이 기대여명은

$$E[T(xy)] = \int_0^1 {}_t p_{xy} dt \text{로 표현할 수 있으므로,}$$

$$\int_0^1 {}_t p_{xy} dt = \int_0^1 (1-t)^2(1+t) dt = \frac{5}{12}$$

를 얻는다.

1장에서 사력을 정의했던 것과 같이 결합생존상태가 t경과한 시점에서의 사력을 $\mu_{xy}(t)$로 나타내고 다음과 같이 정의한다.

$$\mu_{xy}(t) = -\frac{S'_{T(xy)}(t)}{S_{T(xy)}(t)} = -\frac{d \ln S_{T(xy)}(t)}{dt}$$

$T(x)$, $T(y)$가 독립인 경우 수식 (7.11)에 의하여

$$\begin{aligned}
\mu_{xy}(t) &= \frac{-\dfrac{d}{dt} {}_t p_x \, {}_t p_y}{{}_t p_x \, {}_t p_y} \\
&= \frac{{}_t p_x \mu(x+t) \cdot {}_t p_y + {}_t p_x \cdot {}_t p_y \mu(y+t)}{{}_t p_x \, {}_t p_y} \\
&= \mu(x+t) + \mu(y+t)
\end{aligned} \qquad (7.12)$$

를 얻는다. 즉, $T(x)$, $T(y)$가 독립이면 결합생존상태의 사력은 각 개체의 사력의 합과 같다.

📖 예제 7.8

$T(x), T(y)$가 서로 독립이고 각 확률변수는 다음의 확률밀도함수를 따른다고 한다.

$$f(t) = 2(1-t), \ 0 < t < 1$$

다음 물음에 답하시오.

(1) 결합생존상태 $T(xy)$의 시점 t에서의 사력 $\mu_{xy}(t)$를 표현하시오.

(2) 결합생존상태의 생존기간이 0.5보다 짧을 확률 $\Pr[T(xy) \le 0.5]$를 계산하시오.

🔍해설 (1) $T(x)$, $T(y)$가 서로 독립이므로 결합생존상태의 사력 $\mu_{xy}(t)$는 결합생존상태를 구성하는 각 개체의 시점 t에서의 사력을 합한 것과 같다. $T(x)$, $T(y)$의 확률밀도함수가 동일하고, 시점 t에서의 사력은 예제 7.4 (1)의 결과를 이용하여

$$\mu_x(t) = \mu_y(t) = \frac{2(1-t)}{(1-t)^2} = \frac{2}{1-t}, \ 0 < t < 1$$

이므로 수식 (7.12)를 이용하여

$$\mu_{xy}(t) = \frac{4}{1-t}, \ 0 < t < 1$$

로 나타낼 수 있다.

(2) (1)에서 구한 사력을 이용하여

$$\Pr[T(xy) \le 0.5] = 1 - {}_{0.5}p_{xy}$$
$$= 1 - e^{-\int_0^{0.5} \mu_{xy}(t)dt}$$
$$= 1 - e^{-\int_0^{0.5} \frac{4}{1-t}dt}$$
$$= 1 - (0.5)^4$$
$$= 0.9375$$

또는 $\Pr[T(xy) \le 0.5] = F_{T(xy)}(0.5) = 1 - S_{T(xy)}(0.5)$

이므로 예제 7.4 (1)의 결과를 이용하면

$$\Pr[T(xy) \le 0.5] = 1 - (0.5)^2(0.5)^2 = 0.9375$$

를 얻는다.

📖 **예제 7.9**

$(x), (y)$의 미래생존기간은 서로 독립이고, 각각 평균이 50과 40인 지수분포를 따른다고 한다.

(1) $T(xy)$에 대한 확률밀도함수를 표현하시오.

(2) $(x), (y)$의 결합생존상태가 앞으로 20년 이내에 종료될 확률을 계산하시오.

해설 (1) $(x), (y)$의 미래생존기간은 서로 독립이므로 수식 (7.9)를 이용하여

$$S_{T(xy)}(t) = S_{T(x)}(t)S_{T(y)}(t) = e^{-\frac{t}{50}} \cdot e^{-\frac{t}{40}} = e^{-0.045t}, \ t > 0$$이고,

따라서

$$f_{T(xy)}(t) = -\frac{d}{dt}S_{T(xy)}(t) = 0.045e^{0.045t}, \ t > 0$$이다.

(지수분포의 경우 사력이 일정하고, $(x), (y)$의 미래생존기간은 서로 독립이므로, 수식 (7.12)를 이용하여 결합생존상태의 사력은 $(x), (y)$ 사력 0.02와 0.025를 합친 0.045이므로, 평균이 $1/0.045$인 지수분포를 도출할 수 있다.)

(2) (1)에서 얻은 $T(xy)$의 생존함수를 이용하면 구하는 확률은

$$_{20}q_{xy} = 1 - e^{-0.045 \times 20} = 0.5934 \text{이다.}$$

또한, 결합생존상태(xy)의 만 생존 기간을 나타내는 확률변수 $K(xy)$에 대하여,

$$\Pr[K(xy) = k] = \Pr[k \leq T(xy) < k+1]$$

$$= {}_{k}p_{xy} - {}_{k+1}p_{xy} \tag{7.13a}$$

$$= {}_{k+1}q_{xy} - {}_{k}q_{xy} \tag{7.13b}$$

$$= {}_{k}p_{xy} \cdot q_{x+k:y+k} \tag{7.13c}$$

$$= {}_{k|}q_{xy} \tag{7.13d}$$

이고, $T(x)$와 $T(y)$가 서로 독립인 경우에는 수식 (7.13c)에서

$$\Pr[K(xy) = k]$$

$$= {}_{k}p_{x} \cdot {}_{k}p_{y}[q_{x+k} + q_{y+k} - q_{x+k} \cdot q_{y+k}]$$

$$= {}_{k}p_{x} \cdot q_{x+k} \cdot {}_{k}p_{y} + {}_{k}p_{y} \cdot q_{y+k} \cdot {}_{k}p_{x} - {}_{k}p_{x} \cdot q_{x+k} \cdot {}_{k}p_{y} \cdot q_{y+k}$$

$$= {}_{k}p_{x} \cdot q_{x+k}({}_{k}p_{y} \cdot q_{y+k} + {}_{k+1}p_{y}) + {}_{k}p_{y} \cdot q_{y+k}({}_{k}p_{x} \cdot q_{x+k} + {}_{k+1}p_{x}) -$$

$$\quad {}_{k}p_{x} \cdot q_{x+k} \cdot {}_{k}p_{y} \cdot q_{y+k}$$

$$= {}_{k}p_{x} \cdot q_{x+k} \cdot {}_{k+1}p_{y} + {}_{k}p_{y} \cdot q_{y+k} \cdot {}_{k+1}p_{x} + {}_{k}p_{x} \cdot q_{x+k} \cdot {}_{k}p_{y} \cdot q_{y+k} \tag{7.14}$$

를 도출할 수 있다. 위의 결과는 $K(xy) = k$가 되는 가능한 경우를 고려하여 의미상으로 해석할 수 있다. 즉, 결합생존상태의 개산생존기간이 k년이 되려면, 다음의 세 가지 경우가 해당된다.

(1) $K(x) = k$이고, $K(y) \geq k+1$인 경우

(2) $K(x) \geq k+1$이고 $K(y) = k$인 경우

(3) $K(x) = K(y) = k$인 경우

수식 (7.14)는 각 경우의 확률을 순서대로 나타내 주고 있음을 확인할 수 있다.

📖 예제 7.10

생존함수가 $S(x) = 1 - \dfrac{x}{100}$, $0 \leq x \leq 100$으로 주어져 있을 때, 두 생존자 (40)과 (50)에 대한 결합생존상태의 만 생존연수 $K(40:50)$가 3년이

될 확률 $\Pr[K(40:50)=3]$을 구하시오. $(K(40)$과 $K(50)$은 독립)

해설 수식 (7.14)의 결과를 이용하면,

$\Pr[K(40:50)=3]$

$=\Pr[K(40)=3]\Pr[K(50)\geq 4]+\Pr[K(40)\geq 4]\Pr[K(50)=3]$

$\quad+\Pr[K(40)=3]\Pr[K(50)=3]$

이므로,

$\Pr[K(40:50)=3]=\dfrac{1}{60}\cdot\dfrac{46}{50}+\dfrac{56}{60}\cdot\dfrac{1}{50}+\dfrac{1}{60}\cdot\dfrac{1}{50}=0.0343$

을 얻는다.

📖 예제 7.11

연령이 각각 60세와 55세인 부부가 있다. 부부의 미래 생존기간은 서로 독립이고, 연령별 사망률은 부록의 생명표를 따른다고 할 때, 해당 부부에 대한 결합생존상태가 앞으로 3.5년 이내에 종료될 확률을 다음 가정에 따라서 구하시오.

(1) 단수연령에서의 균일분포 가정

(2) 단수연령에서의 상수사력 가정

해설 (1) 구하고자 하는 확률은 $_{3.5}q_{60:55}$로 나타낼 수 있고, 부부의 미래생존 기간이 서로 독립이므로 $_{3.5}q_{60:55}=1-_{3.5}p_{60:55}=1-_{3.5}p_{60}\cdot_{3.5}p_{55}$ 이고, 수식 (1.8)과 단수연령에서의 균일분포 가정의 관계식 (1.56)을 이용하면 $_{3.5}p_{60}=_{3}p_{60}\cdot_{0.5}p_{63}=0.9470$, $_{3.5}p_{55}=_{3}p_{55}\cdot_{0.5}p_{58}$ $=0.9653$이므로 구하는 확률은 0.0859이다.

(2) (1)에서와 마찬가지로 단수연령에서의 상수사력 가정의 관계식 (1.60)을 이용하여 $_{3.5}p_{60}=_{3}p_{60}\cdot_{0.5}p_{63}=0.9469$, $_{3.5}p_{55}=_{3}p_{55}\cdot_{0.5}p_{58}$ $=0.9653$이므로 구하는 확률은 0.0860이다.

2. 최후생존자 상태

결합생존상태와 다르게, 연령이 각각 x, y세인 피보험자 (x),(y) 두 명 중 적어도 한 명이 생존해 있는 경우를 생존으로 정의하는 경우를 최후생존자 상태(last survivor status)라고 한다. 따라서, 두 사람 모두 사망하는 경우 보험금 지급(연금의 경우 중단) 사유가 된다. 최후생존자상태를 $(\overline{xy})$라고 표현하며, 최후생존자상태의 미래 생존 기간을 $T(\overline{xy})$, 미래 만 생존 기간을 $K(\overline{xy})$로 나타낸다. 최후생존자 상태의 생존기간은 (x)와 (y) 중 나중에 사망하는 사람의 생존기간과 동일하므로

$$T(\overline{xy}) = \max[T(x),\ T(y)]$$

로 표현할 수 있다.

최후생존자상태 $(\overline{xy})$가 t 이내에 종료되는 확률을 $F_{T(\overline{xy})}(t)$ 또는 $_t q_{\overline{xy}}$라 표시하고, 이를 나타내보면

$$
\begin{aligned}
F_{T(\overline{xy})}(t) &= \Pr[T(\overline{xy}) \le t] \\
&= \Pr[\max[T(x),\ T(y)] \le t] \\
&= \Pr[T(x) \le t,\ T(y) \le t] \\
&= F_{T(x),\,T(y)}(t,t) \tag{7.15a} \\
&= {_t q_x}\ {_t q_y} \tag{7.15b}
\end{aligned}
$$

이다. 또한, 결합생존상태 $(\overline{xy})$가 t이상 생존할 확률을 $S_{T(\overline{xy})}(t)$ 또는 $_t p_{\overline{xy}}$라 표시하면,

$$
\begin{aligned}
S_{T(\overline{xy})}(t) &= 1 - F_{T(\overline{xy})}(t) \\
&= 1 - F_{T(x),\,T(y)}(t,t) \\
&= S_{T(x)}(t) + S_{T(y)}(t) - S_{T(x),\,T(y)}(t,t) \tag{7.16a} \\
&= {_t p_x} + {_t p_y} - {_t p_x}\ {_t p_y} \tag{7.16b}
\end{aligned}
$$

가 성립한다. (수식 (7.15b)와 (7.16b)는 $T(x)$와 $T(y)$가 독립인 경우에만 성립하는 결과임에 유의하자.)

예제 7.12

$(x),(y)$의 생존확률 변수를 각각 $T(x),\ T(y)$라 할 때, $T(x),\ T(y)$의 결합밀도함수가 다음과 같다.

$$f_{T(x),\,T(y)}(s,t) = s + t,\ 0 < s < 1,\ 0 < t < 1$$

이 때 다음 물음에 답하시오.

(1) 최후생존자상태 $T(\overline{xy})$의 생존함수 $S_{T(\overline{xy})}(t)$를 표현하시오.

(2) 최후생존자상태의 기대여명 $E[T(\overline{xy})]$를 계산하시오.

해설 (1) 최후생존자상태의 성질에 따라 $S_{T(\overline{xy})}(t) = 1 - F_{T(x),T(y)}(t,t)$로 표현되므로, 예제 7.1 (1)의 결과를 이용하여

$$S_{T(\overline{xy})}(t) = 1 - t^3, \ 0 < t < 1$$

로 표현된다.

(2) 예제 7.7 (2)의 방법과 (1)의 결과를 이용하면,

$$E[T(\overline{xy})] = \int_0^1 {}_tp_{\overline{xy}}dt = \int_0^1 (1-t^3)dt = 0.75$$

를 얻을 수 있다. 예제 7.7 (2)의 결과와 비교해 볼 때, 최후생존자상태는 두 사람이 모두 사망하는 경우 상태가 종료되고, 결합생존상태는 둘 중 한 사람만 사망해도 상태가 종료된다는 사실로부터 동일한 결합밀도함수가 주어진 경우 최후생존자상태의 기대여명이 결합생존상태의 기대여명보다 크다는 것을 확인할 수 있다.

예제 7.13

$T(x)$, $T(y)$가 서로 독립이고 각 확률변수는 다음의 확률밀도함수를 따른다고 한다.

$$f(t) = 2(1-t), \ 0 < t < 1$$

다음 물음에 답하시오.

(1) 최후생존자상태 $T(\overline{xy})$의 생존함수 $S_{T(\overline{xy})}(t)$를 표현하시오.

(2) 최후생존자상태의 생존기간이 0.5보다 짧거나 같을 확률 $\Pr[T(\overline{xy}) \le 0.5]$를 계산하고, 결과를 예제 7.8 (2)의 결과와 비교해 보시오.

해설 (1) 앞서 도출한 결과에 따라 최후생존자상태의 생존함수는 다음과 같이 표현된다.

$$S_{T(\overline{xy})}(t) = S_{T(x)}(t) + S_{T(y)}(t) - S_{T(x),T(y)}(t,t)$$

예제 7.4 (1)의 결과를 이용하면,

$$S_{T(\overline{xy})}(t) = 2(1-t)^2 - (1-t)^4, \ 0 < t < 1$$

로 나타낼 수 있다.

(2) (1)의 결과를 이용하면 $\Pr[T(\overline{xy}) \le 0.5] = 1 - S_{T(\overline{xy})}(0.5) = 0.5625$를 얻는다. 예제 7.8 (2)에서는 결합생존상태가 0.5 이내에 종료될 확률이 0.9375임을 계산하였다. 동일한 두 개체로 구성된 최후생존자 상태는 항상 결합생존상태보다 생존 기간이 길기 때

문에(동시에 사망하는 경우를 배제하면) 결합생존상태가 특정 시점 이내에 종료될 확률은 최후생존자 상태의 경우보다 항상 크게 나타난다는 것을 알 수 있다.

최후생존자상태의 만 생존 기간을 나타내는 확률변수 $K(\overline{xy})$에 대하여,

$$\Pr[K(\overline{xy}) = k] = \Pr[k \le T(\overline{xy}) < k+1]$$

$$= {}_k p_{\overline{xy}} - {}_{k+1} p_{\overline{xy}} \tag{7.17a}$$

$$= {}_{k+1} q_{\overline{xy}} - {}_k q_{\overline{xy}} \tag{7.17b}$$

$$= {}_{k+1} q_x \cdot {}_{k+1} q_y - {}_k q_x \cdot {}_k q_x \tag{7.17c}$$

(수식 (7.17c)는 $T(x)$, $T(y)$가 독립인 경우에만 성립)

가 성립한다.

예제 7.14

$(x), (y)$의 미래생존기간은 서로 독립이고, 각각 평균이 50과 40인 지수분포를 따른다고 한다.

(1) $T(\overline{xy})$에 대한 확률밀도함수를 표현하시오.

(2) $(x), (y)$의 최후생존자 상태가 앞으로 20년 이내에 종료될 확률을 계산하시오.

(3) 10년 후 시점에서 최후생존자 상태의 사력을 구하시오.

해설 (1) $(x), (y)$의 미래생존기간은 서로 독립이므로 수식 (7.8)을 이용하여

$$F_{T(\overline{xy})}(t) = F_{T(x)}(t) F_{T(y)}(t) = (1 - e^{-\frac{t}{50}}) \cdot (1 - e^{-\frac{t}{40}})$$

$$= 1 - e^{-0.025t} - e^{-0.02t} + e^{-0.045t}, t > 0 \text{이고, 따라서}$$

$$f_{T(\overline{xy})}(t) = \frac{d}{dt} F_{T(\overline{xy})}(t) = 0.025 e^{0.025t} + 0.02 e^{0.02t} - 0.045 e^{0.045t}, t > 0$$

이다.

(2) (1)에서 얻은 $T(\overline{xy})$의 분포함수를 이용하면 구하는 확률은

${}_{20} q_{\overline{xy}} = 1 - e^{-0.025 \times 20} - e^{-0.02 \times 20} + e^{-0.045 \times 20} = 0.1297$이다.

(3) (1)에서 얻은 분포함수와 확률밀도함수를 이용하여 수식 (1.22)를 적용하면,

$$\mu_{\overline{xy}}(t) = \frac{f_{T(\overline{xy})}(t)}{1 - F_{T(\overline{xy})}(t)} = \frac{0.025 e^{-0.025t} + 0.02 e^{-0.02t} - 0.045 e^{-0.045t}}{e^{-0.025t} + e^{-0.02t} - e^{-0.045t}}$$

에서 $\mu_{\overline{xy}}(10) = 0.0075$를 얻는다.

📖 **예제 7.15**

생존함수가 $S(x) = e^{-\frac{x}{100}}$으로 주어져 있을 때, 두 생존자 (40)과 (50)에 대한 최후생존자 상태의 만 생존연수 $K(\overline{40:50})$가 3년이 될 확률 $\Pr[K(\overline{40:50}) = 3]$를 구하시오.

✏️ **해설** 수식 (7.14)와 마찬가지의 방법으로 $\Pr[K(\overline{xy}) = k]$를 연습문제 13 의 결과식과 같이 표현하면

$$\Pr[K(\overline{40:50}) = 3]$$
$$= \Pr[K(40) = 3]\Pr[K(50) \le 2] + \Pr[K(40) \le 2]\Pr[K(50) = 3]$$
$$+ \Pr[K(40) = 3]\Pr[K(50) = 3]$$

이고, 생존함수가 지수분포이므로 $\Pr[K(x) = 3]$은 모든 x에 대하여 $e^{-0.01 \cdot 3} - e^{-0.01 \cdot 4} = 0.009656$이고, 마찬가지로 $\Pr[K(x) \le 2] = 1 - e^{-0.03} = 0.029554$이므로

$$\Pr[K(\overline{40:50}) = 3] = 2 \cdot (0.009656) \cdot (0.029554) + (0.009656)^2$$
$$= 0.000664$$

를 얻는다.

📖 **예제 7.16**

2년 전 선택집단에 포함되었고 현재 연령이 각각 64세와 62세인 부부의 사망률은 다음의 선택기간이 3년인 선택종국표를 따른다고 할 때, 부부의 생존기간이 서로 독립임을 가정하여, 물음에 답하시오.

$[x]$	$q_{[x]}$	$q_{[x]+1}$	$q_{[x]+2}$	q_{x+3}	$x+3$
60	0.09	0.11	0.13	0.15	63
61	0.10	0.12	0.14	0.16	64
62	0.11	0.13	0.15	0.17	65
63	0.12	0.14	0.16	0.18	66
64	0.13	0.15	0.17	0.19	67

(1) 부부의 최후생존자 상태가 앞으로 2년 이상 생존하게 될 확률을 계산하시오.

(2) 부부의 최후생존자 상태가 앞으로 1.5년 이전에 종료하게 될 확률을 구하시오. (단수연령에서의 균일분포가정을 적용할 것)

(1) 부부가 선택집단에 포함될 당시의 연령은 각각 62세와 60세이므로,

해설 구하는 확률은

$_2p_{\overline{[62]+2:[60]+2}} = 1 - {}_2q_{\overline{[62]+2:[60]+2}} = 1 - {}_2q_{[62]+2} \cdot {}_2q_{[60]+2}$ 이고,

$_2q_{[62]+2} = 1 - p_{[62]+2} \cdot p_{65} = 1 - (1-0.15)(1-0.17) = 0.2945$

$_2q_{[60]+2} = 1 - p_{[60]+2} \cdot p_{63} = 1 - (1-0.13)(1-0.15) = 0.2605$ 이 므로 구하는 확률은 0.9233이다.

(2) (1)과 마찬가지의 방법으로, 구하는 확률은

$_{1.5}q_{\overline{[62]+2:[60]+2}} = {}_{1.5}q_{[62]+2} \cdot {}_{1.5}q_{[60]+2}$ 이고,

$_{1.5}q_{[62]+2} = 1 - p_{[62]+2} \cdot {}_{0.5}p_{65} = 1 - (1-0.15)(1-0.5 \times 0.17) = 0.2223$

$_{1.5}q_{[60]+2} = 1 - p_{[60]+2} \cdot {}_{0.5}p_{63} = 1 - (1-0.13)(1-0.5 \times 0.15) = 0.1953$
이므로 구하는 확률은 0.0434이다.

3. 결합생존상태와 최후생존자상태의 관계

지금까지 결합생존상태와 최후생존자상태의 개념과 생존분포에 대하여 살펴보았다. 그러면 두 상태 간에는 어떠한 관계가 있을까? 피보험자 (x), (y)에 대하여 결합생존상태의 생존기간은 두 사람 중 더 짧게 생존한 사람의 생존기간이고, 최후생존자상태의 생존기간은 두 사람 중 더 오래 생존한 사람의 생존기간이 된다.

즉, $T(x) \geq T(y)$인 경우에는 $T(\overline{xy}) = T(x)$, $T(xy) = T(y)$이고, $T(x) < T(y)$인 경우에는 $T(\overline{xy}) = T(y), T(xy) = T(x)$이므로 항상 다음의 관계가 성립한다.

$$T(xy) + T(\overline{xy}) = T(x) + T(y) \tag{7.18}$$

또한, $\Pr[T(xy) \leq t] = \Pr[T(x) \leq t] + \Pr[T(y) \leq t] - \Pr[T(x) \leq t, T(y) \leq t]$이고, $\Pr[T(\overline{xy}) \leq t] = \Pr[T(x) \leq t, T(y) \leq t]$이므로 항상 다음의 관계식이 성립한다.

$$T(xy) \cdot T(\overline{xy}) = T(x) \cdot T(y) \tag{7.19}$$

$$_tq_{xy} + {}_tq_{\overline{xy}} = {}_tq_x + {}_tq_y \tag{7.20}$$

$$_tp_{xy} + {}_tp_{\overline{xy}} = {}_tp_x + {}_tp_y \tag{7.21}$$

를 도출할 수 있다.

관계식을 이용하여 최후생존자상태의 사력을 표현해 보자.

$$F_{T(xy)}(t) + F_{T(\overline{xy})}(t) = F_{T(x)}(t) + F_{T(y)}(t) \tag{7.22}$$

에서 양변을 t에 대해서 미분하면

$$f_{T(xy)}(t) + f_{T(\overline{xy})}(t) = f_{T(x)}(t) + f_{T(y)}(t) \tag{7.23}$$

이고, 1장에서 얻은 결과를 이용하여

$$_tp_{xy}\mu_{xy}(t) + {}_tp_{\overline{xy}}\mu_{\overline{xy}}(t) = {}_tp_x\mu_x(t) + {}_tp_y\mu_y(t) \tag{7.24}$$

를 얻는다. $T(x)$와 $T(y)$가 서로 독립인 경우,

$$_tp_{\overline{xy}}\mu_{\overline{xy}}(t) = {}_tp_x\mu_x(t) + {}_tp_y\mu_y(t) - {}_tp_x\,{}_tp_y[\mu(x+t) + \mu(y+t)]$$

$$= {}_tp_x\mu(x+t)\,{}_tq_y + {}_tp_y\mu(y+t)\,{}_tq_x$$

이므로,

$$\mu_{\overline{xy}}(t) = \frac{{}_tp_x\mu(x+t)\,{}_tq_y + {}_tp_y\mu(y+t)\,{}_tq_x}{{}_tp_{\overline{xy}}}$$

$$= \frac{{}_tp_x\mu(x+t)\,{}_tq_y + {}_tp_y\mu(y+t)\,{}_tq_x}{{}_tp_x\,{}_tq_y + {}_tq_x\,{}_tp_y + {}_tp_x\,{}_tp_y} \tag{7.25}$$

이다.

위의 관계식은 만 생존연수를 나타내는 확률변수들 $K(xy)$, $K(\overline{xy})$, $K(x)$, $K(y)$에 대하여도 성립함을 확인할 수 있다.

📖 예제 7.17

연령이 각각 80세와 85세인 두 생존자의 생존확률변수를 각각 $T(80)$, $T(85)$라 하자. 다음의 조건을 이용하여 물음에 답하시오. (단, $T(80)$, $T(85)$는 서로 독립임을 가정하시오.)

$$_5p_{80} = 0.3, \ _{10}p_{80} = 0.2, \ _5p_{85} = 0.25, \ _{10}p_{85} = 0.15$$

(1) $\Pr[5 < T(80:85) < 10]$

(2) $\Pr[5 < T(\overline{80:85}) < 10]$

해설 (1) 주어진 확률은 두 사람의 결합생존상태가 앞으로 5년 후와 10년 후 사이 기간 중 종료될 확률을 의미하며, 두 사람의 미래 생존기간이 독립임을 이용하여 다음과 같이 계산할 수 있다.

$$\Pr[5 < T(80:85) < 10] = \Pr[T(80:85) > 5] - \Pr[T(80:85) > 10]$$
$$= {}_5p_{80:85} - {}_{10}p_{80:85}$$
$$= {}_5p_{80} \cdot {}_5p_{85} - {}_{10}p_{80} \cdot {}_{10}p_{85}$$
$$= (0.3)(0.25) - (0.2)(0.15)$$
$$= 0.045$$

(2) 주어진 확률은 두 사람의 최후생존자상태가 앞으로 5년 후와 10년 후 사이 기간 중 종료될 확률을 의미하며 (1)과 마찬가지의 방법으로 다음과 같이 계산할 수 있다.

$$\Pr[5 < T(\overline{80:85}) < 10]$$
$$= \Pr[T(\overline{80:85}) > 5] - \Pr[T(\overline{80:85}) > 10]$$
$$= {}_5p_{\overline{80:85}} - {}_{10}p_{\overline{80:85}}$$
$$= \{{}_5p_{80} + {}_5p_{85} - {}_5p_{80} \cdot {}_5p_{85}\} - \{{}_{10}p_{80} + {}_{10}p_{85} - {}_{10}p_{80} \cdot {}_{10}p_{85}\}$$
$$= \{0.3 + 0.25 - (0.3)(0.25)\} - \{0.2 + 0.15 - (0.2)(0.15)\}$$
$$= 0.155$$

마지막으로 결합생존상태의 생존기간과 최후생존자상태의 생존기간에 대한 상관계수를 계산해보자. 수식 (7.18)에서 양변의 확률변수에 기대값을 취하면,

$$\mathring{e}_{xy} + \mathring{e}_{\overline{xy}} = \mathring{e}_x + \mathring{e}_y \qquad (7.26)$$

이다. 또한, 결합생존상태와 최후생존자상태를 나타내는 확률변수의 분산은 1장에서 도출한 결과를 이용하여 다음과 같이 계산할 수 있다.

$$\mathrm{Var}(T(xy)) = E[\{T(xy)\}^2] - E[T(xy)]^2$$
$$= 2\int_0^\infty t \cdot {}_tp_{xy}\,dt - (\mathring{e}_{xy})^2 \qquad (7.27)$$

이고, 마찬가지의 방법으로

$$\mathrm{Var}(T(\overline{xy})) = 2\int_0^\infty t \cdot {}_tp_{\overline{xy}}\,dt - (\mathring{e}_{\overline{xy}})^2 \qquad (7.28)$$

를 도출할 수 있다.

그러면, $T(xy)$와 $T(\overline{xy})$의 공분산은

$$\text{Cov}[T(xy),\ T(\overline{xy})]$$
$$= E[T(xy)\,T(\overline{xy})] - E[T(xy)]E[T(\overline{xy})]$$
$$= E[T(x)\,T(y)] - E[T(xy)]E[T(x) + T(y) - T(xy)]$$
$$= E[T(x)\,T(y)] - E[T(x)]E[T(y)] + E[T(x)]E[T(y)] -$$
$$\quad E[T(x)]E[T(xy)] - E[T(y)]E[T(xy)] + E[T(xy)]^2$$
$$= \text{Cov}(T(x),\ T(y)) + \{E[T(x)] - E[T(xy)]\}\{E[T(y)] -$$
$$\quad E[T(xy)]\} \tag{7.29}$$

로 표현할 수 있다. $T(x)$와 $T(y)$가 서로 독립인 경우에는 $\text{Cov}(T(x),\ T(y))$ $= 0$이고, $\mathring{e}_x \geq \mathring{e}_{xy}$, $\mathring{e}_y \geq \mathring{e}_{xy}$가 성립하므로, $\text{Cov}[T(xy),\ T(\overline{xy})] \geq 0$임을 알 수 있고, 결과적으로 상관계수는 0 이상의 값을 갖는다는 것을 알 수 있다. 직관적으로, 결합생존상태의 생존기간이 길면 최후생존자 상태의 생존기간도 그에 따라 길어질 가능성이 크고 반대의 경우도 성립할 것이라 추측해 볼 수 있으므로 관계식이 나타내는 바와 일치한다고 볼 수 있다.

예제 7.18

(x), (y)의 생존확률 변수를 각각 $T(x)$, $T(y)$라 할 때, $T(x)$, $T(y)$의 결합밀도함수가 다음과 같다.
$$f_{T(x),T(y)}(s,t) = (s+t),\ 0 < s < 1,\ 0 < t < 1$$
$T(xy)$와 $T(\overline{xy})$의 공분산 $\text{Cov}[T(xy),\ T(\overline{xy})]$를 계산하시오.

해설 앞서 도출한 동일한 두 개체로 구성된 결합생존상태와 최후생존자 상태의 공분산 식과 예제 7.1 및 예제 7.7 (2)의 결과를 이용하면
$$\text{Cov}[T(xy),\ T(\overline{xy})] = \text{Cov}(T(x),\ T(y)) + \{E[T(x)] - E[T(xy)]\}$$
$$\{E[T(y)] - E[T(xy)]\}$$
$$= -\frac{1}{144} + \left(\frac{7}{12} - \frac{5}{12}\right)\left(\frac{7}{12} - \frac{5}{12}\right)$$
$$= \frac{1}{48}$$

을 얻는다.

IV • 연생 생명보험과 연금

2, 3장에서 학습했던 생명보험과 연금의 현가를 도출했던 결과는 결합생존상태 및 최후생존자 상태 등을 포함하는 일반적인 상태 u에 대하여도 동일하게 적용된다. 예를 들면, 상태 u의 만 생존연수를 나타내는 확률변수를 $K = K(u)$로 나타내고 사망 시 해당 보험연도 말에 보험금 1을 지급하는 종신보험의 현가 $Z = v^{K+1}$의 평균 A_u은

$$A_u = E(Z) = \sum_{k=0}^{\infty} v^{k+1} \cdot {}_{k|}q_u \tag{7.30}$$

로 표현되고, Z의 분산은

$$\mathrm{Var}(Z) = {}^2A_u - A_u^2 \tag{7.31}$$

로 표현된다.

연금의 경우도 이와 마찬가지로, 예를 들어 생존 시 매 보험연도 초에 1을 지급하는 종신연금의 현가 $Y = \ddot{a}_{\overline{K+1|}}$의 평균은

$$\ddot{a}_u = E(Y) = \sum_{k=0}^{\infty} v^k \cdot {}_k p_u \tag{7.32}$$

로 표현된다.

또한, $Y = \dfrac{1-Z}{d}$로 표현 가능하므로, 연금과 생명보험 간 관계식 $\ddot{a}_u = \dfrac{1-A_u}{d}$가 성립함을 알 수 있다. (단, 해당 관계식은 종신보험과 종신연금 간, 그리고 양로보험과 정기연금 간에만 성립함에 유의하자.)

📖 예제 7.19

70세의 동일한 연령의 부부가 있다. 부부의 향후 생존기간은 서로 독립이고 앞으로 3년간 다음의 생명표를 따른다. (남성을 (x), 여성을 (y)라

표기)

x	q_x	
	남성	여성
70	0.0100	0.0050
71	0.0110	0.0070
72	0.0120	0.0090

연이율이 3%일 때 다음 질문에 답하시오.

(1) 결합생존상태 (xy)에 대하여 사망 시 해당 보험연도 말에 사망보험금 1을 지급하는 3년 만기 정기보험의 일시납 순보험료 $A^1_{xy:\overline{3}|}$를 계산하시오.

(2) 최후생존자상태에 대하여 생존 시 매년 초 1을 지급하는 3년 만기 생존연금의 현가 $\ddot{a}_{\overline{xy}:\overline{3}|}$를 계산하시오.

해설 (1) 주어진 정기보험의 일시납 순보험료는 다음과 같이 계산된다.

$$A^1_{xy:\overline{3}|} = \sum_{k=0}^{2} v^{k+1} \cdot \Pr[K(xy)=k]$$

$$= (1.03)^{-1} \cdot \Pr[K(xy)=0] + (1.03)^{-2} \cdot \Pr[K(xy)=1] +$$
$$(1.03)^{-3} \cdot \Pr[K(xy)=2]$$

수식 (7.11)과 (7.13a)를 이용하여 해당확률을

$$\Pr[K(xy)=k] = {}_kp_{xy} - {}_{k+1}p_{xy} = {}_kp_x \cdot {}_kp_y - {}_{k+1}p_x \cdot {}_{k+1}p_y$$

로 계산할 수 있다. 따라서,

$$\Pr[K(xy)=0] = (1)(1) - (0.99)(0.995) = 0.01495$$
$$\Pr[K(xy)=1] = (0.99)(0.995) - (0.99)(0.989)(0.995)(0.993)$$
$$= 0.017655$$
$$\Pr[K(xy)=2] = (0.99)(0.989)(0.995)(0.993)$$
$$- (0.99)(0.989)(0.988)(0.995)(0.993)(0.991) = 0.02021$$

에서 보험수리적 현가는 0.04965이다.

(2) 주어진 생존연금의 현가는 3장에 도출한 것과 마찬가지로 다음과 같이 표현할 수 있다.

$$\ddot{a}_{\overline{xy}:\overline{3}|} = \sum_{k=0}^{2} v^k \cdot {}_kp_{\overline{xy}}$$

최후생존자상태를 구성하는 두 개체의 미래생존기간이 서로 독립이므로, 수식 (7.15b)를 이용하여

$${}_kp_{\overline{xy}} = 1 - {}_kq_{\overline{xy}} = 1 - {}_kq_x \cdot {}_kq_y$$

이므로

$$_0p_{\overline{xy}} = 1 - (0)(0) = 1$$

$$_1p_{\overline{xy}} = 1 - (0.01)(0.005) = 0.99995$$

$$_2p_{\overline{xy}} = 1 - \{(0.01) + (0.99)(0.011)\}\{(0.005) + (0.995)(0.007)\}$$

$$= 0.99975$$

이므로 생존연금의 보험수리적 현가는

$$\ddot{a}_{xy:\overline{3|}} = (1.03)^0(1) + (1.03)^{-1}(0.99995) + (1.03)^{-2}(0.99975)$$

$$= 2.9132$$

이다.

또한, 결합생존상태와 최후생존자상태에 관련한 생명보험과 연금의 보험수리적 현가에 대한 관계식을 다음과 같이 도출할 수 있다. 우선,

$$v^{T(xy)} + v^{T(\overline{xy})} = v^{T(x)} + v^{T(y)} \tag{7.33}$$

에서 양변에 기대값을 취하면,

$$\overline{A}_{xy} + \overline{A}_{\overline{xy}} = \overline{A}_x + \overline{A}_y \tag{7.34}$$

를 얻을 수 있다. 마찬가지로 연금의 현가의 관계식

$$\overline{a}_{\overline{T(xy)|}} + \overline{a}_{\overline{T(\overline{xy})|}} = \overline{a}_{\overline{T(x)|}} + \overline{a}_{\overline{T(y)|}} \tag{7.35}$$

의 양변에 기대값을 취하면,

$$\overline{a}_{xy} + \overline{a}_{\overline{xy}} = \overline{a}_x + \overline{a}_y \tag{7.36}$$

를 얻는다.

예제 7.20

$T(x)$, $T(y)$가 서로 독립이고 각 확률변수는 다음의 확률밀도함수를 따른다고 한다. (이력 $\delta = 0.03$을 이용하시오.)

$$f(t) = \frac{1}{50}e^{-\frac{t}{50}},\ 0 < t < \infty$$

(1) 결합생존상태 (xy)에 대하여 사망 즉시 보험금 1을 지급하는 종신보험의 보험수리적 현가를 계산하시오.

(2) 최후생존자상태 $(\overline{xy})$에 대하여 사망 즉시 보험금 1을 지급하는 종신

보험의 보험수리적 현가를 계산하시오.

(3) (1),(2)의 결과를 이용하여 관계식 (7.34)가 성립함을 확인하시오.

해설 (1) 주어진 종신보험의 보험수리적 현가는 $\overline{A}_{xy}$로 표현할 수 있고, 1장에서 도출한 결과를 이용하여 다음과 같이 계산할 수 있다.

$$\overline{A}_{xy} = \int_0^\infty v^t f_{T(xy)}(t)dt$$

$$= \int_0^\infty v^t \, _tp_{xy}\mu_{xy}(t)dt$$

$$= \int_0^\infty v^t \, _tp_x \, _tp_y\{\mu_x(t)+\mu_y(t)\}dt$$

$$= \int_0^\infty e^{-0.03t} \cdot e^{-\frac{t}{50}} \cdot e^{-\frac{t}{50}}\left(\frac{1}{50}+\frac{1}{50}\right)dt$$

$$= \int_0^\infty \frac{1}{25}e^{-0.07t}dt$$

$$= 0.5714$$

(2) (1)과 마찬가지의 방법으로 최후생존자상태를 대상으로 하는 종신보험의 보험수리적 현가 $\overline{A}_{\overline{xy}}$는

$$\overline{A}_{\overline{xy}} = \int_0^\infty v^t f_{T(\overline{xy})}(t)dt$$

$$= \int_0^\infty v^t \, _tp_{\overline{xy}}\mu_{\overline{xy}}(t)dt$$

$$= \int_0^\infty v^t\{_tp_x\mu(x+t)_tq_y + _tp_y\mu(y+t)_tq_x\}dt$$

$$= \int_0^\infty e^{-0.03t} \cdot 2\left\{e^{-\frac{t}{50}} \cdot \left(\frac{1}{50}\right) \cdot (1-e^{-\frac{t}{50}})\right\}dt$$

$$= 0.04\left\{\int_0^\infty e^{-0.05t}dt - \int_0^\infty e^{-0.07t}dt\right\}$$

$$= 0.2286$$

이다.

(3) $\overline{A}_x = \overline{A}_y = \int_0^\infty e^{-0.03t} \cdot \frac{1}{50}e^{-\frac{t}{50}}dt = 0.4$이므로 관계식 $\overline{A}_{xy}+\overline{A}_{\overline{xy}} = \overline{A}_x + \overline{A}_y$가 성립함을 알 수 있다. 결국 문제(2)는 직접 계산하지 않고, 관계식을 이용하여 계산할 수도 있다.

연생과 관련한 보험의 보험료를 주기적으로 납입하는 경우에는 4장에서 다

룬 수지상등의 원칙을 적용하여 분납 보험료를 산출할 수 있고, 손실확률변수 및 책임준비금의 경우에도 5장에서 논의한 정의와 결과식을 적용할 수 있다.

예제 7.21

예제 7.19의 주어진 정보를 바탕으로, 부부의 결합생존상태 (xy)에 대하여 상태 종료 시 해당 보험년도 말에 보험금 1을 지급하는 3년 만기 양로보험이 있다. 보험료는 매년 초에 납입한다고 할 때, 다음 물음에 답하시오.

(1) 수지상등의 원칙을 이용하여 해당 보험의 연납보험료를 계산하시오.

(2) 계약 시점에서 정의된 손실확률변수 L의 분산을 계산하시오.

(3) 1년 후 시점에서 결합생존상태가 유지되고 있는 경우 책임준비금을 계산하시오.

해설

(1) 연납보험료를 P라 하면, 수지상등의 원칙에 따라 다음이 성립한다.

$$A_{xy:\overline{3|}} = P \cdot \ddot{a}_{xy:\overline{3|}}$$

우선 예제 7.19의 (1)에서 결합생존상태 (xy)에 대한 3년 만기 정기보험의 보험수리적 현가는 0.04965이고, 3년 만기 생존보험의 보험수리적 현가는

$v^3 \cdot {}_3p_{xy} = (1.03)^{-3} \cdot (1 - 0.01495 - 0.017655 - 0.02021) =$

0.8668이므로, 결합생존상태 (xy)에 대한 3년 만기 양로보험의 보험수리적 현가(좌변)는 0.9165이다.

또한, 3년 만기 정기연금의 경우에는 관계식

$$\ddot{a}_{xy:\overline{3|}} = \frac{1 - A_{xy:\overline{3|}}}{d}$$

를 이용하여 $\ddot{a}_{xy:\overline{3|}} = 2.8668$을 얻는다. 따라서, 연납보험료는 0.3197이다.

(2) $K(xy)$에 따라 다음과 같이 손실확률변수 L의 값을 결정할 수 있다.

$K(xy)$	L	확률
0	$v - P = 0.6512$	0.01495
1	$v^2 - P(1+v) = 0.3125$	0.01766
≥ 2	$v^3 - P(1+v+v^2) = -0.0163$	0.96739

따라서, $Var(L) = E(L^2) = 0.0083$을 얻는다.

(3) 책임준비금의 정의에 따라서 $_1V = A_{x+1:y+1:\overline{2}|} - P \cdot \ddot{a}_{x+1:y+1:\overline{2}|}$
로 표현할 수 있고,
$\Pr[K(x+1:y+1) = 0] = 1 - (0.989)(0.993) = 0.0179$이므로
$A_{x+1:y+1:\overline{2}|} = v(0.0179) + v^2(1 - 0.0179) = 0.9431,$
$\ddot{a}_{x+1:y+1:\overline{2}|} = 1 + v(1 - 0.0179) = 1.9535$에서
$_1V = 0.9431 - (0.3197)(1.9535) = 0.3186$을 얻는다.

예제 7.22

연령이 각각 40세와 50세인 부부가 있다. 두 사람 중 더 오래 생존한 사람이 사망하는 경우해당 보험년도 말 1,000의 금액을 지급하고, 보험료는 두 사람 모두 생존 시에 한하여 매년 초 납입하는 보험의 연납보험료를 수지상등의 원칙을 이용하여 계산하시오. (두 배우자의 생존기간은 서로 독립이고, 부록 4의 표를 이용하시오.)

해설 주어진 계약 조건에 따라 보험금은 부부의 최후생존자 상태가 종료하는 경우 지급되고, 보험료는 부부의 결합생존상태가 유지되는 경우 납입하게 되므로, 보험금의 보험수리적 현가는 $1000A_{\overline{40:50}}$, 연납보험료를 P라 할 때, 보험료의 보험수리적 현가는 $P \cdot \ddot{a}_{40:50}$이다. 수식 (7.34)와 동일한 관계식을 적용하면,
$A_{\overline{40:50}} = A_{40} + A_{50} - A_{40:50} = 0.16132 + 0.24905 - 0.29368 = 0.11669$
이고, $\ddot{a}_{40:50} = 12.4784$이므로 연납보험료는
$$P = \frac{1000 \times 0.11669}{12.4784} = 9.3514$$이다.

V · 연생의 특수한 형태

두 명의 피보험자에 대하여 두 명 모두 생존해 있는 경우 매년 1의 금액을 연속적으로 지급하고 한 명만 생존해 있는 경우 기존 연금액의 $100\alpha\%$를 지급하는 연금을 생각해 보자. 이러한 연금의 현가 Z는 결합생존상태와 최후생존자상태의 생존기간을 나타내는 확률변수를 이용하여 다음과 같이 표현 가능하다.

$$Z = \bar{a}_{\overline{T(xy)|}} + \alpha \left(\bar{a}_{\overline{\overline{T(xy)|}}} - \bar{a}_{\overline{T(xy)|}} \right)$$

$$= \alpha \bar{a}_{\overline{\overline{T(xy)|}}} + (1 - \alpha) \bar{a}_{\overline{T(xy)|}} \tag{7.37}$$

양변에 기대값을 취하면 보험수리적 현가는

$$E(Z) = \alpha \bar{a}_{\overline{xy}} + (1 - \alpha) \bar{a}_{xy}$$

$$= \alpha (\bar{a}_x + \bar{a}_y - \bar{a}_{xy}) + (1 - \alpha) \bar{a}_{xy}$$

$$= \alpha (\bar{a}_x + \bar{a}_y) + (1 - 2\alpha) \bar{a}_{xy} \tag{7.38}$$

로 나타낼 수 있다.

예제 7.23

현재 50세인 부부가 있다. 각 배우자는 모두 다음의 확률밀도함수를 따른다고 한다.

$$f(t) = \frac{1}{50} e^{-\frac{t}{50}}, \; 0 < t < \infty$$

두 사람 모두 생존 시 연간 3,000만원을 지급하고, 한 명만 생존 시 연간 1,800만원을 지급하는 연금의 현재가치를 계산하시오. (이력 $\delta = 0.03$을 이용하시오.)

해설 배우자의 상태를 (x), (y)라 하면, 도출한 결과식에 따라 연금의 현재가치는 두 사람 모두 생존시 지급액 1을 기준으로 $\alpha = 0.6$을 이용하여 수식 (7.38)에 의해

$$0.6 (\bar{a}_x + \bar{a}_y) - 0.2 \bar{a}_{xy}$$

로 계산된다. 2장에서 도출한 관계식과 예제 7.20 (1), (3)의 결과를 이용하면

$$\bar{a}_x = \bar{a}_y = \frac{1 - 0.4}{0.03} = 20$$

$$\bar{a}_{xy} = \frac{1 - 0.5714}{0.03} = 14.2867$$

이므로 주어진 연금의 보험수리적 현가는 $3{,}000\{(0.6)(40) - 0.2(14.2867)\}$ $= 63{,}427.98$만원이다.

또 다른 특수한 경우로 두 피보험자 (x), (y)에 대하여 (x)가 사망한 시점부터 (y)가 생존해 있는 기간 동안 매년 1의 금액을 연속적으로 지급하는

연금을 생각해 보자(이러한 연금을 전환연금(reversionary annuity)이라고 한다). 이러한 연금의 현가 Z는 다음과 같이 표현할 수 있다.

$$Z = \begin{cases} \bar{a}_{\overline{T(y)}|} - \bar{a}_{\overline{T(x)}|}, & T(x) \le T(y) \\ 0 & , \quad T(x) > T(y) \end{cases}$$

$$= \bar{a}_{\overline{T(y)}|} - \bar{a}_{\overline{\min[T(x),\ T(y)]}|}$$

$$= \bar{a}_{\overline{T(y)}|} - \bar{a}_{\overline{T(xy)}|} \tag{7.39}$$

해당연금의 보험수리적 현가를 $\bar{a}_{x|y}$로 나타내면,

$$\bar{a}_{x|y} = E(Z) = \bar{a}_y - \bar{a}_{xy} \tag{7.40}$$

를 얻을 수 있다.

📖 예제 7.24

현재 50세인 부부 (x), (y)가 있다. 부부는 모두 다음의 확률밀도함수를 따른다고 한다.

$$f(t) = \frac{1}{50} e^{-\frac{t}{50}},\ 0 < t < \infty$$

(x)가 먼저 사망하는 경우에 한하여, (x)사망 후 (y)사망 시까지 연간 2,500만원을 연속적으로 지급하는 전환연금의 현재가치를 계산하시오 (이력 $\delta = 0.03$을 이용하시오).

해설 해당 전환연금의 현재가치는 $2,500\bar{a}_{x|y}$으로 표현되고, 앞서 도출한 전환연금의 관계식과 예제 7.23의 결과를 이용하면

$$\bar{a}_{x|y} = \bar{a}_y - \bar{a}_{xy} = 20 - 14.287 = 5.713$$

이므로, 전환연금의 현재가치는 14,282.5만원이다.

📖 예제 7.25

현재 연령이 각각 30세와 40세인 부부가 있다. 현재 40세인 배우자가 먼저 사망한 경우에 한하여 현재 30세인 배우자의 생존 시 매년 초 1,000을 지급하는 전환연금이 있다. 보험료는 현재 40세인 배우자가 생존 시에 매년 초 납입한다고 할 때, 해당 연금의 연납보험료를 구하시오. (두 배우자의 생존기간은 서로 독립이고, 부록 4의 표를 이용하시오.)

해설 주어진 계약 조건에 따라 전환연금의 보험수리적 현가는 $1000\ddot{a}_{40|30}$

으로 표현할 수 있고, 연납보험료를 P라 할 때, 보험료의 보험수리적 현가는 $P \cdot \ddot{a}_{40}$이다.

$\ddot{a}_{40|30} = \ddot{a}_{30} - \ddot{a}_{30:40} = 15.8561 - 14.2068 = 1.6493$이고, $\ddot{a}_{40} = 14.8166$이므로 연납보험료는

$P = \dfrac{1.6493}{14.8166} = 0.1113$이다.

VI • 기타 연생 관련 함수

이 절에서는 연생을 구성하는 각 요소의 생존이 종료되는 순서가 중요한 경우에 대하여 소개하고자 한다. 두 피보험자 (x), (y)에 대하여 (x)가 먼저 사망하는 경우에만 관심이 있는 경우를 생각해 보자. 이러한 경우 상태를 $\frac{1}{xy}$로 표현한다. 예를 들어, ${}_{n}q^{1}_{xy}$은 (x)가 (y)보다 먼저 사망하고, 동시에 (x)의 사망이 n년 이내에 발생할 확률을 의미한다([그림 7-2]의 빗금 친 영역에서의 확률). 또한, 해당 확률은 다음과 같이 계산할 수 있다.

$$
{}_{n}q^{1}_{xy} = \Pr[T(x) \le n,\ T(x) \le T(y)]
$$

$$
= \int_{0}^{n} \int_{s}^{\infty} f_{T(x),T(y)}(s,t)dtds \tag{7.41a}
$$

이고, 수식 (7.41a)에서 $T(x)$, $T(y)$가 서로 독립인 경우에는

$$
{}_{n}q^{1}_{xy} = \int_{0}^{n} [1 - F_{T(y)}(s)]f_{T(x)}(s)ds
$$

$$
= \int_{0}^{n} {}_{s}p_{y}\ {}_{s}p_{x}\mu(x+s)ds
$$

$$
= \int_{0}^{n} {}_{s}p_{xy}\mu(x+s)ds \tag{7.41b}
$$

와 같이 나타내어 결합생존상태의 생존함수를 이용하여 계산할 수 있다.

:: 그림 7-2 $_nq_{xy}^1$이 나타내는 확률 영역에 대한 도식화 그림

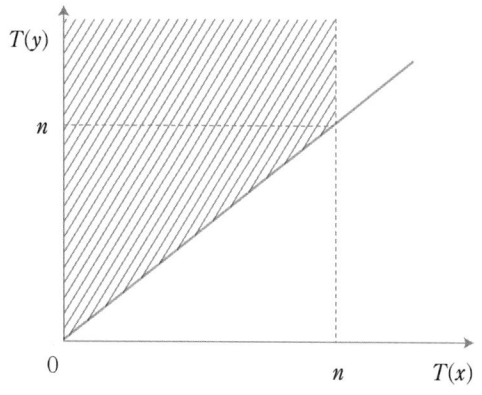

유사한 개념으로 두 피보험자 (x), (y)에 대하여 (y)가 나중에 사망하는 경우에만 관심이 있는 경우를 생각해 보자. 이러한 경우 상태를 $_{xy}^2$로 표현한 다. 예를 들어, $_nq_{xy}^2$은 (y)가 (x)보다 나중에 사망하고, 동시에 (y)의 사망이 n년 이내에 발생할 확률을 의미한다(그림 7-3). 즉,

$$_nq_{xy}^2 = \Pr[T(y) \leq n, \ T(x) \leq T(y)]$$

$$= \int_0^n \int_0^t f_{T(x),\,T(y)}(s,t)\,ds\,dt \tag{7.42a}$$

이고, 수식 (7.42a)에서 $T(x)$, $T(y)$가 독립인 경우

$$_nq_{xy}^2 = \int_0^n F_{T(x)}(t) f_{T(y)}(t)\,dt$$

$$= \int_0^n {_tq_x}\,{_tp_y}\,\mu(y+t)\,dt$$

$$= \int_0^n (1 - {_tp_x})\,{_tp_y}\,\mu(y+t)\,dt$$

$$= {_nq_y} - {_nq_{xy}^1} \tag{7.42b}$$

와 같이 계산할 수 있다.

그림 7-3 $_nq_{xy}^2$가 나타내는 확률 영역에 대한 도식화 그림

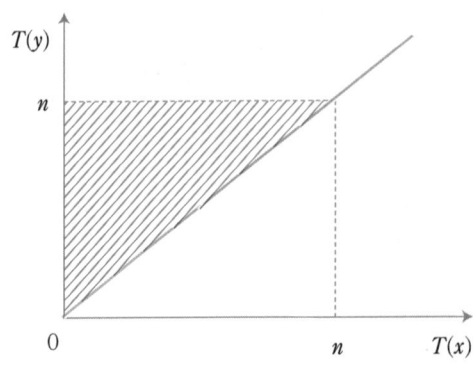

예제 7.26

생존함수가 다음과 같이 주어져 있다.

$$S(x) = 1 - \frac{x}{100}, \ 0 \le x \le 100$$

현재 연령이 각각 60세와 65세인 두 피보험자에 대하여 다음을 계산하시오(단, 두 피보험자의 미래 생존기간은 서로 독립이라고 가정한다).

(1) $_{10}q_{60:65}^1$

(2) $_{10}q_{60:\overset{1}{65}}$

(3) $_{10}q_{60:65}^2$

(4) $_{10}q_{60:\overset{2}{65}}$

해설 (1) 기호의 정의와 독립성 가정에 따라서 다음과 같이 계산할 수 있다.

$$
\begin{aligned}
_{10}q_{60:65}^1 &= \Pr[T(60) \le 10, \ T(60) \le T(65)] \\
&= \int_0^{10} \int_s^{35} f_{T(x),T(y)}(s,t)\,dt\,ds \\
&= \int_0^{10} \int_s^{35} \left(\frac{1}{40} \cdot \frac{1}{35}\right) dt\,ds \\
&= 300 \cdot \left(\frac{1}{40} \cdot \frac{1}{35}\right) \\
&= 0.2143
\end{aligned}
$$

(2) $\quad {}_{10}q_{60:\overline{65}}^{\;\;\;1} = \Pr\left[T(65) \le 10,\ T(65) \le T(60)\right]$

$$= \int_0^{10}\int_t^{40} f_{T(x),T(y)}(s,t)\,ds\,dt$$

$$= \int_0^{10}\int_t^{40}\left(\frac{1}{40}\cdot\frac{1}{35}\right)ds\,dt$$

$$= 350\cdot\left(\frac{1}{40}\cdot\frac{1}{35}\right)$$

$$= 0.25$$

(3) $\quad {}_{10}q_{60:65}^{\;\;\;2} = \Pr\left[T(60) \le 10,\ T(65) \le T(60)\right]$

$$= \int_0^{10}\int_0^{s} f_{T(x),T(y)}(s,t)\,dt\,ds$$

$$= \int_0^{10}\int_0^{s}\left(\frac{1}{40}\cdot\frac{1}{35}\right)dt\,ds$$

$$= 50\cdot\left(\frac{1}{40}\cdot\frac{1}{35}\right)$$

$$= 0.0357$$

(4) $\quad {}_{10}q_{60:\overline{65}}^{\;\;\;2} = \Pr\left[T(65) \le 10,\ T(60) \le T(65)\right]$

$$= \int_0^{10}\int_0^{t} f_{T(x),T(y)}(s,t)\,ds\,dt$$

$$= \int_0^{10}\int_0^{t}\left(\frac{1}{40}\cdot\frac{1}{35}\right)ds\,dt$$

$$= 50\cdot\left(\frac{1}{40}\cdot\frac{1}{35}\right)$$

$$= 0.0357$$

이와 같은 연생함수를 생명보험에 응용하는 경우의 예를 들면, 생존자 (x), (y)를 하나의 대상으로 하는 생명보험에서 (x)가 먼저 사망하는 경우에만 사망 즉시 단위금액을 지급하는 종신보험의 보험수리적 현가는 (x), (y)의 미래생존기간이 서로 독립임을 가정할 때 수식 (7.41b)의 전개과정과 동일하게

$$\overline{A}_{xy}^{\;1} = \int_0^{\infty} v^s\,{}_s p_x\,\mu(x+s)\,{}_s p_y\,ds \tag{7.43}$$

로 나타낼 수 있고, (y)가 나중에 사망하는 경우에만 사망 즉시 단위금액을 지급하는 종신보험의 보험수리적 현가는 (x), (y)의 미래생존기간이 서로 독

립임을 가정할때 수식 (7.42b)의 전개과정과 동일하게

$$\overline{A}_{xy}^{\;2} = \int_0^\infty v^t\,{}_tp_y\mu(y+t)\,{}_tq_x dt \tag{7.44}$$

로 계산할 수 있다.

예제 7.27

생존함수가 다음과 같이 주어져 있다.

$$S(x) = e^{-\frac{x}{100}}$$

연령이 50세와 55세인 두 피보험자를 대상으로 50세인 사람이 먼저 사망하는 경우에 한하여 사망 즉시 1억원을 지급하는 종신보험의 일시납 순보험료를 계산하시오(이력 $\delta = 0.04$를 이용하시오).

해설 해당 종신보험의 일시납 순보험료는 보험금 1원을 기준으로 $\overline{A}_{50:55}^{\;1}$ 원으로 나타낼 수 있으므로 공식을 이용하여

$$\begin{aligned}
\overline{A}_{50:55}^{\;1} &= \int_0^\infty v^s\,{}_sp_{50}\mu(50+s)\,{}_sp_{55}ds \\
&= \int_0^\infty e^{-0.04s} \cdot 0.01e^{-0.01s} \cdot e^{-0.01s}ds \\
&= 0.01\int_0^\infty e^{-0.06s}ds \\
&= 0.1667
\end{aligned}$$

을 얻을 수 있고 따라서, 보험금이 1억원인 해당 종신보험의 일시납 순보험료는 약 1,667만원이 된다.

Ⅶ Common Shock

예를 들어, 부부를 대상으로 하는 생명보험 또는 연금의 경우 불의의 사고로 부부가 동시에 사망하게 되는 경우를 생각할 수 있는데, 연생을 구성하는 요소들의 생존상태가 동시에 종료되는 상황을 common shock이라고 정의하고 이러한 경우를 고려하기 위한 모형을 다음과 같이 생각해 볼 수 있다.

우선 $T^*(x)$, $T^*(y)$를 common shock의 발생경우를 배제한 상황에서 연생을 구성하는 개체 (x), (y)의 미래생존 기간을 나타내는 확률변수라 정의하고 서로 독립이라고 가정하자. 또한, common shock를 반영한 모형 설계의 예로 Z를 common shock가 발생하는 시점을 나타내는 확률변수라고 하고, 평균이 θ인 지수분포를 따른다고 가정하자. 마지막으로 Z는 $T^*(x), T^*(y)$와 독립이라고 가정하면, 확률변수 Z의 생존함수는

$$S(z) = e^{-\frac{z}{\theta}}$$

로 표현되고 common shock를 반영한 (x), (y)의 미래생존 기간을 나타내는 확률변수를 $T(x)$, $T(y)$라 할 때 $T(x)$, $T(y)$는 각각 다음과 같이 표현할 수 있다.

$$T(x) = \min(T^*(x),\ Z)$$
$$T(y) = \min(T^*(y),\ Z)$$

그러면, $T(x)$, $T(y)$의 결합생존 함수는 다음과 같이 나타낼 수 있다.

$$
\begin{aligned}
S_{T(x),\,T(y)}(s,t) &= \Pr[T(x) > s,\ T(y) > t] \\
&= \Pr[\min(T^*(x),Z) > s,\ \min(T^*(y),Z) > t] \\
&= \Pr[T^*(x) > s,\ Z > s,\ T^*(y) > t,\ Z > t] \\
&= \Pr[T^*(x) > s,\ T^*(y) > t,\ Z > \max(s,t)] \\
&= S_{T^*(x)}(s) S_{T^*(y)}(t) e^{-\frac{\max(s,t)}{\theta}}
\end{aligned}
\tag{7.45}
$$

예제 7.28

$T^*(x)$, $T^*(y)$는 0에서 10 사이의 범위에서 균일분포를 따르고 Z는 평균이 5인 지수분포를 따른다고 한다. Common shock 모형을 이용하여 다음 물음에 답하시오.
(1) $T(x)$, $T(y)$의 결합생존함수를 도출하시오.
(2) (1)의 결과를 이용하여 $\Pr[2 < T(x) < 4,\ 3 < T(y) < 5]$를 계산하시오.

해설 (1) 앞서 도출한 결과에 따라 $T(x)$, $T(y)$의 결합생존함수는

$$S_{T(x),\,T(y)}(s,t) = S_{T^*(x)}(s) S_{T^*(y)}(t) e^{-\frac{\max(s,t)}{\theta}}$$

$$= \left(1 - \frac{s}{10}\right)\left(1 - \frac{t}{10}\right)e^{-\frac{\max(s,t)}{5}}, \ 0 < s,t < 10$$

을 얻을 수 있다.

(2) $\Pr[2 < T(x) < 4, \ 3 < T(y) < 5]$

$$= S_{T(x),T(y)}(2,3) - S_{T(x),T(y)}(2,5) - S_{T(x),T(y)}(4,3) + S_{T(x),T(y)}(4,5)$$

$$= (0.8)(0.7)e^{-0.6} - (0.8)(0.5)e^{-1} - (0.6)(0.7)e^{-0.8} + (0.6)(0.5)e^{-1}$$

$$= 0.0818$$

연생의 경우에도 common shock 모형을 적용할 수 있다. 예를 들어 결합 생존상태의 경우 생존함수는

$$S_{T(xy)}(t) = \Pr[\min(T(x), \ T(y)) > t, \ Z > t]$$

$$= \Pr[T^*(x) > t, \ T^*(y) > t, \ Z > t]$$

$$= S_{T^*(x)}(t)S_{T^*(y)}(t)e^{-\frac{t}{\theta}} \tag{7.46}$$

로 표현할 수 있고, 마찬가지로, 최후생존자상태의 생존함수는

$$S_{T(\overline{xy})}(t) = \Pr[\max(T(x), \ T(y)) > t, \ Z > t]$$

$$= \Pr[T(x) > t \ \text{or} \ T(y) > t] \cdot \Pr[Z > t]$$

$$= [S_{T^*(x)}(t) + S_{T^*(y)}(t) - S_{T^*(x)}(t)S_{T^*(y)}(t)]e^{-\frac{t}{\theta}}$$

$$\tag{7.47}$$

와 같이 나타낼 수 있다.

📖 예제 7.29

$T^*(x), \ T^*(y)$는 0에서 10 사이의 범위에서 균일분포를 따르고 Z는 평균이 5인 지수분포를 따른다고 한다. Common shock 모형을 이용하여 다음의 확률을 계산하시오.

(1) $_3p_{xy}$

(2) $_3p_{\overline{xy}}$

🔍해설 (1) 수식 (7.46)을 이용하면,

$$_3p_{xy} = S_{T(xy)}(3)$$

$$= S_{T^*(x)}(3)S_{T^*(y)}(3)e^{-\frac{3}{5}}$$

$$= (0.7)(0.7)e^{-\frac{3}{5}}$$
$$= 0.2689$$

를 얻는다.

(2) 수식 (7.47)를 이용하면,

$$_3p_{\overline{xy}} = S_{T(\overline{xy})}(3)$$
$$= [S_{T^*(x)}(3) + S_{T^*(y)}(3) - S_{T^*(x)}(3)S_{T^*(y)}(3)]e^{-\frac{3}{5}}$$
$$= [0.7 + 0.7 - (0.7)(0.7)]e^{-\frac{3}{5}}$$
$$= 0.4994$$

를 얻는다.

2장과 3장에서 다룬 생명보험 및 연금에서 다룬 보험수리 기호에 포함된 $\overline{n|}$이라는 상태를 계약시점으로부터 n년 전까지는 피보험자의 생존여부와 관계없이 생존상태이고, n년 후 시점이 되면 생존상태가 종료되는 것으로 정의하여 이번 장에서 다룬 결합생존상태 또는 최후생존자 상태 또는 기타연생관련함수에서 다룬 기호의 의미대로 해석할 수 있다.

예를 들면, x세의 피보험자에 대한 n년 만기 정기보험의 보험수리적 현가를 나타내는 기호 $A^1_{x:\overline{n|}}$은 피보험자 (x)와 계약의 유효여부를 나타내는 개체 $\overline{n|}$을 하나의 개체로 보는 연생에 대하여 보험금은 피보험자 (x)의 생존이 먼저 종료되는 경우(즉, n년 이내에 사망)에 한하여 지급이 되는 형태의 보험으로 해석이 가능하다. (마찬가지로, x세의 피보험자에 대한 n년 만기 생존보험 및 양로보험에 대한 기호의 의미도 해석해 보자.)

또한, 많은 경우에 연생을 구성하는 각 개체의 생존기간은 서로 독립임을 가정하였다. 그러나, 부부를 대상으로 하는 경우에는 한 배우자의 사망이 다른 배우자의 건강에 영향을 미치는 경우도 있고, 부부의 경우에는 생활습관이나 사망률에 영향을 미치는 다양한 요소들의 특성을 공유하는 경우가 많으므로 부부의 생존기간이 독립임을 가정하는 것은 다소 잘못된 결과를 도출할 위험이 있다. 따라서, 부부의 생존기간이 서로 영향을 미치는 경우를 반영할 수 있는 모형이 필요한데, 이는 10장의 다중상태모형에서 다루기로 한다.

VIII · 단원 요약표

• 연생의 중요한 두 가지 상태

상태	결합생존상태	최후생존자상태
정의	$T(xy) = \min\{T(x), T(y)\}$	$T(\overline{xy}) = \max\{T(x), T(y)\}$
생존함수 (독립인 경우)	${}_tp_{xy} = {}_tp_x \cdot {}_tp_y$	${}_tp_{\overline{xy}} = 1 - {}_tq_{\overline{xy}} = 1 - {}_tq_x\,{}_tq_y$
사력 (독립인 경우)	$\mu_{xy}(t) = \mu_x(t) + \mu_y(t)$	$\mu_{\overline{xy}}(t) = \dfrac{{}_tq_x \cdot {}_tp_y\mu_y(t) + {}_tq_y \cdot {}_tp_x\mu_x(t)}{{}_tp_{\overline{xy}}}$
관계식	$T(x) + T(y) = T(xy) + T(\overline{xy})$	

• 연생관련함수

$$_nq_{xy}^1 = \Pr[T(x) \leq n, T(x) \leq T(y)]$$

$$_nq_{xy}^2 = \Pr[T(x) \leq n, T(x) \geq T(y)]$$

• 연생과 관련한 생명보험과 연금의 보험수리적 현가 계산은 단일개체를 대상으로 한 생명보험과 연금의 현가계산과 동일한 방법과 공식으로 계산

• Common Shock 모형

$T^*(x), T^*(y)$ 동시 사망을 제외한 생존기간(서로 독립), Z는 동시 사망 발생시점(평균이 θ인 지수분포)

$T(x), T(y)$를 동시 사망을 반영한 $(x), (y)$의 생존기간이라 할 때, $T(x), T(y)$의 결합생존함수는

$$S_{T(x),T(y)}(s,t) = S_{T^*(x)}(s) \cdot S_{T^*(y)}(t) \cdot e^{-\frac{\max(s,t)}{\theta}}$$

1. (x), (y)의 생존확률변수 $T(x)$, $T(y)$에 대한 결합밀도 함수가 다음과 같이 주어져 있을 때 다음 물음에 답하시오.

$$f_{T(x),T(y)}(s,t) = (0.04)(0.06)\exp(-0.04s - 0.06t), \ s > 0, \ t > 0$$

(1) 생존확률변수 $T(x)$, $T(y)$의 결합분포함수 $F_{T(x),T(y)}(s,t)$를 나타내시오.

(2) (1)의 결과를 이용하여 $\Pr[T(x) > 30, T(y) > 20]$을 구하시오.

(3) (1)의 결과를 이용하여 $F_{T(x)}(40)$을 구하시오.

(4) 생존확률변수 $T(y)$의 확률밀도함수를 나타내시오.

(5) (4)의 결과를 이용하여 $\Pr[T(y) \le t] = 0.7$을 만족하는 t의 값을 계산하시오.

2. 최장 1년간 생존 가능한 두 곤충의 미래 생존기간을 나타내는 확률변수 X, Y의 결합확률밀도함수가 다음과 같이 표현된다.

$$f_{X,Y}(x, y) = 12xy(1-x), \quad 0 < x < 1, 0 < y < 1$$

두 곤충의 사망시점의 차이가 3개월 이내일 확률을 계산하시오. (1개월은 1/12년으로 가정하시오.)

3. (x), (y)의 생존확률변수 $T(x)$, $T(y)$에 대한 결합밀도 함수가 다음과 같이 주어져 있을 때 다음 물음에 답하시오.

$$f_{T(x), T(y)}(s, t) = \frac{1}{125}(10 - s - t), 0 < s < 5, 0 < t < 5$$

(1) 생존확률변수 $T(x)$, $T(y)$의 결합생존함수 $S_{T(x), T(y)}(s, t)$를 나타내시오.

(2) 생존확률변수 $T(x)$, $T(y)$의 상관계수를 구하시오.

4. (x), (y)의 생존확률변수 $T(x)$, $T(y)$에 대한 결합밀도 함수가 다음과 같이 주어져 있을 때 다음 물음에 답하시오.

$$f_{T(x),\ T(y)}(s, t) = \frac{1}{10000},\ 0 < s < 100,\ 0 < t < 100$$

(1) 생존확률변수 $T(x)$, $T(y)$의 결합생존함수 $S_{T(x),\ T(y)}(s, t)$를 나타내시오.

(2) (1)의 결과를 이용하여 $\Pr[T(x) \le 40,\ T(y) \le 60]$을 계산하시오.

(3) (x)의 기대여명을 계산하시오.

5. 재민이는 병아리 5마리를 구입하였는데, 각 병아리의 미래 생존 기간(년)은 서로 독립이고, 다음의 분포를 따른다고 할 때, 아래의 물음에 답하시오.

$$f(s) = 2e^{-2s},\ 0 < s < \infty$$

(1) 앞으로 3개월 이내에 5마리의 결합생존상태가 종료하게 될 확률

(2) 1년이 지난 시점에서 5마리의 최후 생존자 상태가 생존상태일 확률

6. (x), (y)의 생존확률 변수 $T(x)$, $T(y)$가 서로 독립이고, 각 확률변수의 분포 함수가 각각

$$F_{T(x)}(s) = \frac{s}{50},\ 0 \le s \le 50$$

$$F_{T(y)}(t) = \frac{t}{65},\ 0 \le s \le 65$$

일 때, 다음을 물음에 답하시오.

(1) 결합생존상태 (xy)의 생존함수를 나타내시오.

(2) (1)의 결과를 이용하여 $\Pr[10 < T(xy) < 20]$을 계산하시오.

(3) $\mu_{xy}(25)$를 계산하시오.

(4) 최후생존자상태 $(\overline{xy})$의 생존기간에 대한 확률밀도함수 $f_{T(\overline{xy})}(t)$를 나타내시오.

(5) $\Pr[K(\overline{xy}) \le 3]$을 계산하시오.

(6) $\mathring{e}_{\overline{xy}}$를 계산하시오.

7. 연령이 각각 x, y세인 두 개체 $(x), (y)$에 대하여 앞으로 t년 후 둘 중 한명만 생존해 있을 확률은 $_t p_{\overline{xy}} - _t p_{xy}$로 표현됨을 보이시오.

8. 어떤 회사에 올해 입사한 두 사람 A, B의 근속기간은 각각 평균이 7년, 5년 인 균일분포를 따른다고 한다. 앞으로 두 사람이 모두 퇴사할 때까지의 경과 년수에 대한 평균과 분산을 계산하시오. (단, 두 사람의 근속기간은 서로 독 립임을 가정하시오.)

9. 어떤 반영구적으로 사용 가능한 기계는 두 개의 부분으로 구성되어 있다. 두 부분의 수명을 나타내는 확률변수(수명의 단위는 년)를 각각 $T(x)$, $T(y)$라 할 때, 두 확률변수의 결합확률밀도함수는 다음과 같이 나타난다고 한다.

$$f_{T(x),\,T(y)}(s,\,t) = \frac{1}{\sqrt{2\pi}}\,s e^{\frac{-st}{2}},\ 0 < s < t < \infty$$

다음의 두 경우에 대하여, 기계를 10년 이상 사용하게 될 확률을 계산하시오.
(힌트: 표준정규분포의 확률밀도함수가 $f(x) = \frac{1}{\sqrt{2\pi}} e^{-\frac{x^2}{2}}$, $-\infty < x < \infty$ 임 을 활용하시오.)
(1) 두 부분이 모두 작동하는 경우에만 기계가 작동하는 경우
(2) 두 부분이 모두 고장난 경우에만 기계가 작동을 하지 않는 경우

10. 연생을 구성하는 두 개체는 사력함수 $\mu(x) = \frac{1}{100-x}$, $0 \le x < 100$를 따르고 생존기간은 서로 독립이라고 가정하여, 다음을 계산하시오.

(1) ${}_{10}p_{40:50}$

(2) ${}_{10}p_{\overline{40:50}}$

(3) ${}_{25}q^{1}_{25:50}$

(4) ${}_{25}q^{2}_{25:50}$

(5) $\mathring{e}_{40:50}$

(6) $\mathring{e}_{\overline{40:50}}$

(7) $Var[T(40:50)]$

(8) $Var[T(\overline{40:50})]$

(9) $Cov[T(40:50),\ T(\overline{40:50})]$

(10) $T(40:50)$, $T(\overline{40:50})$의 상관계수

11. 재효는 생후 3년 된 두 마리의 애완견을 기르고 있는데, 두 애완견의 사력은 각각 다음과 같다고 한다.

$$\mu(x) = 0.15, \ x > 0$$

$$\mu(y) = \frac{1}{15-y}, \ 0 < y < 15$$

두 애완견의 미래 생존기간이 서로 독립이라고 할 때, 앞으로 2년 후 시점부터 5년 후 시점 사이에 두 마리 애완견의 결합생존상태가 종료하게 될 확률을 계산하시오.

12. (x), (y)의 생존확률 변수 $T(x)$, $T(y)$가 다음과 같이 나타날 때, 다음 물음에 답하시오.

$$f_{T(x), \ T(y)}(s, \ t) = \frac{2}{(1+s+t)^3}, \ 0 < s < \infty, \ 0 < t < \infty$$

(1) $_5p_{xy}$를 계산하시오.
(2) $_{10}p_{\overline{xy}}$를 계산하시오.

13. (x), (y)의 생존확률변수가 서로 독립일 때, 다음을 증명하고 결과가 나타내는 의미를 설명해 보시오.

$$\Pr[K(\overline{xy}) = k] = {}_kp_x \cdot q_{x+k} \cdot {}_kq_y + {}_kp_y \cdot q_{y+k} \cdot {}_kq_x + {}_kp_x \cdot q_{x+k} \cdot {}_kp_y \cdot q_{y+k}$$

14. 55세 남성과 50세 여성의 부부가 있다. 부부의 향후 생존기간은 서로 독립이고, 앞으로 3년 동안의 생명표가 다음과 같이 주어져 있을 때, 다음 물음에 답하시오.
(현물이자율 $s_1 = 0.03$, $s_2 = 0.035$, $s_3 = 0.04$를 이용하시오.)

남성		여성	
x	q_x	x	q_x
55	0.0015	50	0.0010
56	0.0020	51	0.0014
57	0.0025	52	0.0018

(1) 부부를 대상으로 하는 3년 만기 생사혼합보험이 있다. 부부 중 한 사람이 3년 내에 사망 시 보험년도말 5,000만원을 지급하고, 만기 시 부부가 모두 생존해 있는 경우 1,000만원을 지급한다고 할 때, 일시납 순보험료를 계산하시오.

(2) 문제 (1)에서 부부 모두 생존 시 매년 초 보험료를 납입한다고 할 때, 연납보험료를 계산하시오.

15. (x), (y)의 생존확률 변수 $T(x)$, $T(y)$가 서로 독립이고, 각각 다음의 확률밀도함수를 갖는다고 한다.
$$f(t) = 0.02,\ 0 < t < 50$$
이력이 $\delta = 0.03$일 때, 다음 물음에 답하시오.

(1) (x), (y)의 결합생존상태 (xy)를 대상으로 사망 시 보험금 1을 즉시 지급하는 10년 만기 정기보험의 보험수리적 현가 $\bar{A}^{1}_{xy:\overline{10|}}$를 계산하시오.

(2) (x), (y)의 최후생존자상태 $(\overline{xy})$를 대상으로 생존 시 연간 1의 연금을 연속적으로 지급하는 종신연금의 보험수리적 현가 $\bar{a}_{\overline{xy}}$를 계산하시오.

(3) (x), (y) 모두 생존 시 연간 5,000만원의 금액을 연속적으로 지급하고, 한 명만 생존 시에는 연간 3,000만원의 금액을 연속적으로 지급하는 연금의 보험수리적 현가를 계산하시오.

(4) (y)가 먼저 사망한 경우에 한하여 (y)사망 후 (x)사망 시까지 연간 3,000만원의 금액을 연속적으로 지급하는 전환연금의 보험수리적 현가를 계산하시오.

16. 서로 독립인 생존확률변수 $T(x)$, $T(y)$에 대하여 $\mu_x(t) = 0.05$, $\mu_y(t) = 0.08$, $\delta = 0.06$일 때, (x)사망 후 (y) 사망 시까지 연간 1의 금액을 연속적으로 지급하는 전환연금의 보험수리적 현가 $\bar{a}_{x|y}$를 계산하시오.

17. (x), (y)의 생존확률 변수 $T(x)$, $T(y)$가 다음과 같이 나타날 때, 다음을 계산하시오.

$$f_{T(x),\,T(y)}(s,\,t) = se^{-(s+t)},\ 0 < s < \infty,\ 0 < t < \infty$$

(1) $_{10}q_{xy}^{1}$

(2) $_{10}q_{xy}^{\ 1}$

(3) $_{10}q_{xy}^{2}$

(4) $_{10}q_{xy}^{\ 2}$

18. 피보험자 (x), (y)에 대하여 다음의 관계식이 나타내는 바를 도식화하여 증명해 보고, 의미상으로도 설명해 보시오.

(1) $_{n}q_{xy}^{1} = {}_{n}q_{xy}^{2} + {}_{n}q_{x} \cdot {}_{n}p_{y}$

(2) $_{n}q_{xy} = {}_{n}q_{xy}^{1} + {}_{n}q_{xy}^{\ 1}$

(3) $_{n}q_{\overline{xy}} = {}_{n}q_{xy}^{2} + {}_{n}q_{xy}^{\ 2}$

19. 연령이 각각 50세와 55세인 두 사람 A, B가 있다. A의 1년 내 사망률은 0.001, B의 1년 내 사망률은 0.002이고, 두 사람의 미래 생존기간은 독립이며 앞으로 1년 내 사망하게 되는 경우 사망시점에 대한 확률밀도함수는 균일분포를 따른다고 한다. 두 사람 모두 4개월 간 생존한 경우 이후 3개월 이내에 B가 먼저 사망하면서 A, B가 모두 사망하게 될 확률을 구하시오. (1개월은 1/12년으로 가정하시오.)

20. 생존함수가 다음과 같이 주어져 있다.

$$S(x) = 1 - \frac{x}{120},\ 0 < x < 120$$

연령이 각각 50세와 20세인 모녀를 대상으로, 어머니가 먼저 사망하는 경우에 한하여 사망 시 딸에게 10억원을 즉시 지급하는 보험의 보험수리적 현가를 이력 $\delta = 0.03$을 이용하여 계산하시오. (모녀의 미래 생존기간은 독립임.)

21. 연령이 각각 x, y세인 두 사람에 대한 다음의 생명보험을 고려하자. 보험금은 둘 중 마지막에 사망하는 사람이 사망하게 되는 시점에서 1의 금액을 지급하고, 보험료는 두 사람 중 한 사람이 먼저 사망하게 될 때까지 연속적으로 납입하게 된다고 할 때, 연간 납입하는 보험료를 계산하시오. 두 사람의 미래생존 기간은 (x)의 경우 평균이 50, (y)의 경우 평균이 40인 지수분포를 따르고, 두 사람의 미래 생존기간은 서로 독립이며, 이력은 $\delta = 0.04$를 가정하시오.

22. 다음의 common shock 모형에서

$$S_{T^*(x)}(s) = e^{-\frac{s}{100}}, \ s \geq 0$$

$$S_{T^*(y)}(t) = e^{-\frac{t}{100}}, \ t \geq 0$$

$$\theta = 200$$

$\Pr[50 < T(x) < 150, \ 100 < T(y) < 200]$을 계산하시오. ($T^*(x)$, $T^*(y)$, z는 서로 독립)

23. (x), (y)의 생존확률 변수 $T(x)$, $T(y)$가 서로 독립이고, (x), (y)의 사력은 다음과 같이 나타난다고 한다.

$$\mu_x(t) = 0.03, \ \mu_y(t) = 0.05$$

이력이 $\delta = 0.025$일 때, 최후생존자 상태 $(\overline{xy})$에 대하여 사망 즉시 보험금 1억원을 지급하는 종신보험에 대하여 다음 물음에 답하시오.

(1) 일시납 순보험료를 계산하시오.

(2) (x), (y) 모두 사망 시까지 연간 P의 금액을 연속적으로 납입하는 경우 P를 계산하시오.

(3) (x), (y) 중 한 명이 사망할 때까지만 연간 Q의 금액을 연속적으로 납입하는 경우 Q를 계산하시오.

24. (x), (y)의 생존확률 변수 $T(x)$, $T(y)$가 서로 독립이고, 다음의 정보가 주어져 있다.

$$q_x = 0.030, \ q_{x+1} = 0.033$$
$$q_y = 0.045, \ q_{y+1} = 0.050$$

단수연령에 대한 다음의 가정을 이용하여, (x), (y)의 최후생존자 상태가 1년 6개월 이내에 종료하게 될 확률을 계산하시오.
(1) 동일 연령구간 내에서의 사망률이 균일분포를 따르는 경우
(2) 동일 연령구간 내에서 사력이 일정한 경우

25. (x), (y)의 생존확률 변수 $T(x)$, $T(y)$가 서로 독립이고, (x), (y)의 사력은 다음과 같이 나타난다고 한다.

$$\mu_x(t) = \mu_y(t) = 0.03$$

(x), (y)의 결합생존상태 (xy)에 대하여 사망 시 보험금 1을 해당 보험연도 말에 지급하는 종신보험에 대하여 10시점에서 생존 시 책임준비금을 계산하시오. (단, 보험료는 매년 초 납입하며, 각 동일 연령구간 내에서의 사망률은 균일분포를 따른다고 가정한다. 또한, 이력 $\delta = 0.03$을 이용하시오.)

26. $T(x)$, $T(y)$는 각각 피보험자 (x), (y)의 장래생존기간을 나타내는 확률변수이고, 이들의 사력은 0.05로 일정하다고 하자. $T(x)$, $T(y)$가 서로 독립일 때, 다음을 계산하시오. (기출)
(1) $\mathrm{Cov}[T(xy), \ T(\overline{xy})]$, 여기서 $T(xy) = \min[T(x), \ T(y)]$, $T(\overline{xy}) = \max[T(x), \ T(y)]$
(2) $\mathrm{Var}[|T(x) - T(y)|]$ 여기서 $|z|$는 z의 절대값을 나타냄.

27. 다음 조건을 이용하여 연생보험의 일시납순보험료를 계산하시오. (기출)
   - 두 피보험자 (x), (y) 중에서 첫번째 사망자에게는 사망 즉시 100을, 두번째 사망자에게는 사망즉시 200을 지급함.
   - 두 피보험자 (x), (y) 중에서 첫번째 사망사건이 발생한 즉시 생존자에게 연금년액 30을 종신연금으로 연속 지급함.

– 두 피보험자 (x), (y)가 동시에 사망할 가능성은 없음.

단, $\overline{a}_x = 10$, $\overline{a}_y = 16$, $\overline{a}_{xy} = 6$, $\delta = 0.05$

28. 흡연자의 사력이 비흡연자의 사력의 두 배일 경우 흡연자의 잔존생존기간이 비흡연자의 잔존생존기간을 초과하게 되는 확률을 구하시오. 단, 흡연자와 비흡연자는 서로 독립이며, 기타 다른 조건은 동일함. (기출)

29. 보험회사에서 식생활 행태에 따른 보험료 차별화전략을 수립할 목적으로 식생활 건강연구소에 의뢰하여 다음과 같은 결과를 얻었다. 즉, 식생활 차이만 있을 뿐, 기타 상황은 동일하고 상호 독립적인 임의의 연령 x에 대하여 비채식주의자(Non-Vegetarian)의 사력은 μ_x이고, 채식주의자(Vegetarian)의 사력은 $\theta\mu_x$이다. 여기에서, θ는 상수이며 $0 < \theta < 1$를 만족한다. 현재 x세인 비채식주의자의 장래 생존기간을 나타내는 연속확률변수를 T^N, 현재 x세인 채식주의자의 장래생존기간을 나타내는 연속확률변수는 T^V라고 할 때, $P[T^V > T^N] = \dfrac{1}{1+\theta}$임을 증명하시오. (기출)

30. 자녀의 가입연령은 x세, 부모의 가입연령은 y세이며, 보험기간이 n년인 보험금 즉시급 연생보험의 보험금지급기준은 다음과 같다. 이 보험의 전기연납순보험료를 구하시오. (기출)

① 만기까지 생존 할 경우

ⅰ. 자녀, 부모 모두 생존할 경우에는 보험금 S를 지급

ⅱ. 자녀만 생존할 경우에는 보험금 $1.5S$를 지급

② 보험기간 중 사망할 경우

ⅰ. 자녀가 제 t보험연도에 사망할 경우 사망보험금 $\dfrac{t}{n}S$를 지급하고 보험계약은 소멸한다.

ⅱ. 부모가 사망할 경우에는 보험료 납입을 면제함과 동시에 그 이후 자녀가 생존하는 한 매년 계약응당일에 $0.1S$를 만기 1년전까지 지급한다.

다중탈퇴모형

I 소 개

　　보험 계약이 종료되는 것을 탈퇴라고 정의한다면, 지금까지는 피보험자가 1명(또는 2 이상)인 경우 사망(상태의 종료)에 의해서만 보험계약이 탈퇴되는 경우를 살펴보았다. 이 장에서는 탈퇴사유가 여러 가지인 상황으로 기존의 단일탈퇴모형을 확장해 보고자 한다. 일반적인 생명보험 상품의 경우 사망과 더불어 해약에 의해 보험계약이 종료되는 경우가 발생하므로, 다중탈퇴모형이 보다 현실적인 모형이라고 볼 수 있으며, 담보가 여러 개인 상품의 경우 지급사유가 발생하면 정해진 보험금 지급과 동시에 계약이 소멸되는 경우도 다중탈퇴모형이 적용될 수 있는 대표적인 예이다. 이 장에서는 이러한 다중탈퇴모형에 관하여 논의하고자 한다.

II 다중탈퇴모형

　　보험계약의 탈퇴사유가 m가지인 경우 실제로 어떤 사유로 탈퇴가 이루어질 지는 알 수 없으므로 확률변수로 표현할 수 있다. 즉, 어떤 계약이 탈퇴하게 되는 사유를 나타내는 이산형 확률변수를 J라 하자. 또한, 계약시점을 0이라 하고 탈퇴가 발생하여 보험계약이 종료되는 시점을 연속확률변수 T로 표현하자. 따라서, 어떤 시점에 특정 사유로 탈퇴가 발생하여 계약이 종료되는 보험계약의 경우는 확률변수 T와 J 모두가 관여하므로 두 확률변수에 대한 결합분포 함수를 다음과 같이 정의한다.

$$f_{T,\ J}(t,\ j) = \Pr[T=t,\ J=j] \tag{8.1}$$

다중탈퇴 모형은 [그림 8-1]과 같이 도식화할 수 있다.

⁘ 그림 8-1   다중탈퇴모형

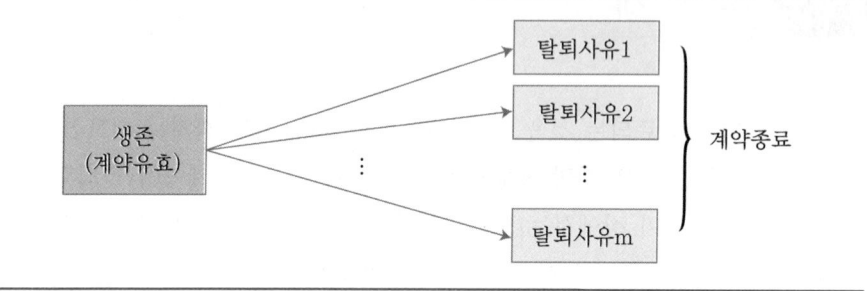

확률변수 T는 탈퇴사유와 관계없는 계약종료 시점을 의미하며 이에 대한 주변분포는 결합분포 함수를 이용하여 다음과 같이 확률밀도함수(probability density function)를 도출할 수 있다.

$$f_T(t) = \sum_{j=1}^{m} f_{T,\ J}(t,\ j) \tag{8.2}$$

마찬가지로 확률변수 J는 계약종료 시점과는 무관하게 특정 탈퇴사유의 발생으로 인해 계약이 종료되는 확률을 의미하며, 결합분포 함수를 이용하여 다음과 같이 확률질량함수(probability mass function)로 나타낼 수 있다.

$$f_J(j) = \int_0^{\infty} f_{T,\ J}(t,\ j)\,dt \tag{8.3}$$

확률변수 T와 J의 결합분포함수(joint density function)와 각 확률변수의 주변분포함수(marginal distribution function)를 이용하여 다중탈퇴와 관련한 확률을 나타내는 함수를 정의해 보자. 어떤 피보험자 (x)가 탈퇴사유 j의 발생

으로 인하여 t시점 이전에 계약이 종료될 확률을 $_tq_x^{(j)}$라 나타내면,

$$_tq_x^{(j)} = \Pr[T \le t,\ J=j] = \int_0^t f_{T,\ J}(s,\ j)ds \tag{8.4}$$

로 표현할 수 있다. 이 때, $_\infty q_x^{(j)} = f_J(j)$임을 알 수 있다. 또한, 탈퇴사유와 관계없이 t시점 이전에 계약이 종료될 확률을 $_tq_x^{(\tau)}$라 나타내면 수식 (8.2)와 (8.4)에 의해

$$_tq_x^{(\tau)} = \Pr[T \le t] = \sum_{j=1}^m {_tq_x^{(j)}} = \int_0^t f_T(s)ds \tag{8.5}$$

로 계산할 수 있다. 또한 t시점까지 계약이 유지되고 있을 확률을 $_tp_x^{(\tau)}$로 나타내면

$$_tp_x^{(\tau)} = 1 - {_tq_x^{(\tau)}} \tag{8.6}$$

가 성립한다. 2장에서 다루었던 사력의 개념과 마찬가지로, x세에 계약을 유지하고 있는 상태에서 t년 후 시점에서의 총탈퇴력(total force of decrement) $\mu_x^{(\tau)}(t)$를 다음과 같이 표현하고 해석해 보자.

$$\mu_x^{(\tau)}(t)dt \approx (x)\text{가 } t\text{년 후 시점에서 아주 짧은 시간 내에 탈퇴할 확률}$$

그러면 (x)가 t년 이내에 탈퇴하게 될 확률은 다음과 같은 적분식으로 표현할 수 있다.

$$_tq_x^{(\tau)} = \int_0^t {_sp_x^{(\tau)}} \cdot \mu_x^{(\tau)}(s)ds \tag{8.7}$$

수식 (8.7)에 양변을 t에 대하여 미분하고, 미적분학의 기본정리를 적용하면

$$\frac{d}{dt}{_tq_x^{(\tau)}} = {_tp_x^{(\tau)}} \cdot \mu_x^{(\tau)}(t)$$

를 얻게 되고 총 탈퇴력은 다음과 같이 정의할 수 있다.

$$\mu_x^{(\tau)}(t) = \frac{\dfrac{d}{dt}{_tq_x^{(\tau)}}}{_tp_x^{(\tau)}} = -\frac{\dfrac{d}{dt}{_tp_x^{(\tau)}}}{_tp_x^{(\tau)}} \tag{8.8a}$$

(수식 (8.5)의 양변을 t에 대하여 미분하면 $\frac{d}{dt}\,_tq_x^{(\tau)} = f_T(t)$ 임을 이용하여

$\mu_x^{(\tau)}(t) = \dfrac{f_T(t)}{_tp_x^{(\tau)}}$ 와 같이 표현할 수 있다.)

$$= -\frac{d}{dt}\ln[_tp_x^{(\tau)}] \tag{8.8b}$$

수식 (8.8b)를 이용하면

$$_tp_x^{(\tau)} = \exp\left[-\int_0^t \mu_x^{(\tau)}(s)ds\right] \tag{8.9}$$

로 나타낼 수 있다. 또한, t시점에서의 탈퇴사유 j에 의한 탈퇴력(force of decrement due to cause j) $\mu_x^{(j)}(t)$를 총탈퇴력과 마찬가지로 다음과 같이 표현하고 해석해 보자.

$$\mu_x^{(j)}(t)dt \approx (x)$$가 t년 후 시점에서 아주 짧은 시간 내에

탈퇴사유 j로 탈퇴할 확률

그러면 (x)가 t년 이내에 탈퇴사유 j로 탈퇴하게 될 확률은 다음과 같은 적분식으로 표현할 수 있다.

$$_tq_x^{(j)} = \int_0^t {}_sp_x^{(\tau)} \cdot \mu_x^{(j)}(s)ds \tag{8.10}$$

수식 (8.10)의 양변을 t에 대하여 미분하면

$$\frac{d}{dt}\,_tq_x^{(j)} = {}_tp_x^{(\tau)} \cdot \mu_x^{(j)}(t)$$

이고, 따라서 탈퇴사유 j에 의한 탈퇴력을 다음과 같이 정의할 수 있다.

$$\mu_x^{(j)}(t) = \frac{\frac{d}{dt}\,_tq_x^{(j)}}{_tp_x^{(\tau)}} = \frac{f(t,j)}{_tp_x^{(\tau)}} \tag{8.11}$$

(수식 (8.4)의 양변을 t에 대하여 미분하면 $\frac{d}{dt}\,_tq_x^{(j)} = f(t,j)$)

또한 수식 (8.2)와 (8.8a)에서

$$f_T(t) = {}_tp_x^{(\tau)}\mu_x^{(\tau)}(t)$$

$$= \sum_{j=1}^{m} f_{T,\,J}(t,\,j)$$

$$= \sum_{j=1}^{m} {}_tp_x^{(\tau)}\mu_x^{(j)}(t)$$

를 얻을 수 있고, 수식 (8.9)에 의해

$$= {}_tp_x^{(\tau)}\sum_{j=1}^{m}\mu_x^{(j)}(t)$$

이므로 다음의 관계식이 성립한다.

$$\mu_x^{(\tau)}(t) = \sum_{j=1}^{m}\mu_x^{(j)}(t) \tag{8.12}$$

즉, 총 탈퇴력은 다중탈퇴력의 합과 같다는 것을 알 수 있다.

또한, 탈퇴가 t시점에 발생한 경우, 탈퇴사유가 j일 조건부 확률은

$$\Pr[J = j\,|\,T = t] = \frac{f_{T,\,J}(t,\,j)}{f_T(t)}$$

$$= \frac{{}_tp_x^{(\tau)}\mu_x^{(j)}(t)}{{}_tp_x^{(\tau)}\mu_x^{(\tau)}(t)}$$

$$= \frac{\mu_x^{(j)}(t)}{\mu_x^{(\tau)}(t)} \tag{8.13}$$

를 얻는다.

예제 8.1

피보험자 (x)의 향후 생존기간(탈퇴시점)과 탈퇴사유에 대한 결합확률분포가 다음과 같이 주어져 있다.

$$f_{T,\,J}(t,\,j) = 0.01e^{-\frac{0.1t}{j}},\ t > 0,\ j = 1,\,2,\,3,\,4$$

다음을 각각 나타내고, 그 의미를 설명하시오.

(1) $f_J(j)$

(2) ${}_5q_x^{(2)}$

(3) $_5q_x^{(\tau)}$

(4) $\mu_x^{(3)}(t)$

(5) $\mu_x^{(\tau)}(3)$

(6) $\Pr[J=3\,|\,T=3]$

해설 (1) 탈퇴사유를 나타내는 확률변수 J의 확률질량함수는 수식 (8.3)을 이용하여

$$
\begin{aligned}
f_J(j) &= \int_0^\infty f_{T,\,J}(t,\,j)\,dt \\
&= \int_0^\infty 0.01 e^{-\frac{0.1t}{j}}\,dt \\
&= \frac{j}{10},\ j=1,\,2,\,3,\,4
\end{aligned}
$$

이다. 즉, j번째 사유로 탈퇴할 확률은 $\dfrac{j}{10}$임을 나타낸다.

(2) $_5q_x^{(2)}$는 (x)가 탈퇴사유 2에 의하여 5시점 이내에 탈퇴할 확률을 의미한다. 수식 (8.4)에 의하여 다음과 같이 계산할 수 있다.

$$
\begin{aligned}
_5q_x^{(2)} &= \int_0^5 f_{T,\,J}(s,\,2)\,ds \\
&= \int_0^5 0.01 e^{-\frac{0.1t}{2}}\,ds \\
&= 0.0442
\end{aligned}
$$

(3) $_5q_x^{(\tau)}$는 (x)가 탈퇴사유와 관계없이 5시점 이내에 탈퇴할 확률을 의미한다. 수식 (8.5)를 이용하여,

$$
\begin{aligned}
_5q_x^{(\tau)} &= \sum_{j=1}^4 {}_5q_x^{(j)} \\
&= \sum_{j=1}^4 \int_0^5 f_{T,\,J}(s,\,j)\,ds \\
&= \sum_{j=1}^4 \int_0^5 0.01 e^{-\frac{0.1s}{j}}\,ds \\
&= \sum_{j=1}^4 0.1j\left(1-e^{-\frac{0.5}{j}}\right) \\
&= 0.1766
\end{aligned}
$$

(4) $\mu_x^{(3)}(t)$은 t시점까지 생존한 피보험자 (x)가 탈퇴사유 3에 의하여 탈퇴할 탈퇴력을 의미한다. 탈퇴력의 정의에 따라

$$
\mu_x^{(3)}(t) = \frac{f_{T,\,J}(t,\,3)}{_tp_x^{(\tau)}}
$$

에서

$$_t p_x^{(\tau)} = 1 - {}_t q_x^{(\tau)}$$

$$= 1 - \sum_{j=1}^{4} \int_0^t 0.01 e^{-\frac{0.1s}{j}} ds$$

$$= 1 - \sum_{j=1}^{4} 0.1 j \left(1 - e^{-\frac{0.1t}{j}}\right)$$

이므로

$$\mu_x^{(3)}(t) = \frac{0.01 e^{-\frac{0.1t}{3}}}{1 - \sum_{j=1}^{4} 0.1 j \left(1 - e^{-\frac{0.1t}{j}}\right)}$$

과 같이 t에 대한 함수로 표현된다.

(5) $\mu_x^{(\tau)}(3)$은 3시점까지 생존한 피보험자 (x)가 탈퇴사유에 관계 없이 3시점에 탈퇴할 총탈퇴력을 의미한다. 수식 (8.8b)를 이용하면,

$$\mu_x^{(\tau)}(t) = -\frac{d}{dt} \ln \left[1 - \sum_{j=1}^{4} 0.1 j \left(1 - e^{-\frac{0.1t}{j}}\right) \right]$$

$$= \frac{\sum_{j=1}^{4} 0.01 e^{-\frac{0.1t}{j}}}{1 - \sum_{j=1}^{4} 0.01 j \left(1 - e^{-\frac{0.1t}{j}}\right)}$$

로 표현가능하고 따라서, $\mu_x^{(\tau)}(3) = 0.0386$을 얻는다.

(6) 주어진 확률은 3시점에서 탈퇴가 일어난다고 할 때, 탈퇴사유 3에 의하여 탈퇴할 조건부 확률을 의미한다. 수식 (8.13)과 (4), (5)의 결과를 이용하여

$$\Pr[J=3 \,|\, T=3] = \frac{\mu_x^{(3)}(3)}{\mu_x^{(\tau)}(3)}$$

$$= \frac{0.0102}{0.0386}$$

$$= 0.2638$$

를 얻는다.

K를 계약의 만 유지년수라 할 때, 탈퇴원인이 한 가지인 경우에는 1장에서 $\Pr[K=k] = {}_k p_x q_{x+k}$로 표현하였다. 다중탈퇴 모형의 경우에는 만 유지년수와 함께, 탈퇴사유도 함께 고려해야 하므로 확률 $\Pr[K=k,\ J=j]$, 즉, 만 유지연수가 k년이고 탈퇴사유가 j일 확률을 다음과 같이 표현할 수 있다.

$$\Pr[K=k,\ J=j] = \int_k^{k+1} f_{T,\ J}(t,\ j)dt$$

$$= \int_k^{k+1} {}_tp_x^{(\tau)} \mu_x^{(j)}(t)dt$$

$$= {}_kp_x^{(\tau)} \int_k^{k+1} {}_{t-k}p_{x+k}^{(\tau)} \cdot \mu_x^{(j)}(t)dt$$

$$= {}_kp_x^{(\tau)} \int_0^1 {}_sp_{x+k}^{(\tau)} \cdot \mu_{x+k}^{(j)}(s)ds$$

$$= {}_kp_x^{(\tau)} q_{x+k}^{(j)} \tag{8.14}$$

📖 예제 8.2

피보험자 (x)는 10년 만기 정기보험에 가입하였다. k차 보험연도의 사망률이 $q_{x+k-1}^{(1)} = 0.01(k+1)$이고, 해약률이

$$q_{x+k-1}^{(2)} = \begin{cases} 0.1-0.01k, & k=1,2,\cdots,5 \\ 0 & k=6.7,\cdots,10 \end{cases}$$으로 나타날 때, 해당 피보험자가 앞

으로 3년 이내에 해약으로 보험계약을 종료하게 될 확률을 구하시오.

✏️해설 구하는 확률은 $\Pr[K=0,J=2]+\Pr[K=1,J=2]+\Pr[K=2,J=2]$
이고, 각 확률은 수식 (8.5)와 (8.14)를 이용하여 다음과 같이 계산할 수 있다.

$\Pr[K=0,J=2] = q_x^{(2)} = 0.09$

$\Pr[K=1,J=2]$
$\quad = p_x^{(\tau)} q_{x+1}^{(2)} = (1-q_x^{(\tau)})q_{x+1}^{(2)} = \{1-(0.02+0.09)\}(0.08) = 0.0712$

$\Pr[K=2,J=2]$
$\quad = {}_2p_x^{(\tau)} q_{x+2}^{(2)} = p_x^{(\tau)} p_{x+1}^{(\tau)} q_{x+2}^{(2)} = (1-0.11)(1-0.11)(0.07) = 0.0554$

이므로 구하는 확률은 $0.09+0.0712+0.0554 = 0.2166$이다.

Ⅲ ▸ 다중탈퇴모형의 생명표와 확률론적 해석

1장에서 다룬 생명표와 마찬가지로 다중탈퇴모형에서도 유사한 방법으로 생명표를 구성할 수 있다. 다중탈퇴모형에서는 복수의 탈퇴사유가 존재하므

로, 이를 생명표에 반영해 주어야 한다. 우선 다음과 같이 기호를 정의하자.

$l_a^{(\tau)}$: 관측이 시작되는 연령 a세에서의 기초 인원 수(radix)

$l_x^{(\tau)} = l_a^{(\tau)} \cdot {}_{x-a}p_a^{(\tau)}$: a세의 연령이 x세에 도달할 때까지 탈퇴하지 않은 인원 수

$d_x^{(j)} = l_x^{(j)} \cdot q_x^{(j)}$: $l_x^{(\tau)}$ 중 $x+1$세가 되기 전 탈퇴사유 j로 탈퇴하게 되는 인원 수

$l_x^{(j)}$: $l_x^{(\tau)}$ 중 앞으로 탈퇴사유 j로 탈퇴하게 되는 인원 수($l_x^{(j)} = \sum\limits_{y=x}^{\infty} d_y^{(j)}$)

정의에 의하여

$$l_{x+1}^{(\tau)} = l_x^{(\tau)} \cdot p_x^{(\tau)}$$
$$= l_x^{(\tau)} \cdot (1 - q_x^{(\tau)})$$
$$= l_x^{(\tau)} (1 - \sum_{j=1}^{m} q_x^{(j)})$$
$$= l_x^{(\tau)} - \sum_{j=1}^{m} d_x^{(j)}$$

이다.

다중탈퇴모형에 적용되는 생명표는 연령별로 탈퇴사유별 탈퇴인원 수와 그 결과 잔존 인원수를 정리하여 <표 8-1>과 같이 나타낼 수 있다.

∷ 표 8-1 다중탈퇴모형의 생명표

연령	$l_y^{(\tau)}$	$d_y^{(1)}$	$d_y^{(2)}$	⋯	$d_y^{(j)}$	⋯	$d_y^{(m)}$
a	$l_a^{(\tau)}$	$d_a^{(1)}$	$d_a^{(2)}$	⋯	$d_a^{(j)}$	⋯	$d_a^{(m)}$
$a+1$	$l_{a+1}^{(\tau)}$	$d_{a+1}^{(1)}$	$d_{a+1}^{(2)}$	⋯	$d_{a+1}^{(j)}$	⋯	$d_{a+1}^{(m)}$
$a+2$	$l_{a+2}^{(\tau)}$	$d_{a+2}^{(1)}$	$d_{a+2}^{(2)}$	⋯	$d_{a+2}^{(j)}$	⋯	$d_{a+2}^{(m)}$
⋮	⋮	⋮	⋮	⋯	⋮	⋯	⋮
x	$l_x^{(\tau)}$	$d_x^{(1)}$	$d_x^{(2)}$	⋯	$d_x^{(j)}$	⋯	$d_x^{(m)}$
⋮	⋮	⋮	⋮	⋯	⋮	⋯	⋮

예제 8.3

다음은 탈퇴사유가 세 가지인 다중상태모형의 생명표의 일부이다. 표를

바탕으로 아래의 물음에 답하시오.

연령	잔존인원수 $l_x^{(\tau)}$	암 발생 $d_x^{(1)}$	심근경색 발생 $d_x^{(2)}$	뇌졸중 발생 $d_x^{(3)}$
70	1,000	6	4	5
71	985	8	6	6
72	965	10	8	7
73	940	12	10	8
74	910	14	12	9

(1) 70세 잔존인원에 포함된 사람이 5년 후까지 탈퇴하지 않을 확률을 구하시오.

(2) 72세 잔존인원에 포함된 사람이 3년 이내에 심근경색 발생으로 탈퇴하게 될 확률을 구하시오.

(3) 70세 잔존인원에 포함된 사람이 3년 이내에 탈퇴한 경우, 뇌졸중으로 탈퇴하였을 조건부 확률을 구하시오.

해설 (1) 구하는 확률은

$$_5p_{70}^{(\tau)} = \frac{l_{75}^{(\tau)}}{l_{70}^{(\tau)}} = \frac{l_{74}^{(\tau)} - d_{74}^{(1)} - d_{74}^{(2)} - d_{74}^{(3)}}{l_{70}^{(\tau)}} = \frac{875}{1,000} = 0.875 \text{이다.}$$

(2) 구하는 확률은 $_3q_{72}^{(2)} = \dfrac{d_{72}^{(2)} + d_{73}^{(2)} + d_{74}^{(2)}}{l_{72}^{(\tau)}} = \dfrac{30}{965} = 0.0311 \text{이다.}$

(3) 구하는 확률은 $\dfrac{_3q_{70}^{(3)}}{_3q_{70}^{(\tau)}} = \dfrac{d_{70}^{(3)} + d_{71}^{(3)} + d_{72}^{(3)}}{l_{70}^{(\tau)} - l_{73}^{(\tau)}} = \dfrac{18}{60} = 0.3 \text{이다.}$

<표 8-1>을 이용하여 각 연령별로 연간 탈퇴사유별 탈퇴율을 계산할 수 있는데, 다중탈퇴표를 이용하는 어떤 보험상품에서 보험개시 연령이 a라고 가정하고, 해당 연령의 총 피보험자 수를 $l_a^{(\tau)}$라 나타내자. 또한, 해당 피보험자 집단은 다중탈퇴표에 나타난 생존함수를 동일하게 적용받는 동종집단이라고 가정하자. 해당 집단에서 연령이 x세가 되었을 때 계약을 유지하고 있는 (즉, 어떠한 탈퇴사유도 발생하지 않은) 피보험자 수를 $L_x^{(\tau)}$라 하면, 이는 확률변수라고 볼 수 있다. 해당 집단의 각 피보험자의 x세 계약 유지확률은 $_{x-a}p_a^{(\tau)}$로 나타낼 수 있으므로 $L_x^{(\tau)}$는 시행횟수가 $l_a^{(\tau)}$이고 성공확률이 $_{x-a}p_a^{(\tau)}$인 이항분포를 따른다. 이항분포의 확률분포함수와 그 성질을 이용하면

$$\Pr[L_x^{(\tau)} = l] = \binom{l_a^{(\tau)}}{l} \left({}_{x-a}p_a^{(\tau)}\right)^l \left({}_{x-a}q_a^{(\tau)}\right)^{l_a^{(\tau)} - l} \tag{8.15}$$

$$E[L_x^{(\tau)}] = l_a^{(\tau)} \, {}_{x-a}p_a^{(\tau)} \tag{8.16}$$

$$\mathrm{Var}[L_x^{(\tau)}] = l_a^{(\tau)} \, {}_{x-a}p_a^{(\tau)} \, {}_{x-a}q_a^{(\tau)} \tag{8.17}$$

를 얻는다. 수식 (8.15)에서 $\binom{l_a^{(\tau)}}{l}$은 $l_a^{(\tau)}$개의 서로 다른 개체 중 l개를 선택하는 경우의 수를 나타낸다. 또한, ${}_nD_x^{(j)}$를 $l_a^{(\tau)}$명의 피보험자 중 x세와 $x+n$세 사이에 탈퇴사유 j로 인하여 보험계약이 종료되는 인원 수를 나타낸다고 하면 이는 시행횟수가 $l_a^{(\tau)}$이고 성공확률이 ${}_{x-a}p_a^{(\tau)} \, {}_nq_x^{(j)}$인 이항분포를 따르며

$$\Pr[{}_nD_x^{(j)} = d] = \binom{l_a^{(\tau)}}{d} \left({}_{x-a}p_a^{(\tau)} \, {}_nq_x^{(j)}\right)^d \left(1 - {}_{x-a}p_a^{(\tau)} \, {}_nq_x^{(j)}\right)^{l_a^{(\tau)} - d} \tag{8.18}$$

$$E[{}_nD_x^{(j)}] = l_a^{(\tau)} \, {}_{x-a}p_a^{(\tau)} \, {}_nq_x^{(j)} \tag{8.19}$$

$$\mathrm{Var}[{}_nD_x^{(j)}] = l_a^{(\tau)} \, {}_{x-a}p_a^{(\tau)} \, {}_nq_x^{(j)} \left(1 - {}_{x-a}p_a^{(\tau)} \, {}_nq_x^{(j)}\right) \tag{8.20}$$

이다. 그리고, ${}_nD_x^{(1)}, \; {}_nD_x^{(2)}, \; \cdots, \; {}_nD_x^{(m)}, \; l_a^{\tau} - \displaystyle\sum_{j=1}^{m} {}_nD_x^{(j)}$은 다항분포를 따르고 다항분포의 성질에 의하여 $i \neq j$인 경우

$$\mathrm{Cov}[{}_nD_x^{(i)}, \, {}_nD_x^{(j)}] = -l_a^{(\tau)} \, {}_{x-a}p_a^{(\tau)} \, {}_nq_x^{(i)} \, {}_{x-a}p_a^{(\tau)} \, {}_nq_x^{(j)} \tag{8.21}$$

로 계산할 수 있다. 즉, 동일한 연령구간에서 서로 다른 두 탈퇴요인에 의한 탈퇴자 수는 한쪽이 증가하면 상대적으로 다른 한쪽이 감소하게 되므로 음의 상관관계를 갖는다.

📖 예제 8.4

다음은 탈퇴사유가 세 가지인 다중상태모형의 연령별 탈퇴율이다. 표를 바탕으로 아래의 물음에 답하시오.

연령	암 발생 $q_x^{(1)}$	사망 $q_x^{(2)}$	해약 $q_x^{(3)}$	전체 $q_x^{(\tau)}$
45	0.003	0.001	0.05	0.054
46	0.005	0.002	0.04	0.047
47	0.007	0.003	0.03	0.040
48	0.009	0.004	0.02	0.033
49	0.011	0.005	0.01	0.026

(1) 45세 현재 탈퇴하지 않은 사람이 앞으로 47세와 50세 사이에 해약으로 탈퇴하게 될 확률을 구하시오.

(2) 48세 현재 탈퇴하지 않은 사람이 앞으로 50세 이전에 해약 이외의 사유로 탈퇴하게 될 확률을 구하시오.

해설 (1) 구하는 확률은 $_2p_{45}^{(\tau)} \cdot {_3q_{47}^{(3)}}$으로 나타낼 수 있다.

$$_2p_{45}^{(\tau)} = p_{45}^{(\tau)} \cdot p_{46}^{(\tau)} = (1-0.054)(1-0.047) = 0.9015,$$

$$_3q_{47}^{(3)} = q_{47}^{(3)} + p_{47}^{(\tau)} \cdot q_{48}^{(3)} + {_2p_{47}^{(\tau)}} \cdot q_{49}^{(3)} = 0.03 + (1-0.04)(0.02) +$$

$(1-0.04)(1-0.033)(0.01) = 0.0585$이므로, $_2p_{45}^{(\tau)} \cdot {_3q_{47}^{(3)}} = 0.0527$을 얻는다.

(2) 구하는 확률은 $_2q_{48}^{(1)} + {_2q_{48}^{(2)}}$ 또는 $_2q_{48}^{(\tau)} - {_2q_{48}^{(3)}}$으로 계산할 수 있다. 후자의 방법으로 계산하면,

$$_2q_{48}^{(\tau)} = 1 - {_2p_{48}^{(\tau)}} = 1 - (1-0.033)(1-0.026) = 0.0581,$$

$$_2q_{48}^{(3)} = q_{48}^{(3)} + p_{48}^{(\tau)} \cdot q_{49}^{(3)} = 0.02 + (1-0.033)(0.01) = 0.0297$$이므로,

$_2q_{48}^{(\tau)} - {_2q_{48}^{(3)}} = 0.0284$이다.

예제 8.5

이중 탈퇴모형의 탈퇴표가 다음과 같이 주어져 있다.

x	$q_x^{(1)}$	$q_x^{(2)}$	$q_x^{(\tau)}$
0	0.01	0.10	0.11
1	0.02	0.09	0.11
2	0.04	0.08	0.12

$l_0^{(\tau)} = 1,000$일 때, 다음 물음에 답하시오.

(1) $E[_2D_1^{(1)}]$

(2) $\mathrm{Var}[_2D_1^{(1)}]$

(3) $\mathrm{Cov}[{}_2D_1^{(1)},\ {}_2D_1^{(2)}]$

(4) $\mathrm{Cov}[{}_2D_1^{(1)},\ {}_2D_1^{(\tau)}]$

해설 주어진 다중탈퇴표로부터 1세와 3세 사이에서 탈퇴사유 1로 인하여 탈퇴하는 기대확률은

$$_1p_0^{(\tau)}{}_2q_1^{(1)} = (1-0.11)\{0.02+(0.89)(0.04)\} = 0.0495$$

이므로 ${}_2D_1^{(1)}$은 시행횟수가 1,000회이고 성공확률이 0.0495인 이항분포를 따른다. 따라서, $E[{}_2D_1^{(1)}] = 49.5$를 얻는다.

(2) (1)에서 얻은 이항분포를 이용하면, $\mathrm{Var}[{}_2D_1^{(1)}] = (1,000)(0.0495)$
$(1-0.0495) = 47.0498$이다.

(3) (1)과 마찬가지로, 확률변수 ${}_2D_1^{(2)}$는 시행횟수가 1,000회이고 성공확률이 0.1435인 이항분포를 따르고 두 확률변수 ${}_2D_1^{(1)},\ {}_2D_1^{(2)}$가 나타내는 결과는 동시에 발생할 수 없으므로 ${}_2D_1^{(1)},\ {}_2D_1^{(2)},$ $1,000 - {}_2D_1^{(1)} - {}_2D_1^{(2)}$는 다항분포를 따른다. 따라서, $\mathrm{Cov}[{}_2D_1^{(1)},$ ${}_2D_1^{(2)}] = -(1,000)(0.0495)(0.1435) = -7.1033$을 얻는다.

(4) 확률변수 ${}_2D_1^{(\tau)}$는 ${}_2D_1^{(1)}$과 ${}_2D_1^{(2)}$의 합이므로 ${}_2D_1^{(1)}$가 나타내는 결과를 포함한다. 따라서, 다항분포의 결과를 이용하기 위하여 공분산의 성질을 이용하면,

$$\begin{aligned}
\mathrm{Cov}[{}_2D_1^{(1)},\ {}_2D_1^{(\tau)}] &= \mathrm{Cov}[{}_2D_1^{(1)},\ {}_2D_1^{(1)} + {}_2D_1^{(2)}] \\
&= \mathrm{Cov}[{}_2D_1^{(1)},\ {}_2D_1^{(1)}] + \mathrm{Cov}[{}_2D_1^{(1)},\ {}_2D_1^{(2)}] \\
&= \mathrm{Var}[{}_2D_1^{(1)}] + \mathrm{Cov}[{}_2D_1^{(1)},\ {}_2D_1^{(2)}]
\end{aligned}$$

과 같이 정리할 수 있고, (2)와 (3)의 결과를 이용하면,

$$\mathrm{Cov}[{}_2D_1^{(1)},\ {}_2D_1^{(\tau)}] = 47.0498 - 7.1033 = 39.9465$$

이다. (3)에서와 달리 ${}_2D_1^{(1)}$가 많아지면 ${}_2D_1^{(\tau)}$도 많아질 것이므로 두 확률변수는 양의 상관관계를 가질 것으로 직관적으로 예상할 수 있다.

다중탈퇴모형에서의 생명표 또는 연령별 다중탈퇴율이 주어진 경우, 소수연령이 포함되는 생존기간에 대한 탈퇴율은 어떻게 계산할 수 있을까? 1장에서와 마찬가지로, 소수연령에 대한 가정을 이용하여 해당 탈퇴율을 계산하는 방법에 대하여 논의해 보도록 하자.

우선 각 탈퇴사유에 의한 탈퇴가 각 연령 구간 내에서 균일하게 발생한다

고 가정하면 다음과 같이 소수기간 동안의 탈퇴율을 계산할 수 있다.

$$_sq_x^{(j)} = s \cdot q_x^{(j)}, \, 0 < s < 1 \tag{8.22}$$

수식 (8.22)에서 모든 탈퇴사유에 대해 탈퇴율을 합하면,

$$_sq_x^{(\tau)} = s \cdot q_x^{(\tau)}, \, 0 < s < 1 \tag{8.23}$$

가 성립한다.

다른 방법으로, 각 탈퇴사유에 의한 탈퇴력이 각 연령구간에서 일정하다고 가정하자. 즉, 임의의 탈퇴사유 j에 대하여

$$\mu_x^{(j)}(t) = \mu_x^{(j)}, \, 0 < t < 1 \tag{8.24}$$

과 같이 나타낼 수 있고, 수식 (8.12)에 의하여 총 탈퇴력도 각 연령구간에서 일정하므로 다음과 같이 표현할 수 있다.

$$\mu_x^{(\tau)}(t) = \mu_x^{(\tau)} = \sum_{j=1}^{m} \mu_x^{(j)}, \, 0 < t < 1 \tag{8.25}$$

수식 (8.24)와 (8.25)를 이용하여 $0 < s < 1$을 만족하는 s에 대하여 $_sq_x^{(j)}$를 표현해보면,

$$\begin{aligned}
_sq_x^{(j)} &= \int_0^s {}_tp_x^{(\tau)} \cdot \mu_{x+t}^{(j)} dt \\
&= \int_0^s e^{-t\mu_x^{(\tau)}} \cdot \mu_x^{(j)} dt \\
&= \frac{\mu_x^{(j)}}{\mu_x^{(\tau)}} (1 - e^{-s\mu_x^{(\tau)}}) \\
&= \frac{\mu_x^{(j)}}{\mu_x^{(\tau)}} (1 - (p_x^{(\tau)})^s)
\end{aligned} \tag{8.26}$$

로 표현할 수 있고, 또한 수식 (8.7)과 (8.10)을 적용하면

$$q_x^{(\tau)} = \int_0^1 {}_tp_x^{(\tau)} \cdot \mu_x^{(\tau)} dt = \mu_x^{(\tau)} \int_0^1 {}_tp_x^{(\tau)} dt$$

$$q_x^{(j)} = \int_0^1 {}_tp_x^{(\tau)} \cdot \mu_x^{(j)} dt = \mu_x^{(j)} \int_0^1 {}_tp_x^{(\tau)} dt$$

에서

$$\frac{\mu_x^{(j)}}{\mu_x^{(\tau)}} = \frac{q_x^{(j)}}{q_x^{(\tau)}}$$

이므로 수식 (8.26)은

$$_s q_x^{(j)} = \frac{q_x^{(j)}}{q_x^{(\tau)}}(1 - (p_x^{(\tau)})^s) \tag{8.27}$$

와 같다.

📖 예제 8.6

세 가지 탈퇴사유를 고려하는 다중탈퇴모형에서 다음의 탈퇴율이 주어져 있을 때, 다음의 확률을 앞서 논의한 두 가지 가정을 각각 이용하여 계산 하시오.

연령(y)	$q_y^{(1)}$	$q_y^{(2)}$	$q_y^{(3)}$
x	0.03	0.05	0.1
$x+1$	0.05	0.08	0.1

(1) $_{0.5}q_{x+1}^{(1)}$

(2) $q_{x+0.5}^{(1)}$

🔍해설 (1) 각 연령구간 내에서 탈퇴가 균일하게 발생한다고 가정하면 수 식 (8.22)에 의하여

$_{0.5}q_{x+1}^{(1)} = 0.5 \cdot q_{x+1}^{(1)} = 0.025$이고,

각 연령구간 내에서 탈퇴력이 일정하다고 가정하면, 수식 (8.27)에 의하여,

$_{0.5}q_{x+1}^{(1)} = \dfrac{q_{x+1}^{(1)}}{q_{x+1}^{(\tau)}}(1 - (p_{x+1}^{(\tau)})^{0.5})$ 에서

$q_{x+1}^{(\tau)} = q_{x+1}^{(1)} + q_{x+1}^{(2)} + q_{x+1}^{(3)} = 0.23$이므로

구하는 탈퇴율은 $\dfrac{0.05}{0.23} \cdot (1 - (1 - 0.23)^{0.5}) = 0.0266$을 얻는다.

(2) 구하는 탈퇴율은 x세와 $x+1$세 두 연령 구간에 해당되는데, 소수연령에 대한 가정은 각 연령구간 내에서만 유효하므로, 두 연령 구간에 해당되는 탈퇴율의 합으로 다음과 같이 나타낼 수

있다.

$$q^{(1)}_{x+0.5} = {}_{0.5}q^{(1)}_{x+0.5} + {}_{0.5}p^{(\tau)}_{x+0.5} \cdot {}_{0.5}q^{(1)}_{x+1}$$

각 연령구간 내에서 탈퇴가 균일하다고 가정하면 수식 (8.22), (8.23)에 의하여

$$q^{(1)}_x = {}_{0.5}q^{(1)}_x + {}_{0.5}p^{(\tau)}_x \cdot {}_{0.5}q^{(1)}_{x+0.5} = 0.5q^{(1)}_x + (1-0.5q^{(\tau)}_x) \cdot {}_{0.5}q^{(1)}_{x+0.5}$$

이고, $q^{(\tau)}_x = 0.18$이므로, ${}_{0.5}q^{(1)}_{x+0.5} = 0.0165$이다.

또한, $p^{(\tau)}_x = {}_{0.5}p^{(\tau)}_x \cdot {}_{0.5}p^{(\tau)}_{x+0.5} = (1-0.5q^{(\tau)}_x) \cdot {}_{0.5}p^{(\tau)}_{x+0.5}$로 표현할 수 있으므로 ${}_{0.5}p^{(\tau)}_{x+0.5} = 0.9011$이고, 따라서 ${}_{0.5}q^{(\tau)}_{x+0.5} = 0.0989$를 얻는다. 따라서 구하는 탈퇴율은

$0.0165 + (1-0.0989)(0.025) = 0.0390$이다.

각 연령구간 내에서 탈퇴력이 일정하다고 가정하면 수식 (8.25), (8.27)을 적용하여

$$q^{(1)}_x = {}_{0.5}q^{(1)}_x + {}_{0.5}p^{(\tau)}_x \cdot {}_{0.5}q^{(1)}_{x+0.5} = \frac{q^{(1)}_x}{q^{(\tau)}_x}(1-(p^{(\tau)}_x)^{0.5}) + (p^{(\tau)}_x)^{0.5} \cdot {}_{0.5}q^{(1)}_{x+0.5}$$

이므로 ${}_{0.5}q^{(1)}_{x+0.5} = 0.0157$이고, $p^{(\tau)}_x = {}_{0.5}p^{(\tau)}_x \cdot {}_{0.5}p^{(\tau)}_{x+0.5} = (p^{(\tau)}_x)^{0.5} \cdot {}_{0.5}p^{(\tau)}_{x+0.5}$에서 ${}_{0.5}p^{(\tau)}_{x+0.5} = 0.9055$이다.

따라서 구하는 탈퇴율은 $0.0157 + (0.9055)(0.0266) = 0.0398$이다.

Ⅳ 절대탈퇴

다양한 담보로 구성된 상품을 개발하고 이에 대한 가격과 준비금을 산출하기 위해서는 다중탈퇴표가 필요한데, 보통의 경우에는 다중탈퇴표로 정리할 수 있는 자료를 구하는 것이 용이하지 않다. 따라서, 각 담보에 해당하는 위험률 또는 탈퇴율 자료를 결합하여 다중탈퇴표를 구축해야 한다. 고려대상이 되는 탈퇴사유 중 특정 탈퇴사유 j만을 고려하는 경우의 탈퇴율을 절대탈퇴율(absolute rate of decrement)이라고 한다. 즉, 탈퇴사유 j 이외의 탈퇴사유는 탈퇴사유로 간주하지 않는 경우이다. (예를 들어 암과 뇌졸중을 동시에 고려하는 이중 탈퇴모형에서 뇌졸중은 고려하지 않고 암으로 인한 탈퇴만 고려하는 경우)

앞서 정의한 탈퇴사유 j에 의한 탈퇴력 $\mu^{(j)}_x(t)$를 이용하여 x세의 생존자

에게 앞으로 t년 이내에 탈퇴사유 j가 발생하지 않게 될 확률 ${}_tp_x^{'(j)}$를 1장에서 다룬 단일탈퇴의 경우와 같이

$$ {}_tp_x^{'(j)} = \exp\left[-\int_0^t \mu_x^{(j)}(s)ds \right] \tag{8.28} $$

로 계산하고, 절대탈퇴율을 다음과 같이 정의한다.

$$ {}_tq_x^{'(j)} = 1 - {}_tp_x^{'(j)} \tag{8.29} $$

또한, 수식 (8.28)에서 양변을 t에 대하여 미분하면

$$ \mu_x^{(j)}(t) = -\frac{\dfrac{d}{dt}\,{}_tp_x^{'(j)}}{{}_tp_x^{'(j)}} \tag{8.30} $$

이고, 이는 1장에서 다룬 사력의 정의와 동일함을 알 수 있다. (왜냐하면 탈퇴사유 j 하나만을 고려하는 모형이므로, 사망에 의한 탈퇴 하나만을 다루는 1장의 상황과 같기 때문이다.)

여기서 $\lim_{t\to\infty} {}_tp_x^{(\tau)} = 0$이지만(언젠가는 사망으로 인한 탈퇴가 반드시 발생), 반드시 $\lim_{t\to\infty} {}_tp_x^{'(j)} = 0$은 성립하지 않음에 유의하자. 그러면, 절대탈퇴율과 다중탈퇴율 사이에는 어떤 관계가 성립하는지 살펴보도록 하자. 우선

$$
\begin{aligned}
{}_tp_x^{(\tau)} &= \exp\left[-\int_0^t \mu_x^{(\tau)}(s)ds \right] \\
&= \exp\left[-\int_0^t \sum_{j=1}^m \mu_x^{(j)}(s)ds \right] \\
&= \exp\left[-\sum_{j=1}^m \int_0^t \mu_x^{(j)}(s)ds \right] \\
&= \prod_{j=1}^m \exp\left[-\int_0^t \mu_x^{(j)}(s)ds \right] \\
&= \prod_{j=1}^m {}_tp_x^{'(j)}
\end{aligned}
\tag{8.31}
$$

이므로,

$$ {}_tp_x^{'(j)} \geq {}_tp_x^{(\tau)} $$

및

$$_t p_x^{'(j)} \mu_x^{(j)}(t) \geq {}_t p_x^{(\tau)} \mu_x^{(j)}(t)$$

를 얻는다. 양변을 0에서 1까지 적분하면, 수식 (8.10)과 (8.30)에 의하여

$$q_x^{'(j)} \geq q_x^{(j)} \tag{8.32}$$

가 성립한다. 이는 우리의 직관과도 일치하는데, 여러 개의 탈퇴사유가 공존하는 경우에는 탈퇴사유 j의 발생보다 먼저 다른 탈퇴사유로 인한 탈퇴의 가능성이 존재하기 때문에, 다중탈퇴율이 절대탈퇴율보다 큰 것은 불가능하다.

예제 8.7

$0 < t < 1$에 대하여 $\mu_x^{(1)}(t) = 0.01$, $\mu_x^{(2)}(t) = 0.04$일 때 x세의 탈퇴사유에 따른 다중탈퇴율과 절대탈퇴율을 각각 계산하시오.

해설 절대탈퇴율의 정의에 따라

$$q_x^{'(1)} = 1 - \exp\left[-\int_0^1 \mu_x^{(1)}(s)ds \right] = 0.0010$$

$$q_x^{'(2)} = 1 - \exp\left[-\int_0^1 \mu_x^{(2)}(s)ds \right] = 0.0392$$

를 얻는다. 다중탈퇴율의 경우는

$$_t q_x^{(j)} = \int_0^t f_{T,\,J}(s,\,j)ds = \int_0^t {}_s p_x^{(\tau)} \mu_x^{(j)}(s)ds$$

를 이용하여

$$q_x^{(1)} = \int_0^1 {}_s p_x^{(\tau)} \mu_x^{(1)}(s)ds$$

$$= \int_0^1 \exp\left[-\int_0^s \mu_x^{(\tau)}(t)dt \right] \mu_x^{(1)}(s)ds$$

$$= \int_0^1 e^{-0.05s} \cdot (0.01)ds$$

$$= 0.00975$$

를 얻고 마찬가지의 방법으로 $q_x^{(2)} = 0.0390$를 얻는다. 그런데 $q_x^{(2)}$의 경우는 앞서 도출한 절대탈퇴율을 이용하여 다음과 같이 도출할 수 있다. 즉, $p_x^{(\tau)} = p_x^{'(1)} p_x^{'(2)} = e^{-0.05} = 0.951229$에서 $q_x^{(\tau)} = 0.04877$이며, $q_x^{(\tau)} = q_x^{(1)} + q_x^{(2)}$이므로 $q_x^{(2)} = 0.0390$을 얻을 수 있다.

📖 **예제 8.8**

탈퇴사유가 세 가지인 다중탈퇴모형이 다음과 같이 표현된다고 할 때, 각 탈퇴사유에 대한 $_3q_x^{'(j)}, j = 1,2,3$를 구하시오.

$$_tq_x^{(1)} = \frac{2}{10}(1 - e^{-0.03t})$$

$$_tq_x^{(2)} = \frac{5}{10}(1 - e^{-0.03t})$$

$$_tq_x^{(3)} = \frac{3}{10}(1 - e^{-0.03t})$$

🔍 **해설** 다중탈퇴모형과 절대탈퇴모형은 모두 8.2절에서 정의된 탈퇴력 $\mu_x^{(j)}(t)$로 표현할 수 있다는 점을 이용하자.

$_3q_x^{'(j)} = 1 - e^{-\int_0^3 \mu_x^{(j)}(t)dt}$ 로 표현할 수 있으므로 주어진 다중탈퇴모형에서 각 탈퇴사유별 탈퇴력 $\mu_x^{(j)}(t)$를 도출하자. 수식 (8.5)와 (8.6)을 적용하면, $_tp_x^{(\tau)} = e^{-0.03t}$이고 수식 (8.11)을 적용하면

$$\mu_x^{(1)}(t) = \frac{\frac{d}{dt} {}_tq_x^{(1)}}{{}_tp_x^{(\tau)}} = 0.006$$을 얻고 마찬가지로

$\mu_x^{(2)} = 0.015, \mu_x^{(3)} = 0.009$를 얻는다.

따라서, $_3q_x^{'(1)} = 1 - e^{-0.006 \times 3} = 0.0178$이고, 마찬가지의 방법으로 $_3q_x^{'(2)} = 0.0440, {}_3q_x^{'(3)} = 0.0266$를 얻을 수 있다.

📖 **예제 8.9**

탈퇴사유가 두 가지인 절대탈퇴모형이 다음과 같이 표현된다고 할 때, 각 탈퇴사유에 대한 $_5q_x^{(j)}, j = 1,2$를 구하시오.

$$_tq_x^{'(1)} = \frac{t}{50}, t < 50$$

$$_tq_x^{'(2)} = \frac{t}{60}, t < 50$$

🔍 **해설** 수식 (8.10)에 의하여 $_5q_x^{(j)} = \int_0^5 {}_tp_x^{(\tau)} \cdot \mu_x^{(j)}(t)dt$이므로, 주어진 절대탈퇴모형을 이용하여 $_tp_x^{(\tau)}$와 $\mu_x^{(j)}$를 표현해 보자.

수식 (8.31)에 의하여 $_tp_x^{(\tau)} = {}_tp_x^{'(1)} \cdot {}_tp_x^{'(2)} = \frac{(50-t)(60-t)}{3000}, t < 50$
이고,

수식 (8.30)에 의하여 $\mu_x^{(1)} = \dfrac{1}{50-t}$, $\mu_x^{(2)} = \dfrac{1}{60-t}$ 이므로,

$$_5q_x^{(1)} = \int_0^5 {}_tp_x^{(\tau)} \cdot \mu_x^{(1)}(t)\,dt = \int_0^5 \frac{60-t}{3000}\,dt = 0.0958 \text{이고,}$$

$$_5q_x^{(2)} = \int_0^5 {}_tp_x^{(\tau)} \cdot \mu_x^{(2)}(t)\,dt = \int_0^5 \frac{50-t}{3000}\,dt = 0.0792 \text{이다.}$$

V 절대탈퇴율을 이용한 다중탈퇴율의 계산

이 절에서는 절대탈퇴율을 이용하여 다중탈퇴율을 도출하는 방법에 대하여 논의해 보도록 하자. 이를 위하여 다중탈퇴율은 각 탈퇴사유에 대하여 단수연령에서 균일분포를 따른다고 가정하자. 즉, 모든 j에 대하여($0 < t < 1$의 경우)

$$_tq_x^{(j)} = t \cdot q_x^{(j)} \tag{8.33}$$

이고 따라서 수식 (8.23)에 의해

$$_tq_x^{(\tau)} = t \cdot q_x^{(\tau)} \tag{8.34}$$

이면, 수식 (8.11)에 따라,

$$_tp_x^{(\tau)}\mu_x^{(j)}(t) = (1 - t \cdot q_x^{(\tau)})\frac{q_x^{(j)}}{1 - t \cdot q_x^{(\tau)}}$$
$$= q_x^{(j)}$$

를 얻는다. 또한, 임의의 탈퇴사유에 대하여 절대탈퇴율은

$$q_x^{'(j)} = 1 - \exp\left[-\int_0^1 \mu_x^{(j)}(t)\,dt\right]$$
$$= 1 - \exp\left[-\int_0^1 \frac{q_x^{(j)}}{1 - t \cdot q_x^{(\tau)}}\,dt\right]$$
$$= 1 - \exp\left[\frac{q_x^{(j)}}{q_x^{(\tau)}}\ln(1 - q_x^{(\tau)})\right]$$

$$= 1 - (p_x^{(\tau)})^{\frac{q_x^{(j)}}{q_x^{(\tau)}}}$$

로 표현할 수 있고 따라서,

$$q_x^{(j)} = q_x^{(\tau)} \cdot \frac{\ln p_x^{'(j)}}{\ln p_x^{(\tau)}} \tag{8.35}$$

를 얻는다.

다른 방법으로 각 탈퇴사유에 대하여 단수연령에서 탈퇴력이 일정하다고 가정하자. 수식 (8.26)의 도출과정으로 $s=1$인 경우를 고려하면 다음의 결과를 얻는다.

$$q_x^{(j)} = \frac{\mu_x^{(j)}}{\mu_x^{(\tau)}} \left(1 - p_x^{(\tau)}\right) \tag{8.36}$$

탈퇴력이 단수연령에서 일정하므로, 수식 (8.28)에 의하여 $\mu_x^{(j)} = \ln p_x^{'(j)}$이고 수식 (8.9)에 의하여 $\mu_x^{(\tau)} = \ln p_x^{(\tau)}$이다. 따라서 수식 (8.36)는

$$q_x^{(j)} = q_x^{(\tau)} \cdot \frac{\ln p_x^{'(j)}}{\ln p_x^{(\tau)}} \tag{8.37}$$

와 같이 변형된다. 이는 수식 (8.35)와 같으므로, 앞서 논의한 두 가지 가정에 따라, 절대탈퇴율과 다중탈퇴율 간의 변환의 결과는 같음을 알 수 있다.

예제 8.10

삼중 탈퇴모형에서 연령 x세의 절대탈퇴율이 다음과 같이 주어진 경우, 다중탈퇴율은 각 탈퇴사유에 대하여 단수연령에서 균일분포를 따른다고 가정하여, 다중탈퇴율을 도출하시오.

$q_x^{'(1)} = 0.03$, $q_x^{'(2)} = 0.02$, $q_x^{'(3)} = 0.08$

해설 우선

$$\begin{aligned}
p_x^{(\tau)} &= \prod_{j=1}^{3} p_x^{'(j)} \\
&= (1-0.03)(1-0.02)(1-0.08) \\
&= 0.8746
\end{aligned}$$

과 $q_x^{(\tau)} = 1 - p_x^{(\tau)} = 0.1254$를 얻을 수 있고, 수식 (8.35)를 이용하면,

$$q_x^{(1)} = q_x^{(\tau)} \cdot \frac{\ln p_x^{'(1)}}{\ln p_x^{(\tau)}} = (0.1254) \cdot \frac{\ln(0.97)}{\ln(0.8746)} = 0.0285$$

를 얻을 수 있고 마찬가지의 방법으로 $q_x^{(2)} = 0.0189$, $q_x^{(3)} = 0.0780$를 각각 얻을 수 있다.

그러나, 이러한 방법은 수식 (8.37)에서 볼 수 있듯이 $q_x^{(\tau)} = 1$인 경우에는 적용할 수 없는 문제가 발생한다. 따라서, 다중탈퇴율에서의 단수연령 가정 대신 절대탈퇴율의 경우 단수연령에서 균일분포를 따른다고 가정해보자. 즉,

$$_t q_x^{'(j)} = t \cdot q_x^{'(j)} \tag{8.38}$$

를 가정하면,

$$\mu_x^{(j)}(t) = \frac{q_x^{'(j)}}{1 - t \cdot q_x^{'(j)}}$$

및

$$_t p_x^{'(j)} \mu_x^{(j)}(t) = q_x^{'(j)}$$

가 성립한다. 따라서,

$$
\begin{aligned}
q_x^{(j)} &= \int_0^1 {}_t p_x^{(\tau)} \mu_x^{(j)}(t)\,dt \\
&= \int_0^1 \left\{ \prod_{j=1}^m {}_t p_x^{'(j)} \right\} \mu_x^{(j)}(t)\,dt \\
&= \int_0^1 {}_t p_x^{'(j)} \mu_x^{(j)}(t) \left\{ \prod_{\substack{i=1 \\ i \neq j}}^m {}_t p_x^{'(i)} \right\} dt \\
&= q_x^{'(j)} \int_0^1 \prod_{\substack{i=1 \\ i \neq j}}^m (1 - t \cdot q_x^{'(i)})\,dt
\end{aligned}
\tag{8.39}
$$

를 도출할 수 있다.

📖 예제 8.11

삼중 탈퇴모형에서 연령 x세의 절대탈퇴율이 다음과 같이 주어진 경

우, 절대탈퇴율은 각 탈퇴사유에 대하여 단수연령에서 균일분포를 따른다고 가정하여, 다중탈퇴율을 도출하고 예제 8.10의 결과와 비교해 보시오.

$$q_x^{'(1)} = 0.03, \ q_x^{'(2)} = 0.02, \ q_x^{'(3)} = 0.08$$

해설 도출한 결과식을 이용하면,

$$q_x^{(1)} = q_x^{'(1)} \int_0^1 (1 - tq_x^{'(2)})(1 - tq_x^{'(3)}) dt$$

$$= q_x^{'(1)} \left\{ 1 - \frac{1}{2}(q_x^{'(2)} + q_x^{'(3)}) + \frac{1}{3} q_x^{'(2)} q_x^{'(3)} \right\}$$

$$= (0.03) \left\{ 1 - \frac{1}{2}(0.02 + 0.08) + \frac{1}{3}(0.02)(0.08) \right\} = 0.0285$$

를 얻을 수 있고, 마찬가지의 방법으로 $q_x^{(2)} = 0.0189$, $q_x^{(3)} = 0.0780$ 를 각각 얻을 수 있다.

해약에 의한 탈퇴의 경우에는 정확한 탈퇴시점보다는 보험료 납입 상태에 따라 탈퇴여부를 파악할 수 있으므로 탈퇴가 이루어지는 시점이 특정 시점에만 존재한다고 볼 수 있다. 다음의 예제를 통해 이러한 상황을 다루어보자.

예제 8.12

이중 탈퇴모형에서 연령 x세의 절대탈퇴율이 다음과 같이 주어져 있다.

$$q_x^{'(1)} = 0.01, \ q_x^{'(2)} = 0.1$$

탈퇴요인 1의 탈퇴는 해당 연령구간 내에서 균일한 분포로 발생되고, 탈퇴요인 2의 탈퇴는 해당 연령구간 내에서 매 분기 말 동일한 비율로 일어난다고 할 때, 다중탈퇴율 $q_x^{(1)}$, $q_x^{(2)}$를 도출하시오.

해설 탈퇴요인 1의 단수연령가정에 의하여

$$_t p_x^{'(1)} = 1 - tq_x^{'(1)} = 1 - 0.01t$$

를 얻을 수 있고, 따라서 탈퇴요인 1의 탈퇴력

$$\mu_x^{(1)}(t) = \frac{0.01}{1 - 0.01t}$$

를 얻는다. 탈퇴요인 2의 경우에는

$$_t p_x^{'(2)} = \left(1 - 0.1^{\frac{\lfloor 4t \rfloor}{4}} \right)$$

로 표현할 수 있다. (여기서 $\lfloor a \rfloor$는 a를 넘지 않는 최대 정수를 의미한다.) 따라서,

$$_tp_x^{(\tau)} = (1-0.01t)\left(1-0.1^{\frac{\lfloor 4t \rfloor}{4}}\right)$$

로 표현할 수 있고, 탈퇴요인 1에 의한 다중탈퇴율은

$$q_x^{(1)} = \int_0^1 {}_tp_x^{(\tau)}\mu_x^{(1)}(t)dt$$

$$= \int_0^1 (0.01)\left(1-0.1\frac{\lfloor 4t \rfloor}{4}\right)dt$$

$$= 0.01 - \frac{0.001}{4}\int_0^1 \lfloor 4t \rfloor dt$$

$$= 0.0096\,(1장에서 다룬 Stieltjes 적분을 이용)$$

을 얻는다. $q_x^{(2)}$의 경우는

$$q_x^{(\tau)} = 1 - (1-0.01)(1-0.1) = 0.109$$

에서

$$q_x^{(2)} = q_x^{(\tau)} - q_x^{(1)} = 0.0994$$

를 구할 수 있다.

VI 다중탈퇴 모형의 적용

지금까지 다중탈퇴모형의 개념과 다중탈퇴율을 도출하는 과정에 대하여 살펴보았다. 마지막으로, 이 절에서는 다중탈퇴모형을 이용하여 보험료 및 책임준비금을 계산하는 과정에 대하여 살펴보도록 하자. 우선 $b_t^{(j)}$를 시점 t에서 탈퇴사유 j의 발생 시 즉시 지급되는 보험금이라 하고, $v_t^{(j)}$를 해당 보험금의 지급액 1 기준 현재가치라 하자. 이 때, 향후 지급될 보험금의 현재가치를 나타내는 확률변수를 $Z_T^{(J)} = b_T^{(J)}v_T^{(J)}$라 하면, 탈퇴사유가 m개이고, 보험기간이 종신인 보험의 일시납 순보험료는 다음과 같이 계산할 수 있다.

$$E[Z_T^{(J)}] = \sum_{j=1}^m \int_0^\infty z_t^{(j)}f_{T,\,J}(t,\,j)dt$$

$$= \sum_{j=1}^m \int_0^\infty b_t^{(j)}v_t^{(j)}{}_tp_x^{(\tau)}\mu_x^{(j)}(t)dt \qquad (8.40)$$

가정을 단순화하여 $b_t^{(j)} = b^{(j)}$이고, $v_t^{(j)} = v^t$이면 일시납 순보험료는

$$E[Z_T^{(J)}] = \sum_{j=1}^{m} b^{(j)} \int_0^{\infty} v^t \, {}_t p_x^{(\tau)} \mu_x^{(j)}(t) dt \tag{8.41}$$

로 표현된다. 또한, 탈퇴사유가 발생한 보험연도 말에 보험금이 지급된다면, 일시납 순보험료는 다음과 같이 표현할 수 있다.

$$\sum_{j=1}^{m} b^{(j)} \sum_{k=0}^{\infty} v^{k+1} \, {}_k p_x^{(\tau)} q_{x+k}^{(j)} \tag{8.42}$$

또한, 보험금이 탈퇴즉시 지급되는 상황에서 보험연도 중 탈퇴시점이 연중 균일하게 발생된다는 단수연령 가정(즉, $T = K + S$이고, K와 S는 서로 독립)을 이용하면,

$$\begin{aligned} E[Z_T^{(J)}] &= E[b^{(J)} v^T] \\ &= E[b^{(J)} v^{K+1} v^{S-1}] \\ &= \frac{i}{\delta} E[b^{(J)} v^{K+1}] \end{aligned} \tag{8.43}$$

로 표현되므로, 수식 (2.88)과 같은 관계식을 얻을 수 있다.

예제 8.13

사망 시 지급액이 5,000만원이고 생존 시 지급액이 1,000만원인 3년 만기 생사혼합보험이 있다. 사망보험금은 즉시 지급되며, 단 해약 시 에는 이미 납입한 보험료의 80%를 무이자로 지급한다. 해약은 매년 말에만 발생한다고 가정할 때, 연이율 5%와 다음의 다중탈퇴율을 이용하여 아래의 물음에 답하시오. 단, 각 연령구간 내에서 사망시점은 균일분포를 따른다고 가정한다.

연령	사망률	해약률
x	0.01	0.1
$x+1$	0.02	0.05
$x+2$	0.04	0

(1) 계약 시 연령이 x세인 피보험자의 일시납 순보험료를 계산하시오.
(2) 보험료를 매년 초에 납입하는 경우 연납 순보험료를 계산하시오.
(3) 매년 초 보험료를 납입하는 상황에서 피보험자가 계약 후 2차 보험

년도에 해약한 경우, 계약시점에서 정의된 손실확률변수 L의 값을 구하시오

(1) 우선 보험금이 지급되는 탈퇴원인이 두 종류이므로 사망을 탈퇴사유 1, 해약을 탈퇴사유 2라 하자. 일시납 순보험료는 향후 손실의 현재가치의 기대값으로 표현할 수 있는데, 향후 손실은 탈퇴원인과 시점에 따라 다른 상황이다. 이를 정리해 보면 다음과 같다.

- 사망보험금은 사망즉시 5,000만원이 지급되는데 이에 대한 보험수리적 현가는 균일분포 가정에 따라

$$5,000\frac{i}{\delta}\sum_{k=0}^{2}v^{k+1}\,{}_k p_x^{(\tau)}q_{x+k}^{(1)}$$

$$=5,000\frac{0.05}{\ln(1.05)}\{(1.05)^{-1}(0.01)+(1.05)^{-2}(0.89)(0.02)+(1.05)^{-3}$$
$$(0.89)(0.93)(0.04)\}$$

$$=277.72(만원)$$

을 얻는다.

- 3년 계약 유지 시 생존 보험금은 1,000만원인데 이에 대한 보험수리적 현가는 3년 생존 확률을 고려하여

$$1,000(1.05)^{-3}\,{}_3p_x^{(\tau)}=1,000(1.05)^{-3}(0.89)(0.93)(0.96)$$
$$=686.40(만원)$$

을 얻는다.

- 해약 시 일시납 순보험료를 무이자로 지급하므로 일시납 순보험료를 P라고 하면 해당 지급금액의 보험수리적 현가는

$$0.8P\sum_{k=0}^{2}v^{k+1}\,{}_k p_x^{(\tau)}q_{x+k}^{(2)}$$

$$=0.8P\{(1.05)^{-1}(0.1)+(1.05)^{-2}(0.89)(0.05)\}$$
$$=0.1085P(만원)$$

이다.

수지상등의 원칙을 적용하면

$$P=277.72+686.40+0.1085P$$

에서 일시납 순보험료는 1,081.45만원이다.

(2) 연납 순보험료를 P라 하면 (1)에서의 해약 시 지급금액을 다음과 같이 수정할 수 있다.

$$0.8P(1.05)^{-1}(0.1)+0.8(2P)(1.05)^{-2}(0.89)(0.05)$$
$$=0.1408P(만원)$$

또한, 보험료의 보험수리적 현가는 다음과 같이 계산할 수 있다.

$$P\sum_{k=0}^{2} v^k {}_k p_x^{(\tau)}$$

$$= P\{1 + (1.05)^{-1}(0.89) + (1.05)^{-2}(0.89)(0.93)\}$$

$$= 2.5983P(\text{만원})$$

수지상등의 원칙에 따라,

$$2.5983P = 277.72 + 686.40 + 0.1408P$$

에서 연납순보험료 392.32만원을 얻는다.

(3) 2차년도에 해약을 하였으므로 2년 후 시점에서 납입한 보험료의 80%를 무이자로 지급한다. 따라서 보험자의 지출액의 현재가치는 $2P(0.8)v^2$이다. 또한, 보험료는 계약시점과 1년 후 시점에서 납입하였으므로 현재가치는 $P(v+v^2)$이다. 따라서 손실은 $2P(0.8)v^2 - P(v+v^2) = -160.13(\text{만원})$이다.

　　또한, 5장에서 학습한 책임준비금의 산출 개념을 동일하게 적용하여 t시점에서의 책임준비금은

　　t시점 후 지급될 보험금의 t시점에서의 보험수리적 현가

　　$-t$시점 이후 납입될 보험료의 t시점에서의 보험수리적 현가

를 적용하여 계산할 수 있다.

📖 예제 8.14

(예제 8.13)의 주어진 상황에서 보험료를 매년 초에 납입하는 경우, 경과 시점별 책임준비금을 계산하시오.

해설 $k=1, 2$에 대하여 k시점의 책임준비금을 ${}_k V$로 나타내자. 책임준비금의 정의와 (예제 8.13)에서 도출한 보험료를 이용하여 책임준비금을 다음과 같이 계산할 수 있다.

우선 1시점에서의 책임준비금을 산출하기 위하여 1시점 후 지급될 보험금의 보험수리적 현가는 사망 보험금과 만기 계약 유지시 지급되는 보험금의 보험수리적 현가, 그리고 해약시 지급되는 금액의 보험수리적 현가의 합이므로,

　　　　1시점 후 지급될 보험금의 APV

$$= 5,000\frac{i}{\delta}\sum_{k=0}^{1} v^{k+1} {}_k p_{x+1}^{(\tau)} q_{x+k+1}^{(1)} + 1,000 v^2 {}_2 p_{x+1}^{(\tau)} + 2(0.8)(392.32)v(0.05)$$

$$= 5,000\frac{0.05}{\ln(1.05)}\{(1.05)^{-1}(0.02) + (1.05)^{-2}(0.93)(0.04)\}$$

$$+1,000(1.05)^{-2}(0.93)(0.96)+2(0.8)(392.32)(1.05)^{-1}(0.05)$$
$$=1,110.18(\text{만원})$$

이고, 1시점 이후 납입될 보험료의 보험수리적 현가는

$$(392.32)\sum_{k=0}^{1}v^k\,_kp_{x+1}^{(\tau)}=(392.32)\{1+(1.05)^{-1}(0.93)\}=739.80(\text{만원})$$

이므로, 1시점에서의 책임준비금은

$$_1V=1,109.72-739.80=370.38\text{이다.}$$

마찬가지의 방법으로 2시점에서의 책임준비금은

$$2\text{시점 후 지급될 보험금의 } APV$$

$$=5,000\frac{i}{\delta}vq_{x+2}^{(1)}+1,000vp_{x+2}^{(\tau)}$$

$$=5,000\frac{0.05}{\ln(1.05)}(1.05)^{-1}(0.04)+1,000(1.05)^{-1}(0.96)$$

$$=1,109.49(\text{만원})$$

이고, 2시점 이후 납입될 보험료의 보험수리적 현가는 392.32 만원 이므로, 2시점에서의 책임준비금은

$$_2V=1,109.49-392.32=717.17(\text{만원})\text{이다.}$$

Ⅶ 단원 요약표

• 다중 탈퇴모형의 생존함수

T: 탈퇴까지 계약이 유지되는 기간을 나타내는 확률변수

J: 탈퇴사유를 나타내는 확률변수 $J=1,2,\cdots,m$

$$_tq_x^{(j)}=\Pr[T\le t,J=j],\ _tq_x^{(\tau)}=\Pr[T\le t]=\sum_{j=1}^{m}\,_tq_x^{(j)}$$

$$_tp_x^{(\tau)}=1-\,_tq_x^{(\tau)}$$

$$\mu_x^{(\tau)}(t)=-\frac{d}{dt}\ln(\,_tp_x^{(\tau)}),\ _tp_x^{(\tau)}=\exp\left(-\int_0^t\mu_x^{(\tau)}(s)ds\right),$$

$$\mu_x^{(j)}(t)=\frac{\dfrac{d\,_tq_x^{(j)}}{dt}}{_tp_x^{(\tau)}},\ \mu_x^{(\tau)}(t)=\sum_{j=1}^{m}\mu_x^{(j)}(t)$$

• 절대탈퇴율

다중탈퇴 중 하나의 탈퇴사유만을 고려하는 경우

$$_tp_x^{'(j)} = \exp\left(-\int_0^t \mu_x^{(j)}(s)ds\right)$$

$$_tp_x^{(\tau)} = \prod_{j=1}^m {}_tp_x^{'(j)}$$

• 다중탈퇴율과 절대탈퇴율 간의 변환

① 다중탈퇴율에서 단수연령 구간 내 균일분포를 가정

$$q_x^{(j)} = q_x^{(\tau)} \cdot \frac{\ln p_x^{'(j)}}{\ln p_x^{(\tau)}}$$

② 절대탈퇴율에서 단수연령 구간 내 균일분포를 가정

$$q_x^{(j)} = q_x^{'(j)} \int_0^1 \prod_{\substack{i=1 \\ i \neq j}}^m (1 - tq_x^{'(i)})dt$$

• 다중 탈퇴모형을 적용한 보험수리적 현가

j번째 탈퇴사유에 대한 보험금이 $b^{(j)}$일 때, 탈퇴사유 발생 시 즉시 해당 보험금이 지급되고 보험기간이 종신인 보험의 보험수리적 현가는

$$\sum_{j=1}^m b^{(j)} \int_0^\infty v^t \, {}_tp_x^{(\tau)} \mu_x^{(j)}(t)dt$$

![연습문제]

1. 50세의 피보험자를 대상으로 하는 어떤 보험의 탈퇴사유는 3가지이며(편의상 1, 2, 3으로 나타낸다.) 탈퇴가 발생하는 경우 각 탈퇴사유로 탈퇴하게 될 확률은 탈퇴사유 1, 2, 3 각각 0.25, 0.35, 0.4라고 한다. 또한, 계약 후 탈퇴원인과 관계없이 탈퇴가 이루어지는 시점을 확률변수 T(년)로 나타낼 때 확률밀도함수는 다음과 같이 표현된다.

$$f_T(t) = \frac{1}{50} exp\left(-\frac{t}{50}\right),\ t > 0$$

탈퇴시점과 탈퇴사유는 서로 독립이라고 가정할 때, 다음을 구하시오.

(1) 탈퇴원인 2로 인하여 5년 이내에 탈퇴가 이루어질 확률

(2) 5년 이내에 탈퇴가 이루어질 확률

(3) 10년 이상 계약이 유지될 확률

(4) 10년 시점에서 탈퇴원인 3에 의한 탈퇴력

2. 두 종류의 탈퇴 (탈퇴사유 1, 2)를 고려하는 경우 탈퇴사유 J와 탈퇴시점 T (년)의 결합확률분포가 다음과 같다.

$$f_{T,\,J}(t,\,j) = \frac{1}{5000}(50j - t),\ j = 1,\ 2,\ 0 < t < 50$$

이 때 다음 물음에 답하시오.

(1) 각 탈퇴사유로 탈퇴하게 될 확률을 계산하시오.

(2) 탈퇴시점 T에 대한 확률밀도 함수를 구하시오.

(3) 앞으로 10년 이후 탈퇴원인 1로 탈퇴하게 될 확률을 구하시오.

(4) 앞으로 20년 이내에 탈퇴하게 될 확률을 구하시오.

(5) $\mu_x^{(1)}(t)$, $\mu_x^{(2)}(t)$, $\mu_x^{(\tau)}(t)$를 각각 나타내시오.

(6) 5년 후 시점에서 탈퇴가 발생한 경우, 탈퇴사유가 1이었을 확률을 구하시오.

3. 다음과 같은 이중탈퇴모형에서

x	$q_x^{(1)}$	$q_x^{(2)}$
0	0.01	0.10
1	0.02	0.03
2	0.03	0.01

$l_0^{(\tau)} = 10,000$일 때, 확률론적 생존모형에서 다음의 값을 계산하시오.

(1) $E[{}_2D_1^{(\tau)}]$

(2) $\mathrm{Var}[D_1^{(1)}]$

(3) $\mathrm{Cov}[{}_2D_1^{(\tau)}, {}_2D_1^{(2)}]$

4. 이중탈퇴모형에서 각 탈퇴요인에 의한 탈퇴력이 다음과 같이 주어져 있다.

$$\mu_x^{(1)}(t) = 0.01, \ \mu_x^{(2)}(t) = 0.05$$

$x = 40$인 경우, 다음을 t, j로 표현하시오.

(1) $f_{T,J}(t, j)$

(2) $f_T(t)$

(3) $f_J(j)$

(4) $f_{J|T}(j|t)$

5. x세 생존자에 대한 이중탈퇴모형에서 각 탈퇴사유에 대한 탈퇴력이 다음과 같이 주어져 있다.

$$\mu_{x+t}^{(1)} = \frac{1}{50-t}, \ \mu_{x+t}^{(2)} = 0.02$$

다음의 확률을 계산하시오.

(1) $\mathrm{Pr}[T \le 3, J = 1]$

(2) $\mathrm{Pr}[T > 10]$

(3) $\mathrm{Pr}[K \le 1, J = 1]$

6. 어떤 삼중탈퇴모형에서 40세 피보험자가 탈퇴사유 1, 2, 3에 의해 6개월 내에 탈퇴하게 될 확률이 각각 0.02, 0.01, 0.04라고 한다. 다음 물음에 답하시오. (단, 다중탈퇴율은 단수연령에서 균일분포를 따른다고 하고, 1개월은 1/12년으로 가정한다.)

    (1) 40세 피보험자가 8개월 내에 탈퇴사유 2에 의하여 탈퇴하게 될 확률을 구하시오.

    (2) 40세 피보험자가 10개월까지 탈퇴하지 않을 확률을 구하시오.

7. 피보험자 (x)에 대한 이중탈퇴모형에서 탈퇴사유 1, 2에 의한 탈퇴력이 다음과 같이 주어진 경우 다음을 계산하시오.

$$\mu_{x+t}^{(1)} = \begin{cases} 0.02 & t \le 10 \\ 0.03 & t > 10 \end{cases}, \quad \mu_{x+t}^{(2)} = \begin{cases} 0.01 & t \le 10 \\ 0.04 & t > 10 \end{cases}$$

    (1) $_{20}p_x^{(\tau)}$

    (2) $_{15}q_x^{(1)}$

8. 아래의 표를 이용하여 다음의 확률값을 계산하시오.

    (1) $_3p_{67}^{(\tau)}$

    (2) $_{2|}q_{66}^{(1)}$

x	$q_x^{(1)}$	$q_x^{(2)}$
65	0.02	0.05
66	0.03	0.06
67	0.04	0.07
68	0.05	0.08
69	0.06	0.09

9. 다음은 특정 부위 암의 발병 후 경과연도에 따라 사망하거나 완치되는 경우의
   확률을 나타낸 표이다. (완치되는 경우 재발은 없다고 가정한다.)

경과연도	완치	사망
1	0.15	0.25
2	0.18	0.20
3	0.20	0.15
4	0.24	0.05
5	0.30	0.01

확률론적 생존모형을 가정하여, 어떤 해의 해당 암이 발병한 환자가 2,000명
일 때, 다음 물음에 답하시오.

(1) 3년 이내 완치되는 환자 수의 기대값과 분산을 구하시오.

(2) 3년 유병 후 2년 이내에 사망하는 환자 수의 기대값과 분산을 구하시오.

(3) 3년 유병 후, 1년 이내에 사망하는 환자 수와 1년 이내에 유병상태가 종료
    되는 환자 수의 공분산을 구하시오.

10. 다중탈퇴모형에서 탈퇴요인에 의한 생존확률이 다음과 같이 정의될 수 없는
    이유에 대하여 논의하시오.

$$p_x^{(j)} = 1 - q_x^{(j)}$$

11. 2중 탈퇴모형의 탈퇴요인(1,2)별 절대탈퇴율이 다음과 같이 주어져 있을 때
    다음 물음에 답하시오.

$$_tp_x^{'(1)} = (0.9)^t, \quad _tp_x^{'(2)} = (0.85)^t$$

(1) $_{10}q_x^{(\tau)}$

(2) $_3q_x^{(1)}$

(3) $\mu_x^{(\tau)}(5)$

(4) 탈퇴요인 J와 탈퇴시점 T에 대한 결합분포함수 $f_{T,\,J}(t,\,j)$를 나타내시오.

12. 이중탈퇴모형에서 $0 < t < 1$에 대해 $\mu_x^{(1)}(t) = t^2$, $\mu_x^{(2)}(t) = 3t^2$일 때, 다음을 계산하시오.

(1) $q_x^{'(1)}$, $q_x^{'(2)}$

(2) $q_x^{(1)}$, $q_x^{(2)}$

13. 삼중탈퇴모형에서 각 탈퇴요인에 해당하는 절대탈퇴에서의 탈퇴가 각 연령 내에서 균일하게 일어난다고 가정하였을 때 다음 물음에 답하시오.

(1) $q_x^{(1)}$을 $q_x^{'(1)}$, $q_x^{'(2)}$, $q_x^{'(3)}$을 이용하여 표현하시오.

(2) 세 가지 탈퇴요인이 1년 내 모두 발생할 확률이 0이라고 가정할 때, (1)에서 도출한 결과식이 나타내는 바의 의미를 해석하시오.

14. 이중탈퇴모형에서 탈퇴요인 (1)에 해당하는 절대탈퇴모형은 연중 탈퇴가 균일하게 발생한다고 가정하고, 탈퇴요인 (2)에 해당하는 절대탈퇴모형은 탈퇴가 1/5시점에서 80%, 3/5시점에서 나머지 20%가 발생한다고 할 때, $q_x^{'(1)} = 0.1$, $q_x^{'(2)} = 0.12$인 경우 $q_x^{(2)}$를 계산하시오.

15. 이중탈퇴모형에서 각 탈퇴요인에 해당하는 절대탈퇴율을 이용하여 다중탈퇴율을 계산하고자 한다. $q_x^{'(1)} = 0.03$, $q_x^{'(2)} = 0.07$일 때, x세의 탈퇴요인별 다중탈퇴율을 다음 가정하에 계산하시오.

(1) 다중 탈퇴모형에서 탈퇴요인별 탈퇴가 연령 기간 내에 균등하게 발생한다고 가정

(2) 각 탈퇴요인에 해당하는 절대탈퇴모형에서 탈퇴가 연령 기간 내에 균등하게 발생한다고 가정

16. 삼중탈퇴모형에서 각 탈퇴요인에 해당하는 연령별 절대탈퇴율이 다음과 같이 주어져 있을 때, 다중탈퇴모형에서 탈퇴요인별 탈퇴가 연중 균등하게 발생한다고 가정하여 삼중탈퇴모형의 탈퇴표를 도출하시오.

x	$q_x^{'(1)}$	$q_x^{'(2)}$	$q_x^{'(3)}$
62	0.020	0.030	0.200
63	0.022	0.034	0.100
64	0.028	0.040	0.120

17. 다음은 연령 60세와 61세의 탈퇴사유 1, 2에 대한 절대탈퇴율을 나타내는 표이다.

연령	$q_x^{'(1)}$	$q_x^{'(2)}$
60	0.01	0.03
61	0.02	0.05

다중 탈퇴모형에서 각 탈퇴사유에 의한 탈퇴는 연중 균일하게 발생된다고 할 때, 생후 60년 6개월인 생존자가 앞으로 9개월 이내에 탈퇴사유 2로 인해 탈퇴하게 될 확률을 계산하시오.

18. 3중 탈퇴모형에서 탈퇴력이 다음과 같을 때, $_tq_x^{(j)}$를 표현하시오.

$$\mu_x^{(1)}(t) = \ln(1.05), \ \mu_x^{(2)}(t) = \ln(1.08), \ \mu_x^{(3)}(t) = \ln(1.2)$$

19. 40세 피보험자에 대하여 앞으로 3년 간 질병으로 사망 시 보험금 1억원, 상해로 사망 시 보험금 5,000만원을 해당 보험연도 말 지급하는 보험이 있다. 다음의 이중탈퇴표와 연이율 3%를 가정하여 다음 물음에 답하시오. (단, 해약은 없는 것으로 가정한다.)

보험연도	질병사망률	상해사망률
1	0.005	0.001
2	0.007	0.004
3	0.009	0.007

(1) 수지상등의 원칙을 이용하여 해당 보험에 대한 연납보험료를 결정하시오.

(2) (1)에서 결정한 보험료를 적용할 때, 해당 피보험자가 2차 보험연도에 사망하는 경우 보험자의 손실의 현재가치를 계산하시오.

20. 가격이 3,000만원인 자동차를 구입하는 경우 P의 금액을 추가로 지불하면 2년 이내 자동차의 결함이 발견되는 경우에는 구입가격을 환불해 주고, 천재지변으로 인해 자동차가 파손되는 경우 2,000만원을 지급하는 보험을 가입할 수 있다. 다음의 탈퇴표와 연이율 4%를 적용하여 다음 물음에 답하시오. (보험금은 매 보험년도 말 지급)

보험연도	결함발생률	파손발생률
1	0.001	0.002
2	0.007	0.002

(1) 수지상등의 원칙을 이용하여 해당 보험의 가격을 결정하시오.

(2) (1)에서 결정한 보험료를 적용할 때, 계약시점에서 보험사의 손실의 현재가치의 분산을 계산하시오.

21. 35세 피보험자에 대하여 불의의 사고로 인한 사망 시 3억원을 지급하고, 암발생 시 1억원을 지급하는 20년 만기 보험이 있다. 사망에 의한 탈퇴력은 0.005이고, 암에 의한 탈퇴력은 0.01이라고 할 때, 이력 0.03을 이용하여 다음을 구하시오.

(1) 수지 상등의 원칙을 이용하여 앞으로 10년 간 매년 연속적으로 납입해야 하는 보험료를 결정하시오.

(2) (1)에서 결정한 보험료를 적용할 때, 5년 후 시점에서의 책임준비금을 결정하시오.

22. 이중탈퇴모형에서 50세 생존자의 탈퇴사유 1, 2에 의한 절대탈퇴율이 각각 0.06, 0.1이라 한다. 탈퇴사유 1은 절대탈퇴 모형에서 탈퇴시점이 연중 균일하게 나타나고, 탈퇴사유 2는 절대탈퇴모형에서 3개월, 6개월, 9개월 후 시점에서 연간 탈퇴의 25%, 35%, 40%가 각각 발생된다고 한다. 이 때, 50세

생존자가 1년 내에 탈퇴사유 2에 의해 탈퇴하게 될 확률을 계산하시오.

23. 연령이 30세로 같은 신혼부부가 있다. t를 결혼 후 경과연수라 할 때, 앞으로 부부가 사별하게 되는 경우는 탈퇴력 $0.005+0.001t$ 적용되며, 갈등으로 인하여 이혼하게 되는 경우는 탈퇴력 $0.05-0.001t$, $0<t<50$이 적용된다고 할 때 다음 물음에 답하시오.

(1) 앞으로 30년간 혼인관계가 지속될 확률을 계산하시오.

(2) 혼인관계의 평균 지속기간을 구하시오.

24. 다음은 남성과 여성에 대한 질병 및 상해 사망률을 나타내는 다중탈퇴표의 일부이다.

연령	남성		여성	
	질병사망률	상해사망률	질병사망률	상해사망률
45	0.0045	0.0010	0.0025	0.0004
46	0.0055	0.0015	0.0030	0.0006

남성과 여성 모두 45세인 부부를 대상으로 하는 2년만기 연생 정기보험이 있다. 부부 중 한 사람 사망 시 질병사망의 경우 1억원, 상해사망의 경우 5,000만원을 해당 보험연도말에 지급한다고 할 때(동일한 보험연도에 부부가 모두 사망 시에는 각 사유에 해당 하는 보험금 중 높은 금액을 1회만 지급) 연이율 5%를 적용하여, 다음 물음에 답하시오. (해약은 발생하지 않으며, 부부의 미래 생존기간은 서로 독립으로 가정한다.)

(1) 보험금이 지급될 확률을 계산하시오.

(2) 해당 보험의 일시납 순보험료를 계산하시오.

25. 40세의 피보험자를 대상으로 하는 3년 만기 정기보험이 있다. 해당 상품은 보험기간 중 암으로 사망 시 1억원을 지급하며, 암 이외의 다른 질병으로 사망 시 5,000만원을 지급한다고 한다. 해약은 발생하지 않는다고 가정하고 다음의 다중탈퇴표를 이용하여 다음 질문에 답하시오. (단, 이자율의 기간구조는 선물이자율 $f_0=0.04$, $f_1=0.03$, $f_2=0.02$로 주어져 있다.)

x	암으로 인한 사망률	암 이외의 질병으로 인한 사망률
40	0.002	0.003
41	0.003	0.005
42	0.004	0.007

(1) 해당 보험상품의 일시납 순보험료를 계산하시오.

(2) 보험료를 매년 초 납부하는 경우 연납 보험료를 계산하시오.

(3) (2)의 경우 매 보험연도 말 책임준비금을 계산하시오.

26. 50세 피보험자를 대상으로 뇌졸중 또는 심근경색의 발병 즉시 보험금 7,000만원을 지급하는 종신 보험상품이 있다. 뇌졸중으로 인한 탈퇴력은 0.005이고 심근경색으로 인한 탈퇴력은 0.008이라고 할 때, 연 이력 $\delta = 0.04$를 이용하여 해당 보험의 일시납 순보험료를 결정하시오.

27. 연령이 각각 (x), (y)세인 부부가 있다. 다음과 같이 사력함수가 주어져 있고, 부부의 미래 생존기간은 서로 독립이라고 할 때, 다음 물음에 답하시오. (연 이력 $\delta = 0.03$을 이용하시오.)

$$\mu_x(t) = 0.05, \ \mu_y(t) = 0.03$$

(1) 부부 중 한 사람이 사망하는 경우 사망 즉시 1억원을 지급하는 종신보험의 보험수리적 현가를 계산하시오. 해약에 의한 탈퇴력은 0.01이다.

(2) 부부가 모두 사망한 시점에서 3,000만원을 지급하는 종신보험의 보험수리적 현가를 계산하시오. 해약에 의한 탈퇴력은 0.01이다.

(3) 부부 모두 생존 시 연간 5,000만원의 금액을 연속적으로 지급하는 연금의 보험수리적 현가를 계산하시오.

28. 국내의 한 생명보험사가 다음과 같은 3중탈퇴모형을 적용하여 종신보험을 개발하였다. 피보험자 (x)에 적용될 전기 연속납 순보험료(fully continuous net premium)를 구하시오. (기출)

- 질병으로 사망하는 경우 사망보험금 1,000만원을 즉시 지급함.
  단, 질병사망에 대한 사력은 0.01로 전 연령에 대하여 동일함.
- 재해로 사망하는 경우 사망보험금 2,000만원을 즉시 지급함.
  단, 재해사망에 대한 사력은 0.02로 전 연령에 대하여 동일함.
- 기타원인(질병 및 재해 이외의 원인)으로 사망하는 경우 사망보험금 3,000만원을 즉시 지급함. 단, 기타 원인으로 인한 사망에 대한 사력은 0.03로 전 연령에 대하여 동일함.
- 사망 사건은 상기 3가지 원인에 의해서만 발생하며, 두 가지 이상의 원인에 의한 사망사건은 없음.
- 적용된 이력은 0.04임.

29. 다음 물음에 답하시오. 단, 최종계산은 1원 미만을 반올림하시오. (기출)

피보험자(50)가 보험금 사망즉시급, 종신납입 연속납, 종신보험에 다음의 조건으로 가입하였다.

ⅰ) 재해로 인한 사망의 경우 사력은 $\mu_x^{(1)} = 0.01$로 일정하고 사망보험금 20,000원을 지급함.

ⅱ) 재해 이외의 원인에 의한 사망의 경우 사망법칙은 $w = 100$인 드므아브르 법칙을 따르고, 사망보험금 10,000원 지급함.

ⅲ) 사망 이외의 탈퇴는 없음.

ⅳ) 이력은 $\delta = 0.04$로 일정함.

① 일시납 순보험료를 구하시오.

② 연속납 순보험료의 연액을 구하시오.

③ 제10보험연도말 책임준비금을 구하시오.

(힌트: $e^{-2.5} = 0.082$, $e^{-2} = 0.1353$)

사업비를
고려한 모형

I 소　개

　　지금까지 생존함수 및 생명보험과 연금 그리고 피보험자수와 탈퇴사유가 복수인 경우의 생존모형에 대하여 살펴보고, 각 생존모형을 이용하여 보험료와 책임준비금에 대한 보험수리적 현가를 계산하는 과정에 대하여 학습하였다. 또한, 이러한 보험수리적 현가는 보험자가 제공하는 담보에 대한 비용(보험금)만을 고려하여 산출하였다. 그러나, 보험회사의 지출은 앞으로 지급될 보험금 뿐만 아니라 보험회사를 운영하고 계약을 관리하는데 필요한 비용이 모두 고려되어야 한다. 따라서, 4장에서 학습한 순보험료에 추가로 사업비를 고려하여 최종적으로 고객이 납입해야 하는 보험료를 산출하게 된다. 이 장에서는 사업비와 사업비를 고려한 보험수리적 현가의 계산 방법 그리고 이와 관련한 주제를 다룬다.

II 사업비의 형태와 부과방식

　　보험회사는 보험에서 제공하는 급부에 대한 지출(보험금, 해약환급금 등)과 더불어 보험회사의 이윤을 추구하고 운영하는 데 비용이 필요하다. 이러한 비용을 사업비(expense)라고 하는데, 보험회사에서 지출하는 사업비는 계약을 인수할 때 필요한 신계약비(acquisition cost)와 인수한 계약을 유지하는데 필요한 유지비(maintenance cost)로 크게 구분할 수 있고, 각 항목별로 세분된 사업비의 지출항목들로 구성된다.

우선 신계약비의 경우에는 모집인으로 하여금 계약의 인수를 촉진할 수 있는 인센티브, 계약을 인수하는 과정에서 필요한 행정적인 절차에 필요한 비용(약관발행, 심사비용, 청약서 발급 등) 등의 세부 항목들로 구성된다. 또한, 유지비의 경우에는 보험계약을 유지하는 데 필요한 회사의 운영비, 직원 급여, 사무실 운영 경비(사무실 관리비, 전산기기 등 소모품 사용료, 전기료 등), 보유계약의 유지를 위해 모집인에게 제공되는 인센티브 등의 세부 항목으로 구성된다.

이상에서 제시한 사업비의 예상되는 지출규모를 추산한 뒤 이를 순보험료에 부가보험료의 형태로 반영하여 보험계약자가 실제 보험계약을 통해 납입하는 보험료인 영업보험료(gross premium)를 산출하게 된다. 이 때, 사업비의 항목별로 사업비를 부과하는 방식에 차이가 있는데, 크게는 영업보험료의 일정 비율로 부과하는 방법과 가입금액을 고려하여 계약 건당 일정금액의 사업비를 부과하는 방법으로 구분할 수 있다.

예를 들어, 신계약 인수 및 계약 유지에 따른 모험 모집인에 대한 인센티브는 인수 또는 유지되고 있는 계약의 보험료 규모에 맞추어 지불되는 것이 일반적이므로, 이에 대한 사업비는 영업보험료에 정해진 비율로 회사의 인센티브 정책에 따라서 책정된다. 이와는 다르게, 보험회사의 본사 및 지점을 운영하는 데 필요한 경비 중 고정비용은 보험료의 규모에 영향을 받지 않으므로 계약 건당 일정금액을 책정하여 반영한다. 또한, 두 가지 방법을 혼합하는 경우도 가능한데, 예를 들어 보험가입금액에 따라 계약 심사 비용이 다른 경우(정밀 진단 등)에는 일정한 계약 건당 기본 비용에 가입금액이 늘어나는 정도에 따라 해당 비용을 할증하여 부과하는 방법도 가능하다.

사업비의 구조는 복잡하고 회사의 정책에 따라 차이가 있으므로 이번 장에서는 사업비를 구조를 신계약비와 유지비의 큰 항목으로 구분한 예시를 이용하여 영업보험료 및 영업보험료를 반영한 책임준비금 산출 방법을 소개하고, 관련 개념들에 대하여 설명하기로 한다.

Ⅲ 영업보험료의 산출

앞 절에서 다룬 사업비를 반영하게 되면, 보험사의 현금 흐름은 시간에 따라 보험료 및 자산의 투자 수익으로 구성된 수입과 보험금 및 사업비에 대한 지출로 나타난다. 이러한 체제에서 부과해야 하는 영업보험료는 4장에서 다룬 보험료 산출원리인 수지상등의 원칙을 적용하여 계산할 수 있다. 즉, 주어진 조건에서

> 영업보험료 수입의 보험수리적 현가
> =보험금 및 사업비 지출의 보험수리적 현가　　　　　　　　　　(9.1)

를 만족하는 값을 영업보험료로 결정할 수 있다.

구체적으로 연령이 x세인 피보험자 (x)에 대하여 j차 보험연도에 사망하는 경우 해당 보험연도 말에 보험금 b_j를 지급하는 n년 만기 전기납 정기보험의 경우를 생각해 보자. 사업비는 보통의 경우 영업보험료에 대한 비율 또는 가입금액을 기준으로 한 계약 건당 금액의 형태로 표현되므로, j차 보험연도에 부과되는 영업 보험료 대비 사업비의 비율과 고정 사업비를 각각 r_j, E_j로 나타내자. 또한, 보험료 수입과 사업비 지출은 매 보험연도 초에 이루어지는 것으로 가정하자. 사업비를 반영한 영업보험료를 P^G라 하면, 영업보험료 수입의 보험수리적 현가는 다음과 같이 일반적인 형태로 나타낼 수 있다.

$$P^G \cdot \ddot{a}_{x:\overline{n}|}$$

또한, 보험금 및 사업비 지출에 대한 보험수리적 현가는 다음과 같이 나타낼 수 있다.

$$\sum_{k=0}^{n-1} v^{k+1} \cdot b_{k+1} \cdot {}_{k|}q_x + \sum_{k=0}^{n-1} v^k (r_{k+1}P^G + E_{k+1}) \cdot {}_kp_x$$

따라서, 수지상등의 원칙을 이용하여 P^G에 대한 방정식

$$P^G \cdot \ddot{a}_{x:\overline{n}|} = \sum_{k=0}^{n-1} v^{k+1} \cdot b_{k+1} \cdot {}_{k|}q_x + \sum_{k=0}^{n-1} v^k (r_{k+1}P^G + E_{k+1}) \cdot {}_kp_x \qquad (9.2)$$

를 풀면, 영업보험료 P^G를 얻을 수 있다.

예제 9.1

40세 피보험자에 대하여 사망 시 1억원을 지급하는 20년 만기 즉시급 정기보험에서, 앞으로 10년간 연속적으로 보험료를 납부한다고 한다. 다음 각 조건에 대하여 수지상등의 원칙에 따라 영업보험료를 산출하시오. (단, 이력은 0.03 사력은 0.01로 일정하다.)

(1) 사업비가 앞으로 10년 간 매년 초 수입 영업보험료의 7%의 금액으로 지출되는 경우

(2) 사업비가 앞으로 15년 간 매년 초 500,000원씩 지출되는 경우

(3) 사업비가 앞으로 10년 간 매년 초 수입 영업보험료의 5%+300,000원씩 지출되는 경우

해설 (1) 영업보험료를 P^G라 하면, 우선 수입의 보험수리적 현가는 (단위는 1억원)

$$P^G \cdot \bar{a}_{40:\overline{10}|}$$

이고, 지출의 보험수리적 현가는 (단위는 1억원)

$$\bar{A}^1_{40:\overline{20}|} + 0.07 P^G \cdot \bar{a}_{40:\overline{10}|}$$

으로 나타낼 수 있다. 수지상등의 원칙에 따라

$$P^G \cdot \bar{a}_{40:\overline{10}|} = \bar{A}^1_{40:\overline{20}|} + 0.07 P^G \cdot \bar{a}_{40:\overline{10}|}$$

에서 $\bar{A}^1_{40:\overline{20}|} = 0.1377$, $\bar{a}_{40:\overline{10}|} = 8.2420$이므로, $P^G = 0.0180$을 얻으므로, 매년 연속적으로 납입해야 하는 영업보험료는 약 180만원이다.

(2) (1)의 경우와 마찬가지로 수입의 보험수리적 현가는 동일하고, 지출의 보험수리적 현가는

$$\bar{A}^1_{40:\overline{20}|} + 0.005 \cdot \bar{a}_{40:\overline{15}|}$$

이므로

$$P^G \cdot \bar{a}_{40:\overline{10}|} = \bar{A}^1_{40:\overline{20}|} + 0.005 \cdot \bar{a}_{40:\overline{15}|}$$

에서 $\bar{a}_{40:\overline{15}|} = 11.2797$을 이용하여 $P^G = 0.0235$을 얻으므로, 매년 연속적으로 납입해야 하는 영업보험료는 약 235만원이다.

(3) 위의 방법과 마찬가지로 수지상등의 원칙에 따라

$$P^G \cdot \bar{a}_{40\,:\,\overline{10|}} = \overline{A}^{\,1}_{40\,:\,\overline{20|}} + 0.05 P^G \cdot \bar{a}_{40\,:\,\overline{10|}} + 0.003 \cdot \bar{a}_{40\,:\,\overline{10|}}$$

에서 $P^G = 0.0207$을 얻으므로, 이 경우 매년 연속적으로 납입해야 하는 영업보험료는 약 207만원이다.

예제 9.2

사망 시 보험금 1억원을 해당 보험연도 말에 지급하는 3년 만기 정기보험이 있다고 하자. 생명표와 사업비 구조가 각각 아래와 같이 주어져 있다고 할 때, 연이율 5%를 가정하여 50세 피보험자에 대하여 매년 초 납입해야 하는 영업보험료를 산출하시오.(사업비는 매 보험연도 초에 지출하는 것으로 가정)

x	q_x
50	0.00270
51	0.00300
52	0.00335

	1차연도	2차연도	3차연도
사업비	영업보험료의 10% 계약건당 200,000원	영업보험료의 5% 계약건당 100,000원	영업보험료의 5% 계약건당 100,000원

구하는 영업보험료를 P^G라 하면, 보험료 수입의 보험수리적 현가는

$$P^G \cdot \ddot{a}_{50\,:\,\overline{3|}} = P^G \{ 1 + (1.05)^{-1}(0.9973) + (1.05)^{-2}(0.9973)(0.997) \}$$
$$= 2.851676 P^G$$

이고, 사망보험금 지급액에 대한 보험수리적 현가는

$$10^8 \{ (1.05)^{-1}(0.0027) + (1.05)^{-2}(0.9973)(0.003) + (1.05)^{-3}(0.9973)(0.997)(0.00335) \}$$
$$= 816,255.45$$

과 같이 계산할 수 있다. 추가적으로 사업비를 반영하여 영업보험료의 비율로 표현되는 사업비의 보험수리적 현가는

$$0.05 P^G + 0.05 P^G \{ 1 + (1.05)^{-1}(0.9973) + (1.05)^{-2}(0.9973)(0.997) \}$$
$$= 0.1925838 P^G$$

및 일정금액으로 나타난 사업비의 보험수리적 현가는

$$100,000 + 100,000 \{ 1 + (1.05)^{-1}(0.9973) + (1.05)^{-2}(0.9973)(0.997) \}$$
$$= 385,167.63$$

이므로 수지상등의 원칙에 따라 영업보험료를 구하는 방정식을 다음과 같이 세울 수 있다.

$$2.851676P^G = 816,255.45 + 0.1925838P^G + 385,167.63$$

방정식을 풀면 매년 납입하는 영업보험료는 $P^G = 451,817.01$원 이다.

📖 예제 9.3

(예제 9.2)에서 제시된 가정과 도출한 영업보험료를 바탕으로 50세 피보험자 100명을 대상으로 한 보험계약 포트폴리오에 대하여 매 보험연도 말 보험회사가 보유하고 있게 될 기대금액을 계산하시오.

📖해설   우선 1차연도 초에서는 보험료 수입 $100 \times P^G = 45,181,701.12$원에서 사업비 지출액 $100\{0.1 \times 451,817.01 + 200,000\} = 24,518,170.11$원을 차감한 20,663,531.01원을 보유하게 된다. 투자수익률 가정 5%를 반영하고, 사망률에 따른 보험금 지급액의 기대값 27,000,000원을 차감하면, 1차연도 말의 보유금액은 $20,663,531.01 \times (1.05) - 27,000,000 = -5,303,292.44$원이 된다. (결손발생)

마찬가지의 방법으로 2차연도 초의 보유금액은 $-5,303,292.44 + 45,059,710.41 - (99.73)\{0.05 \times 451,817.01 + 100,000\} = 27,530,432.45$원이 되며 따라서 2차연도 말의 보유금액은 $27,530,432.45 \times (1.05) - 29,919,000 = -1,012,045.93$원이 된다.

마지막으로 3차연도 초의 보유금액은 $-1,012,045.93 + 44,924,531.28 - 99.43081\{0.05 \times 451,817.01 + 100,000\} = 31,723,177.79$원이 되고, 3차연도 말의 보유금액은 $31,723,177.79 \times (1.05) - 33,309,321.35 = 0$원이 된다.(반올림 오차)

   (예제 9.3)에서는 보험료 산출시 가정이 정확하게 현실로 나타난 경우이지만 보통의 경우 영업료 산출시 반영한 가정들은 실제값과는 다소간의 차이가 발생하게 되는데 이러한 차이는 보험사의 수익 또는 손실로 나타나게 될 것이다.

📖 예제 9.4

현재 연령이 35세인 피보험자에 대하여 사망 시 해당 보험년도 말 10,000을 지급하는 20년 납 종신보험이 있다. (보험료는 매년 초 납입) 사업비의 구조가 아래의 표와 같을 때, 부록의 Illustrative Life Table (연이율 6% 적용)을 사용하여 연납보험료를 구하시오. (수지상등의 원칙 이용)

사업비	1차년도		2차년도 이후	
	보험료 대비 %	고정비	보험료 대비 %	고정비
세금	3%	0	3%	0
판매수당	30%	0	10%	0
계약유지비	0%	150	0%	100

(보험료 대비 비율로 나타난 사업비는 보험료 납입기간에만 적용되고 고정비용은 보험기간 전체에 적용할 것.)

해설 수입은 보험료 수입만을 고려하면 되므로 연납보험료를 P^G라 하면, 보험료 수입의 보험수리적 현가는 $P^G \cdot \ddot{a}_{35:\overline{20|}}$이고, 지출은 보험금 지출과 사업비 지출로 나누어 지는데, 우선 보험금 지출에 대한 보험수리적 현가는 $10{,}000A_{35}$이다. 또한, 사업비 지출의 보험수리적 현가는 보험료 대비 비율로 표현되는 부분의 경우 $0.13P^G \cdot \ddot{a}_{35:\overline{20|}} + 0.2P^G$이고, 고정사업비의 보험수리적 현가는 $100\ddot{a}_{35} + 50$이다. 수지상등의 원칙에 따라 영업보험료를 미지수로 하는 방정식

$$P^G \cdot \ddot{a}_{35:\overline{20|}} = 10{,}000A_{35} + 0.13P^G \cdot \ddot{a}_{35:\overline{20|}} + 0.2P^G + 100\ddot{a}_{35} + 50$$

를 얻고, P^G에 대하여 풀면,

$$P^G = \frac{10{,}000A_{35} + 100\ddot{a}_{35} + 50}{0.87\ddot{a}_{35:\overline{20|}} - 0.2} = 283.7558 을 얻는다.$$

4장에서 정의한 것과 마찬가지로, 사업비를 고려하는 경우에도 계약시점에서의 손실확률변수 L을 다음과 같이 정의할 수 있다.

L = 계약시점 이후 지출의 보험수리적 현가 − 계약시점 이후 수입의 보험수리적 현가

= 계약시점 이후 지급보험금의 현가 + 계약시점 이후 사업비의 현가

− 계약시점 이후 보험료의 현가

즉, 영업보험료는 $E(L) = 0$을 만족하는 보험료이다.

예제 9.5

(예제 9.4)에서 주어진 상황을 이용하여 다음 물음에 답하시오.

(1) 피보험자가 3차년도에 사망하게 되는 경우, 보험자의 손실 L의 값을 계산하시오.

(2) 피보험자가 40차년도에 사망하게 되는 경우, 보험자의 손실 L의 값을 계산하시오.

(3) 보험자의 손실 L의 평균이 -1,000이 되도록 영업보험료의 값을 다시 계산하시오.

해설 (1) 피보험자가 3차년도에 사망하게 되는 경우,

지급보험금의 현가는 $10,000v^3$,

사업비의 현가는 $(0.13P^G + 100) \cdot \ddot{a}_{\overline{3}|} + 0.2P^G + 50$,

그리고 보험료의 현가는 $P^G \cdot \ddot{a}_{\overline{3}|}$이므로 손실 L의 값은 (예제 9.4)에서 구한 영업보험료를 이용하여

$$L = 10,000v^3 + (0.13P^G + 100) \cdot \ddot{a}_{\overline{3}|} + 0.2P^G + 50 - P^G \cdot \ddot{a}_{\overline{3}|} = 8,086.81$$

을 얻는다.

(2) (1)에서와 마찬가지의 방법으로 (보험료 납입기간은 20년임에 유의하자.)

$$L = 10,000v^{40} + 0.13P^G \cdot \ddot{a}_{\overline{20}|} + 0.2P^G + 100 \cdot \ddot{a}_{\overline{40}|} + 50 - P^G \cdot \ddot{a}_{\overline{20}|}$$

$= -327.56$을 얻는다.

(3) 보험자의 손실 L의 평균은

$E(L) =$ 보험금의 APV + 사업비의 APV - 보험료의 APV

이므로, 주어진 조건을 만족하는 영업보험료를 G라 하면

$$E(L) = 10,000A_{35} + 0.13G \cdot \ddot{a}_{35:\overline{20}|} + 0.2G + 100 \cdot \ddot{a}_{35} + 50 - G \cdot \ddot{a}_{35:\overline{20}|}$$

$= -1,000$에서

$$G = \frac{10,000A_{35} + 100\ddot{a}_{35} + 1,050}{0.87\ddot{a}_{35:\overline{20}|} - 0.2} = 382.40$$을 얻는다.

예제 9.6

현재 75세인 피보험자에 대하여 사망보험금과 생존보험금이 모두 30,000인 3년 만기 양로보험이 있다. 영업보험료는 매년 초 12,000을 납입하고, 보험금은 사망 시 해당 보험년도 말에 지급된다고 할 때, 다음의 사업비 구조를 이용하여, 다음 물음에 답하시오.

(단, 연이율 3%와 $q_{75} = 0.02, q_{76} = 0.03$를 이용하시오.)

보험년도	보험료 대비 %	고정비
1차년도	15%	30
2,3차년도	5%	10

(1) 손실확률변수의 평균 $E(L)$을 계산하시오.

(2) 손실확률변수의 분산 $Var(L)$을 계산하시오.

해설 손실확률변수 L의 값은 생존기간을 나타내는 확률변수의 함수로 표현되며, 주어진 상황에서는 정수생존기간에 영향을 받는다. 3년 만기 양로보험이므로 고려해야 하는 정수생존기간의 가능한 경우는 0, 1 그리고 2 (년) 이상으로 구분할 수 있다. 영업보험료를 P^G라 하고 각 경우에 따라서 손실확률변수의 값을 우선 계산해 보면,

$K(75) = 0$인 경우, $L = 30{,}000v + 0.15P^G + 30 - P^G = 18{,}401.43$

$K(75) = 1$인 경우,

$$L = 30{,}000v^2 + (0.05P^G + 10)\ddot{a}_{\overline{2}|} + 0.1P^G + 20 - P^G \cdot \ddot{a}_{\overline{2}|} = 6{,}193.27$$

$K(75) \geq 2$인 경우,

$$L = 30{,}000v^3 + (0.05P^G + 10)\ddot{a}_{\overline{3}|} + 0.1P^G + 20 - P^G \cdot \ddot{a}_{\overline{3}|} = -5{,}433.56$$

를 얻는다. 각 손실확률변수의 값과 대응하는 확률을 다음과 같이 정리할 수 있다.

$K(75) = k$	L	$\Pr[K(75) = k]$
0	18,401.43	0.0200
1	6,193.27	0.0294
2+	−5,433.56	0.9506

따라서,

$$E(L) = (18{,}401.43)(0.0200) + (6{,}193.27)(0.0294) + (-5{,}433.56)(0.9506)$$
$$= -4{,}615.03$$를 얻는다.

(2) $E(L^2) = (18{,}401.43)^2(0.0200) + (6{,}193.27)^2(0.0294)$
$$+ (-5{,}433.56)^2(0.9506) = 35{,}965{,}046$$

이므로 분산은 $Var(L) = E(L^2) - E(L)^2 = 14{,}666{,}544$이다.

📖 예제 9.7

현재 x세인 피보험자에 대하여 사망보험금이 50,000인 즉시급 전기납 종신보험이 있다. 보험료는 매년 P^G의 금액을 연속납입하고, 사업비는 연간 보험료의 3%의 금액을 지출하고, 매년 고정비용으로 연간 100의 금액을 지출한다고 한다. (사업비도 연속적으로 지출하는 것으로 가정)

이력이 0.02이고, 사력이 0.01일 때, 영업보험료 P^G를 계산하시오. (단, 보험료는 수지상등의 원칙을 이용하여 산출함.)

해설 수지상등의 원칙을 적용하여 보험료를 계산해 보자. 영업보험료를 P^G라 할 때, 보험료의 보험수리적 현가는 $P^G \cdot \bar{a}_x$이고, 보험금의 보험수리적 현가는 $50{,}000\bar{A}_x$, 사업비 지출액의 보험수리적 현가는 $(0.03P^G + 100)\bar{a}_x$이다. 따라서, 방정식

$$P^G \cdot \bar{a}_x = 50{,}000\bar{A}_x + (0.03P^G + 100)\bar{a}_x$$

를 풀면

$$P^G = \frac{50{,}000\bar{A}_x + 100\bar{a}_x}{0.97\bar{a}_x} = \frac{50{,}000\dfrac{\mu}{\mu+\delta} + 100\dfrac{1}{\mu+\delta}}{0.97\dfrac{1}{\mu+\delta}}$$

$$= \frac{50{,}000(0.01) + 100}{0.97} = 618.56$$

이다.

📖 예제 9.8

현재 45세인 피보험자를 대상으로 하는 보험금이 1인 20년 만기 양로보험이 있다. 납입 보험료는 보험기간 동안 연속적으로 납입하고, 보험금은 사망 즉시 지급된다고 한다. 또한, 연간 사업비는 초년도의 경우 연간 영업보험료의 10%, 2차 보험년도 이후에는 연간 영업보험료의 3%라고 할 때 (사업비 지출도 보험료 수입과 마찬가지로 연속적으로 이루어지는 것으로 가정), 이력 $\delta = 0.03$과 $\omega = 110$인 DeMoivre모형을 적용하여, 보험자의 손실이 발생하게 될 확률을 결정하시오. (보험료는 수지상등의 원칙을 적용하여 산출함.)

해설 우선 연간 연속적으로 납입하는 영업보험료를 P^G라 하고, 이를 계산해 보자.
지출에 대한 보험수리적 현가는

$\bar{A}_{45:\overline{20|}} + 0.07P^G \cdot \bar{a}_{45:\overline{1|}} + 0.03P^G \cdot \bar{a}_{45:\overline{20|}}$이고,

수입에 대한 보험수리적 현가는 $P^G \cdot \bar{a}_{45:\overline{20|}}$이다.

DeMoivre모형을 이용하면,

$$\bar{A}_{45:\overline{20|}} = \int_0^{20} e^{-0.03t} \cdot \frac{1}{65}dt + e^{-0.03 \cdot 20} \cdot \frac{45}{65}$$

$$= \frac{1}{65}\bar{a}_{\overline{20|}} + e^{-0.03 \cdot 20} \cdot \frac{45}{65} = 0.6113$$이고,

$$\bar{a}_{45:\overline{20|}} = \frac{1-\bar{A}_{45:\overline{20|}}}{0.03} = 12.9567 \text{이다.}$$

마찬가지의 방법으로 $\bar{a}_{45:\overline{1|}} = 0.9767$을 얻을 수 있다.

수지상등의 원칙을 적용하면,

$0.6113 + 0.07P^G(0.9767) + 0.03P^G(12.9567) = P^G(12.9567)$ 에서

$P^G = 0.0489$ 이다.

이 때 보험자의 손실 L은 다음과 같이 표현할 수 있다.

$$L = \begin{cases} v^t + 0.1P^G \cdot \bar{a}_{\overline{t|}} - P^G \cdot \bar{a}_{\overline{t|}}, & 0 < t < 1 \\ v^t + 0.07P^G \cdot \bar{a}_{\overline{1|}} + 0.03P^G \cdot \bar{a}_{\overline{t|}} - P^G \cdot \bar{a}_{\overline{t|}}, & 1 \le t < 20 \\ v^{20} + 0.07P^G \cdot \bar{a}_{\overline{1|}} + 0.03P^G \cdot \bar{a}_{\overline{20|}} - P^G \cdot \bar{a}_{\overline{20|}}, & t \ge 20 \end{cases}$$

L은 연속이며, $0 < t < 20$인 범위에서 감소함수이고, $t \ge 20$인 구간에서 상수함수이다. $t=1$인 경우 $L=0.9270$이고, $t=20$인 경우 $L=-0.0612$이므로, $L=0$이 되는 t의 값은 구간 $1 \le t < 20$ 내에 존재한다.

$v^t + 0.07P^G \cdot \bar{a}_{\overline{1|}} + 0.03P^G \cdot \bar{a}_{\overline{t|}} - P^G \cdot \bar{a}_{\overline{t|}} = 0$을 풀면, $t=16.4077$을 얻는다. 따라서, 피보험자가 향후 16.4077년 이내에 사망하는 경우 보험자의 손실이 발생하므로, 해당 확률은 $\dfrac{16.4077}{65} = 0.2524$ 이다.

사업비를 고려하는 경우에도 4장 Ⅶ절에서 다룬 바와 마찬가지로, 백분위 보험료와 포트폴리와 백분위 보험료를 산출할 수 있다. 다음의 예제를 통하여 정리해 보도록 하자.

예제 9.9

40세인 피보험자에 대하여 사망 즉시 보험금 5,000을 지급하는 종신보험이 있다. 보험료는 사망 시까지 연속적으로 납입한다고 한다. 사업비는 연속적으로 지출하며, 연간 지출금액은 연간 영업보험료의 3%에 30을 더한 금액이라고 할 때, 이력 0.03과 사력 0.02를 이용하여 $P(L>0) \le 0.05$를 만족하는 백분위 보험료(percentile premium)를 구하시오.

해설 구하는 백분위수 보험료를 P^G라 하고, 미래생존기간을 $T(40)=t$라 하면, 해당 보험에 대한 손실확률변수 L은 다음과 같이 t에 대한 함수로 나타낼 수 있다.

$$L(t) = 5,000v^t + (0.03P^G + 30)\,\overline{a}_{\overline{t}|} - P^G \cdot \overline{a}_{\overline{t}|}, \ t > 0.$$

L을 v^t로 정리하면, $L(t) = \dfrac{30 - 0.97P^G}{0.03} + \left(5,000 - \dfrac{30 - 0.97P^G}{0.03}\right)v^t$

이고, L은 t에 대한 감소함수이다. 따라서, $L = 0$을 만족하는 t의

값을 t^*라고 하면, $P(L > 0) = P[T(40) < t^*]$가 성립한다.

즉, $P(L > 0) \leq 0.05$를 만족하는 백분위 보험료는 $P[T(40) < t^*]$

≤ 0.05를 만족하므로 $_{t^*}q_{40} = 1 - e^{-0.02 \times t^*} = 0.05$에서 $t^* = 2.5647$이

다. 또한, t^*의 정의에 따라서 $L(2.5647) = 0$을 만족해야 하므로,

해당 방정식을 P^G에 대해서 풀면, $P^G = 985.18$를 얻는다.

📖 예제 9.10

예제 9.9에서 주어진 종신보험의 피보험자 10,000명으로 구성된 포트
폴리오가 있다. 해당 포트폴리오의 총 손실 L이 0이상이 될 확률이 5%
가 되도록 연간 영업보험료의 납입액을 결정하시오. (피보험자의 미래생
존기간은 서로 독립이고, 정규분포 근사를 이용하시오.)

해설 구하는 보험료를 P^G라 하고, 각 피보험자에 대한 손실확률변수를
L_i라 하면, 예제 9.9에서와 같이

$$L_i = \frac{30 - 0.97P^G}{0.03} + \left(5,000 - \frac{30 - 0.97P^G}{0.03}\right)v^{T(40)} \ \text{로 표현되고,}$$

평균과 분산을 각각 나타내면

$$E(L_i) = \frac{30 - 0.97P^G}{0.03} + \left(5,000 - \frac{30 - 0.97P^G}{0.03}\right)\overline{A}_{40} = 2,600 - 19.4P^G,$$

$$Var(L_i) = \left(4,000 + \frac{0.97P^G}{0.03}\right)^2 \cdot (0.09)$$

이다. 따라서, 총 손실 L의 평균과 분산은

$$E(L) = 10,000\,E(L_i) = 10,000(2,600 - 19.4P^G),$$

$$Var(L) = 10,000\,Var(L_i) = 10,000\left(4,000 + \frac{0.97P^G}{0.03}\right)^2 \cdot (0.09)\ \text{이다.}$$

구하는 포트폴리오 백분위 보험료는 $-\dfrac{E(L)}{\sqrt{Var(L)}} = 1.645$를 만족

하는 P^G의 값이므로, 앞서 정리한 평균과 분산을 대입하여 P^G에

대하여 풀면, $P^G = 131.92$를 얻는다.

Ⅳ · 사업비를 반영한 책임준비금

5장에서 다룬 책임준비금 $_tV$는 계약 후 t년 경과 시점의 유지계약에 대하여 이후 지급보험금의 현재가치에서 수입보험료의 현재가치를 차감한 손실확률변수 L_t를 정의하여, L_t의 평균으로 계산하였다. 이 때 책임준비금은 순보험료만을 반영하여 계산하였으나, 이번 절에서는 책임준비금의 개념을 사업비를 고려한 경우로 확대해 보도록 하자.

계약후 t년 경과시점(시점 t)에서의 책임준비금은 시점 t 이후 지급보험금 지출액의 보험수리적 현가에서 시점 t 이후 순보험료 수입액의 보험수리적 현가를 차감한 값으로 표현된다. 따라서, 지출액과 보험료에 사업비를 반영하여 확장하면, 시점 t에서의 책임준비금은 다음과 같이 표현할 수 있을 것이다.

시점 t에서의 책임준비금

= 시점 t 이후 지급보험금 및 사업비 지출액의 보험수리적 현가(APV)

− 시점 t 이후 영업보험료의 보험수리적 현가(APV) (9.3)

구체적으로 이전 절에서 다룬 n년 만기 정기보험의 경우 t차 보험연도 말 (시점 t) 책임준비금을 다음과 같이 나타낼 수 있다.

$$
\begin{aligned}
_tV &= \sum_{k=0}^{n-t-1} v^{k+1} \cdot b_{t+k+1} \cdot {}_{k|}q_{x+t} \\
&\quad + \sum_{k=0}^{n-t-1} v^k(r_{t+k+1}P^G + E_{t+k+1}) \cdot {}_kp_{x+t} - \sum_{k=0}^{n-t-1} v^k \cdot P^G \cdot {}_kp_{x+t} \\
&= \sum_{k=0}^{n-t-1} v^{k+1} \cdot b_{t+k+1} \cdot {}_{k|}q_{x+t} - \sum_{k=0}^{n-t-1} v^k \{ (1-r_{t+k+1})P^G - E_{t+k+1} \} {}_kp_{x+t}
\end{aligned}
$$

(9.4)

예제 9.11

50세의 피보험자를 대상으로 하는 30년 만기 전기납 양로보험은 사망 시 해당 보험년도 말 보험금 5,000을 지급하고, 만기 생존 시 3,000을 지급한다고 한다. 보험료는 매년 초 납입하고, 사업비는 보험료의 4%를 매년 초 지출한다고 한다. 수지상등의 원칙을 이용하여 보험료를 산출하는 경우 만기를 2년 앞둔 시점에서의 책임준비금을 산출하시오. (부록의 생명표를 이용하시오.)

해설 우선 수지상등의 원칙으로 영업보험료 P^G를 산출하자. 수입인 보험료의 보험수리적 현가는 $P^G \cdot \ddot{a}_{50:\overline{30}|}$이고, 지출인 보험금과 사업비의 보험수리적 현가는

$$5{,}000 A^1_{50:\overline{30}|} + 3{,}000 \cdot {}_{30}E_{50} + 0.04 P^G \cdot \ddot{a}_{50:\overline{30}|} \text{이다.}$$

따라서 영업보험료는 $P^G = \dfrac{5{,}000 A^1_{50:\overline{30}|} + 3{,}000 \cdot {}_{30}E_{50}}{0.96 \ddot{a}_{50:\overline{30}|}}$ 이고, 부록의 생명표를 이용하면,

$${}_{30}E_{50} = {}_{20}E_{50} \cdot {}_{10}E_{70} = 0.076163$$
$$A^1_{50:\overline{30}|} = A_{50} - {}_{30}E_{50} \cdot A_{80} = 0.198345$$
$$\ddot{a}_{50:\overline{30}|} = \ddot{a}_{50} - {}_{30}E_{50} \cdot \ddot{a}_{80} = 12.81706$$

에서 $P^G = 99.1691$를 얻는다.

만기를 2년 앞둔 시점에서의 책임준비금을 ${}_{28}V$라 하면, 책임준비금의 계산방법에 따라서

$${}_{28}V = 5{,}000 A^1_{78:\overline{2}|} + 3{,}000 \cdot {}_{2}E_{78} + 0.04 P \cdot \ddot{a}_{78:\overline{2}|} - P^G \cdot \ddot{a}_{78:\overline{2}|} \text{이고,}$$
$$\begin{aligned} A^1_{78:\overline{2}|} &= v \cdot q_{78} + v^2 \cdot {}_{1|}q_{78} \\ &= (1.06)^{-1} \cdot (0.06737) + (1.06)^{-2} \cdot (1-0.06737)(0.07356) \\ &= 0.124614 \end{aligned}$$
$${}_{2}E_{78} = v^2 \cdot {}_{2}p_{78} = 0.76898$$
$$\ddot{a}_{78:\overline{2}|} = 1 + v \cdot p_{78} = 1.87984$$

이므로 구하는 책임준비금은 ${}_{28}V = 2{,}751.05$ 이다.

📖 **예제 9.12**

보험가입연령이 40세인 피보험자를 대상으로 하는 20년납 종신보험이 있다. 보험금은 사망 즉시 5,000을 지급하고, 영업보험료는 매월 초 동일한 금액으로 납입한다고 한다. 사업비는 계약시점에서 300의 금액이 필요하고, 추가적으로 영업보험료의 3%에 10을 더한 금액을 매월 초 지출한다고 한다(20년 후 시점 부터는 매월 초 10 지출). 30년 후 시점에서의 책임준비금을 구하시오. (보험료는 수지상등의 원칙을 이용하고, 부록의 생명표를 이용하되, 단수연령에서의 UDD가정을 적용하시오.)

^해설 연간 납입하는 영업보험료를 P^G라 하면, 20년 간 납입하는 보험료 수입에 대한 보험수리적 현가는 $P^G \cdot \ddot{a}_{40:\overline{20}|}^{(12)}$로 표현할 수 있고, 사업비 지출에 대한 보험수리적 현가는 $300 + 120\ddot{a}_{40}^{(12)} + 0.03P^G \cdot \ddot{a}_{40:\overline{20}|}^{(12)}$, 보험금 지출에 대한 보험수리적 현가는 $5{,}000\overline{A}_{40}$이다.

생명표와 UDD 가정을 적용하여,

$$\overline{A}_{40} = \frac{i}{\delta}A_{40} = \frac{0.06}{\ln(1.06)}(0.16132) = 0.166113 \qquad 20$$

$$\ddot{a}_{40}^{(12)} = \alpha(12)\ddot{a}_{40} - \beta(12) = (1.00028)(14.8166) - 0.46812 = 14.35263$$

$$\ddot{a}_{40:\overline{20}|}^{(12)} = \alpha(12)\ddot{a}_{40:\overline{20}|} - \beta(12)(1 - {}_{20}E_{40})$$

$$= (1.00028)(14.8166 - 0.27414 \times 11.1454) - (0.46812)(1 - 0.27414)$$

$$= 11.4247$$

수지상등의 원칙을 적용하면 $P^G = 257.43$을 얻는다.

따라서, 30년 후 시점에서의 책임준비금 ${}_{30}V$는 매월 초 지출되는 사업비 10의 금액과 사망보험금에 대한 보험수리적 현가이므로,

$${}_{30}V = 120\ddot{a}_{70}^{(12)} + 5{,}000\overline{A}_{70}$$

$$= 120(1.00028 \times 8.5693 - 0.46812) + 5{,}000 \cdot \frac{0.06}{\ln(1.06)}(0.51495)$$

$$= 3{,}623.67$$

또한, 6장에서 학습한 것과 같이, 연이은 보험연도 말의 책임준비금 간의 관계식(점화식)을 도출해 보자.

t차 보험연도 말 책임준비금의 식에서 첫 번째 항은

$$\sum_{k=0}^{n-t-1} v^{k+1} \cdot b_{t+k+1} \cdot {}_{k|}q_{x+t} = v \cdot b_{t+1} \cdot q_{x+t} + \sum_{k=1}^{n-t-1} v^{k+1} \cdot b_{t+k+1} \cdot {}_{k|}q_{x+t}$$

$$= v \cdot b_{t+1} \cdot q_{x+t} + v \cdot p_{x+t} \sum_{k=0}^{n-t-2} v^{k+1} \cdot b_{t+k+2} \cdot {}_{k|}q_{x+t+1} \qquad (9.5)$$

로 정리할 수 있고, 마찬가지로 두 번째 항도

$$\sum_{k=0}^{n-t-1} v^k \{(1 - r_{t+k+1})P^G - E_{t+k+1}\}{}_kp_{x+t}$$

$$= (1 - r_{t+1})P^G - E_{t+1} + \sum_{k=0}^{n-t-1} v^k \{(1 - r_{t+k+1})P^G - E_{t+k+1}\}{}_kp_{x+t}$$

$$= (1 - r_{t+1})P^G - E_{t+1} + v \cdot p_{x+t} \sum_{k=0}^{n-t-2} v^k \{ (1 - r_{t+k+2})P^G -$$

$$E_{t+k+2} \}\, {}_k p_{x+t+1} \tag{9.6}$$

로 정리할 수 있다. 각 식을 책임준비금의 식에 대입하여 정리하면,

$$_t V = v \cdot b_{t+1} \cdot q_{x+t} + v \cdot p_{x+t} \sum_{k=0}^{n-t-2} v^{k+1} \cdot b_{t+k+2} \cdot {}_k q_{x+t+1}$$

$$- \left[(1 - r_{t+1})P^G - E_{t+1} + v \cdot p_{x+t} \sum_{k=0}^{n-t-2} v^k \{ (1 - r_{t+k+2})P^G - \right.$$

$$\left. E_{t+k+2} \}\, {}_k p_{x+t+1} \right]$$

$$= v \cdot b_{t+1} \cdot q_{x+t} - (1 - r_{t+1})P^G + E_{t+1} + v \cdot p_{x+t} \cdot {}_{t+1}V \tag{9.7}$$

과 같이 인접한 경과차년 말의 책임준비금 간의 점화식을 얻을 수 있다. 또한, 양변에 $(1+i)$를 곱하여 수식을 다음과 같이 표현해 볼 수 있다.

$$(1+i)({}_t V + P^G) = (1+i)(r_{t+1} \cdot P^G + E_{t+1}) + b_{t+1} \cdot q_{x+t} + p_{x+t} \cdot {}_{t+1}V \tag{9.8a}$$

$$(1+i)({}_t V + P^G - r_{t+1} \cdot P^G - E_{t+1}) = b_{t+1} \cdot q_{x+t} + p_{x+t} \cdot {}_{t+1}V \tag{9.8b}$$

수식 (9.8b)를 해석해 보면, t차 보험연도 말 책임준비금에 $t+1$차 보험연도 영업보험료 수입을 더한 금액은 우선적으로 $t+1$차 보험연도 사업비 지출에 사용되고 나머지 금액은 1년간 이자율 i로 누적된다(좌변). 누적금액은 $t+1$차 보험연도 말 발생가능한 다음 두 경우에 필요한 비용의 기대값이 된다(우변).

i) $t+1$차 보험연도 말 사망보험금이 지급되는 경우 b_{t+1}(해당 경우의 확률은 q_{x+t})

ii) 사망보험금이 지급되지 않는 경우 보험회사가 보유해야 하는 책임준비금 ${}_{t+1}V$(해당 경우의 확률은 p_{x+t})

매 보험연도 말의 책임준비금을 순차적으로 계산하는 경우 점화식을 이용하여 보다 간편하게 계산할 수 있다.

📖 **예제 9.13**

(예제 9.2)에서 계약 1건당 각 보험연도 말의 책임준비금을 점화식을 이용하여 계산하시오.

✎해설 0시점에서의 책임준비금은 0이므로, 점화식을 이용하기 위한 초기값은 $_0V = 0$이다. 수식 (9.7)을 이용하여 $_1V$을 계산하면,

$$_0V = v \cdot b_1 \cdot q_x - (1-r_1)P^G + E_1 + v \cdot p_x \cdot {}_1V$$

$$= (1.05)^{-1} \cdot 10^8 \cdot (0.0027) - (1-0.1)(451,817.01) + 200,000 +$$
$$(1.05)^{-1}(0.9973)_1V$$

에서 $_1V = -53,176.50$원을 얻고 이를 이용하여 마찬가지의 방법으로 $_2V$를 다음과 같이 계산할 수 있다.

$$_1V = v \cdot b_2 \cdot q_{x+1} - (1-r_2)P^G + E_2 + v \cdot p_{x+1} \cdot {}_2V$$

$$= (1.05)^{-1} \cdot 10^8 \cdot (0.003) - (1-0.05)(451,817.01) + 100,000 +$$
$$(1.05)^{-1}(0.997)_2V$$

에서 $_2V = -10,178.39$원을 얻는다. 마지막으로 $_3V$를 계산하면,

$$_2V = v \cdot b_3 \cdot q_{x+2} - (1-r_3)P^G + E_3 + v \cdot p_{x+2} \cdot {}_3V$$

$$= (1.05)^{-1} \cdot 10^8 \cdot (0.00335) - (1-0.05)(451,817.01) + 100,000 +$$
$$(1.05)^{-1}(0.99665)_3V$$

에서 예상과 같이 $_3V = 0$원이다. (반올림 오차)

6장 Ⅳ절에서 다룬 바와 같이 사업비를 반영하는 경우 책임준비금에 대한 연속형(fully continuous) 보험의 미분방정식을 도출할 수 있다. 6장에서와 마찬가지로, 다음과 같이 기호를 정의하자.

$_t\overline{V}$: 계약 t년 경과 후 시점에서의 책임준비금

b_t: 계약 t년 경과 후 사망 시 지급보험금

π_t: 계약 t년 경과 후 시점에서 보험료 납입금액(연간 rate)

E_t: 계약 t년 경과 후 시점에서 사업비 지출금액(연간 rate)

δ_t: 계약 t년 경과 후 시점에서의 이력

$\mu_x(t)$: 피보험자 (x)의 계약 t년 경과 후 시점에서의 사력

6장에서의 도출과정과 동일한 방법으로 $_t\overline{V}$에 대한 미분방정식을 다음과 같이 도출할 수 있다.

$$\frac{d_t \overline{V}}{dt} = \pi_t + \delta_t \cdot {}_t\overline{V} - E_t + (b_t - {}_t\overline{V})\mu_x(t) \tag{9.9}$$

해당 미분방정식의 좌변을 수치미분으로 전환하여 짧은 시간 간격의 책임준비금의 값들을 순차적으로 계산할 수 있다. 다음의 예제를 통하여 그 과정을 살펴보도록 하자.

📖 예제 9.14

40세의 피보험자에 대한 1,000의 사망보험금을 지급하는 즉시급 연속납 (fully continuous) 종신보험 계약이 있다. 영업보험료는 연간 20의 금액을 연속 납입하고, 사업비는 연간 보험료의 6%에 0.4를 더한 금액을 연속적으로 지출한다고 한다. 이력이 0.04이고, 50세의 사력값이 0.005이며, 계약 후 10년 경과 시점에서의 책임준비금이 122라고 할 때, 해당 시점에서 책임준비금의 변화율 $\left.\dfrac{d_t V}{dt}\right|_{t=10}$ 을 계산하시오.

해설 수식 (9.9)를 이용하여 대입하면,

$$\left.\frac{d_t V}{dt}\right|_{t=10} = 20 + (0.04)(122) - (20 \times 0.06 + 0.4) + (1{,}000 - 122)(0.005)$$
$$= 27.67$$

을 얻는다.

📖 예제 9.15

45세의 피보험자에 대하여 사망보험금과 생존보험금이 모두 1,000인 즉시급 연속납 20년 만기 양로보험을 생각하자. 연간 영업보험료는 40이고, 사업비는 연간 영업보험료의 5%를 연속적으로 지출한다고 가정하자. 이력이 0.05이고, 사력이 $\mu_x = (0.002)(1.01)^x$로 주어졌을 때, 수치미분을 이용하여 ${}_{19.8}V$를 계산하시오.

해설 수식 (9.9)의 좌변을 수치미분을 이용하여 나타내면 다음의 식을 얻는다.

$$\frac{{}_tV - {}_{t-h}V}{h} \approx \pi_t + \delta_t \cdot {}_t\overline{V} - E_t + (b_t - {}_t\overline{V})\mu_x(t)$$

주어진 양로보험의 경우 ${}_{20}V = 1{,}000$이므로, $t = 20, h = 0.1$을 이용하면,

$\pi_{20} = 40, E_{20} = 2, b_{20} = 1{,}000$에서

$$\frac{1,000 - {}_{19.9}V}{0.1} \approx 40 + 0.05 \times 1,000 - 2$$ 이므로, ${}_{19.9}V = 991.2$ 이고, 마찬

가지의 방법으로

$t = 19.9, h = 0.1$ 를 적용하면,

$$\frac{991.2 - {}_{19.8}V}{0.1} \approx 40 + 0.05 \times (991.2) - 2 + (1,000 - 991.2) \times (0.002)(1.01)^{64.9}$$

에서

${}_{19.8}V = 982.44$ 를 얻는다.

V · 자산지분

보험자는 책임준비금 이외에 보험료 산출 시 적용한 가정이 실제와 많은
차이가 나게 되는 경우의 위험관리를 목적으로 추가 자금을 자산의 형태로
보유해야 한다. 따라서, 동일한 위험을 가진 피보험자 집단으로 구성된 포트
폴리오의 책임준비금이 시간에 따라 변해가는 과정과 유사하게 해당 포트폴
리오를 위해 할당된 총 자산의 가치의 변화과정을 표현해 볼 수 있을 것이다.

동일한 위험을 가진 n명의 x세 피보험자로 구성된 계약 포트폴리오에 대
하여 계약이 시작되는 시점에서의 보유자산을 S_0라 하고, t차 보험연도 말의
보유자산을 S_t로 나타내자. 우선 $t + 1$차 보험연도 초의 보험료 수입과 사업
비 지출 후 보유자산은

$$S_t + n_t p_x' P^G - n_t p_x' (r_{t+1}' P^G + E_{t+1}') \tag{9.10}$$

로 표현할 수 있다. 여기서, $_t p_x'$, r_{t+1}', E_{t+1}' 는 보험료 산출시 적용한 가정이
아닌 실제 경험 사망률과 사업비 지출을 반영한 값이다. 해당 보험연도의 예
정이율을 반영하고 사망률 가정에 따른 지급보험금의 기대값을 차감하면
$t + 1$차 보험연도 말 보유 자산의 가치는 $t + 1$차 보험연도의 실제 투자수익
률 i_{t+1}'에 따라서

$$S_{t+1} = (1 + i_{t+1}')(S_t + n_t p_x' P^G) - n_t p_x' (r_{t+1}' P^G + E_{t+1}') - n_t p_x' \cdot q_{x+t}' \cdot b_{t+1}$$

$$\tag{9.11}$$

으로 나타낼 수 있다.

　여기서 t차 보험연도 말에서의 유지계약의 수는 $n_t p'_x$로 표현할 수 있으므로 t차 보험연도 말에서의 유지계약 1건당 보유자산의 가치는 $\dfrac{S_t}{n_t p'_x}$로 생각할 수 있다. 이를 자산지분(asset share)라고 하고 $(AS)_t$라 나타내자. 수식의 양변을 $n \cdot {}_{t+1}p'_x$로 나누어 정리하면, 다음과 같은 인접한 시점에서의 자산지분 간의 점화식을 얻을 수 있다.

$$(AS)_{t+1} = \frac{(1+i'_{t+1})\{(AS)_t + P^G - (r'_{t+1}P^G + E'_{t+1})\} - q'_{x+1} \cdot b_{t+1}}{p'_{x+t}} \quad (9.12)$$

예제 9.16

(예제 9.3)의 주어진 상황에서 초기 자산 3,000만원을 투입하였다. 3년간 실제 경험치가 다음과 같을 때, 각 보험연도 말에서의 보유자산의 가치와 자산지분을 계산하시오.

보험연도	사망자 수	투자수익률	사업비(비례-건당)	사업비(고정)-건당
1	0	6%	8%	220,000
2	0	7%	4%	80,000
3	1	4%	4%	70,000

각 보험연도 말의 보유자산의 가치는 수식 (9.11)에 나타난 개념을 이용하여 다음과 같이 계산할 수 있다.

$S_0 = 30,000,000$ 원에서

$S_1 = (1+0.06)\{30,000,000 + (100)(451,817.01) - (100)(36,145.36 + 220,000)\} = 52,541,195$

$S_2 = (1+0.07)\{52,541,195 + (100)(451,817.01) - (100)(18,072.68 + 80,000)\}$
　　$= 94,069,722$

$S_3 = (1+0.04)\{94,069,722 + (100)(451,817.01) - (100)(18,072.68 + 70,000)\} - 100,000,000$
　　$= 35,661,921$

초기 자산지분은 $\dfrac{S_0}{100} = 300,000$ 이므로 점화식 (9.12)을 이용하여 다음과 같이 차년별 자산지분을 계산할 수 있다.

$$(AS)_1 = (1+0.06)\{300,000+4581,817.01-(0.08)(451,817.01)-$$
$$220,000\}=525,411.9$$
$$(AS)_2 = (1+0.07)\{525,411.9+451,817.01-(0.04)(451,817.01)-$$
$$80,000)\}=940,697.2$$
$$(AS)_3 = \frac{(1+0.04)\{940,697.2+451,817.01-(0.04)(451,817.01)-70,000)\}-1,000,000}{0.99}$$
$$=360,221.4$$

(예제 9.16)에 나타난 상황과 같이 계약 후 실제로 나타나는 위험률, 이자율 및 사업비 지출의 경험값들은 보험료와 준비금의 산출 시 반영된 사망률, 이자율 및 사업비 지출에 대한 가정들과 다소간의 차이를 나타낼 것이다. 이러한 차이는 보험자의 이익 또는 손실로 나타나게 되는데, $t+1$차 보험연도의 이익은 다음과 같은 수식으로 표현할 수 있다.

S_t와 $t+1$차 보험연도 초의 생존자 수를 기초로 $t+1$차 보험연도의 실제 경험치의 결과로 얻은 S_{t+1}과 가정치의 결과로 얻은 S_{t+1}의 차이는 다음과 같이 나타낼 수 있다.

$$\left[(1+i'_{t+1})\{s_t+{}_np'_xP^G-{}_np'_x(r'_{t+1}P^G+E'_{t+1})\}-{}_np'_x\cdot q'_{x+t}\cdot b_{t+1}\right]$$
$$-\left[(1+i_{t+1})\{s_t+{}_np'_xP^G-{}_np'_x(r_{t+1}P^G+E_{t+1})\}\right]-{}_np'_x\cdot q_{x+t}\cdot b_{t+1}$$
$$=(1+i_{t+1})\{{}_np'_x(r_{t+1}P^G+E_{t+1}-r'_{t+1}P^G-E'_{t+1})\}+{}_np'_x(q_{x+t}-q'_{x+t})b_{t+1}$$
$$+(i'_{t+1}-i_{t+1})\{S_t+{}_np'_xP^G-{}_np'_x(r'_{t+1}P^G+E'_{t+1})\} \qquad (9.13)$$

수식 (9.13)의 결과식의 첫 번째 항은 실제 사업비와 예정사업비의 차이로 인하여 발생되는 수익(비차익)이고, 두 번 째 항은 실제 사망률과 사망률 가정 간의 차이로 인하여 발생되는 수익(사차익 또는 위험률차익)이며, 마지막 항은 실제 투자수익률과 예정이율의 차이로 발생되는 수익(이차익)으로 각각 해석할 수 있다. 각 이익은 $t+1$차 보험연도 말 시점에서의 가치를 나타내며, 어떤 항이 음수를 나타내면 해당 가정의 경험치와 가정치의 차이로 인한 손실의 의미로 해석할 수 있다.

수식 (9.13)은 수식을 정리할 때, 사업비, 사망률, 이자율순서로 정리하여 얻은 결과이다. 수식을 다른 순서로 정리할 수 있으며 이 경우 각 이원별 손익이 달라질 수 있다. 그러나, 결국 같은 수식이므로 총 손익에는 변화가 없

504 | 보험수리학

음을 알 수 있다.

보험자는 이러한 차익을 분석한 결과를 토대로 제반 가정을 갱신하여 신상품 설계 또는 기존 상품의 개정 시 반영하는 과정을 지속적으로 반복한다. 다음의 예제를 통하여 이러한 분석 과정을 이해해 보자.

예제 9.17

(예제 9.3)과 (예제 9.16)의 주어진 상황에서 각 보험연도별 이익과 제반 가정과 경험에 따른 이익을 분석하시오.

해설 보험료와 준비금 계산 시 적용된 가정을 이용하는 경우의 보유 자산의 기대치를 (예제 9.3)의 결과를 이용하여 1차년 말의 경우 보유하는 자산의 기대금액은 $(1.05)(30,000,000) - 5,303,292.44 = 26,196,708$원이다. 그런데, (예제 9.16)에서 경험치에 따른 1차 보험연도 말 보유금액은 52,541,195원이므로, 총 이익은 26,344,487원(반올림 오차존재)이다.

여기에서 가정에 따른 이익을 수식 (9.13)을 이용하여 분석해 보면 비차익은

$(1.05)\{100(0.1 \cdot 451,817.01 + 200,000 - 0.08 \cdot 451,817.01 - 220,000)\}$
$= -1,151,184$원

이고, 사차익은

$100(0.0027 - 0) \cdot (100,000,000) = 27,000,000$원

이며, 이차익은

$(0.06 - 0.05)\{30,000,000 + 100(451,817.01 - 0.08 \cdot 451,817.01 - 220,000)\} = 495,671.6$원

이다. 마찬가지의 방법으로 2, 3차 보험연도의 이익을 분석한 결과는 아래의 표와 같다.

보험연도	비차익	사차익	이차익	합계
1	-1,151,184	27,000,000	495,671.6	26,344,488
2	2,574,408	30,000,000	1,750,313	34,324,721
3	3,624,408	-66,500,000	-1,304,442	-64,180,034

포트폴리오에 대한 보유자산 S_t의 개념을 확대하여 일반적으로 어떤 시점에서의 보험자의 전체 보유자산의 가치를 잉여금(surplus)이라고 하고, 특히 생명보험의 경우 잉여금에서 해당 시점에서의 책임준비금을 차감한 금액을

지급여력(solvency)이라고 한다. 또한, 지급여력을 책임준비금으로 나눈 값을
지급여력 비율(solvency ratio)이라고 하고, 이는 보험사가 보험금을 지불할 수
있는 능력을 나타내주는 재무적 건전성의 지표로 사용된다.

VI · 단원 요약표

- 영업보험료＝순보험료＋부가보험료(사업비에 관한 부분)
  : 사업비 지출은 영업보험료의 일정비율 또는 계약 건당 금액으로 표현

- 수지상등의 원칙
  : 영업보험료의 APV＝지급보험금의 APV＋사업비 지출액의 APV

- 책임준비금
  : t차 보험연도 말 책임준비금＝t경과 년 이후 지급보험금 및 사업비 지출
    액의 APV－t경과 년 이후 영업보험료의 APV

- 자산지분
  : t차 보험연도 말에서의 유지계약 1건당 보유자산의 가치

연습문제

※ 아래의 문제에서 영업보험료의 계산 시 수지상등의 원칙을 적용하시오.

1. 피보험자 (x)가 앞으로 t년 동안 생존할 확률이 다음과 같다고 한다.
$$_tp_x = (0.8)^t$$
사망 시 해당 보험연도 말에 5,000만원을 지급하는 5년 만기 생명보험에 대하여, 사업비가 1차년에는 300만원, 2~5차년에는 매년 180만원씩 매년 초 지출된다고 한다. 매년 일정한 영업보험료를 납입한다고 할 때, 연납 영업보험료를 결정하시오. (단, 연이율 4%를 가정하시오.)

2. x세의 피보험자에 대한 사력이 다음과 같이 주어져 있다.
$$\mu_x(t) = 0.01$$
사망보험금이 1억원인 10년 만기 정기보험에 대하여, 보험사는 다음과 같은 두 가지의 예정사업비 부과방식을 고려중이다.
A) 1, 2 차연도의 사업비는 순보험료의 15%와, 고정금액 50만원, 3~10차년의 경우는 순보험료의 5%와 고정금액 25만원
B) 1차연도의 사업비는 순보험료의 20%, 2~10차년의 경우는 순보험료의 k%
두 방법 A, B에 의하여 산출되는 영업보험료가 같아지도록 k값을 결정하시오. (단, 연이율 3%를 이용하고, 사업비는 매년 초 지출되는 것으로 가정하시오.)

3. 사력이 0.03으로 동일한 경우 50세 피보험자를 대상으로 사망 즉시 100을 지급하는 종신보험에 대하여, t차연도의 사업비는 연간 $10-t$의 금액을 연속적으로 지출한다고 한다. 10년간 연간 P의 보험료를 연속적으로 납입한다고 할 때, 이력 $\delta = 0.03$을 적용하여 P를 계산하시오.

4. 생존함수 $S(x)$가 다음의 분포를 따른다고 한다.

$$S(x) = \exp\left(-\frac{x}{80}\right),\ x > 0$$

사망즉시 지급보험금이 1억원을 지급하는 40세의 피보험자에 대한 10년 납 종신보험의 경우, 사업비가 생존 시 연속적으로 연간 납입하는 보험료의 8%라 할 때, 수지상등의 원칙을 적용하여 다음 물음에 답하시오. (이력은 $\delta = 0.04$이고, 사업비는 매년 초에 지출되는 것으로 가정하시오.)

(1) 영업보험료를 계산하시오.

(2) 5년 후 시점에서의 책임준비금을 계산하시오.

(3) 미래생존기간 $T(40)$에 따른 손실함수의 그래프를 개략적으로 나타내시오.

5. 이력이 $\delta = 0.03$이고, 사력이 $\mu = 0.05$일 때, x세의 피보험자를 대상으로 매년 초 보험료를 납입하고, 사망 또는 만기생존 시 해당 보험연도 말에 5,000만 원을 지급하는 10년 만기 생사혼합보험의 연납 영업보험료를 계산하시오. 단, 예정사업비는 1차년에는 보험료의 10%, 2~5차년에는 보험료의 7%, 6~10차년에는 보험료의 5%이며, 사업비는 보험연도 초에 지출되는 것으로 가정한다.

※ 6~10. 부록 4의 생명표와 수지상등의 원칙을 이용하여 다음 물음에 답하시오.

6. 35세인 A씨는 사망 시 해당 보험연도 말 1억원을 지급하는 20년납 종신보험 상품에 가입하고자 한다. 보험료는 해당 상품에 대한 보험료는 매년 초 납부하며, 사업비는 처음 5년 간 영업보험료의 15%이고, 이후 15년 간은 영업보험료의 10%라고 한다 (사업비는 매년 초 지출되는 것으로 가정). 이 때, 연납 영업보험료를 결정하시오.

7. 어떤 30년 만기 즉시급 정기보험 상품이 있다. 보험료는 전 보험기간 동안 매월 초에 납입하게 되며, 사업비의 구조는 다음과 같다 (사업비는 매월 초에 지출하는 것으로 가정).

보험연도	보험료에 대한 비율	고정금액
1~10차년	10%	100,000원
11차년~30차년	5%	-

40세 피보험자가 가입금액 3억 원으로 해당 보험에 가입하고자 하는 경우, 납입해야 하는 월납 보험료를 계산하시오. (단수연령에 대한 균일분포 가정을 적용하시오.)

8. 50세인 K씨는 노후 대비를 위해 Z 보험사에서 판매하는 10년 거치 종신연금에 가입하고자 한다. 해당 연금은 생존 시 매월 초 일정금액을 지급하며, 연금에 대한 보험료는 거치기간 동안 매년 말 납부하며, 사업비는 납입보험료의 10%이며 사업비는 보험료 수입시점에 지출되는 것으로 가정한다. K씨가 앞으로 매년 3,000만원의 금액을 보험료로 납부하고자 하는 경우, 지급기간 동안 매월 받게 되는 연금액을 결정하시오. (사업비는 매년 말 지출하는 것으로 가정하고 단수연령에 대한 균일분포 가정을 적용하시오.)

9. 40세 피보험자에 대하여, 사망 시 해당 보험차월 말에 1억 원을 지급하는 종신보험이 있다. 보험료는 앞으로 20년 간 매월 초에 납입하며, 사업비는 처음 10년 간 납입보험료의 10%, 이후 10년 간 매월 15만원이라고 한다. 앞으로 해당 피보험자가 연간 납입해야 하는 총 보험료는 얼마인가? (단수연령에 대한 균일분포 가정을 적용하시오.)

10. 50세인 E씨는 25세인 장애우 자녀 T를 위한 종신연금을 계약하고자 한다. 해당 연금에 대한 보험료는 앞으로 20년 간 E씨가 생존 시 연속적으로 납입하게 되며, 연금은 계약시점부터 T가 사망할 때까지 연속적으로 매년 3,000만원의 금액이 지급된다고 한다. 해당 연금의 사업비는 납입보험료의 5%에 추가로 T생존 시 연금지급을 위한 비용으로 15만원이 필요하다고 할 때, 연간 연속적으로 납입해야 하는 보험료를 계산하시오. (사업비는 연속적으로 지

출된다고 가정하고, 단수연령에 대한 균일분포 가정을 적용하시오.)

11. 사망 시 즉시 보험금 5,000을 지급하고, 매년 초 보험료를 납입하는 3년만
    기 생사혼합보험이 있다. (만기 시 생존보험금은 2,000) 50세의 피보험자에
    대하여 다음의 생명표와 사업비 구조가 주어진 경우, 다음 물음에 답하시오.
    (연이율 4%를 가정하시오.)

x	q_x
50	0.0060
51	0.0065
52	0.0070

보험연도	사업비(영업보험료의 %)	사업비(고정)
1	10%	200
2	5%	100
3	3%	100

   (1) 영업보험료를 구하시오.
   (2) 매 보험연도 말의 책임준비금을 구하시오.
   (3) 매 보험연도 말의 자산지분을 구하시오. (초기 투입자본은 2,000으로 가정)

12. 동일한 위험을 갖는 피보험자 집단에 대하여 사망 시 해당 보험연도 말에
    10,000을 지급하고, 매년 초 보험료를 납입하는 5년 만기 정기보험
    100,000건으로 구성된 포트폴리오가 있다. 다음의 정보를 이용하여 다음 물
    음에 답하시오.
    - 예정사업비는 1차년의 경우 보험료의 15%, 2~5차년의 경우 보험료의 5%임.
    - 사망률은 향후 5년간 매년 0.2%임.
    - 예정이율은 6%를 적용함.
    (1) 영업보험료의 순보험료에 대한 비율을 계산하시오. (수지상등의 원칙을 적
       용하시오.)
    (2) 3차년 말 시점에서의 책임준비금을 계산하시오.

(3) 다음과 같이 2차 보험년도까지의 경험자료가 얻어진 경우, 1, 2 보험년도에 대하여 각 가정과 경험치의 차이에 따른 유지계약 1건당 이익을 보험년도 말 시점에서 각각 계산하시오.

보험연도	사업비(보험료의%)	투자수익률	사망자 수
1	12.5%	7%	150
2	4.5%	8%	175

13. 생존함수가 다음과 같이 주어져 있다.

$$S(x) = 1 - \frac{x}{100}$$

연령이 40세와 50세인 두 사람을 대상으로 두 사람 중 한 사람이 먼저 사망하는 경우 사망 즉시 1억원을 지급하는 종신보험의 연납 영업보험료를 계산하시오. (단, 보험료는 앞으로 20년 간 납입하며, 사업비는 처음 5년간은 보험료의 7%, 이후 15년간은 보험료의 3%로 매년 초에 지출하는 것으로 가정하고, 이력 $\delta = 0.04$를 이용하시오. 두 사람의 생존기간은 독립으로 가정한다.)

14. 사망보험금이 30,000이고 만기 시 생존보험금이 5,000인 3년 만기 생사혼합보험이 있다. 사망보험금은 즉시 지급되며, 단 해약 시에는 이미 납입한 보험료의 80%를 무이자로 지급한다. 해약은 매년 말에만 발생한다고 가정할 때, 연이율 5%와 다음의 다중탈퇴율 및 사업비 가정을 이용하여 매년 초 납입해야 하는 연납 영업보험료를 구하시오. 단, 각 연령구간 내에서 사망시점은 균일분포를 따른다고 가정한다.

연령	사망률	해약률
x	0.01	0.1
$x+1$	0.02	0.05
$x+2$	0.04	0

- 예정사업비는 보험료의 비율로 표현되며, 1,2,3차년의 경우 각각 보험료의 10%, 5%, 4%로 가정하며, 매년 초에 지출되는 것으로 가정한다.

15. 50세 피보험자를 대상으로 뇌졸중 또는 심근경색의 발병 즉시 보험금 7,000 만원을 지급하는 종신 보험상품이 있다. 뇌졸중으로 인한 탈퇴력은 0.005이고 심근경색으로 인한 탈퇴력은 0.008이라고 한다. 해당 보험의 사업비는 앞으로 10년간 연속적으로 지출되는데, 사업비는 영업보험료의 5%의 금액과 함께, 1차년에는 500만원, 2~10차년에는 매년 300만원씩 추가로 지출된다고 한다. 연 이력 $\delta = 0.04$를 이용하여. 10년간 연간 연속적으로 납부해야 하는 영업보험료 금액을 결정하시오. (뇌졸중과 심근경색 발병 이외의 탈퇴는 없는 것으로 가정한다.)

다중상태모형의 적용

지금까지 살펴본 생명보험, 연금, 연생, 다중탈퇴 모형에서 보험금 또는 연금이 지급되는 경우는 다음과 같이 정리해 볼 수 있다.

(1) 생존 상태에서 사망(탈퇴) 상태로 변화되는 경우 해당 보험연도 말 또는 즉시 보험금 지급

(2) 생존 상태가 유지되는 경우에 한하여 주기적으로 또는 연속적으로 연금을 지급

이러한 개념을 확장하여 다음과 같이 보다 일반적으로 표현할 수 있다.

(1) 어떤 상태에서 특정한 다른 상태로 변화하는 경우 해당 보험연도 말 또는 즉시 해당 변화에 따른 보험금 지급

(2) 어떤 상태가 유지되는 경우에 한하여 일정한 금액을 (주기적으로 또는 연속적으로) 지급. (지급금은 유지되고 있는 상태에 따라 다를 수 있음)

예를 들어, 암이 발생하여 암 진단을 받게 되면 일정금액의 보험금을 지급(재발암도 포함)하고 암 진단 후 치료되거나 사망 시까지 주기적으로 일정한 금액을 지급하는 보험을 생각하면, 암 유병중이 아닌 피보험자가 암에 걸린 상태로 변화할 때 (1)의 경우로 보험금이 지급되며, 암에 걸린 상태로 치료 중일 때는 (2)의 경우로 보험금이 지급된다. 이러한 상황에서 보험료 및 책임준비금의 산출을 위해서는 세 가지의 상태(암이 없는 상태, 암 유병 중인 상태,

사망)를 포함하고 상태변화를 반영할 수 있는 보험수리 모형을 설계하는 것이 필요하다.

이번 장에서는 지금까지 학습한 보험수리 모형을 일반적으로 표현할 수 있는 수리적 모형에 대하여 논의하고, 이를 적용하는 방법에 대하여 설명하고자 한다. 논의의 전개를 위해 몇 가지 통계분포에 관한 배경지식이 필요한데 547쪽의 부록 10A를 먼저 살펴본 뒤 10장의 내용을 학습하기 바란다.

Ⅱ 마르코프 모형의 정의와 개념

앞서 소개했던 일반적인 상황에 대한 수리적 모형을 설계하기 위해서는 우선 다양한 상태를 정의할 수 있는 모형이 필요하다. 또한, 보험수리적 현가는 2, 3장에서 논의한 바와 마찬가지로 지급액의 할인율과 지급확률(밀도)의 곱의 합으로 표현되므로, 경과 시간에 따른 정의된 상태 간 변화에 대한 확률을 계산하는 것이 필요하다.

우선 확률과정 모형은 시점에 따라 확률변수를 고려하는 경우, 즉 시점 t에서의 어떤 현상이 나타내는 결과를 확률변수 $X(t)$로 나타낼 때, 시점 별 확률변수들의 집합 $\{X(t) : t \geq 0\}$을 확률과정(stochastic process)이라 정의하고 시간에 따라 불확실하게 변화하는 어떤 현상을 설명하기 위한 수리적 모형을 설계하는 데 이용한다(날씨의 변화, 주가의 변화 등). 확률과정 모형은 확률과정이 가지는 성질을 어떻게 규정하느냐에 따라 특정한 확률과정 모형으로 구분하여 정의할 수 있는데, 확률과정이 다음과 같은 성질을 가질 때, 해당 확률 과정을 마르코프 모형이라고 정의한다.

$$\Pr[X(t+s) \in A | X(t) \text{와 } X(u), u < t] = \Pr[X(t+s) \in A | X(t)], s > 0$$

(10.1)

수식 (10.1)에서 A는 확률변수가 가질 수 있는 값의 전체 범위에 대한 어떤 부분집합이다. 수식의 의미는 어떤 시점 t까지 확률과정이 진행되어 온 정보가 주어진 상황에서 s가 경과한 미래의 시점 $t+s$에서의 확률변수

$X(t+s)$와 관련한 사건의 결과 및 그 확률은 오직 시점 t에서의 정보 $X(t)$에만 영향을 받는다는 것을 나타낸다.

이때 확률변수 $X(t)$를 고려하는 시점이 $0, 1, 2, \cdots$와 같이 불연속적인 경우의 마르코프 모형을 이산형 마르코프 모형(discrete time Markov model)이라 정의하고, 이와 달리 확률변수를 고려하는 시점이 연속적인 모든 시점인 경우의 마르코프 모형을 연속형 마르코프 모형(continuous time Markov model)이라 한다.

Ⅲ 이산형 마르코프 모형과 확률의 계산

어떤 현상이 나타낼 수 있는 결과가 n가지일 때, 각 결과를 $1, 2, \cdots, n$으로 나타내고 각 결과를 상태(state)라고 정의하자. 또한, 해당 현상의 상태를 관측하는 시점이 $t = 0, 1, 2, \cdots$이고, 시점 t에서의 상태를 $X(t)$라 하면, 마르코프 모형의 정의에 따라

$$\Pr[X(t+m) \in A | X(t), X(t-1), \cdots, X(0)] = \Pr[X(t+m) \in A | X(t)]$$

$$(10.2)$$

로 나타낼 수 있다. 임의의 m값에 대하여 해당 확률을 결정하기 위해서는 우선 기본적으로 단위시간이 경과한 후 어떤 상태에서 다른 상태로 상태가 변하는 확률들이 필요하다. 즉, 시점 t로부터 단위시간 경과 후 상태 i에서 상태 j로 변하는 경우의 확률을 전이확률(transition probability)이라 하며 기호로

$$p_t^{ij} = \Pr[X(t+1) = j | X(t) = i]$$

$$(10.3)$$

로 나타내자. 해당 확률이 시점에 관계없는 경우는 p_{ij}로 표현하기로 한다. 가능한 모든 경우의 전이를 고려하여 전이확률을 배열한 정사각 행렬을 아래와 같이 생각해 볼 수 있는데, 이를 전이행렬(transition matrix)이라 하고 다음과 같이 나타낸다.

$$P_t = \begin{pmatrix} p_t^{11} & p_t^{12} & \cdots & p_t^{1n} \\ p_t^{21} & p_t^{22} & \cdots & p_t^{2n} \\ \vdots & \vdots & \ddots & \vdots \\ p_t^{n1} & p_t^{n2} & \cdots & p_t^{nn} \end{pmatrix} \tag{10.4}$$

전이행렬 P_t의 (i,j)성분은 앞서 정의한 전이확률 p_t^{ij}를 나타내고 있다. 전이행렬의 P_t의 각 행은 시점 t에서 특정상태(i행의 경우 상태 i)에 있는 경우 단위시간이 지난 후의 모든 전이의 가능성을 고려하고 있으므로 각 행의 성분의 합은 1이 된다는 것을 알 수 있다. 즉, 임의의 i에 대하여

$$\sum_{j=1}^{n} p_t^{ij} = 1$$

이다.

예제 10.1

어떤 날의 종합주가지수가 전날보다 상승한 경우 다음 날 지수가 상승할 확률이 0.8이고, 어떤 날의 종합주가지수가 전날보다 하락한 경우 다음 날 지수가 하락할 확률은 0.6이라고 한다. 이러한 경우 마르코프 모형의 상태를 정의하고 각 상태간 전이확률을 나타내는 전이행렬을 나타내시오.

해설 상태 1을 어떤 날 종합주가지수가 전날보다 상승한 경우, 상태 2를 어떤날 종합주가지수가 전날보다 하락한 경우라고 정의하면, 주어진 확률은 시점에 관계없이 동일하므로 다음과 같이 전이행렬을 나타낼 수 있다.

$$P = \begin{pmatrix} 0.8 & 0.2 \\ 0.4 & 0.6 \end{pmatrix}$$

앞서 정의한 전이행렬은 특정시점에서 단위시간이 경과한 후 상태 간 전이가능성을 나타내 주고 있다. 그러면, 전이행렬을 이용하여 복수의 단위시간이 경과한 후 상태 간 전이의 결과를 나타내는 전이확률을 어떻게 계산할 수 있을까? 우선 두 번의 단위시간이 경과한 후의 전이를 다음과 같이 생각해 보자.

현재시점을 t라 하고 현재 상태를 i라 하자. 현재로부터 두 번의 단위시간이 경과한 시점, 즉 시점 $t+2$에서의 상태가 j일 경우의 수를 생각할 때 이산

:: 그림 10-1 두 번의 단위시간동안의 전이 경로

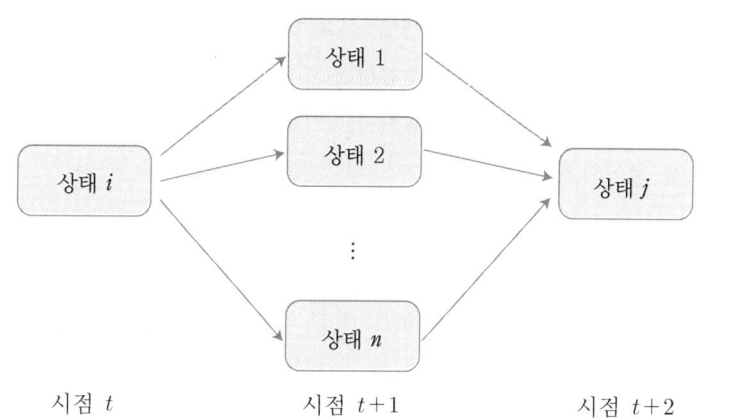

형 마르코프 모형은 각 단위시간 경과 후 측정값만을 고려한다는 점을 이용하여 [그림 10-1]과 같이 도식화할 수 있다.

[그림 10-1]에서, 시점 t에서 상태 i일 때, 시점 $t+2$에서 상태 j로 전이되어 있을 경우는 총 n가지의 경로를 통해서 가능하고 각 경우는 동시에 발생할 수 없으므로 해당 확률 $\Pr[X(t+2)=j|X(t)=i]$는 각 경로에 대한 확률의 합으로 계산할 수 있다. 또한, 전이는 바로 전 상태에만 영향을 받는다는 마르코프 모형의 가정에 의하여 시점 t에서 시점 $t+1$로의 전이는 시점 $t+1$에서 시점 $t+2$로의 전이에 영향을 주지 않으므로 서로 독립임을 이용하여 시점 t에서 시점 $t+2$로의 전이확률은 각 구간별 전이확률의 곱으로 계산할 수 있다. 즉, 시점 $t+1$에서 상태 $k(k=1,2,\cdots,n)$를 경유하여 시점 $t+2$에서 상태 j로 도달하는 경우의 확률은

$$
\begin{aligned}
&\Pr[X(t+2)=j, X(t+1)=k|X(t)=i]\\
&=\Pr[X(t+1)=k|X(t)=i]\Pr[X(t+2)=j|X(t+1)=k,X(t)=i]\\
&=\Pr[X(t+1)=k|X(t)=i]\Pr[X(t+2)=j|X(t+1)=k]\\
&=p_t^{ik}p_{t+1}^{kj}
\end{aligned}
$$

이 되고, 각 경우의 확률들을 모두 더하면,

$$
\Pr[X(t+2)=j|X(t)=i]=\sum_{k=1}^{n}p_t^{ik}p_{t+1}^{kj}
$$

로 나타낼 수 있다. 그런데 식의 우변은 행렬 P_t의 i행과 행렬 P_{t+1}의 j열의 성분끼리의 곱의 합, 즉 두 전이행렬 P_t와 P_{t+1}의 곱 P_tP_{t+1}의 (i,j) 성분임을 알 수 있다. (행렬의 곱셈은 교환법칙이 성립하지 않으므로 행렬을 곱하는 순서에 유의하자.) 따라서, 현재상태에서 두 번의 단위시간이 경과한 후 어떤 다른상태로의 전이확률은 행렬 P_tP_{t+1}의 성분을 이용할 수 있다.

동일한 방법으로, 시점 t에서 상태 i일 때, 세 번의 단위시간이 경과 (시점 $t+3$)한 후 상태 j로의 전이확률은 앞서 구한 두 번의 단위시간이 경과한 후의 상태에 대한 전이확률을 이용하면, 시점 t의 상태 i에서 시점 $t+2$의 상태 $k(k=1,2,\cdots,n)$를 경유하여 시점 $t+3$에서 상태 j에 도달하는 모든 경우에 대한 확률의 합으로 표현할 수 있다. 즉,

$$\Pr[X(t+3)=j|X(t)=i]$$
$$=\sum_{k=1}^{n}\Pr[X(t+2)=k|X(t)=i]\Pr[X(t+3)=j|X(t+2)=k]$$

에서 우변의 합에서 첫 번째 항은 앞서 논의한 바와 같이 P_tP_{t+1}의 (i,k)성분이고, 두 번째 항은 P_{t+2}의 (k,j)성분이므로, 우변의 합은 행렬 P_tP_{t+1}의 i행과 행렬 P_{t+2}의 j열의 성분끼리의 곱의 합, 즉 두 행렬 P_tP_{t+1}과 P_{t+2}의 곱 $P_tP_{t+1}P_{t+2}$의 (i,j)성분이다.

이를 확장하여, 현재시점의 상태가 주어진 경우 임의의 미래시점에서 특정상태로 전이되어 있을 확률을 계산할 수 있다. 즉, 시점 t에서 상태 i에 있는 경우 m 단위시간 경과 후 상태 j에 도달하게 될 확률은 앞으로 적용하게 될 m개의 전이행렬의 곱

$$P_tP_{t+1}\cdots P_{t+m-1} \tag{10.5}$$

의 결과로 얻어진 행렬의 (i,j)성분이다. (증명은 생략하기로 한다.)

예제 10.2

다음과 같이 상태를 정의하자.
1: 암이 없는 상태
2: 암 유병중인 상태

3: 사망

또한, 70세부터 72세 남성에 대하여 상태별 전이행렬이 다음과 같이 주어져 있다.

$$P_{70} = \begin{pmatrix} 0.82 & 0.150 & 0.030 \\ 0.020 & 0.130 & 0.850 \\ 0 & 0 & 1 \end{pmatrix}, P_{71} = \begin{pmatrix} 0.768 & 0.200 & 0.032 \\ 0.015 & 0.115 & 0.870 \\ 0 & 0 & 1 \end{pmatrix}, P_{72} = \begin{pmatrix} 0.716 & 0.250 & 0.034 \\ 0.010 & 0.090 & 0.900 \\ 0 & 0 & 1 \end{pmatrix}$$

다음의 물음에 답하시오.

(1) 현재 암이 없는 70세의 남성이 앞으로 3년 이내에 사망할 확률을 계산하시오.

(2) 현재 암이 없는 70세의 남성이 앞으로 3년 후 암 유병중일 확률을 계산하시오.

(3) 70세 암 유병중인 남성이 앞으로 3년 이내에 암에서 완치될 확률을 계산하시오.

해설 (1) 3년 후 상태에 관한 문제이므로 행렬의 곱 $P_{70}P_{71}P_{72}$를 계산하면 3년 후 상태에 관한 전이행렬

$$\begin{pmatrix} 0.4543 & 0.1743 & 0.3714 \\ 0.0126 & 0.0060 & 0.9814 \\ 0 & 0 & 1 \end{pmatrix}$$

를 얻을 수 있고, 현재 상태 1에서 3년 후 상태 3으로의 전이확률이므로 이는 행렬의 곱의 결과로 얻은 전이행렬의 (1,3)성분인 0.3714이다.

(2) 해당 확률은 (1)에서 얻은 전이행렬의 (1,2)성분이므로 3년 후 암 유병확률은 0.1743이다.

(3) 해당 확률은 (1)에서 얻은 전이행렬의 (2,1)성분이므로 완치확률은 0.0126이다.

📖 예제 10.3

(예제 10.1)에서 주어진 상황을 이용하여 오늘의 주가지수가 어제보다 상승한 경우 앞으로 4일 후의 주가가 그 전날보다 상승할 확률을 계산하시오.

해설 예제 10.1에서 얻은 전이행렬 P를 이용하면, 시점에 관계없이 전이행렬이 동일하므로 구하는 확률은 P^4의 (1,1)성분이므로,

$$P^4 = \begin{pmatrix} 0.6752 & 0.3248 \\ 0.6496 & 0.3504 \end{pmatrix}$$

에서 확률 0.6752를 얻는다.

시점 t에서 어떤 집단의 구성원 중 각 상태에 있는 구성원의 숫자를 나타내는 행벡터를

$$\underline{l}_t = \left(l_t^1, l_t^2, \cdots, l_t^n\right)$$

라 하자. 즉, l_t의 i번째 성분 l_t^i는 시점 t에서 상태 i에 있는 구성원 수를 나타낸다. 그러면, 행렬의 연산의 성질에 의하여 m 단위 시간 경과 후 각 상태별 구성원의 수를 나타내는 행벡터 $\underline{l}_{t+m}$은 다음의 행렬 연산의 결과로부터 얻어지는 것을 알 수 있다.

$$\underline{l}_{t+m} = \underline{l}_t P_t P_{t+1} \cdots P_{t+m-1} \tag{10.6}$$

마찬가지로, 행벡터 $\underline{l}_t$를 각 상태별 구성원 수가 아닌 전체 구성원 수 대비 상태별 구성원 수의 비율로 표현하면, 앞선 수식에 따른 결과 $\underline{l}_{t+m}$는 m 단위 시간 경과 후 각 상태별 구성원의 수의 비율을 나타낸다는 것을 알 수 있다.

예제 10.4

(예제 10.2)에서 주어진 상황과 조건을 이용하여 다음 물음에 답하시오.
(1) 70세 전체 남성 인구 중 5%의 인구가 암 유병중이라고 가정할 때, 73세의 인구 중 암 유병중인 인구의 비율을 결정하시오.
(2) 어떤 생명보험사는 올해 1,000명의 70세 남성을 피보험자로 하는 사망담보 계약을 보유하고 있는데, 조사결과 암 유병중인 사람이 45명으로 집계되었다. 향후 3년간 사망보험금을 지급하게 될 계약건수를 계산하시오.

해설 (1) 예제 10.2의 (1)의 결과로 얻은 3년 후 상태에 대한 전이행렬과 70세의 각 상태별 인구비율을 나타내는 행벡터 $\underline{l}_{70} = (0.95, 0.05, 0)$를 이용하여 73세의 각 상태별 인구비율을 나타내는 행벡터 $\underline{l}_{73}$을 계산하면,

$$\underline{l}_{73} = \underline{l}_{70} P_{70} P_{71} P_{72}$$

$$= (0.95, 0.05, 0) \begin{pmatrix} 0.4543 & 0.1743 & 0.3714 \\ 0.0126 & 0.0060 & 0.9814 \\ 0 & 0 & 1 \end{pmatrix}$$

$$= (0.4322, 0.1659, 0.4019)$$

를 얻을 수 있다. 따라서, 73세 남성 중 암 유병중인 인구의 비

율은 0.1659이다.

(2) (1)과 같은 방법으로 70세 남성 피보험자의 인구수를 나타내는 행벡터를 $\underline{l}_{70} = (955,\ 45,\ 0)$으로 나타내어 73세 남성 피보험자의 각 상태별 인구수를 나타내는 행벡터를 다음과 같이 계산할 수 있다.

$$(955,\ 45,\ 0)\begin{pmatrix} 0.4543 & 0.1743 & 0.3714 \\ 0.0126 & 0.0060 & 0.9814 \\ 0 & 0 & 1 \end{pmatrix} = (434.42,\ 166.73,\ 398.85)$$

따라서, 3년 이내에 사망보험금을 지급해야 할 계약은 약 399 건으로 계산된다. 이 문제도 (1)과 마찬가지로 각 상태별 인구수의 비율로 70세의 행벡터를 표현한 후 73세의 행벡터를 도출하여 얻어지는 비율에 1,000명에 대한 각 상태별 인구수로 도출할 수 있다.

Ⅳ ● 연속형 마르코프 모형과 확률의 계산

앞 절에서 살펴본 이산형 마르코프 모형에서는 단위시간이 경과한 후의 변화를 나타내주는 전이행렬을 이용하므로 시점 0을 기준시점으로 할 때 자연수로 표시되는 시점 이외의 시점에서의 상태와 임의의 미래 시점에 특정 상태에 있게 될 확률을 생각할 수 없다. 따라서, 현재로부터 임의의 시간이 경과한 후의 상태와 그 상태에 있게 될 확률을 나타낼 수 있는 모형으로 개념을 확장해 보자. (이러한 모형을 연속형 마르코프 모형이라고 한다.)

앞 절에서와 같이 n개의 서로 다른 상태 $1,2,\cdots,n$를 정의하고, 임의의 시점 t에서의 상태를 $X(t)$라 하자. 이산형 마르코프 모형에서와 같이 보험수리모형에서는 궁극적으로, 현재 어떤 상태에 있는 경우 임의의 시간이 경과한 후 어떤 다른 특정 상태에 있게 될 확률(또는 어떠한 변화없이 현재 상태에 계속 머물러 있을 확률)을 계산하는 것이 필요하다. 시점 t에서 상태 i에 있는 경우 s단위시간이 경과한 후 상태 j로 변화되어 있을 확률을 다음과 같이 기호로 나타내자.

$$p_{ij}(t,t+s) = Pr[X(t+s) = j | X(t) = i] \tag{10.7}$$

우선 단순한 형태로 확률 $p_{ij}(t, t+s)$가 현재시점에 영향을 받지 않는 경우, 즉 경과시간 s에 따라서만 달라지는 경우 보다 간략한 기호로 $p_{ij}(s)$로 나타내고 해당 확률을 표현하는 과정을 개념적으로 살펴보도록 하자(보다 엄밀한 이론적 전개는 확률과정이론의 저서를 참조하기 바란다).

앞서 정의한 바와 같이 마르코프 모형은 상태에 관한 조건이 주어진 현재시점 전의 정보는 미래 예측에 영향을 주지 않는다는 가정을 바탕으로 하는데, 이를 이용하여 어떤 상태가 t 동안 변화없이 지속되어 왔다는 정보 하에, 해당 상태가 $t+s$동안 지속될 확률을 생각해 보자. 처음으로 다른 상태로의 변화(전이)가 일어날 때까지 걸리는 시간을 확률변수 T로 나타내면 고려하는 확률은

$$Pr[T > t+s | T > t] \tag{10.8}$$

로 나타낼 수 있다. 그런데, 마르코프 모형의 가정에 의하여 t시점까지 변화가 일어나지 않았다는 정보는 불필요하므로 해당확률은 앞으로 s동안 변화가 일어나지 않을 확률과 같다. 따라서

$$Pr[T > t+s | T > t] = Pr[T > s] \tag{10.9}$$

가 성립한다. 부록 10A의 지수분포의 성질 1과 성질 2에 의하여 결과적으로 마르코프 모형에서 어떤 상태가 유지되고 있을 때, 그 상태에서 다른 상태로 전이가 일어날 때까지 걸리는 시간을 확률변수로 나타내면 해당 확률변수는 지수분포를 따른다고 생각할 수 있다.

어떤 상태 i에서 다른 상태로의 전이가 일어날 때까지 걸리는 시간이 평균이 $1/q_i$인 지수분포를 따른다고 하자. 그러면, 다른 상태로의 전이는 단위시간 당 평균 q_i의 빈도(rate)로 발생하는 포아송 분포(Poission distribution)를 따르는 것으로 생각해 볼 수 있고, 이때 상태 i에서 다른 상태로의 전이가 일어나게 되는 경우 상태 j로 전이가 일어날 확률을 $r_{ij}(\sum_{j \neq i}^{n} r_{ij} = 1)$라 하면, 포아송 분포의 성질에 의하여 현재 상태 i에서 상태 j로의 전이 빈도는 단위시간 당 평균 $q_{ij} = q_i r_{ij}$를 갖는 포아송 분포를 따르게 된다(부록 10A의 포아송 분포의 성질 2). 여기서, $\sum_{j \neq i}^{n} q_{ij} = \sum_{j \neq i}^{n} q_i r_{ij} = q_i$임을 알 수 있다($q_{ij}$를 상태 i에서 상태 j로의 전이력(transition intensity, force of transition)이라 한다. 포아송 과정의 가정 2에 따

라서 극히 짧은 시간 내의 상태 i에서 상태 j로의 전이확률은 $q_{ij}dt$로 나타낼 수 있으며, 이는 2장에서의 사력 및 8장에서의 다중탈퇴력의 개념과 동일함을 알 수 있다).

앞서 정의한 기호를 사용하여 $p_{ij}(s)$는 다음의 미분방정식(Kolmogorov forward equation)으로 표현할 수 있다(도출과정은 부록 10B 참조).

$$\frac{d}{ds}p_{ij}(s) = \sum_{k=1, k \neq j}^{n} p_{ik}(s) \cdot q_{kj} - \sum_{k=1, k \neq j}^{n} p_{ij}(s) \cdot q_{jk} \tag{10.10a}$$

$$= \sum_{k=1, k \neq j}^{n} p_{ik}(s) \cdot q_{kj} - p_{ij}(s)q_j \tag{10.10b}$$

행렬 $P(s), Q$를 각각 다음과 같이 나타낼 때

$$P(s) = \begin{pmatrix} p_{11}(s) & p_{12}(s) & \cdots & p_{1n}(s) \\ p_{12}(s) & p_{22}(s) & \cdots & p_{2n}(s) \\ \vdots & \vdots & \ddots & \vdots \\ p_{n1}(s) & p_{n2}(s) & \cdots & p_{nn}(s) \end{pmatrix}, \quad Q = \begin{pmatrix} -q_1 & q_{12} & \cdots & q_{1n} \\ q_{21} & -q_2 & \cdots & q_{2n} \\ \vdots & \vdots & \ddots & \vdots \\ q_{n1} & q_{n2} & \cdots & -q_n \end{pmatrix} \tag{10.11}$$

수식 (10.10b)을 이용하여 전이행렬 $P(s)$의 각 성분을 s에 대하여 미분하여 얻어진 행렬을 $P'(s)$로 나타내면

$$P'(s) = P(s)Q \tag{10.12}$$

로 간단히 나타낼 수 있고, 해당 방정식의 해 $P(s)$를 통하여 s 단위시간 경과 후 모든 가능한 전이의 확률을 얻을 수 있다(행렬 Q를 전이력 행렬이라 하고, 행렬 Q의 각 행의 합은 0이 된다는 것에 유의하자).

📖 예제 10.5

다음의 상태와 구조를 갖는 다중상태모형을 고려하자.

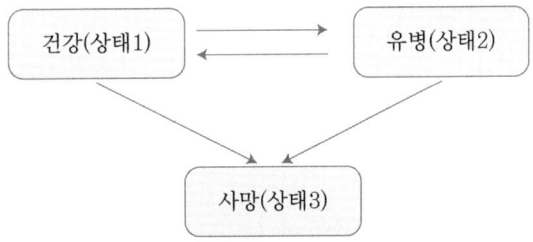

현재시점을 0으로 할 때, 앞으로 t년 후 시점에서의 상태 간 전이력은 다음과 같다.

$q_{12} = 0.001t, \ q_{21}(t) = 0.002t, \ q_{13}(t) = 0.0001t, \ q_{23} = 0.0005t$

수식 (10.10a)를 이용하여 $p_{ij}(0,3)$에 대한 미분방정식을 도출하시오.

해설 $p_{31}(0,3) = p_{32}(0,3) = 0, p_{33}(0,3) = 1$이므로, 의미있는 i,j의 순서쌍은 $(i,j) = (1,1),(1,2),(1,3),(2,1),(2,2),(2,3)$이다.

각 경우에 대한 미분방정식을 표현해 보면, 상태1로 부터의 전이의 경우에서

$$\frac{dp_{11}(0,t)}{dt} = p_{12}(0,t)q_{21}(t) - p_{11}(0,t)(q_{12}(t) + q_{13}(t))$$

$$\frac{dp_{11}(0,3)}{dt} = p_{12}(0,3) \cdot (0.006) - p_{11}(0,3) \cdot (0.0033) \qquad (*)$$

$$\frac{dp_{12}(0,t)}{dt} = p_{11}(0,t)q_{12}(t) - p_{12}(0,t)(q_{21}(t) + q_{23}(t)) \text{에서}$$

$$\frac{dp_{12}(0,3)}{dt} = p_{11}(0,3) \cdot (0.003) - p_{12}(0,3) \cdot (0.0075) \qquad (**)$$

$$\frac{dp_{13}(0,t)}{dt} = p_{11}(0,t)q_{13}(t) + p_{12}(0,t)q_{23}(t) \text{에서}$$

$$\frac{dp_{13}(0,3)}{dt} = p_{11}(0,3) \cdot (0.0003) + p_{12}(0,3) \cdot (0.0015)$$

상태2로부터의 전이의 경우

$$\frac{dp_{21}(0,t)}{dt} = p_{22}(0,t)q_{21}(t) - p_{21}(0,t)(q_{12}(t) + q_{13}(t)) \text{에서}$$

$$\frac{dp_{21}(0,3)}{dt} = p_{22}(0,3) \cdot (0.006) - p_{21}(0,3) \cdot (0.0033)$$

$$\frac{dp_{22}(0,t)}{dt} = p_{21}(0,t)q_{12}(t) - p_{22}(0,t)(q_{21}(t) + q_{23}(t)) \text{에서}$$

$$\frac{dp_{22}(0,3)}{dt} = p_{21}(0,3) \cdot (0.003) - p_{22}(0,3) \cdot (0.0075)$$

$$\frac{dp_{23}(0,t)}{dt} = p_{21}(0,t)q_{13}(t) + p_{22}(0,t)q_{23}(t) \text{에서}$$

$$\frac{dp_{23}(0,3)}{dt} = p_{21}(0,3) \cdot (0.0003) + p_{22}(0,3) \cdot (0.0015)$$

으로 나타낼 수 있다.

도출된 미분방정식을 풀면 $p_{ij}(0,3)$을 구할 수 있다. 예를 들어, $p_{11}(0,3)$과 $p_{12}(0,3)$의 경우

식 (*), (**)를 연립하여 얻을 수 있는데, 이는 논의의 범위를 벗어나므로 9장 책임준비금에 대한 미분방정식에서 소개했던 수치해석적 방법으로 다음과 같이 계산이 가능하다.

$\dfrac{dp_{11}(0,t)}{dt} = p_{12}(0,t)q_{21}(t) - p_{11}(0,t)(q_{12}(t) + q_{13}(t))$ 에서 좌변의 식을 수치미분으로 표현하면,

$\dfrac{p_{11}(0,t+h) - p_{11}(0,t)}{h} = p_{12}(0,t)q_{21}(t) - p_{11}(0,t)(q_{12}(t) + q_{13}(t))$ 이고, 마찬가지로 $p_{12}(0,t)$ 에 대한 미분방정식도 수치미분으로 표현하면,

$\dfrac{p_{12}(0,t+h) - p_{12}(0,t)}{h} = p_{11}(0,t)q_{12}(t) - p_{12}(0,t)(q_{21}(t) + q_{23}(t))$ 이다. $t = 0$, h 를 충분히 작은 수로 설정하고, $p_{11}(0,0) = 1, p_{12}(0,0) = 0$ 을 초기조건으로 하여 순차적으로 $p_{11}(0,kh), p_{12}(0,kh)$ $k = 1,2,3,\cdots$ 를 계산해 나갈 수 있다.

또한 II 절에서 다룬 바와 같이 어떤 시점 t 에서의 각 상태별 인구 수 또는 인구 비율을 나타내는 행벡터를 $\underline{l}_t$ 라 하면, 전이행렬 $P(s)$ 를 이용하여 시점 $t+s$ 에서의 인구 수 또는 인구 비율을 나타내는 행벡터 $\underline{l}_{t+s}$ 는 다음과 같이 얻을 수 있다.

$$\underline{l}_{t+s} = \underline{l}_t P(s) \tag{10.13}$$

보다 일반적인 경우로 전이가 일어나는 빈도가 시점에 따라 다르게 나타나는 상황을 생각해 보자. 즉, 전이 빈도가 나타내는 포아송 분포의 평균을 나타내는 q_{ij} 가 시간에 따른 함수로 표현되는 경우, 이를 $q_{ij}(t)$ 라 나타내면 s 단위시간 동안 상태 i 에서 상태 $j(j \neq i)$ 로의 전이의 빈도는 평균이 $\int_0^s q_{ij}(t)dt$ 인 포아송 분포를 따른다(이 경우 극히 짧은 시간 내 상태 i 에서 상태 j 로 전이가 일어나게 될 확률은 포아송 과정의 가정 2′ 에 따라서 $q_{ij}(t)dt$ 로 표현할 수 있고, 사력 및 탈퇴력의 개념과 동일하다). 즉 s 단위시간 동안 전이의 빈도를 나타내는 확률변수를 $N_{ij}(s)$ 로 표현하면 이는 포아송 과정(Poisson process)을 따르며, 상태 i 에서 다른 상태로의 전이가 일어나는 빈도를 $N_i(s)$ 로 나타내면 이는 평균이 $\int_0^s q_{i(t)}dt = \int_0^s \sum_{j=1, j \neq i}^{n} q_{ij}(t)dt$ 인 포아송 분포를 따른다. (부록 10A의 포아송 분포(과정) 성질 2)

따라서 앞으로 s 동안 현재상태 i 에서 다른 상태로의 전이가 전혀 발생하

지 않을 확률은 포아송 분포를 이용하여

$$\exp(-\int_0^s \sum_{j=1,j\neq i}^n q_{ij}(t)dt)$$

로 계산할 수 있다. 2장에서 현재 생존자가 앞으로 s동안 사망하지 않을 확률 (생존상태에서 계속 머물러 있게 될 확률)이 $\exp(-\int_0^s \mu_x(t)dt)$로 표현되는 것과 8장에서 현재 생존자가 앞으로 s동안 탈퇴하지 않을 확률이 $\exp(-\int_0^s \mu_x^{(\tau)}(t)dt)$ $= \exp(-\int_0^s \sum_{j=1}^m \mu_x^{(j)}(t)dt)$로 표현되는 것과 비교하여 이해하면, 다중상태모형을 이용하여 이전 장에서 학습하였던 모형들을 표현할 수 있음을 알 수 있다.

예제 10.6

세 가지의 상태가 정의되어 있는 연속형 마르코프 모형의 전이력 행렬이 다음과 같이 주어져 있을 때 아래의 물음에 답하시오.

$$Q(t) = \begin{pmatrix} -0.007t & 0.005t & 0.002t \\ 0 & -0.004t & 0.004t \\ 0 & 0 & 0 \end{pmatrix}$$

(1) 현재 상태 1에 있는 경우 앞으로 3단위시간 동안 전이가 발생하지 않을 확률을 계산하시오.

(2) 현재 상태 2에 있는 경우 앞으로 3단위시간 이내에 상태 3으로 전이가 발생하게 될 확률을 계산하시오.

해설 (1) 상태 1에서는 상태 2 또는 상태 3으로의 전이가 발생 가능하며 3단위 시간 동안 전이 빈도는 포아송 과정의 성질에 의하여 평균이 $\int_0^3 0.005t + 0.002t dt = 0.0315$인 포아송 분포를 따른다. 3단위 시간 동안 전이가 발생하지 않을 확률은 평균이 0.0315인 포아송 분포의 확률분포에 의하여, $\frac{e^{-0.0315} \cdot (0.0315)^0}{0!} = 0.9690$이다.

(2) 상태 2에서 상태 1로는 전이가 불가능하고, 상태 3에서는 다른 상태로의 전이가 불가능하므로 상태 2에서 3단위 시간 이내에 상태 3으로 전이가 발생한다는 것은, 앞으로 3 단위시간 이내의 임의의 시점까지 상태 2에 머물러 있다가 해당 시점에서 상태 3으로 전이가 발생하는 것과 같다. 즉, 상태 2에서 상태 3으로 전이가 발생하는 시점을 t라 하면, 우선 시점 t까지 전이가 발생하지 않을 확률은 (1)에서와 마찬가지의 방법으로

$\exp(-\int_0^t 0.004sds)$ 이고 시점 t에서 전이가 발생하게 되는 확률은 부록 10A의 포아송 과정의 가정 3에 의하여 $0.004t\,dt$로 나타낼 수 있다. 그런데 t는 0부터 3까지 임의의 값을 가질 수 있으므로 구하는 확률은

$$\int_0^3 \exp(-\int_0^t 0.004sds) \cdot 0.004t\,dt = 0.0178$$ 이다.

📖 **예제 10.7**

다음과 같이 치매와 관련한 다중상태 모형을 정의하자.

화살표는 상태 간 가능한 전이를 나타낸다. 즉, 전이는 상태1에서 상태2, 상태2에서 상태3으로만 전이가 가능하다. 연령이 x세인 경우 전이력은 각각 다음과 같다.

$$q_{12}(x) = \frac{1}{120-x}, x < 120, \quad q_{23}(x) = 0.02$$

현재 건강한 30세의 어떤 사람이 60세 이전에 사망하게 될 확률을 계산하시오.

✎해설 구하는 사건의 여사건인 60세에 생존해 있을 확률을 계산하자.
60세에 생존해 있는 경우는 60세에 상태1 또는 상태2에 있는 경우이다.
우선 60세에 상태1에 있게 될 확률 $p_{11}(30,60)$은 상태1에서 상태2로의 전이가 발생하지 않는 경우의 확률이므로

$$p_{11}(30,60) = \exp(-\int_0^{30} q_{12}(30+t)dt) = \exp(-\int_0^{30} \frac{1}{90-t}dt) = \frac{2}{3}$$
$$= 0.6667$$

다음으로 60세에 상태2에 있게 되는 경우는 60세 이전에 상태1에서 상태2로의 전이가 발생해야 하므로, 상태1에서 상태2로 전이가 발생하는 어떤 시점을 s라 할 때 다음과 같이 단계적으로 확률과 함께 나타낼 수 있다.

(단계1) 30세부터 $30+s$세까지 상태1 계속 유지 (전이발생 없음):
$p_{11}(30,30+s)$

(단계2) $30+s$세 시점에 상태1에서 상태2로 전이: $q_{12}(30+s)ds$

(단계3) $30+s$세 시점부터 60세까지 상태2 계속 유지 (전이발생

없음): $p_{22}(30+s,60)$

s의 값이 0부터 30까지 가능하므로, 구하는 확률은 모든 가능한 경우의 합

$\int_0^{30} p_{11}(30,30+s) \cdot q_{12}(30+s) \cdot p_{22}(30+s,60)ds$으로 표현할 수 있고, 이를 계산하면,

$\int_0^{30} \frac{90-s}{90} \cdot \frac{1}{90-s} \cdot e^{-0.02(30-s)}ds = 0.2507$이다.

따라서, 구하는 확률은 $1-0.6667-0.2507=0.0826$이다.

직접 구하는 확률을 구하고자 하는 경우에는 상태1에서 상태2로의 전이가 발생하는 시점을 s, 상태2에서 상태3으로의 전이가 발생하는 시점을 t라 하고$(s<t)$, 이중적분을 이용하여 계산할 수 있다.

📖예제 10.8

다음과 같이 장해 발생에 대한 다중상태 모형이 있다.

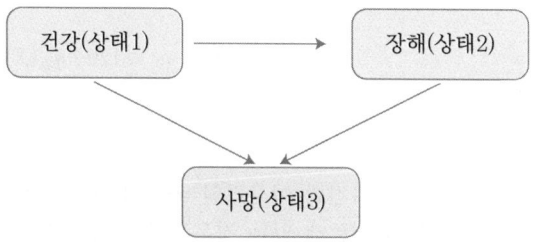

화살표는 상태 간 가능한 전이를 나타내고, 연령 x에 대한 상태 간 전이력은 다음과 같다.

$$q_{12}(x)=0.005, \quad q_{13}(x)=0.002, \quad q_{23}(x)=0.004$$

다음을 계산하시오.

(1) 현재 건강한 상태의 어떤 사람이 앞으로 10년 후에도 건강한 상태일 확률

(2) 현재 장해 상태의 어떤 사람이 앞으로 10년 후에도 장해 상태에 있게 될 확률

(3) 현재 건강한 상태의 어떤 사람이 앞으로 10년 후 장해 상태에 있게 될 확률

(4) 현재 건강한 상태의 어떤 사람이 10년 이내에 사망하게 될 확률

해설 연령에 따른 전이력이 일정하므로 상태 간 전이력을 q_{12}, q_{13}, q_{23}으로 각각 나타내자.

(1) 구하는 경우의 확률은 상태 1에서 앞으로 10년간 전이가 발생하지 않는 경우이고 발생 가능한 전이는 상태1에서 상태2 또는 상태3으로의 전이이므로,

$$\exp(-\int_0^{10} q_{12} + q_{13} dt) = e^{-0.007 \times 10} = 0.9324 \text{이다.}$$

(2) 구하는 경우의 확률은 상태 2에서 앞으로 10년간 전이가 발생하지 않은 경우이고 발생 가능한 전이는 상태2에서 상태3으로의 전이이므로,

$$\exp(-\int_0^{10} q_{23} dt) = e^{-0.004 \times 10} = 0.9608$$

(3) 구하는 경우의 사건이 발생하려면, 우선 10년 이내에 상태1에서 상태2로의 전이가 발생하여야 하고 전이가 발생하기 전에는 상태1, 전이가 발생한 후에는 상태2를 계속 유지하여야 한다. 전이가 발생하는 시점을 s로 가정하여 예제 10.6에서와 같이 해당확률을 다음과 같이 표현하여 계산할 수 있다.

$$\int_0^{10} e^{-0.007s} \cdot (0.005) \cdot e^{-0.004(10-s)} ds = 0.0473$$

(4) 구하는 확률은 $p_{13}(10)$이고, (1)에서 $p_{11}(10) = 0.9324$, (3)에서 $p_{12}(10) = 0.0473$이므로

$$p_{13}(10) = 1 - p_{11}(10) - p_{12}(10) = 0.0203 \text{을 얻는다.}$$

V 보험수리적 현가의 계산

2, 3장에서 다룬 바와 같이 생명보험과 연금의 현가는 모두 다음의 원칙으로 계산할 수 있다.

이산형의 경우

$\sum$ (보험금의 현가)×(해당보험금의 지급과 관련한 확률)

연속형의 경우

$\int$ (보험금의 현가)×(해당보험금의 지급과 관련한 확률)

다중상태모형의 경우에도 동일한 원칙을 적용하여 보험수리적 현가를 계

산할 수 있으며, 이를 위해 IV절에서 다중상태모형이 주어진 경우 확률을 계산하는 방법에 대하여 논의하였다. 또한, 보험료의 경우 수지상등의 원칙을 적용하여 계산할 수 있고, 책임준비금의 경우에도 마찬가지로 특정 시점의 상태를 기준으로 이후 지급보험금의 보험수리적 현가에서 이후 보험료의 보험수리적 현가를 차감하여 계산할 수 있다. 단, 특정시점의 상태에 따라서, 향후 다른 상태로의 전이패턴이 달라지므로, 책임준비금은 시점에 따라 달라진다는 것에 유의하도록 하자.

다음의 예제를 통해서 보험수리적 현가, 및 보험료, 책임준비금 계산방법을 연습해 보자.

📖 예제 10.9

암 발생과 사망을 담보로 하는 3년 만기 정기보험이 있다. 어떤 보험연도에 암진단을 받은 경우에는 해당 보험연도 말에 5,000만원을 지급하고, 연중 사망 시에는 해당 보험연도 말에 3,000만원을 지급한다고 할 때(보험금이 지급되면 계약은 종료되는 것으로 한다.), 60세 이상의 암 병력이 없는 피보험자를 대상으로 향후 3년간 전이행렬이 다음과 같이 주어져 있을 때 아래의 물음에 답하시오(상태 1은 암 병력이 없는 상태, 상태 2는 암 진단을 받은 적이 있고 생존하고 있는 상태, 상태 3은 사망을 의미한다).

$$P_{60} = \begin{pmatrix} 0.983 & 0.002 & 0.015 \\ 0 & 0.700 & 0.300 \\ 0 & 0 & 1 \end{pmatrix}, \quad P_{61} = \begin{pmatrix} 0.976 & 0.004 & 0.020 \\ 0 & 0.650 & 0.350 \\ 0 & 0 & 1 \end{pmatrix}, \quad P_{62} = \begin{pmatrix} 0.969 & 0.006 & 0.025 \\ 0 & 0.600 & 0.400 \\ 0 & 0 & 1 \end{pmatrix}$$

(1) 보험계약 기간 중 암 보험금을 지급받을 확률을 계산하시오.
(2) 보험계약 기간 중 사망 보험금을 지급받을 확률을 계산하시오.
(3) 해당 보험의 일시납 순보험료를 계산하시오. (연이율 3%를 가정하시오.)
(4) 수지상등의 원칙을 적용하여 해당 보험의 매년 초 납입하는 조건의 연납 보험료를 계산하시오. (연이율 3%를 가정하시오.)

해설 (1) 구하는 확률은 각 보험연도에서 암이 발생할 확률을 모두 더하여 얻을 수 있다.

1차연도에서 암 보험금을 지급받을 확률은 p_{60}^{12}이므로 0.002이다. 2차연도에서 처음으로 암이 발생하여 보험금을 지급받을 확률은

$$p_{60}^{11} \times p_{61}^{12} = 0.983 \times 0.004 = 0.00393$$

을 얻을 수 있고, 마찬가지의 방법으로 3차연도에서 처음으로

암이 발생하여 보험금을 지급받을 확률은

$$p_{60}^{11} \times p_{61}^{11} \times p_{62}^{12} = 0.983 \times 0.976 \times 0.006 = 0.00576$$

이므로, 보험계약 기간 중 암 보험금을 지급받을 확률은 0.01169 가 된다.

(2) (1)의 경우와 마찬가지의 방법으로 계약 유지 중 사망할 확률을 차년별로 각각 계산하면, 1차연도에 사망할 확률은 0.015, 2차연도에 계약유지 중 사망할 확률은

$$p_{60}^{11} \times p_{61}^{13} = 0.983 \times 0.02 = 0.01966$$

3차연도에 계약유지 중 사망할 확률은

$$p_{60}^{11} \times p_{61}^{13} \times p_{62}^{13} = 0.983 \times 0.976 \times 0.025 = 0.02399$$

이므로, 보험계약 기간 중 사망보험금을 지급받을 확률은 0.05865 이다.

(3) 일시납 순보험료는 암진단을 받은 경우와 사망하는 경우에 대한 지급 보험금의 보험수리적 현가의 합이다. 암진단을 받고 보험금을 받는 경우 보험수리적 현가는 (1)에서 구한 차년별 보험금 지급 확률을 이용하여

$$5,000\{(1.03)^{-1}(0.002) + (1.03)^{-2}(0.00393) + (1.03)^{-3}(0.00576)\}$$
$$= 54,58683만원$$

을 얻을 수 있고, 사망보험을 받는 경우도 마찬가지로 (2)의 결과를 이용하여

$$3,000\{(1.03)^{-1}(0.015) + (1.03)^{-2}(0.01966) + (1.03)^{-3}(0.02399)\}$$
$$= 165.1464만원$$

을 얻는다. 따라서, 해당 보험의 일시납 순보험료는 약 219.73 만원이다.

(4) 보험금의 보험수리적 현가는 (3)의 결과를 이용할 수 있고, 보험료를 π 라 할 때 보험료의 보험수리적 현가는 다음과 같이 계산할 수 있다.

$$\pi\{1 + (1.03)^{-1}(0.983) + (1.03)^{-2}(0.983)(0.976)\} = 2.8587\pi$$

이므로 $2.8587\pi = 219.73$에서 연납보험료는 약 $\pi = 76.86$만원이다.

예제 10.10

다음의 다중상태 모형에서 전이력이 연령에 관계없이 $q_{12} = 0.001, q_{23} = 0.1$이고, 이력이 $\delta = 0.03$이라고 한다. 아래의 물음에 답하시오.

(1) 치매 진단을 받는 경우 보험금 1,000을, 치매 진단 후 사망하는 경우 보험금 2,000을 지급하고, 보험료는 건강한 상태인 경우에 한하여 연속납입하는 보험을 생각하자. 수지상등의 원칙을 적용하여 연간 납입하는 보험료를 결정하시오.

(2) 10년 후 시점에서 건강한 상태에 있는 경우 책임준비금을 결정하시오.

(3) 10년 후 시점에서 치매 상태에 있는 경우 책임준비금을 결정하시오.

해설 (1) 우선 치매 진단을 받는 경우 지급되는 보험금의 보험수리적 현가를 계산해보자.

앞으로 t년 경과 후 치매진단을 받는 경우 보험금의 현재가치는 $1,000e^{-0.03t}$이고, 이 경우 t년 후 시점까지 상태1을 유지하다가 t년 후 시점에서 상태1에서 상태2로 전이하게 되는 상황이므로 확률은 $e^{-0.001t} \cdot 0.001dt$로 나타낼 수 있다. 따라서, 치매 진단에 대한 보험금의 보험수리적 현가는

$$\int_0^\infty 1,000e^{-0.03t} \cdot e^{-0.001t} \cdot 0.001dt = 32.2581 \text{이다.}$$

다음으로 치매 진단 후 사망하는 경우 지급되는 보험금의 보험수리적 현가는 앞으로 t년 경과 후 치매로 인하여 사망하는 경우 보험금의 현재가치는 $2,000e^{-0.03t}$이고, 이 경우에는 상태2에서 상태3으로의 전이가 발생하여야 한다. 이를 위해서는 t보다 과거의 어떤 시점 s에서 상태1에서 상태2로의 전이가 필요하다. 이에 대한 확률은 다음과 같이 나타낼 수 있다.

$$\int_0^t e^{-0.001s} \cdot 0.001 \cdot e^{-0.1(t-s)}ds \cdot 0.1dt = \frac{1}{990}(e^{-0.001t} - e^{-0.1t})dt$$

따라서, 사망보험금에 대한 보험수리적 현가는

$$\int_0^\infty 2,000e^{-0.03t} \cdot \frac{1}{990}(e^{-0.001t} - e^{-0.1t})dt = 49.6278 \text{이다.}$$

마지막으로 연간 연속적으로 납입하는 보험료를 P라 하면, 보험료는 상태1에 있는 경우에만 납입하므로, 시점 t에서 납입하는 보험료의 현가는 $Pe^{-0.03t}$이고, 이에 대한 확률은 $e^{-0.001t}$이다. 따라서, 보험료에 대한 보험수리적 현가는

$$\int_0^\infty Pe^{-0.03t} \cdot e^{-0.001t}dt = \frac{P}{0.031} \text{을 얻는다.}$$

따라서, 수지상등의 원칙을 이용하여 $P = 2.5385$이다.

(2) 10년 후 시점에서 건강한 상태에 있는 경우 보험금에 대한 보험수리적 현가는 (1)에서 구한 것과 같이 $32.2581 + 49.6278 = 81.8859$이고(보험기간이 종신이고 전이력이 연령에 상관없이 일정하므로), 보험료의 보험수리적 현가도 마찬가지로 $\dfrac{P}{0.031}$이다. 따라서 책임준비금은 0이다.

(3) 10년 후 시점에서 치매 유병중인 경우, 앞으로 지급될 보험금은 사망보험금만 남아있는 상태이므로, 이를 감안하여 보험금에 대한 보험수리적 현가는

$$\int_0^\infty 2{,}000 e^{-0.03t} \cdot e^{-0.1t} \cdot 0.1\,dt = 1{,}538.462$$이고, 상태2에 있는 경우에는 보험료를 납입하지 않으므로, 보험료의 보험수리적 현가는 0이다. 따라서, 구하는 책임준비금은 1,538.462이다.

예제 10.11

다음의 구조를 갖는 다중상태 모형을 고려하자.

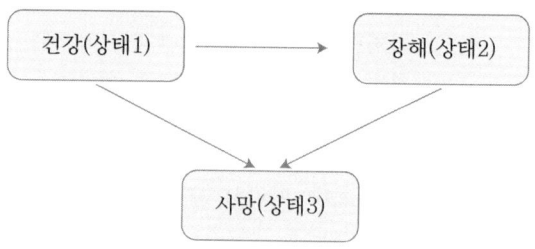

전이력은 연령에 관계없이 다음의 값을 가진다고 한다.
$$q_{12} = 0.1, \quad q_{13} = 0.05, \quad q_{23} = 0.15$$
이력이 $\delta = 0.02$일 때, 아래의 물음에 답하시오.

(1) 어떤 보험상품은 건강한 상태일 때에 한하여 앞으로 최대 10년 간 보험료를 연간 연속 납입하고, 장해상태에 머물러 있는 경우 연간 10,000의 금액을 연속지급한다고 한다. 또한, 사망 시에는 20,000의 금액을 즉시 지급한다고 한다. 해당 보험의 연간 납입보험료를 수지상등의 원칙에 따라 결정하시오.

(2) 문제 (1)의 주어진 상황에서 5년 후 시점에서 생존해 있는 경우 책임준비금을 구하시오.

해설 (1) 예제 10.9에서와 마찬가지의 방법으로 각 요소별로 보험수리적 현가를 계산해 보자.

우선 장해상태에 머물러 있는 경우 지급되는 보험금에 대한 보

험수리적 현가는 다음의 식으로 표현할 수 있다.

$$\int_0^\infty 10,000e^{-0.02t} \cdot p_{12}(t)dt$$

여기서 $p_{12}(t) = \int_0^t e^{-0.15s} \cdot (0.1) \cdot e^{-0.15(t-s)}ds = 0.1te^{-0.15t}$ 이므로,

$$\int_0^\infty 10,000e^{-0.02t} \cdot p_{12}(t)dt = \int_0^\infty 1,000t \cdot e^{-0.17t}dt = 34,602.08$$

이다.

사망하는 경우 지급되는 보험금의 경우에는 상태1에서 상태3, 상태2에서 상태3으로의 전이가 발생하는 경우 모두 가능하므로, 다음과 같이 나타낼 수 있다.

$$20,000\left\{\int_0^\infty e^{-0.02t} \cdot p_{11}(t) \cdot q_{13}dt + \int_0^\infty e^{-0.02t} \cdot p_{12}(t) \cdot q_{23}dt\right\}$$

$$= 20,000\left\{\int_0^\infty e^{-0.02t} \cdot e^{-0.15t} \cdot (0.05)dt + \int_0^\infty e^{-0.02t} \cdot 0.1te^{-0.15t} \cdot (0.15)dt\right\}$$

$$= 16,262.98$$

마지막으로 10년간 연간 연속적으로 납입하는 보험료를 P라 하면, 보험료의 보험수리적 현가는

$$P\int_0^{10} e^{-0.02t} \cdot p_{11}(t)dt = P\int_0^{10} e^{-0.02t} \cdot e^{-0.15t}dt = 4.8077P$$

를 얻는다. 따라서, 수지상등을 원칙을 이용하여 $P = 10,579.92$ 를 얻는다.

(2) 5년 후 시점에서 생존해 있는 경우는 상태1 또는 상태2에 있는 경우이고, 두 경우의 책임준비금을 산출해 보도록 하자.

상태1에 있는 경우 장해 및 사망보험금은 전이력이 일정한 상황이므로 (1)에서 구한 값과 같고, 앞으로 보험료 납입기간은 5년이 더 남아있으므로 책임준비금은

$_5V$(상태1)

$$= 34,602.08 + 16,262.98 - P\int_0^5 e^{-0.02t} \cdot p_{11}(t)dt = 15,230.33$$ 이고,

상태2에 있는 경우 향후 보험료는 납입하지 않게 되므로,

$_5V$(상태2)

$$= 10,000\int_0^\infty e^{-0.02t} \cdot p_{22}(t)dt + 20,000\int_0^\infty e^{-0.02t} \cdot p_{22}(t)q_{23}dt$$

$$= 10,000\int_0^\infty e^{-0.02t} \cdot e^{-0.15t}dt + 20,000\int_0^\infty e^{-0.02t} \cdot e^{-0.15t} \cdot 0.15dt$$

$$= 76{,}470.59$$

이다.

책임준비금이 특정 시점의 상태에 따라 달라지므로 6장 및 9장에서 논의한 책임준비금에 대한 미분방정식도 적용되는 시점의 상태와 이후 상태변화를 반영하여 표현된다. 수식 (9.9)를 다시 살펴보면,

$$\frac{d_t\overline{V}}{dt} = \pi_t + \delta_t \cdot {_t}\overline{V} - E_t + (b_t - {_t}\overline{V})\mu_x(t) \tag{9.9}$$

에서 우변의 네 번째 항의 경우 탈퇴요인이 한 가지 (생존에서 사망)임을 반영한 것이므로, 다음과 같이 확장할 수 있다. 계약 시 연령이 x 이고, 계약 t 년 경과 후 준비금을 산출하는 시점의 상태가 i 일 경우, 아래와 같이 기호를 정의하자.

> ${_t}\overline{V}(i)$: 계약 t 년 경과 후 상태 i 인 경우의 책임준비금
>
> $b_i(t)$: 계약 t 년 경과 후 상태 i 에 있는 경우 지급액(연간 rate)
>
> $b_{ij}(t)$: 계약 t 년 경과 후 시점에서 상태 i 에서 상태 j 로 전이가 발
> 생하는 경우 지급보험금
>
> $\pi_i(t)$: 계약 t 년 경과 후 상태 i 에 있는 경우 보험료 납입금액(연간
> rate)
>
> E_t: 계약 t 년 경과 후 시점에서 사업비 지출금액(연간 rate)
>
> δ_t: 계약 t 년 경과 후 시점에서의 이력
>
> $q_{ij}(t)$: 계약 t 년 경과 후 시점에서의 상태 i 에서 상태 j 로의 전이력

그러면 수식 (9.9)는 다음과 같이 확장하여 나타낼 수 있다. (수식 (6.24) 및 수식 (9.9)와 동일한 방법으로 해석해 보도록 하자.)

$$\frac{{_t}\overline{V}(i)}{dt} = \pi_i(t) + \delta_t \cdot {_t}\overline{V}(i) - b_i(t) - \sum_{j=1, j \neq i}^{n} q_{ij}(t)(b_{ij}(t) + {_t}V(j) - {_t}V(i)) \tag{10.14}$$

수식 (10.14)에서 수치미분을 이용하여 책임준비금을 등간격 시점별로 순차적으로 계산할 수 있다.

VI • 마르코프 모형의 적용

본 절에서는 생명보험과 연금, 연생 및 다중탈퇴모형을 마르코프 모형의 틀을 이용하여 해석해 보고자 한다.

(1) 생명보험과 연금

우선 가장 간단한 형태로 생명보험과 연금의 경우를 생각해 보자. 생명보험의 경우 생존상태에서 보험에 가입하여 (해약을 고려하지 않음) 사망 시 보험금을 지급받게 된다. 또한 연금의 경우는 생존상태가 지속되는 동안 연금을 받게 된다. 따라서, 생명보험과 연금의 경우는 두 가지의 상태-생존(1), 사망(2)을 정의하면, 보험금은 생명보험의 경우 상태 1에서 상태 2로의 전이가 발생할 때, 연금의 경우 상태 1이 지속되는 동안 지급이 발생한다고 볼 수 있다. 즉, 상태 1에서 상태 2로의 전이는 생명보험의 보험금 지급과 연금 지급의 중단을 의미하고 따라서, 보험수리적 계산을 위해서는 해당 전이의 정도를 모형화하는 것이 필요하다. 상태 1에서 상태 2로의 전이 발생 정도는 1장에서 살펴본 바와 같이 각 연령별 사망률 또는 사력의 형태로 표현할 수 있었다. 또한, 상태 2에서 상태 1로의 전이는 불가능하므로, 이를 도식화 하면 [그림 10-2]와 같다.

⁛ 그림 10-2 생명보험 및 생명연금과 마르코프 모형

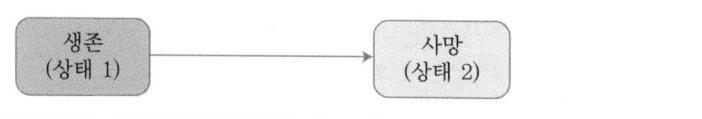

이러한 전이행렬을 이용하면 x 세 생존자의 n년 후 생존여부를 나타내는 생존함수도 행렬의 곱을 이용하여 도출할 수 있다.

$$P_x P_{x+1} \cdots P_{x+n-1} = \begin{pmatrix} p_x & q_x \\ 0 & 1 \end{pmatrix} \begin{pmatrix} p_{x+1} & q_{x+1} \\ 0 & 1 \end{pmatrix} \cdots \begin{pmatrix} p_{x+n-1} & q_{x+n-1} \\ 0 & 1 \end{pmatrix}$$

$$= \begin{pmatrix} p_x p_{x+1} \cdots p_{x+n-1} & p_x + p_x q_{x+1} + \cdots + {}_{n-1}p_x q_{x+n-1} \\ 0 & 1 \end{pmatrix}$$

$$= \begin{pmatrix} {}_np_x & {}_nq_x \\ 0 & 1 \end{pmatrix} \tag{10.15}$$

또한, 사망이 일어나는 정도를 사력 $\mu_x(t)$로 표현하여 임의의 시점에서의 생존함수를 계산할 수가 있는데, 연속형 마르코프 모형을 적용하여 시점 t에서의 전이의 빈도를 나타내는 행렬 $Q(t)$를 다음과 같이 나타내자.

$$Q(t) = \begin{pmatrix} -\mu_x(t) & \mu_x(t) \\ 0 & 0 \end{pmatrix} \tag{10.16}$$

그러면, 두 개의 상태만 존재하고, 상태 1에서 s단위시간 동안 전이가 발생하는 빈도의 분포는 평균이 $\int_0^s \mu_x(t)dt$인 포아송 분포를 따르게 되는데, 전이가 발생하지 않을 확률, 즉, 생존함수 $_sp_x$는 포아송 분포함수를 이용하여

$$_sp_x = e^{-\int_0^s \mu_x(t)dt}$$

를 얻고, 이는 1장에서 얻은 결과임을 확인할 수 있다.

예제 10.11

다음의 생존, 사망 두 상태로 구성된 보험수리 모형이 있다. 이력이 $\delta = 0.02$, x세일 때, 상태1에서 상태2로의 전이력이 $q_{12}(x) = \dfrac{1}{120-x}$일 때, 다중상태 모형의 개념을 이용하여 아래의 물음에 답하시오.

생존(상태1) ⟶ 사망(상태2)

(1) 50세의 피보험자에 대하여 사망 시 5,000을 지급하는 20년 만기 정기보험의 보험수리적 현가를 계산하시오.
(2) 50세의 피보험자에 대하여 생존 시 연간 3,000을 연속적으로 지급하는 종신연금의 보험수리적 현가를 계산하시오.

해설 주어진 전이력 $q_{12}(x)$는 사력 μ_x와 동일하다.
(1) 주어진 보험의 보험수리적 현가는 다중상태모형을 이용하여 다음과 같이 표현하여 계산할 수 있다.

$$\int_0^{20} e^{-0.02t} \cdot p_{11}(50,50+t) q_{12}(50+t) dt$$

$$= \int_0^{20} e^{-0.02t} \cdot e^{-\int_0^t \frac{1}{70-s} ds} \cdot \frac{1}{70-t} dt$$

$$= \int_0^{20} e^{-0.02t} \cdot \frac{1}{70} dt$$

$$= 0.2355$$

(2) (1)에서와 마찬가지의 방법으로 주어진 연금의 보험수리적 현가 를 다중상태모형의 틀을 이용하여 다음과 같이 계산할 수 있다.

$$\int_0^\infty e^{-0.02t} \cdot p_{11}(50,50+t) dt$$

$$= \int_0^\infty e^{-0.02t} (1 - \frac{t}{70}) dt$$

$$= 14.2857$$

(2) 연 생

7장에서 다룬 연생의 경우를 다중상태 모형의 틀을 이용하여 해석해 보기로 하자. 두 생존자 (x), (y)를 대상으로 하는 연생의 경우는 두 사람의 생사여부에 따라서 다음과 같은 네 가지의 상태를 정의할 수 있다.

상태 1: (x), (y) 모두 생존해 있는 경우

상태 2: (x)는 생존해 있고, (y)는 사망한 경우

상태 3: (y)는 생존해 있고, (x)는 사망한 경우

상태 4: (x), (y) 모두 사망한 경우

또한, 가능한 상태의 전이를 고려하면 다음과 같이 다중상태모형을 [그림 10-3]과 같이 도식화할 수 있다.

연생을 구성하는 두 개체의 연령별 사망률이 주어져 있고, (x), (y)의 t년 경과 후 시점으로부터 1년 간 적용되는 전이행렬 P_t는 다음과 같이 나타낼수 있다. (두 개체의 생존기간은 서로 독립이라고 가정)

$$P_t = \begin{pmatrix} (1-q_{x+t})(1-q_{y+t}) & p_{x+t} \cdot q_{y+t} & q_{x+t} \cdot p_{y+t} & q_{x+t} \cdot q_{y+t} \\ 0 & 1-q_{x+t} & 0 & q_{x+t} \\ 0 & 0 & 1-q_{y+t} & q_{y+t} \\ 0 & 0 & 0 & 1 \end{pmatrix} \quad (10.17)$$

또한 사력과 연속형 마르코프 모형의 틀을 이용하면 $Q(t)$를 다음과 같이

:: 그림 10-3 연생의 경우 마르코프 모형

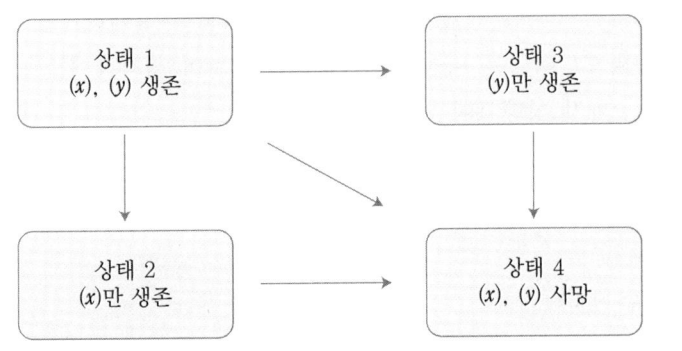

나타낼 수 있다(두 개체가 동시에 사망하는 경우, 즉 상태 1에서 상태 4로의 전이는 7장에서 논의한 common shock모형-두 사람이 동시에 사망하는 사건은 평균이 θ인 지수분포-을 이용한다).

$$Q(t) = \begin{pmatrix} -\mu_x(t)-\mu_y(t)-\dfrac{1}{\theta} & \mu_y(t) & \mu_x(t) & \dfrac{1}{\theta} \\ 0 & -\mu_x(t) & 0 & \mu_x(t) \\ 0 & 0 & -\mu_y(t) & \mu_y(t) \\ 0 & 0 & 0 & 0 \end{pmatrix} \qquad (10.18)$$

그러면 7장에서 다루었던 연생의 모형을 마르코프 모형의 틀을 이용하여 다음과 같이 정의해 볼 수 있다.

우선 결합생존상태의 경우는 두 생존자 모두 생존하는 경우를 생존으로 정의하므로 (그림 10-3)에서 나타낸 다중상태모형을 이용하면, 결합생존상태는 상태 1에서 상태 2, 3 또는 4로 전이하게 되는 경우 상태가 종료된다고 볼 수 있다. 따라서 결합생존상태(common shock도 고려하는 경우) (xy)의 생존함수는 연속형 마르코프 모형을 이용하여 다음과 같이 나타낼 수 있다.

$$S_{T(xy)}(s) = \exp\left(-\int_0^s (\mu_x(t)+\mu_y(t)+\frac{1}{\theta})dt\right) \qquad (10.19)$$

마찬가지로, 최후생존자 상태의 경우는 두 생존자 중 적어도 한 사람이 생존하는 경우를 생존으로 정의하므로 [그림 10-3]의 틀을 이용하면, 최후생존자 상태는 상태 1, 2 또는 3에서 생존 상태이며 세 가지 상태에서 상태 4로 전이가 발생하는 경우 상태가 종료된다. 이러한 경우 생존함수는 다음과 같은 방법으로 생각하여 나타내 볼 수 있다. 최후 생존자 상태가 s시점까지 생존 상태인 경우와 그 확률은 다음의 두 경우로 나누어 생각해 볼 수 있다.

(i) 시점 s까지 상태 1이 지속되는 경우

이 경우는 앞서 다룬 결합생존상태의 생존확률과 동일하다. 즉,

$$\exp\left(-\int_0^s (\mu_x(t) + \mu_y(t) + \frac{1}{\theta})dt\right)$$

로 나타낼 수 있다.

(ii) 시점 s전의 특정시점에서 상태 1에서 상태 2로의 전이가 발생하고, 상태 2가 시점 s까지 지속되는 경우

이 경우는 우선 시점 $u(0 < u < s)$에서 전이가 발생했다고 하면 u시점 전까지 상태 1이 유지되고 시점 u 이후 s까지 상태 2가 유지되는 것을 의미하고, 전이가 발생되는 시점이 시점 0과 시점 s 사이에 임의로 발생할 수 있다는 점을 고려하면,

$$\int_0^s \left\{ \exp\left(-\int_0^u (\mu_x(t) + \mu_y(t) + \frac{1}{\theta})dt\right) \mu_y(u) \exp\left(-\int_u^s (\mu_x(t) + \frac{1}{\theta})dt\right) \right\} du$$

로 나타낼 수 있다.

(iii) 시점 s 전의 특정시점에서 상태 1에서 상태 3으로의 전이가 발생하고, 상태 3이 시점 s까지 지속되는 경우

(ii)의 경우와 마찬가지로 해당 확률은

$$\int_0^s \left\{ \exp\left(-\int_0^u (\mu_x(t) + \mu_y(t) + \frac{1}{\theta})dt\right) \mu_x(u) \exp\left(-\int_u^s (\mu_y(t) + \frac{1}{\theta})dt\right) \right\} du$$

이다. 이상에서 살펴본 세 가지의 경우는 동시에 발생할 수 없으므로, 최후생존자상태 $(\overline{xy})$의 생존함수 $S_{\overline{(xy)}}(s)$는 앞서 살펴본 세 가지 경우의 확률을 모두 더한 것으로 표현할 수 있다.

다음으로, 7장에서 다룬 전환연금의 경우를 생각해 보자. 예를 들어, (x) 사망 후 (y)의 생존기간 동안 특정 금액을 주기적으로 지급하는 전환연금의 경우 (그림 10-3)에서 상태 1에서 상태 3으로 전이가 발생하는 경우에 한하여 연금 지급이 개시되고 상태 3에서 상태 4로 전이되는 시점에서 지급이 종료

되는 상황으로 해석할 수 있다. 생존 시 연간 단위금액을 연속적으로 지급한 다고 하고 계약시점을 0이라 하면, 시점 t에서 상태 3일 확률 $p_{13}(0, t)$는 최후생존사 상태의 생존함수 계산시 (iii)의 경우와 같다. 따라서 전환연금의 현재가치는

$$\bar{a}_{x|y} = \int_0^\infty \int_s^\infty (\bar{a}_{\overline{t|}} - \bar{a}_{\overline{s|}}) f_{T(x),\ T(y)}(s, t) dt ds$$

$$= \int_0^\infty \int_s^\infty \bar{a}_{\overline{t|}} f_{T(x),\ T(y)}(s, t) dt ds - \int_0^\infty \int_s^\infty \bar{a}_{\overline{s|}} f_{T(x),\ T(y)}(s, t) dt ds$$

$$= \int_0^\infty v^x \left\{ \int_x^\infty \int_0^t f_{T(x),\ T(y)}(s, t) ds dt \right\} dx -$$

$$\quad - \int_0^\infty v^x \left\{ \int_x^\infty \int_x^t f_{T(x),\ T(y)}(s, t) ds dt \right\} dx$$

$$= \int_0^\infty v^x \left\{ \int_x^\infty \int_0^x f_{T(x),\ T(y)}(s, t) ds dt \right\} dx$$

$$= \int_0^\infty v^x p_{13}(0, x) dx$$

를 얻을 수 있으므로 $p_{13}(0, x)$를 이용하여 보험수리적 현가를 계산할 수 있다.

또한, 7장에서 다루었던 연생과 관련한 생존함수 및 확률의 경우도 다중상태 모형을 이용하여 표현해 보자. 예를 들면, $_nq_{xy}^1 = \Pr[T(y) \le n,\ T(x) > T(y)]$의 경우 [그림 10-3]의 모형을 이용하면, 상태 1에서 시작하여 시점 n 전에 상태 2에 도달할 확률을 의미한다. 이를 연속형 마르코프 모형을 이용하여 표현하면

$$_nq_{xy}^1 = \int_0^n \left\{ \exp\left(-\int_0^u (\mu_x(t) + \mu_y(t) + \frac{1}{\theta}) dt\right) \mu_y(u) \exp\left(-\int_u^n (\mu_x(t) + \frac{1}{\theta}) dt\right) \right\} du$$

로 표현할 수 있다. 나머지 연생관련 생존함수도 동일한 방법을 이용하여 표현할 수 있다. 아래의 예제들을 통하여 마르코프 모형을 이용한 보험수리적 계산방법을 연습해 보자.

예제 10.12

두 개체 $(x), (y)$의 사력이 각각 다음과 같다.
$$\mu_x(t) = 0.05,\ \mu_y(t) = 0.02$$

두 개체가 동시에 사망할 가능성을 고려하지 않는다고 할 때, 다음의 물음에 답하시오.((그림 10-3)의 다중상태 모형을 이용하시오.)

(1) [그림 10-3]의 모형을 적용할 때, 전이력 행렬을 나타내시오.

(2) 결합생존상태가 앞으로 5년간 생존할 확률을 계산하시오.

(3) 최후생존자 상태가 앞으로 5년간 생존할 확률을 계산하시오.

(4) (x)사망 후 (y)의 생존기간 동안 단위금액을 지급하는 전환연금의 현재가치를 계산하시오. (이력 $\delta = 0.03$을 이용하시오.)

(5) ${}_{10}q_{xy}{}^2$를 계산하시오.

해설 (1) 전이력 행렬은 다음과 같이 나타낼 수 있다.

$$Q(t) = \begin{pmatrix} -0.07 & 0.02 & 0.05 & 0 \\ 0 & -0.05 & 0 & 0.05 \\ 0 & 0 & -0.02 & 0.02 \\ 0 & 0 & 0 & 0 \end{pmatrix}$$

(2) 해당 확률은 도출한 수식을 이용하여

$$S_{T(xy)}(5) = \exp\left(-\int_0^5 (0.02 + 0.05)dt\right) = 0.7047$$

을 얻을 수 있다.

(3) (2)와 마찬가지로 도출한 수식을 이용하면,

$$S_{T(\overline{xy})}(5) = 0.7047 + \int_0^5 \left\{ \exp\left(-\int_0^\mu 0.07dt\right)(0.02)\exp\left(-\int_u^5 0.05dt\right) \right\}du$$

$$+ \int_0^5 \left\{ \exp\left(-\int_0^u 0.07dt\right)(0.05)\exp\left(-\int_u^5 0.02dt\right)du \right.$$

$$= 0.7047 + 0.0741 + 0.2001$$

$$= 0.9789$$

를 얻는다. 이는 7장에서 다룬 관계식

$$S_{T(\overline{xy})}(5) + S_{T(\overline{xy})}(5) = S_{T(x)}(5) + S_{T(y)}(5)$$

에 의하여도 도출할 수 있다.

(4) 전환연금의 현재가치는

$$\overline{a}_{x|y} = \int_0^\infty v^x p_{13}(0, x)dx$$

로 표현되고, $p_{13}(0,x)$는 다음과 같이 계산할 수 있다.

$$p_{13}(0,x) = \int_0^x \left\{ \exp\left(-\int_0^u 0.07dt\right)(0.05)\exp\left(-\int_u^x 0.02dt\right) \right\}du$$

$$= e^{-0.02x} - e^{-0.07x}$$

따라서,

$$\overline{a}_{x|y} = \int_0^\infty e^{-0.03x}(e^{-0.02x} - e^{-0.07x})dx = 10$$

을 얻는다.

(5) $_{10}q_{xy}^{\,2}$는 정의에 따라 확률 $\Pr[T(y) \le 10, T(x) < T(y)]$를 의미한다. 이를 [그림 10-3]의 모형을 이용하여 해석하면, 상태 1에서 시작하여 10년 이내에 상태 3을 경유하여 상태 4에 도달할 확률이라고 볼 수 있다. 즉 어떤 시점 $u(<10)$에서 상태 1에서 상태 3으로의 전이가 발생하고, 이후 시점 $v(u < t \le 10)$에서 상태 4로의 전이가 발생되는 경우이므로 이를 표현하여 계산하면,

$$_{10}q_{xy}^{\,2} = \int_0^{10}\int_u^{10}\exp\left(-\int_0^u\{\mu_x(t)+\mu_y(t)\}dt\right)\mu_x(t)$$
$$\exp\left(-\int_u^v\mu_y(t)dt\right)\mu_y(t)dvdu$$
$$= \int_0^{10}\int_u^{10}\exp\left(-\int_0^u0.07dt\right)(0.05)\exp\left(-\int_u^v0.02dt\right)(0.02)dvdu$$
$$= 0.0374$$

를 얻는다.

예제 10.13

다음의 연생모형을 고려하자.

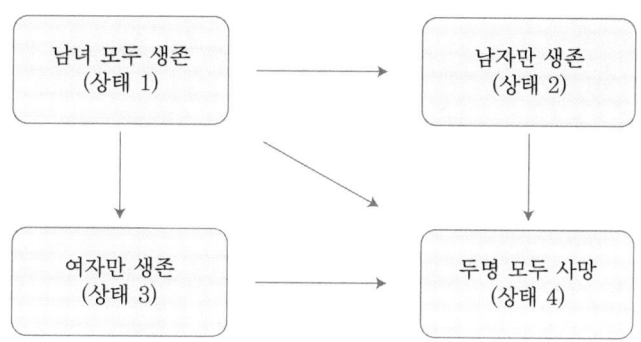

상태 간 전이력은 다음과 같다.

$$q_{12}=0.02, q_{13}=0.03, q_{24}=0.04, q_{34}=0.05, q_{14}=0.01$$

이력이 $\delta = 0.03$일 때, 최후 생존자 상태가 종료되는 시점에서 즉시 1,000을 지급하는 생명보험의 보험수리적 현가를 계산하시오.

해설 최후 생존자 상태가 종료되는 경우는 상태1에서 상태4, 상태2에서 상태 4, 상태3에서 상태4로의 전이가 발생할 때이므로, 각 경우에 대하여 보험금이 1인 경우의 보험수리적 현가를 다음과 같이 계산

할 수 있다.

1) 상태1에서 상태4로의 전이

$$\int_0^\infty e^{-0.03t} \cdot p_{11}(t) q_{14} dt = \int_0^\infty e^{-0.03t} \cdot e^{-0.06t} \cdot 0.01 dt = \frac{1}{9}$$

2) 상태2에서 상태4로의 전이

$$\int_0^\infty e^{-0.03t} \cdot p_{12}(t) q_{24} dt \quad \text{에서}$$

$$p_{12}(t) = \int_0^t p_{11}(s) q_{12} \cdot p_{22}(t-s) dt$$

$$= \int_0^\infty e^{-0.06s} \cdot (0.02) \cdot e^{-0.04(t-s)} ds = e^{-0.04t} - e^{-0.06t}$$

이므로

$$\int_0^\infty e^{-0.03t} \cdot p_{12}(t) q_{24} dt$$

$$= \int_0^\infty e^{-0.03t} \cdot (e^{-0.04t} - e^{-0.06t}) \cdot (0.04) dt = \frac{8}{63}$$

3) 상태3에서 상태4로의 전이

$$\int_0^\infty e^{-0.03t} \cdot p_{13}(t) q_{34} dt \quad \text{에서}$$

$$p_{13}(t) = \int_0^t p_{11}(s) q_{13} \cdot p_{33}(t-s) dt$$

$$= \int_0^\infty e^{-0.06s} \cdot (0.03) \cdot e^{-0.05(t-s)} ds = 3(e^{-0.05t} - e^{-0.06t}) \text{이므로}$$

$$\int_0^\infty e^{-0.03t} \cdot p_{13}(t) q_{34} dt$$

$$= \int_0^\infty e^{-0.03t} \cdot 3(e^{-0.05t} - e^{-0.06t}) \cdot (0.05) dt = \frac{5}{24}$$

따라서, 주어진 보험의 보험수리적 현가는 $1,000(\frac{1}{9} + \frac{8}{63} + \frac{5}{24})$
$= 446.43$을 얻는다.

(3) 다중탈퇴모형

8장에서 다루었던 다중탈퇴모형의 경우도 마르코프 모형을 이용하여 해석이 가능하다. 예를 들어 탈퇴사유가 세 가지인 다중탈퇴모형의 경우 탈퇴사유를 각각 d_1, d_2, d_3라 하면, 다음과 같이 상태를 정의할 수 있다.

∷ 그림 10-4 다중탈퇴의 경우 다중상태 모형

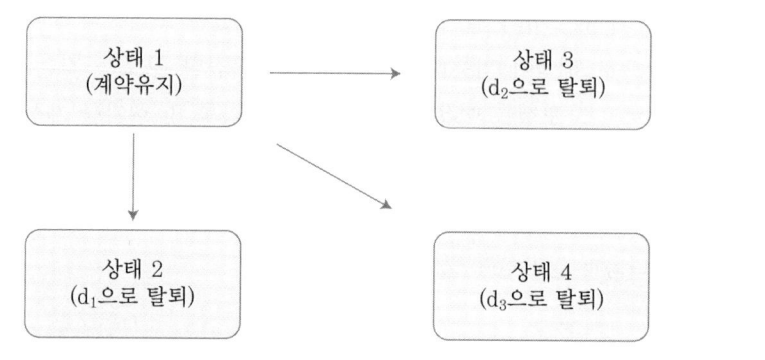

상태 1: 계약이 유지되고 있는 상태

상태 2: 탈퇴사유 d_1으로 인하여 계약이 종료된 상태

상태 3: 탈퇴사유 d_2로 인하여 계약이 종료된 상태

상태 4: 탈퇴사유 d_3로 인하여 계약이 종료된 상태

그러면, 네 가지의 상태를 이용하여 구성되는 마르코프 모형은 다음과 같이 도식화할 수 있다.

그러면, 연령별 다중탈퇴율 $q_x^{(1)}$, $q_x^{(2)}$, $q_x^{(3)}$, 이 주어진 경우 특정연령 x세에서의 전이행렬은 다음과 같이 나타낼 수 있다.

$$P_x = \begin{pmatrix} 1 - q_1^{(1)} - q_x^{(2)} - q_x^{(3)} & q_x^{(1)} & q_x^{(2)} & q_x^{(3)} \\ 0 & 1 & 0 & 0 \\ 0 & 0 & 1 & 0 \\ 0 & 0 & 0 & 1 \end{pmatrix} \tag{10.20}$$

또한, 전이력 $\mu_x^{(1)}(t)$, $\mu_x^{(2)}(t)$, $\mu_x^{(3)}(t)$이 주어진 경우 연속형 모형을 이용하여 전이력 행렬을 다음과 같이 나타낼 수 있다.

$$Q(t) = \begin{pmatrix} -\mu_x^{(1)}(t) - \mu_x^{(2)}(t) - \mu_x^{(3)}(t) & \mu_x^{(1)}(t) & \mu_x^{(2)}(t) & \mu_x^{(3)}(t) \\ 0 & 0 & 0 & 0 \\ 0 & 0 & 0 & 0 \\ 0 & 0 & 0 & 0 \end{pmatrix} \tag{10.21}$$

전이행렬과 전이력 행렬의 경우 모두 1행의 성분만 의미가 있고, 따라서, 다중탈퇴를 이용한 확률 및 보험수리적 현가의 계산은 10장에서 도출한 결과와 동일하게 표현된다는 것을 쉽게 알 수 있다.

지금까지 살펴본 바와 같이 이전 장에서 다루었던 보험수리 모형은 모두 마르코프 모형으로 해석이 가능하다. 또한, 보다 복잡한 구조를 갖는 보험상품의 경우에도 마르코프 모형을 이용하여 보험수리적 확률 및 현가를 계산할 수 있다.

예제 10.14

다음과 같이 3중 탈퇴모형을 고려하자.

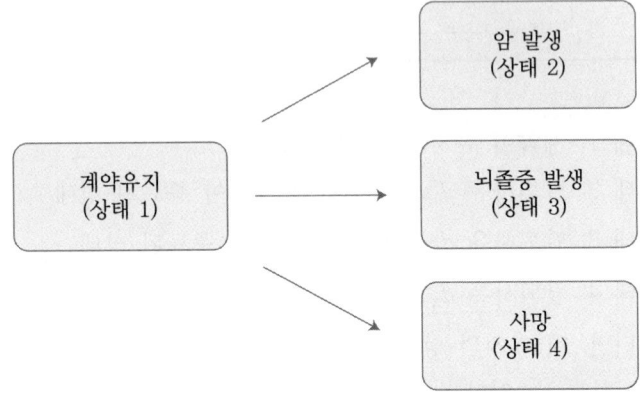

상태 간 전이력은 다음과 같다.

$$q_{12} = 0.002, q_{13} = 0.002, q_{14} = 0.001$$

이력이 $\delta = 0.03$일 때, 어떤 피보험자에 대하여 암 또는 뇌졸중 발생 시 3,000 (1회 한), 사망 시 5,000을 지급하는 보험의 보험수리적 현가를 계산하시오.

해설 암 또는 뇌졸중 발생 시 지급되는 보험금에 대한 보험수리적 현가는

$$3,000 \int_0^\infty e^{-0.03t} \cdot p_{11}(t) \cdot (q_{12} + q_{13}) dt$$

$$= 3,000 \int_0^\infty e^{-0.03t} \cdot e^{-0.005t} \cdot (0.004) dt$$

$$= 342.86$$

마찬가지로 사망보험금에 대한 보험수리적 현가는

$$5,000 \int_0^\infty e^{-0.03t} \cdot p_{11}(t) \cdot q_{14} dt$$

$$= 5,000 \int_0^\infty e^{-0.03t} \cdot e^{-0.005t} \cdot (0.001) dt$$

$$= 142.86$$

따라서 주어진 보험에서 제공하는 보험금의 보험수리적 현가는 485.72이다.

부록 10A

마르코프 모형에 대한 이론적 전개를 위하여 몇 가지 분포에 대한 이해가 필요하다. 본 부록에서 다루는 내용도 이론적으로 엄밀한 수리적 전개보다는 이론적 결과와 그 개념에 대한 이해를 중심으로 설명하도록 하겠다.

1. 베르누이 분포와 이항분포

어떤 현상이 상이한 두 가지의 결과로만 나타나는 경우를 생각해 보자. 예를 들면 다음의 경우들을 생각해 볼 수 있을 것이다.

(1) 동전을 던지는 경우: 결과는 앞면 또는 뒷면
(2) 현재 생존중인 어떤 사람이 앞으로 t년 후 시점에서의 생존 여부: 결과는 생존 또는 사망
(3) 어떤 피보험자에게 보험에서 담보로 하는 사고가 발생할지의 여부: 결과는 발생 또는 미발생

두 결과 중 우리가 관심을 가지는 결과를 1로 나타내고 반대의 결과를 0으로 표현하자. 또한, 1의 결과가 발생할 확률을 p로 나타내고, 결과를 나타내는 변수를 X라 하면, X가 0 또는 1의 값을 갖는 확률 $f(x)$를 다음과 같이 표현할 수 있다.

$$f(x) = \begin{cases} p & x = 1 \\ 1 - p & x = 0 \end{cases}$$

이를 베르누이 분포(Bernoulli distribution)라고 한다. 베르누이 분포의 평균은 p, 분산은 $p(1-p)$로 나타난다. 베르누이 분포를 따르는 어떤 현상이 n회

독립적으로 관측된다고 할 때, 우리가 관심을 가지는 결과가 y회 나타날 확률 $g(y)$은 다음과 같이 표현할 수 있다.

$$g(y) = {}_nC_y \cdot p^y \cdot (1-p)^y, \ y = 0, 1, 2, \cdots, n$$

(여기서 ${}_nC_y$는 n개의 서로 다른 개체 중 y개를 뽑는 가지 수를 나타내며, ${}_nC_y = \dfrac{n!}{(n-y)!y!}$ 로 계산할 수 있다.) 이러한 분포를 이항분포(Binomial distribution)라고 하며, 이항분포의 평균은 np_i, 분산은 $np_i(1-p_i)$로 나타난다.

이항분포는 어떤 현상의 결과가 m가지 중 하나로 나타나는 경우의 상황으로 확장할 수 있다. 즉, m가지의 결과를 각각 유형 1, 유형 2, $\cdots$, 유형 m으로 나타내고, 유형 i의 결과가 나타날 확률을 p_i라 하면 $\left(\sum_{i=1}^{m} p_i = 1 \right)$, n번의 관측 중 유형 i의 결과가 나타난 횟수를 확률변수 Y_i로 나타내면, 각 유형별 결과가 나타난 횟수에 대한 확률은 다음과 같이 나타난다.

$$\Pr\left[Y_1 = y_1, Y_2 = y_2, \cdots, Y_m = y_m \right] = \frac{n!}{y_1! y_2! \cdots y_m!} p_1^{y_1} p_2^{y_2} \cdots p_m^{y_n}$$

이러한 분포를 다항분포(multinomial distribution)이라고 하며, Y_i의 평균은 np_i, 분산은 $np_i(1-p_i)$, Y_i와 Y_j의 공분산은 $-np_ip_j$로 나타난다.

2. 포아송 분포와 포아송 과정

특정한 기간 동안 사고 발생 건수에 대한 확률분포 모형을 고려해야 하는 상황을 생각해 보자. 모형 설계를 위하여 사고가 다음과 같은 구조에 따라 발생한다고 가정하자.

(가정 1) 극히 짧은 시간 내에 사고는 2건 이상 발생하지 않는다.
(가정 2) 극히 짧은 시간 내에 사고가 발생할 확률은 λh이다.
(가정 3) 서로 겹치지 않는 기간 중의 사고 발생은 서로 영향을 미치지 않는다. (독립성)

가정 1~3을 토대로 단위기간 동안 사고가 z건 발생하게 될 확률을 계산해 보자. 우선 단위기간을 다음 그림과 같이 n등분해 보자.

가정 3에 의하여 n등분 각 구간의 사고 발생은 서로 영향을 미치지 않는다. 또한, n을 무한히 큰 숫자로 생각하면, 각 구간의 길이는 극히 짧은 시간으로 생각할 수 있다. 따라서, 가정 1과 가정 2를 적용하여, 각 구간에서는 사고가 최대1건만 발생할 수 있으므로, 발생 가능한 결과는 사고 발생 여부가 될 것이다. 이러한 구간의 수가 총 n개이므로, 이는 각 구간에서 사고가 발생하는 경우를 1, 발생하지 않는 경우를 0으로 할 때, 이러한 관측을 독립적으로 n회 수행하는 경우와 동일한 상황으로 생각할 수 있다.

가정 2에 의하여 사고 발생확률 $\frac{\lambda}{n}$를 이용하면, 단위 기간 동안의 사고 발생 건수 Z로 표현할 때 $Z = z$건일 확률은 이항분포를 따르고, 가정 1과 가정2를 적용하기 위해서는 n이 무한히 큰 수이어야 한다는 점을 반영하여 다음과 같이 표현할 수 있다.

$$\Pr[Z = z] = \lim_{n \to \infty} {}_n C_z \cdot \left(\frac{\lambda}{n}\right)^z \cdot \left(1 - \frac{\lambda}{n}\right)^z$$

극한을 계산하면,

$$f(z) = \Pr[Z = z] = \frac{e^{-\lambda} \lambda^z}{z!}, \ z = 0, 1, 2, \cdots$$

를 얻는다. 도출된 사고건수의 분포함수를 포아송 분포(Poisson distribution)라 하며, 포아송 분포의 평균을 계산하면 λ를 얻을 수 있다. 따라서, 포아송 분포는 사고가 가정 1~3을 따라 발생하는 경우 단위기간 동안의 평균 사고건수가 λ일 때, 실제 사고 발생 건수에 대한 확률분포를 나타내는 것으로 그 의미를 해석할 수 있다.

이를 확장하여 단위기간이 아닌 특정한 기간, 즉 t 단위기간 동안의 사고건수에 대한 확률분포를 생각해 보자. 사고가 가정 1~3을 따르는 경우, 포아송 분포의 도출과정과 동일한 방법으로 전개하면 t 단위기간 동안의 사고건

수도 마찬가지로 평균사고 건수가 λt인 포아송 분포를 따르게 된다. 결과적으로 현재 시점을 0시점으로 하고, 사고건수의 관측을 시작할 때 Z_t를 t시점까지의 사고발생 건수로 나타내면 $(Z_0 = 0)$, Z_t는 평균이 λt인 포아송 분포로 표현된다. 이러한 Z_t는 시점에 따라서 계속 달라지는 확률변수를 나타내고 이를 포아송 과정(Poisson process)이라 한다. 수리적으로

$$\Pr[Z_t = z] = \frac{e^{-\lambda t}(\lambda t)^z}{z!}, \; z = 0,1,2,\cdots$$

로 표현할 수 있다.

그런데, 어떤 상황의 경우에는 사고 발생의 정도가 시간대 별로 다르게 나타나는 것이 일반적이다(시간대 별로 교통사고 발생 정도가 다른 경우, 연령이 증가하면서 사망자 수가 늘어나는 경우 등). 따라서, 사고 발생의 가정을 다음과 같이 확장해 보자.

(가정 1') 임의의 시점 s로부터 극히 짧은 시간 내에 사고는 2건 이상 발생하지 않는다.

(가정 2') 임의의 시점 s로부터 극히 짧은 시간 내에 사고가 발생할 확률은 $\lambda(s)h$이다.

(가정 3) 서로 겹치지 않는 기간 중의 사고 발생은 서로 영향을 미치지 않는다. (독립성)

확장된 가정을 토대로 시점 t부터 s단위시간 경과 후 시점 $t+s$까지의 발생사고 건수는 $Z_{t+s} - Z_t$로 나타낼 수 있으며, 다음과 같이 $\Lambda(t,t+s)$를 정의하면,

$$\Lambda(t,t+s) = \int_t^{t+s} \lambda(u)du$$

$Z_{t+s} - Z_t$는 평균이 $\Lambda(t,t+s)$인 포아송 분포를 따른다는 결과를 얻게 된다.

포아송 분포(과정)는 다음과 같은 중요한 성질을 갖는다.

(성질 1) 서로 독립인 n개의 확률변수 $X_1, X_2, \cdots, X_n$이 평균이 각각 λ_1, $\lambda_2, \cdots, \lambda_n$인 포아송 분포를 따를 때, 확률변수 $S_n = \sum_{i=1}^{n} X_i$는 평균이 $\sum_{i=1}^{n} \lambda_i$인

포아송 분포를 따른다.

(성질 2) 특정기간의 어떤 사건의 발생건수를 나타내는 확률변수 S_n이 평균이 λ인 포아송 분포를 따르고, 사건은 n개 중 오직 한 가지의 유형으로 분류된다고 하자. X_i를 해당 기간동안 유형 i로 분류되는 사건의 발생건수라고 하고, r_i를 전체 사고 발생 건 중 유형 i로 분류되는 사건의 발생비율이라고 하면, X_i는 평균이 λr_i인 포아송 분포를 따른다.

3. 지수분포와 감마분포

주어진 기간(단위기간) 중 특정 사건의 발생 건수가 평균이 λ인 포아송 분포를 따른다고 하자. 그러면, 관측 시점으로부터 사건이 발생할 때까지 걸리는 시간 또는 사건이 발생한 시점으로부터 다음 사건이 발생할 때까지 걸리는 시간을 확률변수 T로 나타낼 수 있다. 이 때 확률 $1 - F(t) = Pr[T > t]$일 확률은 앞으로 t 동안 사건이 발생하지 않을 확률과 동일한데, 이는 포아송 분포의 확률을 적용하면,

$$\Pr[T > t] = e^{-\lambda t}$$

로 나타낼 수 있다. 따라서 $F(t) = \Pr[T \leq t] = 1 - e^{-\lambda t}$이고, 양변을 미분하여 T에 대한 확률밀도함수

$$f(t) = \lambda e^{-\lambda t}, \ t > 0$$

을 얻는다. 이러한 T의 분포를 지수분포(exponential distribution)라 한다. 지수분포의 평균은 $1/\lambda$, 분산은 $1/\lambda^2$로 나타난다. 특히, 지수분포는 다음의 중요한 성질을 갖는다.

(성질 1) 관측 시점부터 현재 시점까지 사건이 발생하지 않은 경우, 이는 앞으로의 사건 발생까지 걸리는 시간에 영향을 주지 않는다. 이는 수식으로 다음과 같이 표현할 수 있으며, 이를 지수분포의 무기억성(memoryless property)라고 한다.

$$\Pr[T > t + s | T > t] = \Pr[T > s]$$

(성질 2) 지수분포는 무기억성을 갖는 유일한 분포이다.

지수분포의 도출과정과 유사하게, 가정 1~3에 의하여 사건이 발생한다고 할 때 사건이 k건 발생할 때까지의 대기시간을 V라 하면, 해당 대기시간이 v보다 작거나 같게 될 확률은 v시점까지 사건 발생 수가 k건 이상이 될 확률과 동일하다. 그런데, v시점까지의 사건 발생 수는 평균 λv인 포아송 분포를 따르므로 다음의 식이 성립한다.

$$F(v) = \Pr[V \le v] = \sum_{j=k}^{\infty} \frac{e^{-\lambda v}(\lambda v)^j}{j!} = 1 - \sum_{j=0}^{k-1} \frac{e^{-\lambda v}(\lambda v)^j}{j!}$$

식의 양변을 미분하여 정리하면, 다음과 같이 V의 확률밀도 함수를 얻을 수 있다.

$$f(v) = \frac{v^{k-1}e^{-\lambda v}}{(k-1)!\lambda^{-k}}, \; v > 0$$

이를 감마분포(Gamma distribution)이라 한다. 또한, 지수분포와 감마분포의 관계는 다음과 같이 도출할 수 있다.

동일한 평균($1/\lambda$)을 갖는 지수분포를 따르는 서로 독립인 확률변수, X_1, X_2, $\cdots$, X_k의 합은 감마분포를 따른다. 이 때 감마분포의 평균은 k/λ, 분산은 k/λ^2이다.

역으로 사건 발생 대기 시간이 지수분포(평균 $1/\lambda$)를 따르는 경우, 단위 시간 내에 발생 사건 수 K가 k값을 가지게 될 확률을 구해보자, 우선 단위 시간 동안 사건이 k건 이상 발생하는 것은 사건이 k건 발생할 때까지의 대기 시간이 1이하인 경우라고 볼 수 있다. 그런데, 사건이 k건 발생할 때까지의 대기시간은 감마분포를 따르므로 다음과 같이 계산할 수 있다.

$$\Pr[K \ge k] = \int_0^1 \frac{v^{k-1}e^{-\lambda v}}{(k-1)!\lambda^{-k}} dv = 1 - \sum_{j=0}^{k-1} \frac{e^{-\lambda}\lambda^j}{j!}$$

따라서,

$$\Pr[K=k] = \Pr[K \ge k] - \Pr[K \ge k+1] = \frac{e^{-\lambda}\lambda^k}{k!}$$

이므로, 사건 발생 시까지 대기시간이 평균이 $1/\lambda$인 지수분포를 따르면, 단위 시간 동안 발생 사건 수는 평균이 λ인 포아송 분포를 따른다고 할 수 있다.

부록 10B. Kolmogorov forward equation의 증명

현재시점을 t라고 현재상태를 i라 가정하고 다음과 같이 전이확률 $p_{ij}(t, t+s+h)$를 고려하자.

$$
\begin{aligned}
p_{ij}(t,t+s+h) &= \Pr[X(t+s+h)=j|X(t)=i] \\
&= \sum_{k=1}^{n} \Pr[X(t+s)=k|X(t)=i]\Pr[X(t+s+h)=j|X(t+s)=k] \\
&= \sum_{k=1}^{n} p_{ik}(t,t+s) \cdot p_{kj}(t+s,t+s+h) \\
&= p_{ij}(t,t+s) \cdot p_{jj}(t+s,t+s+h) + \sum_{k=1,k \neq j}^{n} p_{ik}(t,t+s) \cdot p_{kj}(t+s,t+s+h)
\end{aligned}
$$

h를 극히 짧은 시간으로 가정하면 포아송과정의 가정 $2'$에 따라서 $p_{kj}(t+s,t+s+h) = q_{kj}(t+s) \cdot h$이고,

$$
\begin{aligned}
p_{jj}(t+s,t+s+h) &= 1 - \sum_{k=1,k \neq j}^{n} p_{jk}(t+s,t+s+h) \\
&= 1 - \sum_{k=1,k \neq j}^{n} q_{jk}(t+s) \cdot h = 1 - q_j(t+s) \cdot h
\end{aligned}
$$

이다. 따라서,

$$
p_{ij}(t,t+s+h) = p_{ij}(t,t+s) \cdot (1 - q_j(t+s) \cdot h) + \sum_{k=1}^{n} p_{ik}(t,t+s) \cdot q_{kj}(t+s) \cdot h
$$

이고, 양변에 $p_{ij}(t,t+s)$를 차감하고 h로 나누면,

$$
\frac{p_{ij}(t,t+s+h) - p_{ij}(t,t+s)}{h} = \sum_{k=1}^{n} p_{ik}(t,t+s) \cdot q_{kj}(t+s) - p_{ij}(t,t+s) \cdot q_j(t+s)
$$

$h{\rightarrow}0$인 경우

$$\frac{dp_{ij}(t,t+s)}{ds} = \sum_{k=1,k \neq j}^{n} p_{ik}(t,t+s) \cdot q_{kj}(t+s) - p_{ij}(t,t+s) \cdot q_{j}(t+s)$$

를 얻는다. (전이력이 현재시점에 무관한 경우 수식 10.10b와 같이 나타낼 수 있다.)

또한, $q_{j}(t+s) = \sum_{k=1,k \neq j}^{n} q_{jk}(t+s)$이므로

$$\frac{dp_{ij}(t,t+s)}{ds} = \sum_{k=1,k \neq j}^{n} p_{ik}(t,t+s) \cdot q_{kj}(t+s) - \sum_{k=1,k \neq j}^{n} p_{ij}(t,t+s) \cdot q_{jk}(t+s)$$

과 같이 표현할 수 있다.

VII ▶ 단원 요약표

• 확률과정

어떤 현상이 나타내는 상태가 n가지$(1,2,{\cdots},n)$로 구분되고 현재 시점(시점 0)을 기준으로 각 시점의 상태를 나타내는 확률변수 $X(t)$의 집합

• 마르코프(다중상태) 모형

어떤 현상의 미래 상태 변화는 오직 현재의 정보에만 영향을 받는 성질을 만족하는 확률과정

$$\Pr[X(t+k){\in}A|X(t),X(s),s < t] = \Pr[X(t+k){\in}A|X(t)]$$

• 이산형 마르코프 모형(주기적인 시점에 상태가 관측되는 경우)

상태 간 전이확률 $p_{t}^{ij} = \Pr[X(t+1) = j|X(t) = i]$

$$\text{전이행렬 } P_{t} = \begin{pmatrix} p_{t}^{11} & p_{t}^{12} & \cdots & p_{t}^{1n} \\ p_{t}^{21} & p_{t}^{22} & \cdots & p_{t}^{2n} \\ \vdots & \vdots & \ddots & \vdots \\ p_{t}^{n1} & p_{t}^{n2} & \cdots & p_{t}^{nn} \end{pmatrix}$$

시점 t와 시점 $t+m$의 상태 간 전이행렬은 전이행렬의 곱 $P_t P_{t+1} \cdots P_{t+m-1}$

시점 t의 각 상태별 인원 수 또는 인구비율을 나타내는 행벡터가 $\underline{l}_t$이면 시점 $t+m$의 각 상태별 인원 수 또는 인구비율을 나타내는 행벡터는 $\underline{l}_t$ $P_t P_{t+1} \cdots P_{t+m-1}$

- **연속형 마르코프 모형(임의의 시점에 상태가 관측되는 경우)**

s 단위시간 동안 상태 간 전이확률 $p_{ij}(s) = \Pr[X(t+s) = j | X(t) = i]$

$$\text{전이력행렬 } Q = \begin{pmatrix} -q_1 & q_{12} & \cdots & q_{1n} \\ q_{21} & -q_2 & \cdots & q_{2n} \\ \vdots & \vdots & \ddots & \vdots \\ q_{n1} & q_{n2} & \cdots & -q_n \end{pmatrix}, \quad q_i = -\sum_{j \neq i}^{n} q_{ij}$$

현재 상태(상태 i)에서 다른 상태로 전이가 발생할 때까지 걸리는 시간 → 지수분포(평균 $1/q_i$)

s 단위시간 동안 현재 상태(상태 i)에서 다른 상태(상태 j)로의 전이빈도 → 포아송분포(평균 sq_{ij}) [전이력이 시간에 따라 다른 경우는 평균 $\int_0^s q_{ij}(t)dt$]

- 생명보험, 연금, 연생, 다중탈퇴 모형은 마르코프 모형으로 해석 가능함.

- 구조가 복잡한 보험의 경우 마르코프 모형을 이용하여 설계가 가능함.

1. 다음의 상황에 적용할 수 있는 마르코프 모형을 정의해 보고, 마르코프 모형의 구조를 도식화하시오.

   (1) 어떤 소득보상보험에서는 근로기간 중 발생한 질병이나 장애로 인하여 근로를 할 수 없게 된 경우 유병기간 동안에 한하여 소득을 보전해 준다. 또한, 퇴직하거나 사망하는 경우에는 보험계약이 소멸된다고 한다. 성별, 연령별로 장애발생률과 퇴직률, 사망률이 주어져 있을 때, 보험료와 보험금 및 책임준비금을 도출하고자 한다.

   (2) 어떤 장기간병보험에서는 치매 등의 노인성 질병에 의해 장기요양이 필요한 경우 이에 따른 비용을 보장해 준다. 유병 상태의 정도에 따라 3개의 등급으로 구분하여 보험금을 차등지급하며, 사망하는 경우에는 보험계약이 소멸된다. 임의의 두 시점(연령) 사이에서 노인성 질병이 발병하고 진행되어 사망에 이르는 확률에 대한 모형이 존재한다고 할 때, 보험수리적 모형을 설계하고자 한다. (노인성 질병은 퇴행성 질병으로, 질병의 개선 및 완치는 불가능하다고 가정한다.)

2. 경기 상황을 특정한 기준에 따라 호황인 경우와 불황인 경우로 나눈다고 할 때, 어떤 해의 경기가 호황인 경우 다음 해에도 호황이 지속될 확률이 65%이고, 어떤 해의 경기가 불황인 경우
   다음 해에도 불황이 지속될 확률이 75%라 한다. 이 때 다음 물음에 답하시오.

   (1) 호황과 불황 두 상태 간 연간 전이를 나타내는 전이행렬을 나타내시오.

   (2) 현재 경기가 불황인 경우, 4년 후 경기가 불황상태일 확률을 계산하시오.

   (3) 현재 경기가 불황인 경우, 앞으로 4년간 경기가 계속 불황상태로 지속될 확률을 계산하여 (2)의 결과와 비교하고, 대소관계가 나타나게 되는 이유를 설명하시오.

3. 어떤 항공사의 멤버십 프로그램은 고객에게 세 가지 등급 중 하나를 부여하여 관리한다고 한다. (각 등급을 등급 1, 등급 2, 등급3으로 나타내고 해당 멤버

쉽 프로그램은 등급1부터 시작한다고 한다.) 등급은 1년간 이용 실적에 따라 조정(상승, 유지 또는 하락)되며, 조정의 결과에 따른 등급별 전이확률은 다음과 같다.

$$P = \begin{pmatrix} 0.7 & 0.3 & 0 \\ 0.2 & 0.6 & 0.2 \\ 0 & 0.3 & 0.7 \end{pmatrix}$$

등급이 상승하는 경우에는 10,000마일리지를 얻을 수 있고, 등급이 유지되는 경우에는 1등급의 경우 5,000마일리지, 2등급의 경우 3,000마일리지를 얻는다고 한다. 다음 물음에 답하시오.

(1) 처음 가입하여 3년간 멤버십을 가지는 경우, 얻을 수 있는 포인트의 기대값을 구하시오.

(2) 현재 등급 3에서 앞으로 3년간 멤버십을 가지는 경우 얻을 수 있는 포인트의 기대값을 계산하시오.

4. 다음은 여성의 각 연령별 배우자 유무의 상태를 배우자가 있는 경우(상태 1)와 없는 경우(상태 2)로 구분할 때, 각 상태 간 연간 전이를 나타내는 전이행렬의 일부이다. (단, 사망은 없는 것으로 가정한다.)

$$P_{40} = \begin{pmatrix} 0.90 & 0.10 \\ 0.75 & 0.25 \end{pmatrix}, \quad P_{41} = \begin{pmatrix} 0.88 & 0.12 \\ 0.78 & 0.22 \end{pmatrix}, \quad P_{42} = \begin{pmatrix} 0.85 & 0.15 \\ 0.80 & 0.20 \end{pmatrix}, \quad P_{43} = \begin{pmatrix} 0.80 & 0.20 \\ 0.85 & 0.15 \end{pmatrix}$$

다음의 물음에 답하시오.

(1) 현재 배우자가 없는 40세 여성의 경우 44세가 되는 시점에는 배우자가 있을 확률을 계산하시오.

(2) 현재 배우자가 있는 40 세 여성의 경우 44세가 되는 시점까지 배우자가 없는 상태로 전이가 이루어질 확률을 계산하시오.

(3) 40세 여성인구 중 70%의 여성이 배우자가 있다고 집계된 경우 주어진 전이행렬을 이용하여 41세부터 44세 까지 연령별 전체 인구 중 배우자가 있는 여성의 비율을 각각 구하시오.

5. (예제 10-9)에서 주어진 상황과 조건을 이용하여 다음 물음에 답하시오.

(1) 60세 암 병력이 없는 3,000명의 피보험자 중 3년 후 시점에서 암 병력을 가지고 있으면서 생존하고 있게 될 인원수의 기대값을 계산하시오.

558 I 보험수리학

(2) 60세 암 병력이 있는 1,000명의 인구 중 3년 이내에 사망하게 될 인원 수의 기대값을 계산하시오.

6. 건강상태별로 연금액을 차등지급하는 연금보험이 있다. 건강상태는 정해진 기준에 따라서 건강한 상태(상태 1), 건강이 약간 악화된 상태(상태 2), 건강이 매우 악화된 상태(상태 3)으로 정의한다. 상태 4를 사망으로 정의할 때, 75세 여성의 전이행렬이 다음과 같이 주어져 있다.

$$P_{75} = \begin{pmatrix} 0.60 & 0.20 & 0.15 & 0.05 \\ 0.05 & 0.60 & 0.25 & 0.10 \\ 0 & 0.05 & 0.65 & 0.30 \\ 0 & 0 & 0 & 1 \end{pmatrix}, \quad P_{76} = \begin{pmatrix} 0.52 & 0.24 & 0.18 & 0.06 \\ 0.04 & 0.54 & 0.28 & 0.14 \\ 0 & 0.04 & 0.64 & 0.32 \\ 0 & 0 & 0 & 1 \end{pmatrix}$$

매년 초 상태를 바탕으로 상태 1의 경우는 연간 2,000만원, 상태 2의 경우는 연간 3,500만원, 상태 3의 경우는 연간 5,000만원을 지급한다고 할 때, 다음 물음에 답하시오.

(1) 올해 75세의 건강한 상태의 여성의 경우 76세, 77세에 지급받게 될 총 연금수령액의 평균과 표준편차를 각각 계산하시오.

(2) 올해 75세 여성의 상태별 인구비율은 각각 40%, 35%, 25%라고 한다. 76세 생존 여성의 1인당 연금 지급액의 평균을 계산하시오.

7. 50세 부부의 미래생존기간을 나타내는 확률변수가 남성은 평균이 30, 여성은 평균이 40인 지수분포를 각각 따른다고 할 때 마르코프 모형을 이용하여 다음을 계산하시오. (부부의 미래생존기간은 서로 독립이고 이력 $\delta = 0.03$을 이용하시오.)

(1) 두 명 모두 20년 이내에 사망할 확률

(2) 부인이 먼저 사망한 경우에 한하여 남편이 생존 시 매년 5,000만원의 금액을 연속적으로 지급하는 전환연금의 현재가치

(3) 10년 후 한 명의 배우자만 생존해 있을 확률

8. 세 가지의 상태가 정의되는 연속형 마르코프 모형에서의 전이력 행렬이 다음과 같을 때 아래의 물음에 답하시오.

$$Q = \begin{pmatrix} -0.08 & 0.05 & 0.03 \\ 0 & -0.02 & 0.02 \\ 0 & 0 & 0 \end{pmatrix}$$

(1) 현재 상태에서 앞으로 10년후 상태로의 전이를 나타내는 전이행렬을 구하시오.

(2) 현재 상태별 개체 수의 비율이 각각 70%, 30%, 0% 일 때, 10년 후 상태별 개체 수의 비율을 결정하시오.

9. 어떤 자동차 보험의 할인할증 제도는 총 3개의 등급을 이용한다고 한다. 등급은 매년 갱신되고, 기존등급에서 새로운 등급으로 변경되는 비율이 다음과 같다고 할 때, 아래의 물음에 답하시오.

		갱신등급		
		1등급	2등급	3등급
기존등급	1등급	0.80	0.15	0.05
	2등급	0.25	0.60	0.15
	3등급	0.10	0.35	0.55

(1) 어떤 피보험자가 현재 2등급일 때, 앞으로 세 번 갱신하는 경우 두 번 이상 1등급으로 갱신될 확률을 계산하시오.

(2) 해당 자동차 보험의 현재 가입자 중 1등급이 450명, 2등급이 600명, 3등급이 250일 때, 앞으로 2년 후 시점에서 각 등급별 예상 비율을 계산하시오. (모두 탈퇴없이 계속 갱신한다고 가정)

10. 어떤 곤충이 외부 요인의 영향 없이 퇴화되는 과정을 도식화한 그림이 다음과 같다.

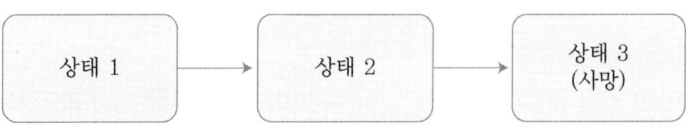

상태1에서 상태 2로의 전이력은 0.1이며, 상태 2에서 상태 3으로의 전이력은 0.2이다. 어떤 곤충이 현재 상태 1에 있는 경우 다음 물음에 답하시오.

(1) 앞으로 t동안 곤충이 생존해 있을 확률을 구하시오.

(2) 곤충의 기대여명을 계산하시오.

(3) 곤충이 상태 1 및 상태 2에서 포식자에게 잡아 먹히게 되는 경우를 추가로 생각해 보자. 해당 전이력이 상태 1과 상태 2 모두에서 0.02인 경우 곤충의 기대여명을 계산하시오.

11. 어떤 회사에서는 근로자가 업무 중 발생한 장해로 인하여 장기간 근무를 할 수 없게 되는 경우 소득을 보상해 주고, 사망 시 사망보험금을 지급하는 단체 보험에 가입하였다. 근로를 할 수 있는 상태를 1, 장해로 인하여 근무를 할 수 없는 상태를 2, 사망을 나타내는 상태를 3이라 하고, 전이행렬이 다음과 같이 주어질 때, 현재 근로를 하고 있는 600명의 근로자 중 앞으로 3년 이내에 소득 보상금을 받게 될 사람 수의 분산값을 구하시오.

(단, 현재 600명 근로자의 퇴직은 발생하지 않고, 보험금은 매 보험년도 초의 상태에 따라 지급하는 것으로 가정한다.)

$$P = \begin{pmatrix} 0.7 & 0.2 & 0.1 \\ 0.1 & 0.55 & 0.35 \\ 0 & 0 & 1 \end{pmatrix}$$

12. 2단계로 구성된 어떤 보험계리사 시험에서는, 1차 시험을 합격한 경우 2차 시험을 응시할 수 있다. (1차 시험은 한 번 합격하면 영구적으로 유효함.) 시험을 준비한 기간을 t년이라고 할 때, 응시자가 1차 시험에 합격하는 경우의 전이력이 $\dfrac{1}{40-t}$로 나타나고 1차 시험을 합격한 상태에서 2차 시험을 합격하는 경우의 전이력을 0.06이라하면, 지금 시험을 준비하기 시작한 어떤 수험생이 4년 이내에 2차 시험까지 합격하게 될 확률을 구하시오.

13. 어떤 반려견 보험에서는 현재 질병이 없는 반려견을 대상으로 약관에서 정한 수술이 필요한 질병 발생 시 수술 비용으로 100만원을 즉시 지급해준다고 한

다. (단, 해약의 경우는 납입보험료를 이자없이 돌려주며, 반려견이 사망하는 경우에는 보험금을 지급하지 않음.) 아래에 주어진 전이력과 이력 0.03을 이용하여 10년 만기 애견 보험 상품의 일시납 순보험료를 구하시오.
- 건강한 상태의 애견이 수술이 필요한 질병 발생을 얻게 될 전이력 0.005
- 해약을 하게 될 전이력 0.01
  약관에서 정한 질병 이외의 원인으로 반려견이 사망하게 될 전이력 0.001

14. common shock를 허용하는 연생모형에서 연령이 각각 x, y 세인 부부의 사력이 각각 0.03, 0.01이며, 두 부부가 동시에 사망하게 되는 전이력이 0.001이라고 한다. 이 때, 앞으로 5년 후 시점과 10년 후 시점 사이에 common shock가 발생하여 두 부부가 동시에 사망하게 될 확률을 계산하시오.

15. 두 생존자 $(x), (y)$ 를 대상으로 하는 연생 모형에서 다음과 같이 상태를 정의하자.
상태1: $(x), (y)$ 모두 생존
상태2: (x) 만 생존
상태3: (y) 만 생존
상태4: $(x), (y)$ 모두 사망
한 명이 사망할 때까지 연속적으로 보험료를 납입하고, $(x), (y)$ 의 최후생존자 상태가 종료되는 시점에서 보험금 1을 즉시 지급하는 종신보험의 경우 다음의 전이력 행렬과 이력 0.02를 이용하여 연간 납입보험료를 계산하시오.

$$P = \begin{pmatrix} -0.12 & 0.06 & 0.04 & 0.02 \\ 0 & -0.05 & 0 & 0.05 \\ 0 & 0 & -0.07 & 0.07 \\ 0 & 0 & 0 & 0 \end{pmatrix}$$

16. 피보험자 홍길동이 가입하려고 하는 건강보험상품의 연납순보험료는 피보험자의 건강상태등급에 따라 3가지로 분류되어 부과된다. 이때, 연납순보험료는 건강상태등급이 1급인 경우에는 500, 2급인 경우에는 1,000, 3급인 경우에는 1,500이다. 피보험자의 건강상태등급은 매 보험연도 초에 직전 1년 동

안의 입원일수에 따라 다음과 같이 조정된다. 입원일수가 0일인 경우에는 1
등급 상향 조정되고, 입원일수가 1일인 경우에는 1등급 하향 조정되며, 입원
일수가 2일 이상인 경우에는 2등급 하향 조정된다. 이때, 더 이상 상향 조정
할 수 없는 경우에는 1급이 되고, 더 이상 하향 조정할 수 없는 경우에는 3급
이 된다. 피보험자 홍길동의 1년 동안 입원일수가 0일일 확률은 85%, 1일일
확률은 10%, 2일 이상일 확률은 5%이다. 이 확률은 변하지 않는다고 할 때,
다음 물음에 답하시오. (기출)

(1) 각 건강상태등급을 마코프체인(Markov chain)의 상태(states)라 할 때, 전
이확률행렬(transition probability matrix)을 구하시오.

(2) 보험 가입 시 건강상태등급이 1급인 피보험자 홍길동이 제3보험연도에 납
입하여야 할 연납순보험료의 기댓값을 구하시오.

17. AZ보험사는 다음과 같은 다중상태모형(multiple-state model)을 이용하여
장기요양보험(long-term care insurance)을 개발하려고 한다. (기출)

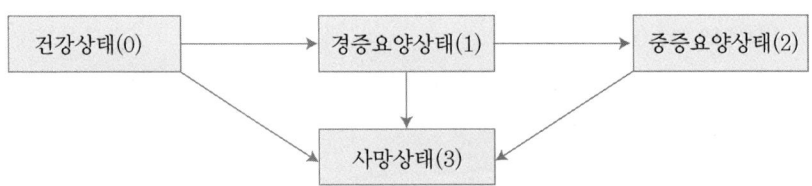

(단, 화살표는 전이방향을 표시하며, 이전상태로의 복원은 없음)

〈상품개발팀에서 고려하는 계약관련 기본정보〉

- 유진단계약으로, 건강상태로 판정된 피보험자에 대해서만 계약을 체결한다.
- 경증요양상태 혹은 중증요양상태일 때에만 요양급여금을 지급한다. 경증,
  중증 요양상태 구별없이, 지급할 수 있는 요양급여금 지급 횟수는 총4회로
  한정한다.
- 요양상태 여부는 매 보험연도 말에 즉시 판정하며, 판정과 동시에 요양급
  여금을 지급한다.
- 피보험자가 사망하거나 요양급여가 총 4회 지급되면 계약은 종료된다.
- 보험료는 계약이 종료될 때까지 매 보험연도 초에 납입되는 전기(全期)연
  납보험료이다.

단, 요양상태로 판정되면 이후 보험료 납입은 면제된다.

〈상품개발팀에서 고려하는 요양급여설계관련 정보〉
- 경증요양급여금 기준금액은 300만원이다.
- 중증요양급여금 기준금액은 500만원이다.
- 실제 지급될 경증 또는 중증요양급여금은 모두 상기 기준금액에 대하여, 보험계약의 체결시점부터 복리로 연 5.0%씩 매년 증액된다. 예를 들어, 2010년 1월 1일 계약이 체결되어 당해연도 말에 경증요양상태로 판정받았다면, 요양급여금으로 (300×1.05)만원이 지급된다.

〈상품개발팀에서 사용하는 계리관련 정보〉
- 상태전이확률(state-transition probability)의 정의와 관련 추정치는 다음과 같다.

  P_x^{ij} : i상태에 있는 x세 피보험자가 $x+1$세에 j상태에 있을 확률

  $p_x^{00}=0.8$, $p_x^{01}=0.1$, $p_x^{11}=0.6$, $p_x^{12}=0.3$, $p_x^{22}=0.5$
- 적용되는 예정이율은 연 5.0%이다.

상기 상품개발 정보들을 활용하여, 다음 각 물음에 답하시오.
(1) 수지상등의 원칙을 적용하여, x세 피보험자가 납입할 연납보험료를 구하시오. 단, 소수점 이하 셋째자리에서 반올림하여 산출한다.
(2) 임의의 피보험자가 이미 2회의 요양급여금을 수령하였고, 보험연도 말 현재 요양상태로 판정받았다. 보험자가 3회 요양급여금을 지급한 직후에 향후 요양급여금 지급과 관련하여 책정하여야 할 책임준비금을 산출하시오. 단, 경증요양상태일 경우에 지급될 요양급여금은 A원이고, 중증요양상태일 경우에 지급될 요양급여금은 B원이라고 가정한다. 여기에서, A와 B는 주어진 상수이다.

18. 갑 보험회사가 다음과 같은 3-상태 모형(3-state model)을 채택한 질병보험을 개발한다. (기출)

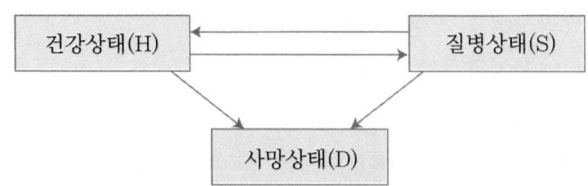

보험료 산출을 위한 조건은 다음과 같다.
- 유진단 계약으로 보험가입대상 피보험자는 40세이며, 가입 당시 피보험자가 건강상태(H)에 있어야 한다.
- 보험기간은 3년으로 보험료납입방법은 일시납이다.
- 피보험자가 매 보험연도 말에 질병상태(S)에 있으면 보험금 100만원을 지급한다.
- 상태전이(state transition)에 관한 경험자료를 분석한 결과는 아래와 같다.

임의의 $t \in \{0,1,2,3\}$에 대하여, 피보험자가 $40+t$세 도달직전에서의 상태를 나타내는 상태변수를 $Q_t = \{H, S, D\}$라 하고, 상태전이확률(state-transition probability)을 $P_{40+t}^{ij} = P[Q_{t+1} = j | Q_t = i]$라고 정의한다. 분석결과로 주어진 정보는 다음과 같다. 임의의 t에 대하여, $P_{40+t}^{HS} = 0.2$, $P_{40+t}^{HD} = 0.02$, $P_{40+t}^{SH} = 0.7$, $P_{40+t}^{SD} = 0.1$

(1) 제1보험연도에 보험금 지급사유가 발생할 확률을 구하시오.
(2) 제2보험연도에 보험금 지급사유가 발생할 확률을 구하시오.
(3) 제3보험연도에 보험금 지급사유가 발생할 확률을 구하시오.
(4) 예정이율이 5%일 때, 수지상등의 원칙에 따른 일시납 순보험료를 구하시오.

계산기수(Commutation Functions)는 과거 컴퓨터의 연산처리 속도가 빠르지 않았던 시기에 성별과 다양한 연령에 따라 반복되는 보험수리적 계산에 소요되는 시간을 줄이기 위해 고안된 함수이다. 지금은 상당한 연산처리 속도를 가진 컴퓨터가 상용화되어 계산기수의 필요성은 예전에 비해 많이 낮아졌지만, 국내 현업에서는 보험료 및 책임 준비금의 산출방법서 작성에 사용되고 있으므로 숙지해 두기 바란다.

1. 사망 시 기말급 보험의 계산기수

계산기수는 사망계열(C)와 생존계열(D)로 구분되며, 다음의 것들은 사망 시 기말급 보험에 관한 것들이다.

1) 사망계열(C): *암기 Tip! CaMeRa*

$$C_x = v^{x+1} \cdot d_x$$: 연령 x세에서 1년 내에 사망자 d_x명에게 그 해 말 ($x+1$세 시점)에 각 1씩 지급되는 총 현가

$$M_x = C_x + C_{x+1} + C_{x+2} + \cdots C_{w-1} = \sum_{y=x}^{w-1} C_y$$: 주어진 생명표에서 나이 x에서 최종 나이 ($l_w = 0$이 되는 시점 w)까지 함수 C 값들의 합

$$R_x = M_x + M_{x+1} + M_{x+2} + \cdots M_{w-1} = \sum_{y=x}^{w-1} M_y$$: 주어진 생명표에서 나이 x에서 최종 나이($l_w = 0$이 되는 시점 w)까지 함수 M값들의 합

2) 생존계열(D)

$$\boxed{D_x = v^x l_x}$$: 연령 x세의 생존자 l_x명에게 각 1씩 지급되는 총 현가

$$\boxed{N_x = D_x + D_{x+1} + D_{x+2} + \cdots D_{w-1} = \sum_{y=x}^{w-1} D_y}$$: 주어진 생명표에서 나이

x에서 최종 나이까지 함수 D값들의 합

$$\boxed{S_x = N_x + N_{x+1} + N_{x+2} + \cdots N_{w-1} = \sum_{y=x}^{w-1} N_y}$$: 주어진 생명표에서 나이

x에서 최종 나이까지 함수 N값들의 합

(1) 종신보험

$$A_x = \sum_{k=0}^{w-x-1} v^{k+1} \, _kp_x \cdot q_{x+k} = \sum_{k=0}^{w-x-1} v^{k+1} \frac{l_{x+k}}{l_x} \cdot \frac{d_{x+k}}{l_{x+k}} = \sum_{k=0}^{w-x-1} \frac{v^{k+1} d_{x+k}}{l_x}$$

$$\underset{\text{분모분자 } v^x}{=} \sum_{k=0}^{w-x-1} \frac{v^x v^{k+1} d_{x+k}}{v^x l_x} = \sum_{k=0}^{w-x-1} \frac{v^{x+k+1} d_{x+k}}{v^x l_x}$$

$$= \sum_{k=0}^{w-x-1} \frac{C_{x+k}}{D_x} = \frac{C_x + C_{x+1} + C_{x+2} + \cdots + C_{w-1}}{D_x} \boxed{= \frac{M_x}{D_x} = A_x}$$

(2) 정기보험

$$A_{x:\overline{n}|}^{1} = \sum_{k=0}^{n-1} v^{k+1} \, _kp_x \cdot q_{x+k} = \sum_{k=0}^{n-1} v^{k+1} \frac{l_{x+k}}{l_x} \cdot \frac{d_{x+k}}{l_{x+k}} = \sum_{k=0}^{n-1} \frac{v^{k+1} d_{x+k}}{l_x}$$

$$\underset{\text{분모분자 } v^x}{=} \sum_{k=0}^{n-1} \frac{v^x v^{k+1} d_{x+k}}{v^x l_x} = \sum_{k=0}^{n-1} \frac{v^{x+k+1} d_{x+k}}{v^x l_x}$$

$$= \sum_{k=0}^{n-1} \frac{C_{x+k}}{D_x} = \frac{C_x + C_{x+1} + C_{x+2} + \cdots + C_{x+n-1}}{D_x}$$

$$= \frac{(C_x + C_{x+1} + C_{x+2} + \cdots + C_{w-1}) - (C_{x+n} + C_{x+n+1} + C_{x+n+2} + \cdots + C_{w-1})}{D_x}$$

$$= \boxed{\frac{M_x - M_{x+n}}{D_x} = A_{x:\overline{n}|}^{1}}$$

(3) 순수양로보험(생존보험)

$$A_{x:\overline{n}|}^{\;\;1} = v^n \, {}_np_x = v^n \cdot \frac{l_{x+n}}{l_x}$$

$$\underset{\text{분모분자}\; v^x}{=} v^n \cdot \frac{v^x l_{x+n}}{v^x l_x} = \frac{v^{x+n} l_{x+n}}{v^x l_x} = \boxed{\frac{D_{x+n}}{D_x} = A_{x:\overline{n}|}^{\;\;1}}$$

(4) 누가정기보험

$$(IA)_{x:\overline{n}|}^1 = \sum_{k=0}^{n-1}(k+1)v^{k+1}\,{}_kp_x \cdot q_{x+k} = \sum_{k=0}^{n-1}(k+1)v^{k+1}\frac{l_{x+k}}{l_x} \cdot \frac{d_{x+k}}{l_{x+k}}$$

$$= \sum_{k=0}^{n-1}(k+1)\frac{v^{k+1}d_{x+k}}{l_x} \underset{\text{분모분자}\; v^x}{=} \sum_{k=0}^{n-1}(k+1)\frac{v^x v^{k+1} d_{x+k}}{v^x l_x}$$

$$= \sum_{k=0}^{n-1}(k+1)\frac{v^{x+k+1}d_{x+k}}{v^x l_x} = \sum_{k=0}^{n-1}(k+1)\frac{C_{x+k}}{D_x}$$

$$= \frac{C_x + 2C_{x+1} + 3C_{x+2} + \cdots + nC_{x+n-1}}{D_x}$$

$$= \frac{(C_x + C_{x+1} + \cdots + C_{x+n-1}) + (C_{x+1} + C_{x+2} + \cdots + C_{x+n-1}) +}{D_x}$$

$$\frac{(C_{x+2} + C_{x+3} + \cdots + C_{x+n-1})}{D_x} + \cdots$$

$$+ \frac{(C_{x+n-3} + C_{x+n-2} + C_{x+n-1}) + (C_{x+n-2} + C_{x+n-1}) + (C_{x+n-1})}{D_x}$$

$$= \frac{(M_x - M_{x+n}) + (M_{x+1} - M_{x+n}) + (M_{x+2} - M_{x+n}) + \cdots +}{D_x}$$

$$\frac{(M_{x+n-2} - M_{x+n}) + (M_{x+n-1} - M_{x+n})}{D_x}$$

$$= \frac{(M_x + M_{x+1} + \cdots + M_{x+n-1}) - nM_{x+n}}{D_x}$$

$$= \boxed{\frac{R_x - R_{x+n} - nM_{x+n}}{D_x} = (IA)_{x:\overline{n}|}^1}$$

(5) 누감정기보험

$$(DA)^1_{x:\overline{n}|} = \sum_{k=0}^{n-1} (n-k)v^{k+1}{}_kp_x \cdot q_{x+k}$$

$$= n\sum_{k=0}^{n-1} v^{k+1}{}_kp_x \cdot q_{x+k} - \sum_{k=0}^{n-1} k \cdot v^{k+1}{}_kp_x \cdot q_{x+k}$$

$$= n \cdot A^1_{x:\overline{n}|} - \sum_{k=0}^{n-1} k \cdot v^{k+1}\frac{l_{x+k}}{l_x}\cdots\frac{d_{x+k}}{l_{x+k}} = n \cdot A^1_{x:\overline{n}|} - \sum_{k=0}^{n-1} k \cdot \frac{v^{k+1}d_{x+k}}{l_x}$$

$$\underset{\text{분모분자 } v^x}{=} n \cdot A^1_{x:\overline{n}|} - \sum_{k=0}^{n-1} k \cdot \frac{v^x v^{k+1}d_{x+k}}{v^x l_x} = n \cdot A^1_{x:\overline{n}|} - \sum_{k=0}^{n-1} k \cdot \frac{v^{x+k+1}d_{x+k}}{v^x l_x}$$

$$= n \cdot \frac{M_x - M_{x+n}}{D_x} - \sum_{k=0}^{n-1} k \cdot \frac{C_{x+k}}{D_x}$$

$$= n \cdot \frac{M_x - M_{x+n}}{D_x} - \frac{C_{x+1} + 2C_{x+2} + 3C_{x+3} + \cdots + (n-1)C_{x+n-1}}{D_x}$$

$$= n \cdot \frac{M_x - M_{x+n}}{D_x} - \left\{ \frac{(C_{x+1} + \cdots + C_{x+n-1}) + (C_{x+2} + \cdots + C_{x+n-1}) +}{D_x} \right.$$

$$\left. \frac{+ (C_{x+3} + \cdots + C_{x+n-1})}{D_x} + \cdots + \frac{(C_{x+n-2} + C_{x+n-1}) + (C_{x+n-1})}{D_x} \right\}$$

$$= n \cdot \frac{M_x - M_{x+n}}{D_x} - \left\{ \frac{(M_{x+1} - M_{x+n}) + (M_{x+2} - M_{x+n})}{D_x} \right.$$

$$\left. + \cdots + \frac{(M_{x+n-2} - M_{x+n}) + (M_{x+n-1} - M_{x+n})}{D_x} \right\}$$

$$= n \cdot \frac{M_x - M_{x+n}}{D_x} - \frac{(M_{x+1} + \cdots + M_{x+n-1}) - (n-1)M_{x+n}}{D_x}$$

$$= \frac{n \cdot M_x - n \cdot M_{x+n} - (R_{x+1} - R_{x+n}) + (n-1)M_{x+n}}{D_x}$$

$$= \frac{n \cdot M_x - n \cdot M_{x+n} - (R_{x+1} - R_{x+n})}{D_x}$$

$$= \frac{n \cdot M_x - R_{x+1} + R_{x+n} - M_{x+n}}{D_x}$$

$$= \frac{n \cdot M_x - R_{x+1} + (M_{x+1} + M_{x+n+1} + \cdots + M_{\omega-1}) - M_{x+n}}{D_x}$$

$$= \boxed{\frac{n \cdot M_x - (R_{x+1} - R_{x+n+1})}{D_x} = (DA)^1_{x:\overline{n}|}}$$

2. 사망즉시급 보험의 계산기수

다음의 것들은 사망즉시급 보험에 관한 계산기수들이다.

$$\overline{C}_x = \int_0^1 \nu^{x+t} \cdot \underline{l_{x+t}\mu_{x+t}} dt = \int_0^1 \left(\nu^{x+t} l_{x+t}\right)\mu_{x+t} dt$$

$$= \boxed{\int_0^1 D_{x+t}\mu_{x+t} dt}$$

$$\boxed{\overline{M}_x = \sum_{y=x}^{\infty} \overline{C}_y = \int_x^{\infty} D_y \cdot \mu_y dy}$$

$$\boxed{\overline{R}_x = \sum_{y=x}^{\infty} \overline{M}_y = \int_x^{\infty} D_y \cdot \mu_y dy}$$

1) 종신보험

$$\overline{A}_x = \frac{\overline{M}_x}{D_x}$$

2) 정기보험

$$\overline{A}^1_{x:\overline{n}|} = \frac{\overline{M}_x - \overline{M}_{x+n}}{D_x}$$

3) 양로보험

$$\overline{A}_{x:\overline{n}|} = \overline{A}^1_{x:\overline{n}|} + {}_nE_x = \frac{\overline{M}_x - \overline{M}_{x+n}}{D_x} + \frac{D_{x+n}}{D_x}$$

4) 누가종신보험

$$(\overline{IA})_x = \frac{\overline{R}_x}{D_x}$$

5) 누가정기보험

$$(\overline{IA})^1_{x\,:\,\overline{n}|} = \frac{\overline{R}_x - \overline{R}_{x+n} - n\overline{M}_{x+n}}{D_x}$$

6) 이산 및 연속형 보험의 계산기수 관계식

$$\overline{A}_x \overset{\text{UDD}}{=} \frac{i}{\delta} A_x \Rightarrow \frac{\overline{M}_x}{D_x} = \frac{i}{\delta} \cdot \frac{M_x}{D_x} \Rightarrow \therefore \overline{M}_x \overset{\text{UDD}}{=} \frac{i}{\delta} \cdot M_x$$

따라서, 다음도 성립한다.

$$\overline{C}_x \overset{\text{UDD}}{=} \frac{i}{\delta} \cdot C_x, \ \overline{R}_x \overset{\text{UDD}}{=} \frac{i}{\delta} \cdot R_x$$

3. 기시급 생명연금의 계산기수

다음은 여러 종류의 기시급 생명연금의 보험수리적 현가(APV)에 대한 계산기수 표현이다.

1) 종신생명연금

$$\ddot{a}_x = \sum_{k=0}^{\infty} 1 \cdot v^k\,_kp_x = \sum_{k=0}^{\omega-x-1} 1 \cdot v^k \cdot \frac{l_{x+k}}{l_x}$$

$$\underset{v^x \text{곱하기}}{\overset{\text{분모} \cdot \text{분자}}{=}} \sum_{k=0}^{\omega-x-1} 1 \cdot v^k \cdot \frac{l_{x+k}}{l_x} = \sum_{k=0}^{\omega-x-1} \frac{v^{x+k} l_{x+k}}{v^x l_x}$$

$$= \sum_{k=0}^{\omega-x-1} \frac{D_{x+k}}{D_x} = \frac{D_x + D_{x+1} + \cdots D_{\omega-1}}{D_x} = \boxed{\frac{N_x}{D_x} = \ddot{a}_x}$$

2) 정기생명연금

$$\ddot{a}_{x:\overline{n|}} = \sum_{k=0}^{n-1} 1 \cdot v^k {}_kp_x = \sum_{k=0}^{n-1} 1 \cdot v^k \cdot \frac{l_{x+k}}{l_x}$$

$$\underset{v^x \text{곱하기}}{\overset{\text{분모·분자}}{=}} \sum_{k=0}^{n-1} 1 \cdot v^k \cdot \frac{l_{x+k}}{l_x} = \sum_{k=0}^{n-1} \frac{v^{x+k} l_{x+k}}{v^x l_x}$$

$$= \sum_{k=0}^{n-1} \frac{D_{x+k}}{D_x} = \frac{D_x + D_{x+1} + \cdots D_{x+n-1}}{D_x} = \boxed{\frac{N_x - N_{x+n}}{D_x} = \ddot{a}_{x:\overline{n|}}}$$

3) 거치종신생명연금

$$_{n|}\ddot{a}_x = \sum_{k=n}^{\infty} 1 \cdot v^k {}_kp_x = \sum_{k=n}^{\omega-x-1} 1 \cdot v^k {}_kp_x = \sum_{k=n}^{\omega-x-1} 1 \cdot v^k \cdot \frac{l_{x+k}}{l_x}$$

$$\underset{v^x \text{곱하기}}{\overset{\text{분모·분자}}{=}} \sum_{k=n}^{\omega-x-1} \frac{v^{x+k} l_{x+k}}{v^x l_x} = \sum_{k=n}^{\omega-x-1} \frac{D_{x+k}}{D_x} = \frac{D_x + D_{x+n+1} + \cdots D_{\omega-1}}{D_x}$$

$$= \boxed{\frac{N_{x+n}}{D_x} = {}_{n|}\ddot{a}_x}$$

or

$$_{n|}\ddot{a}_x = {}_nE_x \ddot{a}_{x+n} = \frac{D_{x+n}}{D_x} \sum_{k=0}^{\infty} 1 \cdot v^k {}_kp_{x+n}$$

$$= \frac{D_{x+n}}{D_x} \sum_{k=0}^{\omega-x-n-1} 1 \cdot v^k \cdot \frac{l_{x+n+k}}{l_{x+n}}$$

$$\underset{v^{x+n} \text{곱하기}}{\overset{\text{분모·분자}}{=}} \frac{D_{x+n}}{D_x} \sum_{k=0}^{\omega-x-n-1} \frac{v^{x+n+k} l_{x+n+k}}{v^{x+n} l_{x+n}} = \frac{D_{x+n}}{D_x} \sum_{k=0}^{\omega-x-n-1} \frac{D_{x+n+k}}{D_{x+n}}$$

$$= \frac{D_{x+n}}{D_x} \cdot \frac{D_{x+n} + D_{x+n+1} + \cdots D_{\omega-1}}{D_x + n}$$

$$= \frac{D_{x+n} + D_{x+n+1} + \cdots D_{\omega-1}}{D_x} = \boxed{\frac{N_{x+n}}{D_x} = {}_{n|}\ddot{a}_x}$$

4. 연속 생명연금의 계산기수

다음은 여러 종류의 연속 생명연금의 보험수리적 현가(APV)에 대한 계산 기수 표현이다.

1) 종신생명연금

$$\bar{a}_x = \frac{\overline{N}_x}{D_x}$$

2) 정기생명연금

$$\bar{a}_{x:\overline{n}|} = \frac{\overline{N}_x - \overline{N}_{x+n}}{D_x}$$

5. 기타 생명연금의 계산기수

기타 생명연금의 보험수리적 현가(APV)에 대한 계산기수 표현이다.

$$(I\ddot{a})_x = \sum_{k=0}^{\infty} (k+1)v^k {}_kp_x = \sum_{k=0}^{\omega-1} (k+1)v^k \cdot \frac{l_{x+k}}{l_x}$$

$$\underset{v^x \text{곱하기}}{\overset{\text{분모분자}}{=}} \sum_{k=0}^{\omega-1} (k+1)\frac{v^{x+k}l_{x+k}}{v^k l_x} = \sum_{k=0}^{\omega-1} (k+1)\frac{D_{x+k}}{D_x}$$

$$= \frac{D_x + 2D_{x+1} + 3D_{x+2} + \cdots}{D_x} = \frac{N_x + N_{x+1} + N_{x+2} + \cdots}{D_x}$$

$$= \boxed{\frac{S_x}{D_x} = (I\ddot{a})_x}$$

$$(I\bar{a})_{x:\overline{n}|} = \int_0^1 1 \cdot v^t {}_tp_x dt + \cdots + \int_{n-1}^n n \cdot v^t {}_tp_x dt$$

$$= \frac{\overline{D}_x + 2\overline{D}_{x+1} + \cdots + n\overline{D}_{x+n-1}}{D_x}$$

$$= \frac{\overline{N}_x + \overline{N}_{x+1} + \cdots + \overline{N}_{x+n-1} - n\overline{N}_{x+n}}{D_x}$$

$$= \frac{(\overline{S}_x - \overline{S}_{x+n}) - n\overline{N}_{x+n}}{D_x}$$

$$\ddot{s}_{x:\overline{n|}} = \frac{\ddot{s}_{x:\overline{n|}}}{{}_nE_x} = \frac{N_x - N_{x+n}}{D_x} \cdot \frac{D_x}{D_{x+n}} = \boxed{\frac{N_x - N_{x+n}}{D_{x+n}} = \ddot{s}_{x:\overline{n|}}}$$

$$\ddot{a}_x^{(m)} = \frac{1}{m}\left\{1 + v^{\frac{1}{m}}\,{}_{\frac{1}{m}}p_x + v^{\frac{2}{m}}\,{}_{\frac{2}{m}}p_x + \cdots + v^{\frac{m-1}{m}}\,{}_{\frac{m-1}{m}}p_x + v \cdot p_x + \cdots\right\}$$

$$= \frac{1}{m}\left\{1 + v^{\frac{1}{m}}\frac{l_{x+\frac{1}{m}}}{l_x} + v^{\frac{2}{m}}\frac{l_{x+\frac{2}{m}}}{l_x} + \cdots + v^{\frac{m-1}{m}}\frac{l_{x+\frac{m-1}{m}}}{l_x} + v \cdot \frac{l_{x+1}}{l_x} + \cdots\right\}$$

$$\overset{분모분자}{\underset{v^x 곱하기}{=}} \frac{1}{m}\left\{1 + \frac{v^{x+\frac{1}{m}}l_{x+\frac{1}{m}}}{v^x l_x} + \frac{v^{x+\frac{2}{m}}l_{x+\frac{2}{m}}}{v^x l_x} + \cdots\right.$$

$$\left. + \frac{v^{x+\frac{m-1}{m}}l_{x+\frac{m-1}{m}}}{v^x l_x} + \frac{v^{x+1}l_{x+1}}{v^x l_x} + \cdots\right\}$$

$$= \frac{1}{m}\left\{\frac{D_x + D_{x+\frac{1}{m}} + D_{x+\frac{2}{m}} + \cdots}{D_x}\right\} = \frac{1}{D_x}\left(\frac{1}{m}\sum_{h=0}^{\infty} D_{x+\frac{h}{m}}\right)$$

$$= \boxed{\frac{N_x^{(m)}}{D_x} = \ddot{a}_x^{(m)}}$$

6. 계산기수 사이의 관계식

$$\boxed{\begin{aligned} C_x &= v \cdot D_x - D_{x+1} \\ M_x &= v \cdot N_x - N_{x+1} \\ R_x &= v \cdot S_x - S_{x+1} \end{aligned}}$$

관계식 이용방법 예시

$$\begin{cases} M_x = v \cdot N_x - N_{x+1} \\ \div D \\ \dfrac{M_x}{D_x} = v \cdot \dfrac{N_x}{D_x} - \dfrac{N_{x+1}}{D_x} \end{cases}$$

$$A_x = v a_x - \ddot{a}_x = v\ddot{a}_x - (\ddot{a}_x - 1) = 1 - (1-v)\ddot{a}_x = 1 - d\ddot{a}_x$$

$$\therefore \ \ddot{a}_x = \frac{1 - A_x}{d}$$

제7회 경험생명표

남자		여자		남자		여자	
연령	생존자수	연령	생존자수	연령	생존자수	연령	생존자수
0	100000.000	0	100000.000	24	98814.084	24	98639.489
1	99633.000	1	99487.000	25	98767.642	25	98604.965
2	99448.679	2	99233.308	26	98719.246	26	98570.453
3	99332.324	3	99074.535	27	98668.899	27	98534.968
4	99268.751	4	98991.312	28	98616.604	28	98499.495
5	99240.956	5	98957.655	29	98563.351	29	98462.065
6	99231.032	6	98948.749	30	98510.127	30	98423.665
7	99225.078	7	98946.770	31	98456.932	31	98383.311
8	99217.140	8	98940.833	32	98401.796	32	98341.007
9	99206.226	9	98930.939	33	98344.723	33	98295.770
10	99195.314	10	98921.046	34	98282.766	34	98248.588
11	99184.402	11	98911.154	35	98214.950	35	98198.481
12	99172.500	12	98901.263	36	98140.307	36	98146.436
13	99159.607	13	98891.373	37	98058.851	37	98091.474
14	99143.742	14	98879.506	38	97968.636	38	98033.600
15	99124.905	15	98866.651	39	97870.668	39	97973.799
16	99102.106	16	98851.821	40	97764.968	40	97911.096
17	99075.348	17	98834.028	41	97650.582	41	97846.475
18	99045.626	18	98813.273	42	97527.543	42	97778.961
19	99012.941	19	98790.546	43	97394.905	43	97707.582
20	98977.296	20	98764.860	44	97251.735	44	97632.347
21	98939.685	21	98736.219	45	97098.077	45	97551.312
22	98900.109	22	98705.610	46	96932.039	46	97465.467
23	98858.571	23	98673.037	47	96751.746	47	97372.875

	남자		여자		남자		여자
연령	생존자수	연령	생존자수	연령	생존자수	연령	생존자수
48	96553.405	48	97274.528	81	56339.613	81	75939.354
49	96335.194	49	97168.499	82	52659.510	82	73134.913
50	96093.393	50	97055.784	83	48742.169	83	69987.918
51	95826.253	51	96935.435	84	44647.339	84	66522.116
52	95530.150	52	96806.510	85	40435.756	85	62761.621
53	95204.392	53	96670.013	86	36160.887	86	58720.400
54	94846.424	54	96525.975	87	31875.822	87	54410.323
55	94455.656	55	96373.464	88	27643.988	88	49859.988
56	94028.717	56	96211.556	89	23539.132	89	45119.799
57	93563.275	57	96038.376	90	19635.873	90	40252.275
58	93056.162	58	95852.061	91	16003.826	91	35326.604
59	92504.339	59	95648.855	92	12704.477	92	30420.445
60	91905.836	60	95425.993	93	9790.832	93	25631.354
61	91255.142	61	95180.748	94	7299.653	94	21069.486
62	90546.090	62	94908.531	95	5243.998	95	16840.629
63	89772.826	63	94606.722	96	3612.485	96	13035.489
64	88928.064	64	94270.868	97	2372.897	97	9724.866
65	88005.880	65	93897.556	98	1476.417	98	6955.030
66	86998.213	66	93480.650	99	863.571	99	4740.061
67	85894.205	67	93011.378	100	470.776	100	3057.671
68	84682.238	68	92480.283	101	236.998	101	1852.582
69	83352.727	69	91877.311	102	109.156	102	1045.412
70	81896.555	70	91193.744	103	45.551	103	544.241
71	80307.762	71	90422.245	104	17.031	104	258.466
72	78585.963	72	89558.712	105	5.625	105	110.455
73	76741.551	73	88606.703	106	1.611	106	41.790
74	74788.478	74	87574.435	107	0.390	107	13.735
75	72732.543	75	86461.364	108	0.077	108	3.832
76	70554.931	76	85246.582	109	0.013	109	0.885
77	68213.212	77	83886.899	110	0.002	110	0.164
78	65657.263	78	82326.603	111	0.000	111	0.024
79	62841.880	79	80510.478			112	0.003
80	59738.748	80	78392.247			113	0.000

표준정규분포표

Standard normal distribution table

아래의 표는 표준정규분포 $N(0,1)$을 따르는 확률변수 Z의 주어진 z값에 대한 누적분포 함수값 $P(Z < z) = \int_{-\infty}^{z} \frac{1}{\sqrt{2\pi}} e^{-\frac{x^2}{2}} dx$를 나타낸다.

z	0.00	0.01	0.02	0.03	0.04	0.05	0.06	0.07	0.08	0.09
0.0	0.5000	0.5040	0.5080	0.5120	0.5160	0.5199	0.5239	0.5279	0.5319	0.5359
0.1	0.5398	0.5438	0.5478	0.5517	0.5557	0.5596	0.5636	0.5675	0.5714	0.5753
0.2	0.5793	0.5832	0.5871	0.5910	0.5948	0.5987	0.6026	0.6064	0.6103	0.6141
0.3	0.6179	0.6217	0.6255	0.6293	0.6331	0.6368	0.6406	0.6443	0.6480	0.6517
0.4	0.6554	0.6591	0.6628	0.6664	0.6700	0.6736	0.6772	0.6808	0.6844	0.6879
0.5	0.6915	0.6950	0.6985	0.7019	0.7054	0.7088	0.7123	0.7157	0.7190	0.7224
0.6	0.7257	0.7291	0.7324	0.7357	0.7389	0.7422	0.7454	0.7486	0.7517	0.7549
0.7	0.7580	0.7611	0.7642	0.7673	0.7704	0.7734	0.7764	0.7794	0.7823	0.7852
0.8	0.7881	0.7910	0.7939	0.7967	0.7995	0.8023	0.8051	0.8078	0.8106	0.8133
0.9	0.8159	0.8186	0.8212	0.8238	0.8264	0.8289	0.8315	0.8340	0.8365	0.8389
1.0	0.8413	0.8438	0.8461	0.8485	0.8508	0.8531	0.8554	0.8577	0.8599	0.8621
1.1	0.8643	0.8665	0.8686	0.8708	0.8729	0.8749	0.8770	0.8790	0.8810	0.8830
1.2	0.8849	0.8869	0.8888	0.8907	0.8925	0.8944	0.8962	0.8980	0.8997	0.9015
1.3	0.9032	0.9049	0.9066	0.9082	0.9099	0.9115	0.9131	0.9147	0.9162	0.9177
1.4	0.9192	0.9207	0.9222	0.9236	0.9251	0.9265	0.9279	0.9292	0.9306	0.9319
1.5	0.9332	0.9345	0.9357	0.9370	0.9382	0.9394	0.9406	0.9418	0.9429	0.9441
1.6	0.9452	0.9463	0.9474	0.9484	0.9495	0.9505	0.9515	0.9525	0.9535	0.9545
1.7	0.9554	0.9564	0.9573	0.9582	0.9597	0.9599	0.9608	0.9616	0.9625	0.9633

z	0.00	0.01	0.02	0.03	0.04	0.05	0.06	0.07	0.08	0.09
1.8	0.9641	0.9649	0.9656	0.9664	0.9671	0.9678	0.9686	0.9693	0.9699	0.9706
1.9	0.9713	0.9719	0.9726	0.9732	0.9738	0.9744	0.9750	0.9756	0.9761	0.9767
2.0	0.9772	0.9778	0.9783	0.9788	0.9793	0.9798	0.9803	0.9808	0.9812	0.9817
2.1	0.9821	0.9826	0.9830	0.9834	0.9838	0.9842	0.9846	0.9850	0.9854	0.9857
2.2	0.9861	0.9864	0.9868	0.9871	0.9875	0.9878	0.9881	0.9884	0.9887	0.9890
2.3	0.9893	0.9896	0.9898	0.9901	0.9904	0.9906	0.9909	0.9911	0.9913	0.9916
2.4	0.9918	0.9920	0.9922	0.9925	0.9927	0.9929	0.9931	0.9932	0.9934	0.9936
2.5	0.9938	0.9940	0.9941	0.9943	0.9945	0.9946	0.9948	0.9949	0.9951	0.9952
2.6	0.9953	0.9955	0.9956	0.9957	0.9959	0.9960	0.9961	0.9962	0.9963	0.9964
2.7	0.9965	0.9966	0.9967	0.9968	0.9969	0.9970	0.9971	0.9972	0.9973	0.9974
2.8	0.9974	0.9975	0.9976	0.9977	0.9977	0.9978	0.9979	0.9979	0.9980	0.9981
2.9	0.9981	0.9982	0.9982	0.9983	0.9984	0.9984	0.9985	0.9985	0.9986	0.9986
3.0	0.9987	0.9987	0.9987	0.9988	0.9988	0.9989	0.9989	0.9989	0.9990	0.9990
3.1	0.9990	0.9991	0.9991	0.9991	0.9992	0.9992	0.9992	0.9992	0.9993	0.9993
3.2	0.9993	0.9993	0.9994	0.9994	0.9994	0.9994	0.9994	0.9995	0.9995	0.9995
3.3	0.9995	0.9995	0.9995	0.9996	0.9996	0.9996	0.9996	0.9996	0.9996	0.9997
3.4	0.9997	0.9997	0.9997	0.9997	0.9997	0.9997	0.9997	0.9997	0.9997	0.9998
3.5	0.9998	0.9998	0.9998	0.9998	0.9998	0.9998	0.9998	0.9998	0.9998	0.9998
3.6	0.9998	0.9998	0.9999	0.9999	0.9999	0.9999	0.9999	0.9999	0.9999	0.9999
3.7	0.9999	0.9999	0.9999	0.9999	0.9999	0.9999	0.9999	0.9999	0.9999	0.9999
3.8	0.9999	0.9999	0.9999	0.9999	0.9999	0.9999	0.9999	0.9999	0.9999	0.9999
3.9	1.0000	1.0000	1.0000	1.0000	1.0000	1.0000	1.0000	1.0000	1.0000	1.0000

표준정규분포의 주요 백분위 수

z	0.842	1.036	1.282	1.645	1.960	2.326	2.576
$\Pr(Z < z)$	0.800	0.850	0.900	0.950	0.975	0.990	0.995

Illustrative Life Table

1. 단생생명표(연이율 6%가정)

x	l_x	$1,000q_x$	$\ddot{a}_x$	$1,000A_x$	$1,000(^2A_x)$	$1,000{}_5E_x$	$1,000{}_{10}E_x$	$1,000{}_{20}E_x$
0	10,000,000	20.42	16.8010	49.00	25.92	728.54	541.95	299.89
5	9,749,503	0.98	17.0379	35,59	8.45	743.89	553.48	305.90
10	9,705,588	0.85	16.9119	42,72	9.37	744.04	553.34	305.24
15	9,663,731	0.91	16.7384	52.55	11.33	743.71	552.69	303.96
20	9,617,802	1.03	16.5133	65.28	14.30	743.16	551.64	301.93
21	9,607,896	1.06	16.4611	68.24	15.06	743.01	551.36	301.40
22	9,597,695	1.10	16.4051	71.35	15.87	742.86	551.06	300.82
23	9,587,169	1.13	16.3484	74.62	16.76	742.68	550.73	300.19
24	9,576,288	1.18	16.2878	78.05	17.71	742.49	550.36	299.49
25	9,565,017	1.22	16.2242	81.65	18.75	742.29	549.97	298.73
26	9,553,319	1.27	16.1574	85.43	19.87	742.06	549.53	297.90
27	9,541,153	1.33	16.0873	89.40	21.07	741.81	549.05	297.00
28	9,528,475	1.39	16.0139	93.56	22.38	741.54	548.53	296.01
29	9,515,235	1.46	15.9368	97.92	23.79	741.24	547.96	294.92
30	9,501,381	1.53	15.8561	102.48	25.31	740.91	547.33	293.74
31	9,486,854	1.61	15.7716	107.27	26.95	740.55	546.65	292.45
32	9,471,591	1.70	15.6831	112.28	28.72	740.16	545.90	291.04
33	9,455,522	1.79	15.5906	117.51	30.63	739.72	545.07	289.50
34	9,438,571	1.90	15.4938	122.99	32.68	739.25	544.17	287.82
35	9,420,657	2.01	15.3926	128.72	34.88	738.73	543.18	286.00
36	9,401,688	2.14	15.2870	134.70	37.26	738.16	542.11	284.00
37	9,381,566	2.28	15.1767	140.94	39.81	737.54	540.92	281.84
38	9,360,184	2.43	15.0616	147.46	42.55	736.86	539.63	279.48
39	9,337,427	2.60	14.9416	154.25	45.48	736.11	538.22	276.92
40	9,313,166	2.78	14.8166	161.32	48.63	735.29	536.67	274.14

x	l_x	$1,000q_x$	$\ddot{a}_x$	$1,000A_x$	$1,000(^2A_x)$	$1,000{}_5E_x$	$1,000{}_{10}E_x$	$1,000{}_{20}E_x$
41	9,287,264	2.98	14.6864	168.69	52.01	734.40	534.99	271.12
42	9,259,571	3.20	14.5510	176.36	55.62	733.42	533.14	267.85
43	9,229,925	3.44	14.4102	184.33	59.48	732.34	531.12	264.31
44	9,198,149	3.71	14.2639	192.61	63.61	731.17	528.92	260.48
45	9,164,051	4.00	14.1121	201.20	68.02	729.88	526.52	256.34
46	9,127,426	4.31	13.9545	210.12	72.72	728.47	523.89	251.88
47	9,088,049	4.66	13.7914	219.36	77.73	726.93	521.03	247.08
48	9,045,679	5.04	13.6224	228.92	83.06	725.24	517.91	241.93
49	9,000,057	5.46	13.4475	238.82	88.73	723.39	514.51	236.39
50	8,950,901	5.92	13.2668	249.05	94.76	721.37	510.81	230.47
51	8,897,913	6.42	13.0803	259.61	101.15	719.17	506.78	224.15
52	8,840,770	6.97	12.8879	270.50	107.92	716.76	502.40	217.42
53	8,779,128	7.58	12.6896	281.72	115.09	714.12	497.64	210.27
54	8,712,621	8.24	12.4856	293.27	122.67	711.24	492.47	202.70
55	8,640,861	8.96	12.2758	305.14	130.67	708.10	486.86	194.72
56	8,563,435	9.75	12.0604	317.33	139.11	704.67	480.79	186.32
57	8,479,908	10.62	11.8395	329.84	147.99	700.93	474.22	177.53
58	8,389,826	11.58	11.6133	342.65	157.33	696.85	467.12	168.37
59	8,292,713	12.62	11.3818	355.75	167.13	692.41	459.46	158.87
60	8,188,074	13.76	11.1454	369.13	177.41	687.56	451.20	149.06
61	8,075,403	15.01	10.9041	382.79	188.17	682.29	442.31	139.00
62	7,954,179	16.38	10.6584	396.70	199.41	676.56	432.77	128.75
63	7,823,879	17.88	10.4084	410.85	211.13	670.33	422.54	118.38
64	7,683,979	19.52	10.1544	425.22	223.34	663.56	411.61	107.97
65	7,533,964	21.32	9.8969	439.80	236.03	656.23	399.94	97.60
66	7,373,338	23.29	9.6362	454.56	249.20	648.27	387.53	87.37
67	7,201,635	25.44	9.3726	469.47	262.83	639.66	374.36	77.38
68	7,018,432	27.79	9.1066	484.53	276.92	630.35	360.44	67.74
69	6,823,367	30.37	8.8387	499.70	291.46	620.30	345.77	58.54
70	6,616,155	33.18	8.5693	514.95	306.42	609.46	330.37	49.88
71	6,396,609	36.26	8.2988	530.26	321.78	597.79	314.27	41.86
72	6,164,663	39.62	8.0278	545.60	337.54	585.25	297.51	34.53
73	5,920,394	43.30	7.7568	560.93	353.64	571.81	280.17	27.96
74	5,664,051	47.31	7.4864	576.24	370.08	557.43	262.31	22.19
75	5,396,081	51.69	7.2170	591.49	386.81	542.07	244.03	17.22
76	5,117,152	56.47	6.9493	606.65	403.80	525.71	225.46	13.04
77	4,828,182	61.68	6.6836	621.68	421.02	508.35	206.71	9.61
78	4,530,360	67.37	6.4207	636.56	438.42	489.97	187.94	6.88
79	4,225,163	73.56	6.1610	651.26	455.95	470.57	169.31	4.77
80	3,914,365	80.30	5.9050	665.75	473.59	450.19	151.00	3.19

x	l_x	$1,000q_x$	$\ddot{a}_x$	$1,000A_x$	$1,000(^2A_x)$	$1,000\,_5E_x$	$1,000\,_{10}E_x$	$1,000\,_{20}E_x$
81	3,600,038	87.64	5.6533	680.00	491.27	428.86	133.19	2.05
82	3,284,542	95.61	5.4063	693.98	508.96	406.62	116.06	1.27
83	2,970,496	104.28	5.1645	707.67	526.60	383.57	99.81	0.75
84	2,660,734	113.69	4.9282	721.04	544.15	359.79	84.59	0.42
85	2,358,246	123.89	4.6980	734.07	561.57	335.40	70.56	0.22
86	2,066,090	134.94	4.4742	746.74	578.80	310.56	57.83	0.11
87	1,787,299	146.89	4.2577	759.03	595.79	285.44	46.50	0.05
88	1,524,758	159.81	4.0470	770.92	612.51	260.21	36.61	0.02
89	1,281,083	173.75	3.8442	782.41	628.92	235.11	28.17	0.01
90	1,058,491	188.77	3.6488	793.46	644.96	210.36	21.13	0.00
91	858,676	204.93	3.4611	804.09	660.61	186.21	15.41	0.00
92	682,707	222.27	3.2812	814.27	675.83	162.90	10.91	0.00
93	530,959	240.86	3.1091	824.01	690.59	140.69	7.47	0.00
94	403,072	260.73	2.9450	833.30	704.86	119.79	4.93	0.00
95	297,981	281.91	2.7888	842.14	718.61	100.43	3.13	0.00
96	213,977	304.45	2.6406	850.53	731.83	82.78	1.90	0.00
97	148,832	328.34	2.5002	858.48	744.50	66.97	1.10	0.00
98	99,965	353.60	2.3676	865.99	756.60	53.09	0.60	0.00
99	64,617	380.20	2.2426	873.06	768.13	41.14	0.31	0.00
100	40,049	480.12	2.1252	879.70	779.08	31.12	0.15	0.00
101	23,705	437.82	2.0152	885.93	789.44	22.91	0.07	0.00
102	13,339	467.61	1.9123	891.76	799.21	16.37	0.03	0.00
103	7,101	498.99	1.8164	897.19	808.41	11.33	0.01	0.00
104	3,558	531.28	1.7273	902.23	817.02	7.56	0.00	0.00
105	1,668	564.29	1.6447	906.90	825.06	4.86	0.00	0.00
106	727	597.83	1.5685	911.22	832.53	2.99	0.00	0.00
107	292	631.64	1.4984	915.19	839.46	1.76	0.00	0.00
108	108	665.45	1.4341	918.82	845.84	0.98	0.00	0.00
109	36	698.97	1.3755	922.14	851.69	0.52	0.00	0.00
110	11	731.87	1.3223	925.15	857.04	0.26	0.00	0.00

2. 특정연령의 결합생존상태의 종신보험과 종신연금에 대한 APV
(1. 단생생명표와 연이율 6% 적용)

x	$\ddot{a}_{xx}$	$1{,}000A_{xx}$	$1000(^2A_{xx})$	$\ddot{a}_{x:x+10}$	$1{,}000\overset{\circ}{A}_{x:x+10}$	$1{,}000(^2\overset{\circ}{A}_{x:x+10})$
0	16.1345	86.73	50.89	16.2844	78.24	34.71
5	16.6432	57.93	16.51	16.4093	71.17	19.17
10	16.4660	67.96	18.13	16.1541	85.62	22.70
15	16.2187	81.96	21.67	15.8187	104.60	28.49
20	15.9005	99.97	27.00	15.3934	128.67	37.00
21	15.8272	104.12	28.33	15.2962	134.18	39.11
22	15.7502	108.48	29.77	15.1945	139.94	41.39
23	15.6696	113.04	31.33	15.0883	145.95	43.83
24	15.5851	117.82	33.01	14.9774	152.22	46.46
25	15.4967	122.83	34.82	14.8617	158.77	49.28
26	15.4041	128.07	36.77	14.7411	165.60	52.31
27	15.3073	133.55	38.87	14.6154	172.71	55.56
28	15.2062	139.27	41.12	14.4845	180.12	59.03
29	15.1005	145.26	43.55	14.3484	187.83	62.75
30	14.9901	151.50	46.16	14.2068	195.84	66.72
31	14.8750	158.02	48.96	14.0598	204.16	70.97
32	14.7549	164.82	51.96	13.9071	212.80	75.50
33	14.6298	171.90	55.18	13.7488	221.76	80.34
34	14.4995	179.27	58.63	13.5848	231.05	85.48
35	14.3640	186.94	62.32	13.4150	240.66	90.96
36	14.2230	194.92	66.26	13.2393	250.60	96.78
37	14.0766	203.21	70.48	13.0579	260.88	102.96
38	13.9246	211.81	74.98	12.8705	271.48	109.52
39	13.7670	220.74	79.77	12.6774	282.41	116.46
40	13.6036	229.99	84.89	12.4784	292.68	123.80
41	13.4344	239.56	90.32	12.2737	305.26	131.56
42	13.2594	249.47	96.11	12.0633	317.17	139.75
43	13.0786	259.70	102.25	11.8474	329.39	148.38
44	12.8919	270.27	108.76	11.6260	341.92	157.46
45	12.6994	281.16	115.66	11.3994	354.75	166.99

x	$\ddot{a}_{xx}$	$1{,}000A_{xx}$	$1000(^{2}A_{xx})$	$\ddot{a}_{x:x+10}$	$1{,}000A_{x:x+10}$	$1{.}000(^{2}A_{x:x+10})$
46	12.5011	292.39	122.95	11.1677	367.87	177.00
47	12.2971	303.94	130.67	10.9310	381.26	187.48
48	12.0873	315.81	138.80	10.6898	394.92	198.44
49	11.8720	328.00	147.38	10.4441	408.82	209.88
50	11.6513	340.49	156.41	10.1944	422.96	221.81
51	11.4252	353.29	165.89	9.9409	437.31	234.22
52	11.1941	366.37	175.85	9.6840	451.85	247.10
53	10.9580	379.74	186.28	9.4240	466.57	260.46
54	10.7172	393.37	197.18	9.1614	481.43	274.27
55	10.4720	407.24	208.57	8.8966	496.42	288.54
56	10.2227	421.35	220.44	8.6301	511.50	303.24
57	9.9696	435.68	232.79	8.3623	526.66	318.35
58	9.7131	450.20	245.62	8.0938	541.86	333.85
59	9.4535	464.90	258.93	7.8249	557.08	349.73
60	9.1911	479.75	272.69	7.5563	572.28	365.94
61	8.9266	494.72	286.91	7.2885	587.44	382.46
62	8.6602	509.80	301.56	7.0221	602.53	399.26
63	8.3926	524.95	316.62	6.7574	617.50	416.30
64	8.1241	540.15	332.09	6.4952	632.34	433.53
65	7.8552	555.36	347.92	6.2360	647.02	450.93
66	7.5866	570.57	364.09	5.9802	661.50	468.44
67	7.3187	585.74	380.58	5.7283	675.76	486.02
68	7.0520	600.83	397.35	5.4809	689.76	503.62
69	6.7872	615.82	414.36	5.2385	703.48	521.21
70	6.5247	630.68	431.58	5.0014	716.90	538.72
71	6.2650	645.37	448.96	4.7701	730.00	556.11
72	6.0088	659.88	466.46	4.5450	742.74	573.34
73	5.7565	674.16	484.03	4.3263	755.11	590.36
74	5.5086	688.19	501.64	4.1146	767.10	607.12
75	5.2655	701.95	519.23	3.9099	778.69	623.59
76	5.0278	715.41	536.75	3.7125	789.86	639.71
77	4.7959	728.54	554.16	3.5227	800.60	655.46

x	$\ddot{a}_{xx}$	$1{,}000A_{xx}$	$1000(^2A_{xx})$	$\ddot{a}_{x:x+10}$	$1{,}000A_{x:x+10}$	$1{,}000(^2A_{x:x+10})$
78	4.5700	741.32	571.41	3.3406	810.91	670.79
79	4.3507	753.74	588.45	3.1663	820.78	685.67
80	4.1381	765.77	605.25	2.9998	830.20	700.08
81	3.9326	777.40	621.75	2.8412	839.18	713.99
82	3.7344	788.62	637.91	2.6905	847.71	727.37
83	3.5438	799.41	653.70	2.5476	855.80	740.21
84	3.3607	809.77	669.08	2.4125	863.44	752.49
85	3.1855	819.69	684.02	2.2851	870.66	764.20
86	3.0181	829.16	698.48	2.1652	877.44	775.34
87	2.8587	838.19	712.45	2.0527	883.81	785.89
88	2.7071	846.77	725.89	1.9475	889.77	795.86
89	2.5633	854.91	738.79	1.8493	895.33	805.25
90	2.4274	862.60	751.14	1.7579	900.50	814.05
91	2.2991	869.86	762.91	1.6731	905.30	822.29
92	2.1784	876.70	774.11	1.5947	909.73	829.96
93	2.0651	883.11	784.73	1.5225	913.82	837.07
94	1.9590	889.11	794.77	1.4563	917.57	843.64
95	1.8600	894.72	804.22	1.3957	921.00	849.67
96	1.7678	899.93	813.09	1.3407	924.11	855.20
97	1.6823	904.77	821.39	1.2908	926.93	860.21
98	1.6032	909.25	829.12	1.2460	929.47	864.75
99	1.5304	913.38	836.29	1.2060	931.73	868.81
100	1.4634	917.16	842.92	1.1706	933.74	872.43
101	1.4023	920.63	849.02	1.1395	935.50	875.61
102	1.3466	923.78	854.60	1.1124	937.03	878.39
103	1.2962	926.63	859.67	1.0892	938.35	880.78
104	1.2509	929.20	864.26	1.0695	939.46	882.81
105	1.2103	931.49	868.38	1.0531	940.39	884.50
106	1.1744	933.53	872.04	1.0397	941.15	885.89
107	1.1428	935.32	875.27	1.0289	941.76	887.00
108	1.1153	936.87	878.10	1.0205	942.24	887.87
109	1.0916	938.21	880.53	1.0141	942.60	888.54
110	1.0715	939.35	882.60	1.0093	942.87	889.03

3. 명목이자율과 연금의 APV 계산에 필요한 함수(연이율 6%가정)

m	$i^{(m)}$	$d^{(m)}$	$i/i^{(m)}$	$d/d^{(m)}$	$\alpha(m)$	$\beta(m)$
1	0.06000	0.05660	1.00000	1.00000	1.00000	0.00000
2	0.05913	0.05743	1.01478	0.98564	1.00021	0.25739
4	0.05870	0.05785	1.02223	0.97852	1.00027	0.38424
12	0.05841	0.05813	1.02721	0.97378	1.00028	0.46812
∞	0.05827	0.05827	1.02971	0.97142	1.00028	0.50985

$$\alpha(m) = \frac{id}{i^{(m)}d^{(m)}}, \ \beta(m) = \frac{i - i^{(m)}}{i^{(m)}d^{(m)}}$$

[저자약력]

이 항 석

서울대학교 수학과 학사
서울대학교 통계학과 석사
미국 University of Iowa 보험계리학 석사
미국 University of Iowa 보험계리학전공 박사
현 성균관대학교 보험계리학과/수학과 교수
  한국보험학회 이사 및 편집위원장, 한국리스크관리학회 이사,
  연금학회 이사, 보험계리사회 계리학연구위원장

권 혁 성

고려대학교 사범대학 수학교육과 학사
캐나다 University of Western Ontario 통계학(보험수리학) 석사
캐나다 University of Western Ontario 통계학(보험수리학) 박사
삼성화재 장기상품파트 근무
캐나다 Simon Fraser University-Visiting Associate Professor
현 숭실대학교 자연과학대학 정보통계·보험수리학과 교수
  북미계리사협회(Society of Actuaries) 준회원(ASA)

보험수리학 [제3판]

2014년 3월 5일   초판 발행
2018년 2월 25일   제2판 발행
2021년 9월 10일   제3판 1쇄발행

저 자 이 항 석 · 권 혁 성
발행인 배   효   선

발행처 도서   法 文 社
        출판

주 소   10881 경기도 파주시 회동길 37-29
등 록   1957년 12월 12일/제2-76호(윤)
전 화   (031)955-6500~6 FAX (031)955-6525
E-mail (영업) bms@bobmunsa.co.kr
        (편집) edit66@bobmunsa.co.kr
홈페이지 http://www.bobmunsa.co.kr

조 판 (주) 성 지 이 디 피

정가 49,000원(본책+별책)   ISBN 978-89-18-91226-4